THE NINETEENTH EDITION

The special features of the new edition are:

I. **The art of translation through structures**—A structural approach to translation has been adopted for the first time in the field of translation. The structures selected here fulfil the requirements of all those preparing for Board or University examinations. You can now learn the art of translation as easily as you knit a sweater on the basis of given patterns.

II. **The art of speaking good English**—The structures are related to real life, and not confined to class-room or examination hall situations. So, the book enables you to express your thoughts and feelings effectively, fluently and effortlessly. The art of conversation, too, will now be a simple affair for you because plenty of ready-made material has been provided.

III. **A unique guide to usage**—New and easy guides enable you to avoid memory-work and blunders.

IV. **Objective tests**—Objective tests have been provided to enable you to have a firm grasp of the basic principles of the language.

RPS

THE TWENTY-SECOND EDITION

The edition is an improvement upon the last one. Some additions/alterations made in the old chapters, to make the book even more useful, have been comprehensive and in tune with present day needs.

RPS

HOW TO TRANSLATE INTO ENGLISH

[INCORPORATING SPOKEN ENGLISH]

by

Prof. Rajendra Prasad Sinha

Principal, College of Commerce, Patna (Rtd.)

Principal, A. N. College, Patna (Rtd.)

Chairman, Bihar College Service Commission, Patna (Rtd.)

Revised 22nd edition

Published by

BHARATI BHAWAN (Publishers & Distributors)

4271/3 Ansari Road, Daryaganj, NEW DELHI 110 002, Phone: 23286557
Thakurbari Road, PATNA 800 003, Phone: 2670325
10 Raja Subodh Mallick Square, KOLKATA 700 013, Phone: 22250651
Shankara Building, 36 Avenue Road, BANGALORE 560 002, Phone: 22212783
20 Jail Road (East), Tharpakhna, RANCHI 834 001, Phone: 2208613

Twenty-second edition 1992
2011 print

Every genuine copy of the book has a hologram sticker that is different from ordinary stickers.

1. By moving the book you can see motion in the elements in the upper part of the hologram.
2. There are microscopic letters in the balls in the upper part of the hologram.
3. The lower part has round mirrors in which you can see your reflection.
4. Each hologram has its own number.

How to Translate into English
Printed at B B Printers, Patna-800 006

CONTENTS

1. **कर्ता के रूप** ... 1–12

संज्ञा/सर्वनाम + ने, संज्ञा/सर्वनाम + के, संज्ञा/सर्वनाम + को, संज्ञा/विभक्ति + संज्ञा, धातु + ना, शब्दसमूह + यह, उपवाक्य + यह, जो + संज्ञा + वह/वे।

2. **क्रिया के रूप : काल** ... 13–31

धातु + ता है/ती है/ते हैं, धातु + रहा है/रही है/रहे हैं, धातु + आ है/ई है/ए हैं, धातु + ता रहा है/रही है/रहे हैं, धातु + आ/ई/ए, धातु + रहा था/रही थी/रहे थे, धातु + आ था/ई थी/ए थे, धातु + ता रहा था/ती रही थी/ ते रहे थे, धातु + एगा/एगी/एँगे, धातु + ता रहेगा/ती रहेगी/ते रहेंगे, धातु + चुकेगा/चुकेगी/चुकेंगे।

3. **क्रिया के रूप : वाच्य** ... 32–47

धातु + आ जाता है/ई जाती है/ए जाते हैं, धातु + आ जा रहा है/रही है/रहे हैं, धातु + आ गया है/ई गयी है/ए गए हैं, धातु + आ गया/ई गई/ए गए, धातु + आ जा रहा था/आ जा रही थी/ए जा रहे थे, धातु + आ जायगा/जायगी/ए जाएँगे, धातु + आ जा चुका रहेगा/रहेगी/रहेंगे, धातु + आ जाने को है/ई जाने को है/ए जाने को हैं, धातु + आ जाने को था/ई जाने को थी/ए जाने को थे, धातु + आ जाना है/आ जाना पड़ा है, धातु + आ पड़ा था/ई पड़ी थी/ए पड़े थे, धातु + आ जाना पड़ेगा/पड़ेगी/पड़ेंगे, धातु + आ जा सकता है/सकती है/सकते हैं, धातु + आ जा सकता था/ई जा सकती थी/ए जा सकते थे, धातु + आ जाना चाहिए/धातु + आ जाए/ए जाएँ, आ जाना चाहिए था।

4. **क्रिया के रूप : प्रेरणार्थक** ... 48–53

धातु + आ, धातु + आ जाता है/ई जाती है/ए जाते हैं, धातु + आ गया/ई गयी/ए गये, धातु + आ जाएगा/ई जाएगी/ए जाएँगे, धातु + वाना, धातु + वा सकता है/सकती है/सकते हैं, धातु + वा सका/सकी/सके, धातु + वा सकता था/सकती थी/सकते थे, धातु + वाना + चाहिए।

5. **नामकरण-सूचक वाक्य** ... 54–57

पहचान/परिचय-सूचक वाक्य

यह/वह/ये/वे + संज्ञा + है/हैं।

6. पेशा/व्यवसाय-सूचक वाक्य ... 58–61
पद/जाति/धर्म/राष्ट्रीयता-सूचक वाक्य
कर्त्ता + संज्ञा + है/हैं।

7. रूप-रंग/आकार-सूचक वाक्य ... 62–71
गुण-दो-सूचक वाक्य
निहित/आवश्यक गुण-सूचक वाक्य
उम्र-सूचक वाक्य
संज्ञा + विशेषण, विशेषण + संज्ञा, विशेषण + संज्ञा + होता है/लगता है/रहता है, संज्ञा + के + संज्ञा + होता है/होती है/होते हैं, उम्र/आयु + साल/वर्ष, साल/वर्ष + का है/की है/के हैं, साल/वर्ष + का हो रहा है/की हो रही है/के हो रहे हैं, विशेषण + से + विशेषण।

8. समय/ऋतु//मौसम-सूचक वाक्य ... 72–76

9. स्थिति/अस्तित्व-सूचक वाक्य ... 77–80
स्थान-सूचक वाक्य
संज्ञा + में/पर/पास/पीछे, संज्ञा + नीचे/ऊपर/सामने।

10. समय-सूचक वाक्य ... 81–90
समय-सूचक अव्यय, समय-सूचक विभक्ति, समय-सूचक शब्द + से, जबसे....तबसे, धातु + ए हुए, धातु + कर/पर।

11. शक्ति/अशक्ति-सूचक वाक्य ... 91–95
धातु + सकना/पाना, संज्ञा/विशेषण + हो सकना/वन सकना, धातु + आ नहीं जाता।

12. अधिकार-सूचक वाक्य ... 96–105
सम्बन्ध-सूचक वाक्य
पारस्परिक सम्बन्ध-सूचक वाक्य
संज्ञा/सर्वनाम + के/रे + संज्ञा, संज्ञा/सर्वनाम + के पास + संज्ञा, संज्ञा/सर्वनाम + के + संज्ञा नहीं है/हैं, क्या + संज्ञा/सर्वनाम + के + संज्ञा, सार्वनामिक विशेषण + संज्ञा, सार्वनामिक विशेषण + अपना + संज्ञा, संज्ञा + का/की/के + संज्ञा।

13. आज्ञा/आदेश-सूचक वाक्य ... 106–114
धातु + ओ/ओ तो, धातु + ना/ना तो, अवश्य + धातु + ओ/ना, धातु + ओ/ए/एँ, संज्ञा + हो/हों, प्रधान उपवाक्य + कि + आज्ञा-सूचक वाक्य, न/नहीं/मत + धातु + ओ।

14. **निवेदन/निमंत्रण-सूचक वाक्य** ... 115–120
धातु + एँ + इए/इएगा, अवश्य + धातु + ए/इए/इएगा, धातु + ने + की कृपा/का कष्ट करेंगे/करेंगी/कीजिए।

15. **परामर्श-सूचक वाक्य** ... 121–131
प्रस्ताव-सूचक वाक्य
धातु + एँ/इए/ओ, अवश्य + धातु + ओ/इए/एँ, धातु + ना/नी/ने + चाहिए, धातु + ना + अच्छा/उचित होगा, क्यों + क्रिया [लुप्त], क्यों + क्रिया, हमलोग + धातु + एँ, धातु + ना + कैसा रहेगा? परामर्श-सूचक वाक्य, कि + क्या/कौन/कहाँ/कैसे, यह + धातु + ने + का + समय/तरीका, धातु + ना + बेकार/व्यर्थ है।

16. **अनुमति-सूचक वाक्य** ... 132–136
धातु + सकना, धातु + ऊँ, धातु + ने + की अनुमति।

17. **संभावना-सूचक वाक्य** ... 137–146
संदेह/अनुमान-सूचक वाक्य
धातु + सकता है/सकती है/सकते हैं, शायद/संभव/हो सकता है, जरूर/अवश्य + धातु + सकना, जरूर/अवश्य + होना, धातु + आ होगा/ई होगी/ए होंगे, धातु + आ होता/ई होती/ए होते, धातु + होगा/होगी/होंगे।

18. **कर्तव्य/बाध्यता/अनिवार्यता-सूचक वाक्य** ... 147–157
आवश्यकता-सूचक वाक्य
धातु + ना/नी/ने + होना/पड़ना, धातु + ना/नी/ने + पड़ना + सकना, नहीं + धातु + ना/नी/ने + होना/पड़ना, को + धातु + ना है/नी है/ने हैं, धातु + ना/नी/ने + चाहिए, जरूर/अवश्य + धातु + ना/नी/ने + चाहिए, धातु + ना + चाहिए था, कर्म + चाहिए।

19. **योजना/कार्यक्रम-सूचक वाक्य** ... 158–161
धातु + एगा/एगी/एँगे, धातु + रहा है/रही है/रहे हैं, धातु + ने + को है/को हैं, धातु + ने + को था/को थी/को थे।

20. **इरादा/संकल्प-सूचक वाक्य** ... 162–165
धातु + ने + जा रहा हूँ/जा रहा है/जा रही है/जा रहे हैं, इरादा + धातु + ने + का है।

21. **लक्ष्य/उद्देश्य-सूचक वाक्य** ... 166–176
धातु + ने + के लिए, धातु + ने + को, धातु + ने/धातु + ने को/धातु + ने के लिए, प्रधान उपवाक्य + कि/जिससे कि + उपवाक्य।

22. आदत/पुनरावृत्ति-सूचक वाक्य ... 177–184
चिरन्तन सत्य-सूचक वाक्य
धातु + ता हूँ/ता है/ती है/ते हैं, धातु + आ करता हूँ/आ करता है/आ करती है/आ करते हैं, आदी/अभ्यस्त + धातु + होना, धातु + ता था/ती थी/ते थे, धातु + आ + करता था/करती थी/करते थे।

23. इच्छा/अभिलाषा-सूचक वाक्य ... 185–193
धातु + हो/हों/ए/एँ, का/की/के + संज्ञा + कामना करना, के लिए + संज्ञा + कामना करना, प्रधान उपवाक्य + कि + उपवाक्य, यदि/अगर + धातु + ऊँ/ए/एँ, यदि/अगर + धातु + पाता/होता।

24. साधन-सूचक वाक्य ... 194–199
संज्ञा + से/के बिना/बगैर, के द्वारा + धातु + जाना, संचार-साधन + से, धातु + कर [साधन]।

25. कारण-सूचक वाक्य ... 200–216
परिणाम-सूचक वाक्य
का/की/के + कारण/वजह, प्रधान उपवाक्य + कि + उपवाक्य, धातु + कर + विशेषण, प्रधान उपवाक्य + चूँकि/क्योंकि + उपवाक्य, चूँकि + उपवाक्य + इसलिए + उपवाक्य, के कारण/के चलते/की वजह से/देखते हुए, कुछ तो + और + कुछ, संज्ञा + से।

26. शर्त/संकेत-सूचक वाक्य ... 217–231
कल्पना-सूचक वाक्य
यदि/अगर + उपवाक्य + तो + उपवाक्य, यदि/अगर/जब तक + नहीं, उपवाक्य [चाहे/या/या न] + उपवाक्य, आज्ञा-सूचक वाक्य + और + वाक्य, प्रश्नवाचक वाक्य + तो + आज्ञासूचक वाक्य, मान लो/मान लीजिए।

27. विपरीतता-सूचक वाक्य ... 232–240
यद्यपि...तथापि, भले ही/क्यों न, कितना भी/कितना ही, चाहे कितना भी/चाहे कितना ही, कुछ भी/चहो कुछ भी, के रहते हुए भी/के बावजूद, जहाँ...वहाँ।

28. रीति/विधि-सूचक वाक्य ... 241–253
दर/कीमत-सूचक वाक्य
माप/तौल-सूचक वाक्य
दूरी/गति-सूचक वाक्य
धातु + ना + सकर्मक क्रिया, धातु + ते/ते हुए, धातु + कर,

धातु + ते + धातु + ते, धातु + ते हुए + धातु ते हुए, संज्ञा + से/पूर्वक, के हिसाब से/की दर से/वैसा ही...जैसा, उपवाक्य + मानी/जैसे + उपवाक्य।

29. प्रश्न/जिज्ञासा/अनुमान-सूचक वाक्य ... 254–271

क्या + वाक्य, वाक्य + क्या, वाक्य + क्या [कम], कैसा/कैसी/कैसे, कितना/कितनी/कितने, कितना/कितनी/कितने + विशेषण, कब/कैसे/कहाँ/कहाँ से/और कहाँ, क्यों/और क्या/किससे/किसको/कौन/और कौन, न/तो/नहीं...न/तो, उपवाक्य + कि + उपवाक्य।

30. तुलना-सूचक वाक्य ... 272–301

उतना...जितना, उतना नहीं...जितना, संज्ञा + सा/सी/से, विशेषण + सा/सी/से, वहीं...जो, जिस प्रकार...उसी प्रकार, जैसे...वैसे ही, से/से अधिक/की अपेक्षा/की तुलना में, से कम/की अपेक्षा कम, से + गुना कम/अधिक, सबसे/सबमें, सबसे + विशेषण...+ उनमें से एक, जितने...+ उनमें सबसे + विशेषण, की तुलना में, ज्यों-ज्यों...त्यों-त्यों, जैसे-जैसे... वैसे-वैसे, धातु + होना + जाना।

31. पसन्द/नापसन्द/सूचक वाक्य ... 302–308

पसन्द करना/अच्छा लगना/शौक होना, पसन्द के योग्य/पसन्द के लायक/मन के लायक, अधिक पसन्द + करना, धातु + ने + से + अधिक पसन्द करना।

32. अवस्था-सूचक वाक्य ... 309–314

संज्ञा/विशेषण + धातु + होना/हो जाना, धातु + ते हुए, कर्म + विशेषण, धातु + रहा है/रही है/रहे हैं, में/पर/नीचे/ऊपर/निकट।

33. जोरदार कथन-सूचक वाक्य ... 315–340

ही/ही तो/तो, प्रधान क्रिया + सहायक क्रिया [रहना/जाना/लगना], प्रधान क्रिया + ही, धातु + ने + को/धातु + ने + ही + को, धातु + ने + ही + पर, संज्ञा + ही + संज्ञा, उपवाक्य [क्रिया + ही] + कि + उपवाक्य, संज्ञा/सर्वनाम/क्रिया + भी, संज्ञा + भी/भी नहीं, न केवल...वरन/बल्कि, संज्ञा + का + संज्ञा, संज्ञा + पर + संज्ञा, संज्ञा + का/की/के + संज्ञा, संज्ञा + तो/का क्या कहना/को कौन कहे/तो दूर रहा, क्या...क्या, कभी...कभी, कर्ता + स्वयं/खुद/आप ही।

34. सुख/दुःख-सूचक वाक्य ... 341–348

आश्चर्य-सूचक वाक्य

घृणा/नापसन्द/सूचक वाक्य

कैसा/कितना + विशेषण, कैसा + संज्ञा, कैसा/कितना +

विशेषण + क्रिया, कितना + क्रियाविशेषण, संज्ञा/विशेषण + और + संज्ञा/विशेषण, क्रियार्थक संज्ञा [धातु + ना] + अन्य शब्द।

35. क्रोध-सूचक वाक्य ... 349–351
व्यंग्य-सूचक वाक्य
ऊब/थकान-सूचक वाक्य
प्रेम/प्यार-सूचक वाक्य

36. बधाई/शुभकामना-सूचक वाक्य ... 352–353
धन्यवाद-सूचक वाक्य

37. सहमति-सूचक वाक्य ... 354–358
असहमति-सूचक वाक्य

38. परिचय-सूचक वाक्यों का अनुवाद ... 359–361
शिष्टाचार-सूचक वाक्यों का अनुवाद
स्वागत-सूचक वाक्यों का अनुवाद

39. धन्यवाद-सूचक वाक्यों का अनुवाद ... 362–363
आभार-सूचक वाक्यों का अनुवाद
क्षमा-सूचक वाक्यों का अनुवाद

40. संवेदना-सूचक वाक्यों का अनुवाद ... 364
सांत्वना-सूचक वाक्यों का अनुवाद
प्रोत्साहन-सूचक वाक्यों का अनुवाद

41. कुछ अभिव्यक्तियों का अनुवाद ... 365–366

42. कुछ संज्ञाओं का अनुवाद ... 367–370
बात/लाभ/मिट्टी/रुपया-पैसा/जगह, पानी/काम/नाम।

43. कुछ सर्वनामों का अनुवाद ... 371–372
वह/वे/आप/अपना/दोनों/जो।

44. कुछ विशेषणों का अनुवाद ... 373–379
मात्रा/माप-सूचक शब्द, मात्रा/माप-सूचक शब्द + भर, विशेषण + विशेषण, संख्यावाचक विशेषण + संज्ञा, धातु + ता/ती/ते, धातु + ता हुआ/ती हुई/ते हुए, धातु + आ हुआ/ई हुई/ए हुए, मीठा/छोटा/मोटा/कम/कड़ा/पतला, बड़ा/ऊँचा/बहुत/पक्का/कच्चा।

45. कुछ क्रियाओं का अनुवाद ... 380–393
काटना/लगना/लगाना/चलना/देखना, देना/करना/कहना/होना/मानना/लेना/मिलना/मिलाना/छोड़ना/स्वीकार करना/खाना/भरना/सुनना/पीना/उठना/आना/खोलना/रखना।

46. **कुछ विभक्तियों का अनुवाद** ... 394–403
को/का/की/के/पर/में/से।

47. **कुछ अव्ययों का अनुवाद** ... 404–417
एक बार/पहली बार/एक-एक कर/बारी-बारी से/के बिना/यों ही/यों भी/अब तक/अभी तक/अभी भी/या नहीं/कि नहीं/यहाँ तक कि/शायद ही/तो/नहीं तो/कहीं ऐसा न हो कि/बल्कि/कहीं का/तब कहीं/कभी/कभी भी/कभी भी नहीं/कभी-कभी/कभी-न-कभी/कहीं-न-कहीं/जैसा/जैसा कि/वैसा ही...जैसा/जहाँ तक/जैसे-तैसे/एक ओर...दूसरी ओर/कि।

48. **कुछ यौगिक शब्दों का अनुवाद** ... 418–419

49. **कुछ बातचीतों का अनुवाद** ... 420–448
नौकर से बातचीत, बच्चों से बातचीत, पत्नी से बातचीत, एक मेहमान से बातचीत, टैक्सी-चालक से बातचीत, टेलीफोन पर बातचीत, टेलीफोन पर बातचीत, टेलीफोन पर बातचीत, टेलीफोन पर बातचीत, टेलीफोन पर बातचीत, टेलीफोन पर बातचीत, टेलीफोन पर बातचीत, टेलीफोन पर बातचीत, टेलीफोन पर बातचीत, दोस्त पर बातचीत, केश-प्रसाधक से बातचीत, दूकानदार से बातचीत, दूकानदार से बातचीत, पति-पत्नी के बीच बातचीत, दूकानदार से बातचीत, दर्जी से बातचीत, एक महिला से बातचीत, दो नागरिकों के बीच बातचीत, एक बच्ची से बातचीत, अतिथियों की बातचीत, दो दोस्तों के बीच बातचीत, पुलिस इंस्पेक्टर से बातचीत, रेलवे इनक्वाइरी से बातचीत, पति-पत्नी की बातचीत, एक झगड़ा, सड़क पर बातचीत, बस-पड़ाव, पर बातचीत, रेलवे प्लेटफॉर्म पर बातचीत, अस्पताल में बातचीत, एक बातचीत, एक इंटरव्यू, एक इंटरव्यू, एक इंटरव्यू।

50. **कुछ मुहावरों का अनुवाद** ... 449–458

51. **कुछ कहावतों/लोकोक्तियों का अनुवाद** ... 459–464

52. **EXERCISE** ... 465–499

□□□

1. कर्ता के रूप

अनुवाद करते समय सबसे पहले वाक्य के कर्ता (subject) को पहचानें। कर्ता भिन्न-भिन्न प्रकार का होता है और यह कई रूपों (forms) में हमारे सामने आता है। यहाँ इसके रूपों पर विचार करें और अनुवाद करना सीखें।

Rule I इन वाक्यों को देखें—

1. शिक्षक ने अँगरेजी पढ़ाई।
2. छात्रों ने पुस्तकें पढ़ीं।
3. उसने राम को कलम दी।
4. दोनों ने भोजन बनाया।

ऐसे वाक्यों का कर्ता होता है—

संज्ञा/सर्वनाम + ने

अँगरेजी में इनका subject होता है—

Noun/Pronoun [ने के पहले आनेवाला]	*+ verb*	*+ other words*
The teacher Students	taught read	English. books.

1. उसने राम को कलम दी। He/She gave Ram a pen.
2. दोनों ने भोजन बनाया। Both cooked food.

ध्यान दें—

ऐसे वाक्यों का कर्ता कोई दूसरा noun/pronoun नहीं हो सकता। इसलिए यहाँ **अँगरेजी/पुस्तकें/राम/भोजन** का प्रयोग कर्ता के रूप में हो ही नहीं सकता।

Rule II अब इन वाक्यों को लें—

1. राम के एक लड़की है।
2. सीता के दो पुत्र हैं।
3. उसके तीन गायें हैं।
4. मेरे पाँच बहनें हैं।

ऐसे वाक्यों का कर्ता होता है—

के/रे + संज्ञा [के/रे के बाद आनेवाली संज्ञा]
लड़की/पुत्र/गायें/बहनें

अँगरेजी में इनका subject होता है—

Noun/Pronoun [के/रे के पहले आनेवाला]	*+ verb*	*+ other words*
Ram	has	a daughter.
Sita	has	two sons.

1. उसके तीन गायें हैं। He/She has three cows.
2. मेरे पाँच बहनें हैं। I have five sisters.

ध्यान दें—

Rule II (a) के/रे के बाद आनेवाला noun/pronoun अँगरेजी में subject नहीं होता। इसलिए अनुवाद इस प्रकार न करें—

1. Sita have two sons. 2. Two sons have Sita.

Rule II (b) सम्बन्ध कारक का सर्वनाम अँगरेजी में कर्ता कारक के रूप में आता है;

जैसे, उसके = he/she, मेरे = I, तेरे = you, हमारे = we

Rule II (c) कुछ लोग हिन्दी के ऐसे वाक्यों में **के/रे** के बदले **को** का प्रयोग कर बैठते हैं, पर यह अशुद्ध है। इस प्रकार के वाक्यों में **राम को/उसको** का प्रयोग सर्वथा अनुचित है। फिर भी, यदि ऐसे **को** से सम्बन्ध का बोध हो, तो इसका अनुवाद भी **के** के समान has/have के द्वारा करें। कुछ लोग अधिकार का बोध कराने के लिए **के पास** का भी प्रयोग करते हैं; जैसे,

राम के पास तीन गायें हैं।

ऐसे **के पास** का भी अनुवाद has/have होता है; जैसे,

राम **के पास** तीन गायें हैं। Ram has three cows.

इस प्रकार **के पास** का अनुवाद near नहीं हो सकता।

EXERCISE 1

Pick out the subjects and translate them into English.

1. शिक्षक ने प्रश्न किया।
2. उसने रोटी-दाल खायी।
3. हमलोगों ने गीत गाया।
4. उन्होंने दो कलमें खरीदीं।
5. छात्रों ने उत्तर दिया।
6. सब लोगों ने पुस्तक पसन्द की।
7. मोहन के दो बहनें हैं।
8. शीला के तीन कलमें हैं।
9. उसके पाँच भाई हैं।
10. मेरे एक रेडियो है।
11. उनके एक घर है।
12. हमलोगों के एक गेंद है।

Rule III अब इन वाक्यों पर विचार करें—

1. राम को घर जाना है।
2. छात्रों को कहानियाँ लिखनी हैं।
3. मुझको पत्र लिखना है।
4. उसको किताबें पढ़नी हैं।
5. मोहन से चला नहीं जाता।
6. मुझसे बैठा नहीं जाता।

ऐसे वाक्यों का कर्ता होता है—

संज्ञा/सर्वनाम + को/से [को/से के पहले आनेवाला]

अँगरेजी में इनका subject होता है—

Noun/Pronoun [को/से के पहले आनेवाला]	*+ verb*	*+ other words*
Ram	has	to go home.
Students	have	to write stories.

1. मुझको पत्र लिखने हैं। I have to write letters.
2. उसको किताबें पढ़नी हैं। He/She has to read books.
3. मोहन से चला नहीं जाता। Mohan is not able to walk.
4. मुझसे बैठा नहीं जाता। I am not able to sit.
5. उनसे खाया नहीं जाता। They arc not able to eat.

ध्यान दें—

Rule III (a) **को** कर्म कारक की विभक्ति है और **से** करण कारक तथा अपादान कारक की विभक्ति; पर ऐसे वाक्यों में **को/से** कर्ता कारक की विभक्ति के रूप में आते हैं। इसलिए **संज्ञा/सर्वनाम + को/से** वाक्य में कर्ता का काम करता है; जैसे,

मुझको/मुझसे = I, उसको/उससे = he/she, उनको/उनसे = they

EXERCISE 2

Pick out the subjects and translate them into English.

1. लड़कियों को उपन्यास पढ़ना है।
2. लड़कों को कविताएँ लिखनी हैं।
3. पुलिस को चोर पकड़ना है।
4. शिक्षकों को अँगरेजी पढ़ानी है।
5. उनको ट्रेन पकड़नी है।
6. उसको मैच खेलना है।
7. पत्नी को चाय बनानी है।
8. मुझको कार्य समाप्त करना है।
9. हमलोगों को अनुवाद सीखना है।
10. उनको अँगरेजी सीखनी है।
11. मुझसे बैठा नहीं जाता।
12. उस बुढ़िया से खड़ा नहीं हुआ जाता।
13. उससे खाया नहीं जाता।
14. उनसे दौड़ा नहीं जाता।
15. बच्चों को पतंग उड़ाना है।
16. उस लड़की को नाचना है।

Rule IV अब, इन वाक्यों को लें—

1. राम की गायें काली हैं।
2. इस पुस्तक के नियम सरल हैं।
3. इस टेबुल पर किताबें हैं।
4. इस बाग में सुन्दर फूल हैं।
5. संसार के सभी देशों में खाने-पीने की वस्तुओं की कीमत बढ़ रही है।

ऐसे वाक्यों का कर्ता होता है—

विभक्ति के बाद आनेवाली संज्ञा
गायें/नियम/किताबें/फूल/कीमत

अँगरेजी में इनका subject होता है—

Noun [*preposition* के पहले आनेवाला]	+ *preposition + noun*	+ *verb*	+ *other words*
The cows	of Ram	are	black.
The rules	of this book	are	easy.

1. इस टेबुल पर किताबें हैं। There are books on this table.
2. इस बाग में सुन्दर फूल हैं। There are lovely flowers in this garden.
3. संसार के सभी देशों में खाने-पीने की वस्तुओं की कीमत बढ़ रही है।
   The price of food articles in all the countries of the world is increasing.

ध्यान दें—

Rule IV (a) हिन्दी में विभक्ति (कारक के चिह्न) के बाद आनेवाला noun वाक्य का कर्ता होता है।

Rule IV (b) अँगरेजी में preposition के पहले आनेवाला noun वाक्य का कर्ता होता है। हिन्दी की विभक्तियों के बदले अँगरेजी में preposition का प्रयोग होता है; जैसे,

का/की/के = of, में = in, पर = on/at, से = from/by/with

जब ऐसे वाक्यों में एक से अधिक preposition आता है, तब सबसे पहले preposition के पहले आनेवाला noun वाक्य का कर्ता होता है। ऐसे वाक्यों की बनावट होती है—

noun + preposition + noun + preposition + noun; जैसे,

1. The price **of** books **in** all the countries **of** the world is increasing.
   संसार **के** सभी देशों **में** किताबों **की** कीमत बढ़ रही है।
2. The leaves **of** all the trees **of** this forest are green.
   इस जंगल **के** सभी वृक्षों **की** पत्तियाँ हरी हैं।

यहाँ पहले वाक्य का पहला preposition है **of** और इसलिए इसके पहले आनेवाला noun [price] वाक्य का कर्ता है।

दूसरे वाक्य का पहला preposition है **of** और इसलिए इसके पहले आनेवाला noun (leaves) वाक्य का कर्ता है।

EXERCISE 3

Pick out the subjects and translate them into English.

1. छत पर बिल्लियाँ हैं।
2. पेड़ पर बन्दर हैं।
3. नदियों में पानी है।
4. जेबों में रुपया है।
5. इस बक्से में कमीजें हैं।
6. स्कूल में शिक्षक हैं।
7. इस घोड़े का रंग काला है।
8. इस कुएँ का पानी शुद्ध है।
9. मोहन के दाँत मजबूत हैं।
10. इस गाय के सींग छोटे हैं।
11. उसकी कलम लाल है।
12. उसकी आँखें बड़ी हैं।
13. इस शहर के निकट एक नदी है।
14. इस गाँव के पास एक मन्दिर है।
15. इस मुहल्ले की सड़कें चौड़ी हैं।
16. इस राज्य के लोग गरीब हैं।
17. इस होटल में बहुत कमरे हैं।
18. सीता की आवाज में मिठास है।
19. इन फूलों के रंग में चमक है।
20. राधा के ओठों पर मुस्कान है।

Hints: मिठास = sweetness, चमक = brightness, मुस्कान = smile

Rule V अब इन वाक्यों को देखें—

1. लड़के गेंद खेल रहे हैं।
2. लड़कियाँ गीत गा रही हैं।

ऐसे वाक्यों में कारक की विभक्ति (चिह्न) का प्रयोग नहीं होता। इस प्रकार के वाक्यों का कर्ता वह संज्ञा/सर्वनाम होता है जो **क्रिया + कौन** के उत्तर में मिलता है; जैसे,

कौन खेल रहे हैं? उत्तर है— लड़के – boys

कौन गा रही हैं? उत्तर है— लड़कियाँ = girls

इसलिए ऐसे वाक्यों का subject होता है—

Noun/Pronoun [क्रिया + कौन का उत्तर]

1. बच्चे पत्र लिख रहे हैं। कौन? **बच्चे**—Children are writing letters.
2. वह चाय बना रही है। कौन? **वह**—She is making tea.

EXERCISE 4

Pick out the subjects and translate them into English.

1. गायें मैदान में चर रही हैं।
2. विद्यार्थी वर्गों में पढ़ रहे हैं।
3. बच्चे बिछावन पर सोए हुए हैं।
4. लोग सड़क पर टहल रहे हैं।
5. मजदूर पेड़ काट रहे हैं।
6. किसान खेत जोत रहे हैं।
7. लेखक पुस्तक लिख रहे हैं।
8. शिक्षक अँगरेजी पढ़ा रहे हैं।

Rule VI अब इन वाक्यों पर विचार करें—

1. धनी सुखी हैं।
2. गरीब दुखी हैं।

ऐसे वाक्यों में विशेषण वाक्य का कर्ता होता है। इनका अनुवाद होता है।

the + adjective

1. धनी सुखी हैं। The rich are happy.
2. गरीब दुखी हैं। The poor are unhappy.
3. रोगी लाचार हैं। The sick are helpless.

ध्यान दें—

जब ऐसे **the + adjective** से व्यक्ति का बोध होता है, तब ये plural होते हैं। पर जब इनसे वस्तु का बोध होता, तब ये singular होते हैं।

EXERCISE 5

Pick out the subjects and translate them into English.

1. धनी बेईमान हैं।
2. गरीब दयालु हैं।
3. बीमार लाचार हैं।
4. अन्धे देख नहीं सकते।
5. बहरे सुन नहीं सकते।
6. गूँगे बोल नहीं सकते।

Rule VII अब इन वाक्यों को लें—

1. खेलना लाभदायक है।
2. शराब पीना बुरा है।
3. चोरी करना अपराध है।
4. झूठ बोलना पाप है।

ऐसे वाक्यों का कर्ता होता है **क्रियार्थक** संज्ञा [धातु + ना] और इनकी बनावट होती है।

धातु + ना [कर्ता] + विशेषण + है/था
धातु + ना [कर्ता] + संज्ञा + है/था

इनका अनुवाद होता है—

Subject [Infinitive—to + verbs] *Subject [Gerund—verb + ing]*	*+ is/was* *+ is/was*	+ adjective/noun + adjective/noun
To smoke Smoking	is is	harmful. harmful.

1. खेलना लाभदायक है। To play is useful. Playing is useful.
2. शराब पीना बुरा है। To drink is bad. Drinking is bad.
3. चोरी करना अपराध है। To steal is a crime. Stealing is a crime.
4. झूठ बोलना पाप है। To tell lies is a sin. Telling lies is a sin.

इनका अनुवाद इस प्रकार भी होता है—

It + is/was *It + is/was*	+ adjective + noun	+ infinitive + infinitive
It is It is	harmful a crime	to smoke. to travel without ticket.

1. खेलना लाभदायक है। It is useful to play.
2. शराब पीना बुरा है। It is bad to drink.
3. झूठ बोलना पाप है। It is a sin to tell lies.

ध्यान दें—

ऐसे वाक्यों में अपनी ओर से it का प्रयोग करना पड़ता है और infinitive को it is/was + adjective/noun के बाद रखा जाता है; जैसे,

To steal is a crime. = It is a crime to steal.

अनुवाद करने की यह विधि अवश्य अपनानी चाहिए जब वाक्य बड़ा हो। छोटे-छोटे वाक्यों में infinitive/gerund को भी वाक्य का subject बनाना भद्दा नहीं लगता है।

EXERCISE 6

Pick out the subjects and translate them into English.

1. टहलना स्वास्थ्यकर है।
2. यात्रा करना लाभदायक है।
3. सिगरेट पीना हानिकारक है।
4. दूध पीना लाभदायक है।
5. गाली देना बुरी आदत है।
6. दूसरों की मदद करना अच्छा है।
7. सच बोलना अच्छी आदत है।
8. अँगरेजी सीखना आसान है।
9. बिजली छूना खतरनाक है।
10. अँगरेजी बोलना कठिन नहीं है।

Rule VIII अब इन वाक्यों को देखें—

1. क्या करें यह एक समस्या है।
2. क्या नहीं करें यह अनिश्चित है।
3. कब प्रस्थान करें यह तय नहीं है।
4. कहाँ जाएँ यह विचाराधीन है।

हिन्दी के ऐसे वाक्यों का कर्ता होता है—**यह** और इनकी बनावट होती है।

शब्द-समूह [प्रश्नवाचक शब्द के साथ] + यह [कर्ता] + संज्ञा/विशेषण + है/था

इनका अनुवाद होता है—

Phrase [question word + to + verb]	*+ is/was*	*noun/adjective*
How to translate	is	an art.
How to translate	is	easy.

1. क्या करें यह एक समस्या है। What to do is a problem.
2. क्या नहीं करें यह अनिश्चित है। What not to do is uncertain.
3. कब प्रस्थान करें यह तय नहीं है। When to start is undecided.
4. कहाँ जाएँ यह विचाराधीन है। Where to go is under consideration.

ध्यान दें—

Rule VIII (a) हिन्दी में ऐसे वाक्यों का कर्ता **यह** होता है, पर अँगरेजी में **यह** के बदले **it** या **this** का प्रयोग नहीं होता। क्यों? इसलिए कि वाक्य का subject होता है phrase (what/when + infinitive)। यही कारण है कि ऐसे वाक्यों में **यह** का अनुवाद होता ही नहीं। इसलिए अनुवाद इस प्रकार न करें—

1. What to do **this** is a problem. 2. When to start **it** is undecided.

Rule VIII (b) हिन्दी के क्या/कब/कहाँ आदि का अनुवाद होता है—what/when/where और करूँ/करें आदि क्रियाओं का अनुवाद होता है—infinitive, अर्थात to + verb; जैसे,

1. क्या करूँ = what to do
2. कब पढ़ें = when to read
3. कहाँ ठहरें = where to stay
4. कब तक ठहरें = how long to stay

EXERCISE 7

Pick out the subjects and translate them into English.

1. क्यों पढ़ें यह एक समस्या है।
2. क्या करें यह अनिश्चित है।
3. क्या खाएँ यह तय नहीं है।
4. क्या नहीं करें यह विचाराधीन है।
5. कब लौटें यह तय नहीं है।
6. कब पढ़ें यह अनिश्चित है।
7. कैसे लौटें यह तय नहीं है।
8. कैसे उसे खुश करें यह एक समस्या है।
9. कैसे अँगरेजी सीखें यह आसान है।
10. कैसे फुटबॉल खेलें यह कठिन नहीं है।
11. कहाँ दिल्ली में ठहरें यह तय नहीं है।
12. कहाँ मैच खेलें यह विचाराधीन है।

Hints: तय नहीं है = not decided, समस्या = problem

विचाराधीन है = is under consideration.

Rule IX अब इन वाक्यों को लें—

1. वह कहाँ रहती है यह मालूम नहीं है।
2. वह कब लौटेगा यह अनिश्चित है।
3. वह क्यों उदास रहती है यह एक रहस्य है।
4. वह क्या करता है यह मालूम नहीं है।
5. वह गरीब है, यह सबको मालूम है।
6. पृथ्वी गोल है, यह सबको मालूम है।

हिन्दी के ऐसे वाक्यों में **यह** आता है और यह कर्ता का कार्य करता है। इनकी बनावट होती है।

उपवाक्य [प्रश्नवाचक शब्द के साथ] + यह [कर्ता] + क्रिया

इनका अनुवाद होता है—

Noun clause as subject	*+ verb [is/was]*	*+ other words*
What he says	is	right.
That I am honest	is	known to all.

इन वाक्यों की बनावट और अनुवाद को देखें—

1. वह कहाँ रहती है यह मालूम नहीं।
   Where she lives is not known.
2. वह कब लौटेगा यह अनिश्चित है।
   When he will return is uncertain.
3. वह क्यों उदास रहती है यह एक रहस्य है।
   Why she is sad is a mystery.
4. वह क्या करता है यह मालूम नहीं।
   What he does is not known.
5. वह गरीब है यह सबको मालूम है।
   That he is poor is known to all.
6. पृथ्वी गोल है यह सबको मालूम है।
   That the earth is round is known to all.

ध्यान दें—

Rule IX (a) हिन्दी के **यह** का अनुवाद होता ही नहीं। इसलिए ऐसे अँगरेजी वाक्यों में **it** या **this** का प्रयोग नहीं होता। अनुवाद में it/this का प्रयोग इस प्रकार न करें—

1. Where she lives **it/this** is not known.
2. When he will return **it/this** is uncertain.

Rule IX (b) जब हिन्दी के उपवाक्यों में प्रश्नवाचक शब्द (कहाँ/कब आदि) नहीं आए, तो इनसे किसी तथ्य (fact) का बोध होता है और इसलिए ये that से आरम्भ होते हैं, यद्यपि हिन्दी में **'कि'** का प्रयोग नहीं होता; जैसे,

1. वह गरीब है यह सबको मालूम है। That he is poor is known to all.
2. पृथ्वी गोल है यह सबको मालूम है। That the earth is round is known to all.
3. वह ईमानदार है यह सन्देहात्मक है। That he is honest is doubtful.

Rule IX (c) ऐसे अँगरेजी वाक्यों में noun clause एक subject का कार्य करता है और इसके बाद principal clause आता है। ऐसे principal clause की बनावट होती है—is/was + noun/adjective; जैसे,

1. What he says/is right. 2. What he does/is a mystery.

इन वाक्यों में is right और is a mystery—ये दोनों ही principal clauses हैं। यहाँ is का subject कौन है? उत्तर है—What he says/what he does.

EXERCISE 8

Pick out the subjects and translate them into English.

1. वह ईमानदार है यह सबको मालूम है।
2. पृथ्वी चपटी नहीं हैं यह सबको मालूम है।
3. वह क्या बोलता है यह सुनाई नहीं पड़ता।
4. वह क्या लिखता है यह स्पष्ट नहीं है।
5. वह कब पढ़ता है यह मालूम नहीं है।
6. वे कब जाएँगे यह मालूम नहीं है।
7. मैं कहाँ ठहरूँगा यह तय नहीं है।
8. वह कहाँ सोता है यह मालूम नहीं है।
9. वह क्यों हँस रही है यह मालूम नहीं है।
10. वह क्यों देर से आई यह मालूम नहीं है।

Hints: चपटी = flat, स्पष्ट = clear, ठहरना = to stay

Rule X अब इन वाक्यों पर विचार करें—

1. जो लड़का झूठ बोलता है वह सजा पाता है।
2. जो लड़के झूठ बोलते हैं वे सजा पाते हैं।
3. जो झूठ बोलता है वह सजा पाता है।

ऐसे वाक्यों के दो भाग होते हैं। पहले भाग में **जो + संज्ञा + क्रिया** या **जो + क्रिया** का प्रयोग होता है। दूसरे भाग में **वह/वे + क्रिया** का प्रयोग होता है। इनकी बनावट होती है।

जो या जो + संज्ञा + क्रिया [विशेषण उपवाक्य]
+ वह/वे + क्रिया [प्रधान उपवाक्य]

इनका अनुवाद होता है—

(i) Noun *(ii) One/those*	*+ who/that + verb [adjective clause]* *+ who/that + verb [adjective clause]*	*+ verb + other words* *+ verb + other words*
A boy	who tells lies	gets punishment.
Boys	who tell lies	get punishment.
One	who tells lies	gets punishment.
Those	who tell lies	get punishment.

1. जो किताब यहाँ है/वह मेरी है। The book/that is here/is mine.
2. जो किताबें यहाँ हैं/वे मेरी हैं। The books/that are here/are mine.

ध्यान दें—

Rule X (a) जो + संज्ञा का अनुवाद होता है।

Noun + who/which/that; जैसे,

जो लड़का = a boy who, जो लोग = men who

पर केवल **जो** का अनुवाद होता है— one who/those who

Rule X (b) हिन्दी के प्रधान उपवाक्य में **वह/वे** का प्रयोग होता है, पर अँगरेजी में **he/she/it/they** का प्रयोग नहीं होता। क्यों? इसलिए कि who/which/that के पहले आनेवाला noun होता है principal clause का subject; जैसे,

The student/who tells lies/gets punishment.

(a) The student gets punishment (principal clause)

(b) Who tells lies (adjective clause)

इसलिए principal clause में अनावश्यक subject (he/she/it/they) का प्रयोग इस प्रकार न करें।

1. The student who tells lies/**he** gets punishment.
2. The students who tell lies/**they** get punishment.
3. The book that is here/**it** is mine.
4. A teacher who teaches well/**he** is respected.
5. A man who works hard/**he** gets success.

EXERCISE 9

Pick out the subjects and translate them into English.

1. जो लड़का यहाँ है वह मेरा भाई है।
2. जो कलम यहाँ है वह मेरी है।
3. जो बच्चे खेल रहे हैं वे मेरे भाई हैं।
4. जो गायें यहां चर रही हैं वे मेरी हैं।
5. जो कठिन परिश्रम करता है वह सफल होता है।
6. जो अँगरेजी जानता है वह प्रतिष्ठा पाता है।
7. जो इस किताब को पढ़ता है वह अँगरेजी सीखता है।
8. जो शराब पीता है वह स्वास्थ्य खोता है।
9. जो नेता बेईमान होते हैं वे आदर नहीं पाते।
10. जो लोग चोरी करते हैं वे सजा पाते हैं।

Hints: कठिन परिश्रम करना = to work hard, प्रतिष्ठा/आदर = respect/honour

EXERCISE 10

Correct these translations.

1. जो लड़का यहाँ है वह मेरा दोस्त है। The boy who is here he is my friend.
2. वह कहाँ रहता है यह मुझे मालूम नहीं है। Where he lives it is not known to me.
3. इस पेड़ के पत्ते हरे हैं। The leaves of this tree is green.
4. जो गायें यहाँ चर रहीं हैं वे मेरी हैं। The cows that are grazing here they are mine.

5. सीता के पाँच सहेलियाँ हैं। Five friends have Sita.

Rule XI अब इन वाक्यों को देखें—

1. आशा है। 2. लगता है। 3. प्रतीत होता है।

हिन्दी के कुछ ऐसे वाक्यों में कर्ता नहीं रहता। इनका कर्ता प्राय: छिपा रहता है और वह कर्ता है **यह**। इसलिए अनुवाद करते समय it का प्रयोग करें। अँगरेजी में ऐसे वाक्यों का अनुवाद होता है।

It + verb + other words

1. आशा है—It is hoped
2. लगता है—It seems/It appears
3. प्रतीत होता है—It seems/It appears
4. आश्चर्य है—It is surprising
5. कहते हैं/कहा जाता है—It is said
6. हो सकता है—It is likely
It is possible
7. कहने की जरूरत नहीं—It goes without saying
8. दुख है—It is sad
9. अफसोस है—It is regretted

EXERCISE 11

Match the words under A and B to make meaningful sentences.

A	B
The eyes of an elephant	gets success
What he says	is a problem
A man who works hard	has two sons
What to do now	are small
My brother	is not right

EXERCISE 12

Tick (✓) the correct words.

1. Radha has/have three sisters.
2. What they say is/are not right.
3. The smell of these flowers is/are sweet.
4. The boy who is here he is/is my nephew.
5. Where to live now it is/is a problem.
6. The blind do not/does not see anything.
7. The roads of this town is/are dirty.

□

2. क्रिया के रूप : काल

काल का बहुत गहरा प्रभाव पड़ता है क्रिया के रूपों (forms) पर। यहाँ इन रूपों के अनुवाद और अर्थों पर विचार करें।

Rule I इन वाक्यों को देखें—

1. वह लिखता है।
2. वह लिखती है।
3. वे लिखते हैं।
4. वे खेलते हैं।

ऐसे वाक्यों से यह बोध होता है कि कोई कार्य सामान्यरूप से वर्तमान काल में होता है और इनकी बनावट होती है—

कर्ता + धातु + ता है/ती है/ते हैं [सामान्य वर्तमान]

इनका अनुवाद इस प्रकार होता है—

Subject	+ *full verb* [present simple/indefinite]
He They	plays. play.

1. वह लिखता है। He writes.
2. वह लिखती है। She writes.
3. वे लिखते हैं। They write.

ध्यान दें—

Rule I (a) धातु + ता है/ती है/ते हैं का अनुवाद **am/is/are + verb** नहीं होता है। **हूँ/है/हैं** का अनुवाद **am/is/are** तब होता है जब ये वाक्य में प्रधान क्रिया का कार्य करते हैं; जैसे,

1. वह डॉक्टर है। He is a doctor.
2. वह गरीब है। He is poor.

इसलिए **धातु + ता/ती/ते + हूँ/है/हैं** का अनुवाद **am/is are + verb** इस प्रकार न करें—

1. वह लिखता है। He is write.
2. वे लिखते हैं। They are write.
3. मैं पढ़ता हूँ। I am read.

Rule I (b) धातु + ती है/ता है/ का अनुवाद होता है।

full verb + s/es [subject + singular verb]; जैसे,

वह लिखता है/लिखती है। He/She writes.

धातु + ते हैं का अनुवाद होता है—

full verb minus + s/es [subject + plural verb]; जैसे,

वे लिखते हैं—They write.

Rule I (c) ऐसे वाक्यों में subject और verb या तो singular रहते हैं या plural—**S—S, P—P**; जैसे,

1. He writes. 2. They write.

इनका अनुवाद इस प्रकार न करें—

S—P, P—S

1. He write. 2. They writes.

Rule I (d) Verb का मूल रूप होता है plural और **verb + s/es** हो जाता है singular; जैसे,

write, read, go आदि—plural

write + s = writes, read + s = reads, go + es = goes—singular

Rule I (e) हिन्दी में क्रिया पुल्लिंग/स्त्रीलिंग होती है, पर अँगरेजी में लिंग का कोई प्रभाव क्रिया के रूप पर नहीं पड़ता; जैसे,

1. वह लिखता है। He writes. 2. वह लिखती है। She writes.

Rule I (f) ऐसे वाक्यों में कर्म (object) का भी प्रयोग हो सकता है और तब वाक्य की बनावट हो ऐसी जाती है—

कर्ता + कर्म + धातु + ता है/ती है/ते हैं	= S + O +V

इनका अनुवाद होता है—

Subject + full verb + object	= S + V + O

1. वह कहानियाँ लिखता है। He writes stories.
2. वह चाय बनाती है। She makes tea.

ऐसे वाक्यों का अनुवाद S + O + V में इस प्रकार न करें—

1. He stories writes. 2. She tea makes.
3. They books read. 4. We this book like.

EXERCISE 1

Correct these translations.

1. वह खेलता है। He is plays.
2. वह हँसती है। She is laugh.
3. वे टहलते हैं। They walks.
4. वे तैरते हैं। They are swim.
5. वह चाय बनाती है। She tea makes.

EXERCISE 2

Translate into English.

1. कुत्ता भौंकता है।
2. सिंह गरजता है।
3. गधे रेंकते हैं।
4. सूर्य पूरब में उगता है।
5. सूर्य पश्चिम में डूबता है।
6. वे कड़ी मेहनत करते हैं।
7. वह टेनिस खेलती है।
8. वह अँगरेजी बोलता है।
9. मेढ़क टर्राते हैं।
10. वह भोजन बनाता है।
11. वह सूट पहनती है।
12. वे दूध पसंद करते हैं।
13. वह गायों को खिलाता है।
14. वह मेरी मदद करती है।
15. वे मुझे मिठाइयाँ देते हैं।
16. वह ईश्वर में विश्वास करता है।
17. वह मुझपर निर्भर करती है।
18. मैं उसे पहचानता हूँ।
19. वह इसे समझता है।
20. वह ऐसा सोचता है।
21. वह मुझसे नफरत करती है।
22. वह मुझे प्यार करती है।

Rule II अब इन वाक्यों को लें—

1. वह नहीं लिखता है।
2. वह नहीं लिखती है।
3. वे नहीं लिखते हैं।
4. वे नहीं खेलते हैं।

ऐसे वाक्यों से यह बोध होता है कि वर्तमान में कार्य नहीं होता और इनकी बनावट ऐसी होती है—

कर्ता + नहीं + धातु + ता है/ती है/ते हैं [सामान्य वर्तमान]

इनका अनुवाद होता है—

Subject	*+ do/does + not*	*+ infinitive [without to]*
He	does not	play.
They	do not	play.

1. वह नहीं लिखता है। He does not write. [doesn't write]
2. वह नहीं लिखती है। She does not write. [doesn't write]
3. वे नहीं लिखते हैं। They do not write. [don't write]

ध्यान दें—

Rule II (a) नहीं + धातु + ता है/ती है, अर्थात एकवचन क्रिया का अनुवाद होता है—does + not, पर **नहीं + धातु + ते हैं**, अर्थात बहुवचन क्रिया का अनुवाद होता है—do + not. इनका अनुवाद not + verb के द्वारा इस प्रकार न करें—

1. वह लिखता है। He not writes.
2. वे नहीं लिखते हैं। They not write.

Rule II (b) Not के बाद सदा plural verb आता है। क्यों? इसलिए कि वह

होता है infinitive अर्थात to + verb, पर ऐसे वाक्यों में do/does के बाद infinitive का to चिह्न सदा छिपा रहता है—

infinitive minus to = plural verb; जैसे,

to write = write, to play = play, to read = read

इसलिए अनुवाद इस प्रकार न करें।

1. वह नहीं लिखता/लिखती है। He/She does not writes.
2. वे नहीं लिखते हैं। They do not writes.

EXERCISE 3

Correct these translations.

1. वह नहीं सुनता है। He doesn't hears.
2. वह नहीं देखती है। She doesn't sees.
3. वह गीत नहीं गाती है। She doesn't songs sings.
4. वे मेरी मदद नहीं करते हैं। They doesn't helps me.
5. वे मांस पंसद नहीं करते हैं। They doesn't meat likes.

EXERCISE 4

Translations into English.

1. यह फुटबॉल नहीं खेलती है।
2. वह मुझे नहीं जानता है।
3. वे अँगरेजी नहीं पढ़ते हैं।
4. वे स्कूल नहीं जाते हैं।
5. वह चाय नहीं बनाती है।
6. वह मछली नहीं बेचती है।
7. वे कार नहीं चलाते हैं।
8. वह कड़ी मेहनत नहीं करता है।
9. वह हल्ला नहीं करता है।
10. वह कविता-पाठ नहीं करती है।

Hints: हल्ला करना = to shout, कविता-पाठ करना = to recite poems

Rule III अब इन वाक्यों को देखें—

1. वह लिख रहा है।
2. वह लिख रही है।
3. वे लिखे रहे हैं।
4. वे खेल रहे हैं।

ऐसे वाक्यों से यह बोध होता है कि कार्य अभी हो रहा है या जारी है, अर्थात कार्य अपूर्ण है। इनकी बनावट ऐसी होती है—

कर्ता + धातु + रहा है/रही है/रहे हैं [तात्कालिक वर्तमान]

इनका अनुवाद होता है—

Subject	*+ am/is/are*	*+ verb+ing [present progressive/ imperfect]*
He	is	playing.
They	are	playing.

इन वाक्यों की बनावट और अनुवाद देखें—

1. वह लिख रहा है/लिख रही है। He/She is writing.
2. वे लिख रहे हैं/खेल रहे हैं। They are writing/playing.

ध्यान दें—

Rule III (a) धातु + रहा है/रही है/रहे हैं का अनुवाद होता है—am/is/are + verb + ing [present participle]।

इसलिए अनुवाद इस प्रकार न करें—

1. वह लिख रहा है/लिख रही है। He/She is writes.
2. वे लिख रहे हैं/खेल रहे हैं। They are write/play.

Rule III (b) जब हिन्दी वाक्यों में **नहीं** आए, तो अनुवाद में **am/is/are + not + verb + ing** का प्रयोग करें; जैसे,

1. वह नहीं लिख रहा है। He is not writing [isn't writing].
2. वे नहीं लिख रहे हैं। They are not writing [aren't writing].

ऐसे वाक्यों में **not** का प्रयोग **verb + ing** के बाद इस प्रकार न करें—

1. He is writing not.
2. They are playing not.

EXERCISE 5

Translate into English.

1. वह तुतला रहा है।
2. बादल कड़क रहे हैं।
3. जूते मचमचा रहे हैं।
4. वह सिसक रही है।
5. वे मैच देख रहे हैं।
6. वे कानाफूसी कर रहे हैं।
7. वह भनभना रही है।
8. सिक्के झनझना रहे हैं।
9. वह लुकछिप कर देख रही है।
10. वह ट्विस्ट कर रही है।
11. वे साड़ियाँ रँग रहे हैं।
12. वह गेंद फेंक रहा है।
13. वह बल्लेबाजी कर रहा है।
14. वह पन्ने उलट रही है।
15. वह करवट बदल रहा है।
16. दूध उफन रहा है।
17. वह चक्कर काट रहा है।
18. वे सिक्के गिन रहे हैं।

Hints: तुतलाना = to stammer, कड़कना = to rumble, मचमचाना = to creak, सिसकना = to sob, मैच देखना = to watch, कानाफूसी करना = to whisper, भनभनाना = to murmur, झनझनाना = to jingle, छिपकर देखना = to peep, ट्विस्ट = to twist, रँगना = to dry, बल्लेबाजी करना = to bat, पन्ने उलटना = to turn over, करवट बदलना = to turn in bed, उफनना = to boil over, चक्कर काटना = to roll over and over

EXERCISE 6

Correct these translations.

1. वह शपथ-ग्रहण कर रहा है। He is takes oath.
2. पानी गिर रहा है। Water is falls.
3. वे मछली बेच रहे हैं। They are fish sell.

4. वह प्रतीक्षा कर रही है। She is wait.
5. सूर्य उग रहा है। The sun is rises.
6. वह गेंद लुढ़का रहा है। He is dribble the ball.

Rule IV अब इन वाक्यों को लें—

1. उसने लिखा है/वह लिख चुका है/चुकी है।
2. उन्होंने लिखा है/वे लिख चुके हैं/चुकी हैं।
3. वह आया/आई है/वह आ चुका है/चुकी है।
4. वे आए हैं/वे आ चुके हैं/चुकी हैं।

ऐसे वाक्यों से यह बोध होता है कि कार्य समाप्त हो चुका है, अर्थात कार्य पूरा हो गया है। इनकी बनावट ऐसी होती है—

कर्ता + धातु + आ है/ई है/ए हैं [आसन्न भूत]
या
कर्ता + धातु + चुका/चुकी है/चुके हैं

इनका अनुवाद होता है—

Subject	*+ has/have*	*+ past participle [present perfect]*
He	has	played.
They	have	played.

इनकी बनावट और अनुवाद का ध्यान रखें।

1. उसने लिखा है/वह लिख चुका है/चुकी है। He/She has written.
2. उसने खाया है/वह खा चुका है/चुकी है। He/She has eaten.
3. उन्होंने लिखा है/वे लिख चुके हैं/चुकी हैं। They have written.
4. वह आया है/गया है। He has come/gone.

ध्यान दें—

Rule IV (a) has/have के बाद past participle आता है—**has/have + past participle.** इसलिए ऐसे-ऐसे वाक्य न गढ़ें—

1. उसने लिखा है। He has write/wrote.
2. वह खा चुकी है। She has eat/ate.

Rule IV (b) जब हिन्दी वाक्यों में नहीं आता है, तब अनुवाद में has + not या have + not का प्रयोग होता है और वाक्य की बनावट हो जाती है—

has/have + not + past participle [has/have + past participle + not नहीं]

जैसे,

1. उसने नहीं लिखा है। He has not (hasn't) written.
2. वे नहीं गए हैं। They have not (haven't) gone.

इन्हें इस प्रकार न लिखें—

1. He has written not. 2. They have gone not.

Rule IV (c) जब ऐसे वाक्यों में कर्म (object) आता है, तब वाक्य की बनावट इस प्रकार हो जाती है—

कर्ता + कर्म + धातु + आ है/ई है/ए हैं	= S + O + V

इनका अनुवाद होता है—

Subject + has/have + past participle + object	= S + V + O

1. उसने पत्र लिखा है। He has written a letter.
2. उसने एक गीत गाया है। He/She has sung a song.

ऐसे वाक्यों का अनुवाद S + O + V में इस प्रकार न करें—

1. उसने पत्र लिखा है। He a letter has written.
2. उसने गीत गाया है। He/She a song has sung.
3. उसने भोजन बनाया है। He/Shc food has cooked.

EXERCISE 7

Translate into English.

1. उसने कुर्सी तोडी है।
2. मैंने फूल तोड़े हैं।
3. तुमने उसे गाली दी है।
4. वह खा चुकी है।
5. वे जा चुके हैं।
6. मैंने समाचार सुना है।
7. उसने भाषण दिया है।
8. मैंने प्रश्न पूछा है।
9. उसने अँगरेजी सीखी है।
10. वह शपथ ग्रहण कर चुका है।
11. वह गा चुकी है।
12. वह नाच चुका है।
13. उसने फाटक बंद किया है।
14. वह प्रस्थान कर चुका है।
15. वह कार्य समाप्त कर चुका है।
16. वह कार्य आरंभ कर चुका है।
17. वे लॉटरी जीत चुके हैं।
18. वह नाराज हो चुकी है।

Hints: फूल तोड़ना = to pluck flowers, शपथ ग्रहण करना = to take oath, लॉटरी जीतना = to win a lottery

EXERCISE 8

Correct these translations.

1. उसने गाड़ी खरीदी है। He has buy a car.
2. उसने चोर पकड़ा है। He a thief has caught.
3. उसने मेरी मदद की है। He me has help.
4. वह उपहार लाया है। He a present has bring.
5. उसने सत्य कहा है। He the truth has speak.

6. उन्होंने झूठ कहा है। They have a lie tell.
7. उसने कुर्सी नहीं तोड़ी है। He the chair not break.

Rule V अब इन वाक्यों पर विचार करें—

1. वह लिखता रहा है।
2. वह लिखती रही है।
3. वे लिखते रहे हैं।
4. वे खेलते रहे हैं।

ऐसे वाक्यों से यह बोध होता है कि कार्य भूतकाल में आरंभ था; वह अब भी जारी है और भविष्य में भी जारी रहने की संभावना है। इनकी बनावट ऐसी होती है—

कर्ता + धातु + ता रहा है/ती रही है/ते रहे हैं।

इनकी रचना होती है सामान्य वर्तमान [धातु + ता है/ती है/ते हैं] और तात्कालिक वर्तमान [धातु + रहा है/रही है/रहे हैं] के मेल से। इनका अनुवाद होता है—

Subject	*+ has been/have been*	*+ verb+ing [present perfect continuous]*
He	has been	playing.
They	have been	playing.

इन वाक्यों की बनावट और अनवुाद देखें—

1. वह लिखता रहा है। He has been writing.
2. वे लिखते रहे हैं। They have been writing.

ध्यान दें—

Rule V (a) ऐसे वाक्यों में **not** आता है **has/have** के बाद [been के बाद नहीं]; जैसे,

1. He has not (hasn't) been writing.
2. They have not (haven't) been writing.

Rule V (b) ऐसे वाक्यों में object/preposition/adverb आते हैं verb + ing के बाद; जैसे,

1. He has been writing a story.
2. He has been writing since morning.
3. She has been dancing for four hours.
4. She has been dancing very well.

Rule V (c) ऐसे वाक्यों का अनुवाद is/are + verb + ing + for/since के द्वारा इस प्रकार न करें—

1. He is writing since morning.
2. She is dancing for four hours.

Rule VI कुछ वाक्यों की बनावट ऐसी होती है—

1. वह बीमार रहा है।
2. वह व्यस्त रही है।
3. वह शिक्षक रहा है।
4. वे गायक रहे हैं।

ऐसे वाक्यों से यह बोध होता है कि कोई कार्य भूतकाल में आरंभ हुआ था और वह अब भी जारी है। इनकी बनावट इस प्रकार होती है—

कर्ता + विशेषण/संज्ञा + रहा है/रही है/रहे हैं

= S + A/N + V

इनका अनुवाद present perfect में इस प्रकार होता है—

Subject	*+ has been/have been*	*+ adjective/noun*
He He	has been has been	absent. a leader.

= S + V + A/N

इनकी बनावट और अनुवाद का ध्यान रखें—

1. वह बीमार रहा है। He has been ill.
2. वह व्यस्त रही है। She has been busy.
3. वे सफल रहे हैं। They have been successful.
4. वह शिक्षक रहा है। He has been a teacher.

ध्यान दें—

Rule VI (a) ऐसे वाक्यों में **not** आता है **has/have** के बाद, [been के बाद नहीं]; जैसे,

1. He has not (hasn't) been ill.
2. They have not (haven't) been successful.

Rule VI (b) ऐसे वाक्यों में noun/adjective आता है been के बाद। इसलिए noun/adjective को subject या has/have के बाद इस प्रकार न रखें—

1. He ill has been. 2. He has ill been.

Rule VI (c) ऐसे वाक्यों में for/since का भी प्रयोग हो सकता है; जैसे,

1. He has been ill since morning.
2. He has been ill for a week.

इनका अनुवाद is/are + adjective + for/since के द्वारा इस प्रकार न करें—

1. He is ill since morning. 2. He is ill for a week.

EXERCISE 9

Translate into English.

1. वह तैरता रहा है। 2. वह सोचता रहा है। 3. वह रेडियो सुनती रही है। 4. वे पढ़ाते रहे हैं। 5. वे सोते रहे हैं। 6. वे झगड़ते नहीं रहे हैं। 7. वे बीमार रहे हैं। 8. वह दुखी रही है। 9. वह प्रसन्न रहा है। 10. वह लड़ता रहा है। 11. वह परिश्रम करता रहा है। 12. वे संघर्ष करते रहे हैं। 13. वह कपड़े धोती रही है। 14. वह आलसी रही है। 15. वह चतुर रहा है।

EXERCISE 10

Correct these translations.

1. वह भोजन बनाती रही है। She has been food cook.
2. वह तैरता नहीं रहा है। He has been not swim.
3. वे चार बजे से दौड़ते रहे हैं। They since 4 o'clock have been run.
4. वर्षा एक सप्ताह से होती रही है। It has been rain for a week.
5. वह खेलती नहीं रही है। She has been not playing.
6. वह सुखी रही है। She has happy been.
7. वह क्रियाशील रहा है। He active has been.
8. वह सोमवार से बीमार रहा है। He is ill since Monday.

Rule VII कुछ वाक्यों की बनावट ऐसी होती है—

1. उसने लिखा।
2. वह आया/आई।
3. उसने खाया।
4. वे आए/गए।

ऐसे वाक्यों से यह बोध होता है कि भूतकाल में कार्य सामान्यरूप से समाप्त हो गया। इनकी बनावट इस प्रकार होती है—

कर्ता + धातु + आ/ई/ए [सामान्य भूत]

इनका अनुवाद इस प्रकार होता है—

Subject	*+ full verb [past simple/indefinite]*
He	played.
They	danced.

1. उसने लिखा। He/She wrote.
2. वह आया/गया। He came/went.
3. वे सोए/दौड़े। They slept/ran.

Rule VIII कुछ वाक्यों की बनावट ऐसी होती है—

1. उसने नहीं लिखा।
2. वह नहीं आया/गया।

ऐसे वाक्यों का अनुवाद इस प्रकार होता है—

Subject	*+ did not*	*+ infinitive [without to]*
He	did not	play.
He	did not	dance.

इन वाक्यों की बनावट और अनुवाद को लें—

1. उसने नहीं लिखा। He did not (didn't) write.
2. वह नहीं आया/गया। He did not (didn't) come/go.

ध्यान दें—

Rule VIII (a) Did के बाद सदा plural verb आता है। क्यों? इसलिए कि इसके बाद infinitive [to verb] आता है पर infinitive का चिह्न (to) सदा छिपा रहता है; जैसे—

did not + to write = didn't write

didn't + to go/come = didn't come/go

Rule VIII (b) ऐसे वाक्यों में **नहीं + धातु + आ/ई/ए** का अनुवाद verb + not के द्वारा इस प्रकार न करें—

1. He wrote not. 2. He came not. 3. He went not.

Rule VIII (c) ऐसे वाक्यों के **नहीं + धातु + आ/ई/ए** का अनुवाद did + not past simple के द्वारा इस प्रकार न करें—

1. He didn't wrote. 2. He didn't brought.

EXERCISE 11

Correct these translations.

1. उसने मछली नहीं खरीदी। He didn't bought fish.
2. वह किताबें नहीं लाया। He didn't brought books.
3. वह मुंबई नहीं पहुँचा। He reached not Mumbai.
4. मैंने तुम्हें नहीं पुकारा। I called you not.
5. वह झूठ नहीं बोली। She didn't told a lie.
6. उसने परीक्षा नहीं दी। He didn't appeared at the examination.

EXERCISE 12

Translate into English

1. उसने कार्य आरम्भ किया।
2. मोहन ने सोहन को एक कलम दी।
3. वह आज नहीं आया।
4. वह कल स्कूल नहीं गई।
5. उसने मुझे एक कहानी कही।
6. उसने मुझे किताब नहीं दी।
7. राम ने रहीम को गाली दी।
8. मैंने उसकी मदद नहीं की।
9. पुलिस ने चोरों को नहीं पकड़ा।
10. करीम ने मेरी किताब चुराई।
11. मोहन को इनाम नहीं मिला।
12. चोरों को कड़ी सजा मिली।
13. सोहन ने अपनी गाड़ी बेची।
14. छात्रों ने प्रश्नों के उत्तर नहीं दिए।

Rule IX कुछ वाक्यों की बनावट इस प्रकार की होती है—

1. वह लिख रहा था।
2. वह लिख रही थी।
3. वे लिख रहे थे।
4. वे खेल रहे थे।

ऐसे वाक्यों से यह बोध होता है कि कार्य भूतकाल में हो रहा था, अर्थात वह जारी था। इनकी बनावट इस प्रकार होती है—

कर्ता + धातु + रहा था/रही थी/रहे थे [अपूर्ण भूत]

इनका अनुवाद होता है—

Subject	*+ was/were*	*+ verb + ing [past progressive]*
He They	was were	playing. dancing.

इनकी वाक्यों की बनावट और अनुवाद देखें—

1. वह लिख रहा था। He was writing.
2. वे लिख रहे थे। They were writing.
3. वह दौड़ रही थी। She was running.
4. वे तैर रहे थे। They were swimming.

ध्यान दें—

Rule IX (a) धातु + रहा था/रही थी/रहे थे का अनुवाद होता है—**was/were + verb + ing;** इसलिए अनुवाद इस प्रकार न करें—

1. वह लिख रहा था। He was write.
2. वे दौड़ रहे थे। They were run.

Rule IX (b) verb + ing की रचना इस प्रकार होती है—

(i) जब verb के अन्त में vowel आता है, तब इसके अंत में ing लगता है।

go + ing = going, come + ing = coming, write + ing = writing

(ii) जब verb के अन्त में consonant आता है, तब उस consonant का double हो जाता है और तब उसके अन्त में ing लगता है।

run + ing = running, swim + ing = swimming, cut + ing = cutting

EXERCISE 13

Translate into English.

1. वह परीक्षा दे रहा था।
2. वह पत्थर फेंक रही थी।
3. सूर्य डूब रहा था।
4. तारे चमक रहे थे।
5. वे बातें कर रहे थे।
6. वह कपड़े धो रही थी।
7. वह प्लेट साफ कर रहा था।
8. वह कॉफी बना रही थी।
9. मैं इधर-उधर भटक रहा था।
10. वे जाल फेंक रहे थे।
11. वे पेड़ काट रहे थे।
12. वह खिड़कियाँ बन्द कर रही थी।
13. वे सड़क की मरम्मत कर रहे थे।
14. वे कपड़े बुन रहे थे।

15. वह गाड़ी चला रही थी।   16. वे भाषण ध्यान से सुन रहे थे।

Hints: इधर-उधर भटकना = to wander here and there, जाल फेंकना = to cast a net, कपड़ा बुनना = to weave cloth, ध्यान से सुनना = to listen to

Rule X कुछ वाक्यों की बनावट होती है—

1. उसने लिखा था। वह लिख चुका था।
2. उन्होंने लिखा था। वे लिख चुके थे।
3. उसने गाया था। वह गा चुकी थी।

ऐसे वाक्यों से यह बोध होता है कि कार्य भूतकाल में बहुत पहले समाप्त हो चुका था। इनकी बनावट इस प्रकार होती है—

कर्ता + धातु + आ + था/ई थी/ऐ थे [पूर्ण भूत]
या
कर्ता + धातु + चुका था/चुकी थी/चुके थे

इनका अनुवाद होता है—

Subject	*+ was/were*	*+ past participle + ing [past perfect]*
He	had	played.
He	had	danced.

इन वाक्यों की बनावट और अनुवाद को देखें—

1. उसने लिखा था। He had written.
2. वे लिख चुके थे। They had written.

ध्यान दें—

Rule X (a) past perfect tense का प्रयोग तब होता है जब वाक्य के दो भाग होते हैं और वे इन conjunctions के द्वारा जोड़े जाते हैं— when, before, after.

ऐसे वाक्यों से यह बोध होता है कि भूतकाल में दो कार्य समाप्त हो चुके थे और पहला कार्य दूसरे कार्य के बहुत पहले समाप्त हो चुका था। पहले समाप्त होनेवाले कार्य (verb) के लिए past perfect आता है और बाद में समाप्त होने वाले के लिए past simple का प्रयोग होता है; जैसे—

1. ट्रेन आने से पहले मैं स्टेशन पहुँच गया था/चुका था।

   I had reached the station before the train arrived.
2. मेरे स्टेशन पहुँचने से पहले ट्रेन आ गई (चुकी) थी।

   The train had arrived before I reached the station.

Rule X (b) कुछ वाक्य ऐसे भी होते हैं, जिनसे यह बोध होता है कि भूतकाल में दो कार्य हुए थे और एक कार्य दूसरे कार्य के तुरंत बाद हुआ था या दोनों कार्य एक साथ (simultaneously) हुए थे। ऐसे वाक्यों से यह बोध नहीं होता कि एक कार्य के पूरे रूप से

समाप्त होने पर दूसरा कार्य हुआ। ऐसे वाक्यों के दोनों भागों में past simple का प्रयोग होता है; जैसे,

1. सोने से पहले उसने अपना मुँह धोया।
   She **washed** her face before she **went** to bed.
2. उसके पहुँचने से पहले ट्रेन खुल गई।
   The train **started** before he **reached** the station.

इन वाक्यों से यह बोध होता है कि भूतकाल में दो कार्य एक-दूसरे के तुरंत बाद हुए। ऐसा अर्थ व्यक्त होता है before से, after से नहीं। जब दो वाक्य after के द्वारा जोड़े जाते हैं, तब यह बोध होता है कि एक कार्य पूर्णरूप से बहुत पहले समाप्त हो चुका था और इसके बाद दूसरा कार्य हुआ। इसलिए after वाले वाक्य में सदा past perfect का प्रयोग होता है, past simple का नहीं; जैसे,

He reached the station after the train had already left.

Rule X (c) कभी-कभी ऐसे वाक्यों के दो भाग नहीं होते हैं। फिर भी, past perfect का प्रयोग होता है, क्योंकि प्रसंग से यह स्पष्ट हो जाता है कि एक कार्य दूसरे कार्य के बहुत पहले समाप्त हो चुका था; जैसे,

1. मैंने पहले ही अपना टिकट खरीद लिया था।
   I had **already** bought my ticket.
2. वह बहुत पहले पहुँच चुका था।
   He had **reached much** earlier.

EXERCISE 14

Translate into English.

1. मैं पहले ही कार्य समाप्त कर चुका था।
2. ट्रेन बहुत पहले पहुँच चुकी थी।
3. बस बहुत पहले ही खुल चुकी थी।
4. वह बहुत पहले भोजन बना चुकी थी।
5. बस आने से पहले मैं पहुँच गया था।
6. वर्षा आरंभ होने से पहले मैं पहुँच गया था।
7. खाने से पहले उसने मुँह धोया।
8. पूजा करने से पहले उसने स्नान किया।

Rule XI (a) कुछ वाक्यों की बनावट ऐसी होती है—

1. वह लिखता रहा था।
2. वह लिखती रही थी।
3. वे लिखते रहे थे।
4. वे खेलते रहे थे।

ऐसे वाक्यों से यह बोध होता है कि कार्य भूतकाल में बहुत समय तक जारी था। इनकी बनावट इस प्रकार होती है—

कर्ता + धातु + ता रहा था/ती रही थी/ते रहे थे

इनका अनुवाद होता है।

Subject	*+ had been*	*+ verb + ing [past perfect continuous]*
He They	had been had been	playing. dancing.

इनकी बनावट और अनुवाद को देखें—

1. वह लिखता रहा था। He had been writing.
2. वे लिखते रहे थे। They had been writing.

Rule XI (b) कुछ वाक्यों की बनावट ऐसी होती है—

1. वह बीमार रहा था।
2. वह शिक्षिका रही थी।

इनकी बनावट होती है।

कर्ता + विशेषण/संज्ञा + रहा था/रही थी/रहे थे

इनका अनुवाद होता है—

Subject + had been + adjective/noun

1. वह बीमार रहा था। He had been ill.
2. वह शिक्षिका रही थी। She had been a teacher.

EXERCISE 15

Translate into English.

1. वह तैरता रहा था।
2. वह दौड़ती रही थी।
3. वे नाचते रहे थे।
4. वे पढ़ते रहे थे।
5. वह सोता रहा था।
6. वे पढ़ाते रहे थे।
7. वह रोती रही थी।
8. वे बोलते रहे थे।
9. वह नेता रहा था।
10. वे नर्स रही थीं।
11. वह ईमानदार रहा था।
12. वह आज्ञाकारी रहा था।
13. वह विश्वासपात्र रही थी।
14. वह अफसर रहा था।

Rule XII कुछ वाक्यों की बनावट ऐसी होती है—

1. वह लिखेगा/लिखेगी।
2. वे लिखेंगे।

ऐसे वाक्यों से यह बोध होता है कि भविष्य में कोई कार्य सामान्य रूप से होगा। इनकी बनावट इस प्रकार होती है—

कर्ता + धातु + एगा/एँगी/एँगे [सामान्य भविष्यत्]

इनका अनुवाद होता है—

Subject	*+ shall/will*	*+ infinitive [without to] future simple*
I	shall	play.
He	will	play.

इनकी बनावट और अनुवाद को देखें—

1. वह लिखेगा। He will write.
2. वह लिखेगी। She will write.
3. वे लिखेंगी। They will write.

ध्यान दें—

Rule XII (a) Shall/will के बाद infinitive [to + verb] आता है, पर to सदा छिपा रहता है। इसलिए shall/will के बाद सदा plural verb आता है; जैसे,

will to write = will write
will to play = will play
shall to go = shall go

EXERCISE 16

Translate into English.

1. वह मेरी मदद करेगा।
2. मैं कल बाजार जाऊँगा।
3. वह मुझे धोखा देगा।
4. वे कल प्रस्थान करेंगे।
5. वह देश की सेवा करेगी।
6. वह अगले साल परीक्षा देगा।
7. वह मुझे निमंत्रण देगा।
8. वह अगले महीने गाड़ी खरीदेगा।
9. मैं उसे एक इनाम दूँगा।
10. वह अगले सप्ताह अपना मकान बेचेगा।

Rule XIII कुछ वाक्यों की बनावट ऐसी होती है—

1. वह लिखता रहेगा।
2. वह लिखती रहेगी।
3. वे लिखते रहेंगे।
4. वह बैठा रहेगा।
5. वह बैठी रहेगी।
6. वे बैठे रहेंगे।

ऐसे वाक्यों से यह बोध होता है कि भविष्य में कार्य कुछ समय तक जारी रहेगा। इनकी बनावट इस प्रकार होती है—

कर्ता + धातु + ता रहेगा/ती रहेगी/ते रहेंगे [अपूर्ण भविष्यत्]
या
कर्ता + धातु + आ रहेगा/ई रहेगी/ए रहेंगे

इनका अनुवाद होता है—

Subject	*+ shall be/will be*	*+ verb + ing [future progressive]*
I He	shall be will be	playing. playing.

1. वह लिखता रहेगा। He will be writing.
2. वे लिखते रहेंगे। They will be writing.
3. वह बैठा रहेगा। He will be sitting.
4. वे बैठे रहेंगे। They will be sitting.

EXERCISE 17

Translate into English.

1. वह पढ़ाती रहेगी।
2. वह गायों को खिलाता रहेगा।
3. वह गाता रहेगा।
4. मैं अँगरेजी सीखता रहूँगा।
5. वह हँसता रहेगा।
6. वे मछली पकड़ते रहेंगे।
7. वह शिकार खेलता रहेगा।
8. वे पेड़ लगाते रहेंगे।
9. वह पढ़ती रहेगी।
10. मैं उपन्यास लिखता रहूँगा।

EXERCISE 18

Correct these translations.

1. वह नाचती रहेगी। She will be dance.
2. वह तैरता रहेगा। He will be swims.
3. वे पेड़ काटते रहेंगे। They will be trees cut.

Rule XIV कुछ वाक्यों की बनावट ऐसी होती है—

1. वह लिख चुकेगा।
2. वह लिख चुकेगी।
3. वे लिख चुकेंगे।
4. वे काम समाप्त कर चुकेंगे।

ऐसे वाक्यों से यह बोध होता है कि कार्य भविष्य में निश्चितरूप से समाप्त हो जाएगा। इनकी बनावट इस प्रकार होती है—

कर्ता + धातु + चुकेगा/चुकेगी/चुकेंगे [पूर्ण भविष्यत्]

इनका अनुवाद होता है—

Subject	*+ shall have/will have*	*+ past participle [future perfect]*
I He	shall have will have	played. danced.

1. वह लिख चुकेगा। He will have written.
2. वे लिख चुकेंगे। They will have written.
3. वे काम समाप्त कर चुकेंगे। They will have finished the work.

EXERCISE 19

Translate into English.

1. मैं पुस्तक समाप्त कर चुकूँगा।
2. वे सड़क बना चुकेंगे।
3. वह भोजन बना चुकेगी।
4. वे कविताएँ लिख चुकेंगे।
5. वह घर बना चुकेगा।
6. वह परीक्षा दे चुकेगी।
7. मैं उसकी मदद कर चुकूँगा।
8. वह कार्य पूरा कर चुकेगा।
9. वह जुर्माना दे चुकेगा।
10. वे कर्ज अदा कर चुकेंगे।

Rule XV कुछ वाक्यों की बनावट इस प्रकार की होती है—

1. वह लिखता हुआ रहेगा।
2. वह लिखती हुई रहेगी।
3. वे लिखते हुए रहेंगे।
4. वे खेलते हुए रहेंगे।

ऐसे वाक्यों से यह बोध होता है कि कार्य भविष्य में बहुत समय तक जारी रहेगा। इनकी ऐसी बनावट होती है—

कर्ता + धातु + ता हुआ रहेगा/ती हुई रहेगी/ते हुए रहेंगे

इनका अनुवाद होता है—

Subject	*+ shall/will have been*	*+ verb + ing [future per. continuous]*
I	shall have been	playing.
She	will have been	dancing.

1. वह लिखता हुआ रहेगा। He will have been writing.
2. वह लिखती हुई रहेगी। She will have been writing.
3. वे लिखते हुए रहेंगे। They will have been writing.
4. मैं लिखता हुआ रहूँगा। I shall have been writing.

EXERCISE 20

Translate into English.

1. वह गाता हुआ रहेगा।
2. वह तैरती हुई रहेगी।
3. वह सोता हुआ रहेगा।
4. वे खेलते हुए रहेंगे।
5. मैं पढ़ता हुआ रहूँगा।
6. वे देखते हुए रहेंगे।
7. वह नाचता हुआ रहेगा।
8. वे टहलते हुए रहेंगे।
9. वह पढ़ाता हुआ रहेगा।
10. वह सीखती हुई रहेगी।

11. वह खाता हुआ रहेगा। 12. वे खिलाते हुए रहेंगे।

EXERCISE 21

Circle the correct words.

1. He is go/goes/going to market.
2. She has been cooks/cooking since morning.
3. Father didn't bring/brought sweets for us.
4. Radha don't/doesn't cares/care for anybody.
5. This girl is plays/playing tennis well.
6. Children is/are cry/crying for food.
7. I haven't stole/stolen his pen.

EXERCISE 22

Fill in the blanks with the correct forms of the verbs given in brackets.

1. आकाश में तारे टिमटिमा रहे हैं। Stars are——in the sky. [twinkle]
2. वह वायलिन बजा रही है। She is——the violin. [play]
3. वह स्वेटर बुन रही थी। She was——a sweater. [knit]
4. वह सूई में धागा लगा रही है। She is——the needle. [thread]
5. उसने घड़ी में चाबी नहीं दी। He didn't——the watch. [wind]
6. वह मेरी कमीज में बटन लगा रही थी। She was——buttons on my shirt. [sew]
7. उसने एकाएक छुरा निकाला। He——out a dagger. [whip]
8. वह धूप सेक रही है। She is——in the sun. [bask]
9. उसने छड़ मोड़ दिया है। He has——the rod. [bend]
10. वह मेरे साथ शतरंज खेल रहा था। He was——chess with me. [play]
11. वह ताश फेंट रहा है। He is——the cards. [shuffle]
12. वह रील पर धागे को लपेटते रही है। She has been——thread on to a reel. [wind]
13. उसने बहुत जोर से दरवाजा खोल दिया। She——the door open. [fling]
14. उसने आग जला दी। She——a fire. [light]
15. बच्चे बर्फ पर फिसल रहे थे। Children were——on the snow. [slide]

□

3. क्रिया के रूप : वाच्य

क्रिया के रूप (form) पर वाच्य (voice) का बहुत गहरा प्रभाव पड़ता है। यहाँ इन रूपों पर विचार करें और इनके अनुवाद का ध्यान रखें—

Rule I इन वाक्यों को देखें—

1. लड़का पढ़ाया जाता है।
2. लड़की पढ़ाई जाती है।
3. लड़के पढ़ाए जाते हैं।
4. किताबें छापी जाती हैं।

ऐसे वाक्यों में धातु के बाद **जाना** के रूप आते हैं। हिन्दी में **जाना** एक सहायक क्रिया का कार्य करता है और यह संकेत देता है कि क्रिया का रूप passive voice में है। इस प्रकार के वाक्यों की बनावट होती है—

कर्ता + धातु + आ जाता है/ई जाती है/ए जाते हैं [सामान्य वर्तमान]

इनका अनुवाद होता है—

Subject	*+ is/are*	*+ past participle [present simple]*
A letter	is	typed.
Books	are	printed.

इनकी बनावट और अनुवाद का ध्यान रखें—

1. लड़का पढ़ाया जाता है। A boy is taught.
2. लड़के पढ़ाए जाते हैं। Boys are taught.

ध्यान दें—

Rule I (a) ऐसे वाक्यों में is/are के बाद past participle आता है; present participle (verb + ing) नहीं। क्यों? इसलिए कि verb + ing से verb हो जाएगा active voice में; जैसे,

1. A boy is teaching. [लड़का पढ़ा रहा है—active]
2. A boy is taught. [लड़का पढ़ाया जाता है—passive]

Rule I (b) जब ऐसे वाक्यों में **संज्ञा + के द्वारा** आता है, तब अनुवाद में **by + noun** का प्रयोग इस प्रकार होता है—

1. लड़का शिक्षक के द्वारा पढ़ाया जाता है। A boy is taught by a teacher.
2. किताब लेखक के द्वारा लिखी जाती है। A book is written by an author.

EXERCISE 1

Translate into English.

1. खेत पटाए जाते हैं।
2. हिन्दी पढ़ाई जाती है।
3. गेहूँ उपजाया जाता है।
4. सड़क मरम्मत की जाती है।
5. लोहा तैयार किया जाता है।
6. मिठाइयाँ बाँटी जाती हैं।
7. पेड़ रोपे जाते हैं।
8. भिखारी खिलाए जाते हैं।
9. डकैत पीटे जाते हैं।
10. अच्छे छात्र पुरस्कृत किए जाते हैं।

Hints: पटाना = to irrigate, उपजाना = to grow, तैयार करना = to manufacture, रोपना = to plant, खिलाना = to feed, पुरस्कृत करना = to reward

EXERCISE 2

Correct these translations.

1. अँगरेजी सीखी जाती है। English is learning.
2. भोजन बनाया जाता है। Food is cooking.
3. पत्र बाहर भेजे जाते हैं। Letters are sending outside.
4. मछली पकड़ी जाती है। Fish is catching.
5. चोरों को गिरफ्तार किया जाता है। Thieves are arresting.

Rule II अब इन वाक्यों को देखें—

1. लड़का पढ़ाया जा रहा है।
2. लकड़ी पढ़ाई जा रही है।
3. लड़के पढ़ाए जा रहे हैं।
4. किताबें छापी जा रही हैं।

ऐसे वाक्यों से यह बोध होता है कि कार्य अभी हो रहा है, अर्थात वह जारी है। इनकी बनावट होती है—

कर्ता + धातु + आ जा रहा है/ई जा रही है/ए जा रहे हैं
[तात्कालिक वर्तमान]

इनका अनुवाद होता है—

Subject	*+ is/are*	*+ being*	*+ past participle [present progressive]*
A letter	is	being	typed.
Books	are	being	printed.

1. लड़का पढ़ाया जा रहा है। A boy is being taught.
2. लड़के पढ़ाए जा रहे हैं। Boys are being taught.

3. चिट्ठी टंकित की जा रही है। A letter is being typed.
4. किताब छापी जा रही है। A book is being printed.
5. खेत जोते जा रहे हैं/जोते गए हैं। Fields have been ploughed.

EXERCISE 3

Translate into English.

1. मछली पकड़ी जा रही है।
2. जाल फेंका जा रहा है।
3. कॉफी बनाई जा रही है।
4. मकान बनाया जा रहा है।
5. घंटी बजाई जा रही है।
6. योजनाएँ बनाई जा रही हैं।
7. गीत गाए जा रहे हैं।
8. सड़कों की मरम्मत की जा रही है।
9. पेड़ काटे जा रहे हैं।
10. बच्चे खिलाए जा रहे हैं।

EXERCISE 4

Correct these translations.

1. टेबुलों की पॉलिश की जा रही है। Tables are being polish.
2. घरों की पुताई की जा रही है। Houses are white washing.
3. जहाज तैयार किए जा रहे हैं। Ships are manufacturing.
4. खाद्यान्न बाहर भेजे जा रहे हैं। Food grains are being export.
5. चिट्ठियाँ छोड़ी जा रही हैं। Letters are posting.

Rule III अब इन वाक्यों को लें—

1. लड़का पढ़ाया जा चुका है।
2. लड़की पढ़ाई जा चुकी है।
3. लड़के पढ़ाए जा चुके हैं।
4. लड़का पढ़ाया गया है।
5. लड़की पढ़ाई गई है।
6. लड़के पढ़ाए गये हैं।

ऐसे वाक्यों से यह बोध होता है कार्य वर्तमान में समाप्त हो चुका है। इनकी बनावट होती है—

कर्ता + धातु + आ जा चुका है/ई जा चुकी है/ए जा चुके हैं [पूर्ण भूत]
या
कर्ता + धातु + आ गया है/ई गई है/ए गए हैं

इनका अनुवाद होता है—

Subject	*+ has been/have been*	*+ past participle [present perfect]*
A letter	has been	typed.
Books	have been	printed.

1. लड़का पढ़ाया जा चुका है/पढ़ाया गया है। A boy has been taught.
2. लड़की पढ़ाई जा चुकी है/पढ़ाई गई है। A girl has been taught.
3. लड़के पढ़ाए जा चुके हैं/पढ़ाए गए हैं। Boys have been taught.
4. किताब छापी जा चुकी है/छापी गई है। A book has been printed.
5. खेत जोते जा चुके हैं/जोते गए हैं। Fields have been ploughed.

EXERCISE 5

Translate into English.

1. खेतों को पटाया जा चुका है।
2. कार्य समाप्त किया गया है।
3. गाड़ी बेची जा चुकी है।
4. व्याकरण सीखा गया है।
5. तश्तरियाँ धोई जा चुकी हैं।
6. दाँत साफ किए गए हैं।
7. पेड़ काटे जा चुके हैं।
8. घरों की पुताई की गई है।
9. कहानियाँ लिखी जा चुकी हैं।
10. समाचार सुना गया है।

EXERCISE 6

Correct these translations.

1. चोर पकड़े जा चुके हैं। Thieves are catching.
2. हत्यारे को फाँसी दी जा चुकी है। The murderer has hanged.
3. एक डॉक्टर बुलाया गया है। A doctor has send for.
4. एक पत्र लिखा गया है। A letter has wrote.

Rule IV इन वाक्यों को लें—

1. लड़का पढ़ाया गया।
2. लड़की पढ़ाई गई।
3. लड़के पढ़ाए गए।
4. किताबें छापी गईं।

ऐसे वाक्यों से यह बोध होता है कि कार्य भूतकाल में सामान्यरूप से हुआ। इनकी बनावट होती है—

कर्ता + धातु + आ गया/ई गई/ए गए [सामान्य भूत]

इनका अनुवाद होता है—

Subject	*+ was/were*	*+ past participle [past simple]*
A letter	was	typed.
Books	were	printed.

1. लड़का पढ़ाया गया। A boy was taught.
2. लड़के पढ़ाए गए। Boys were taught.

EXERCISE 7

Translate into English.

1. हत्यारा पकड़ा गया।
2. चोरों को सजा दी गई।
3. अनुवाद पढ़ाया गया।
4. कलमें खरीदी गईं।
5. पुलिस बुलाई गई।
6. एक योजना तैयार की गई।
7. डकैत मारे गए।
8. गुंडे पीटे गए।
9. पेड़ रोपे गए।
10. चिट्ठी लिखी गई।

Rule V अब इन वाक्यों को देखें—

1. लड़का पढ़ाया जा रहा था।
2. लड़की पढ़ाई जा रही थी।
3. लड़के पढ़ाए जा रहे थे।

ऐसे वाक्यों से यह बोध होता है कि भूतकाल में कार्य जारी था। इनकी बनावट होती है—

कर्ता + धातु + आ जा रहा था/ई जा रही थी/ए जा रहे थे [अपूर्ण भूत]

इनका अनुवाद होता है—

Subject	*+ was being/were being*	*+ past participle [past progressive]*
A letter	was being	typed.
Roads	were being	repaired.

1. लड़का पढ़ाया जा रहा था। A boy was being taught.
2. लड़के पढ़ाए जा रहे थे। Boys were being taught.

EXERCISE 8

Translate into English.

1. सड़कें सजाई जा रही थीं।
2. पतंगें उड़ाई जा रही थीं।
3. जंगल काटे जा रहे थे।
4. झोपड़ियाँ जलाई जा रही थीं।
5. भूखे खिलाए जा रहे थे।
6. फूल तोड़े जा रहे थे।
7. घंटियाँ बजाई जा रही थीं।
8. खिलौने बेचे जा रहे थे।
9. कपड़े धोए जा रहे थे।
10. कमरा साफ किया जा रहा था।

Rule VI इन वाक्यों पर विचार करें—

1. लड़का पढ़ाया गया था। लड़का पढ़ाया जा चुका था।
2. लड़की पढ़ाई गई थी। लड़की पढ़ाई जा चुकी थी।

3. लड़के पढ़ाए गए थे। लड़के पढ़ाए जा चुके थे।

ऐसे वाक्यों से यह बोध होता है कि कार्य भूतकाल में समाप्त हो चुका था। इनकी बनावट होती है—

> कर्ता + धातु + आ गया था/ई गई थी/ए गए थे [पूर्ण भूत]
> या
> कर्ता + धातु + आ जा चुका था/ई जा चुकी थी/ए जा चुके थे

इनका अनुवाद होता है—

Subject	*+ had been*	*+ past participle [past perfect]*
A letter	had been	typed.
Roads	had been	repaired.

1. लड़का पढ़ाया गया था/पढ़ाया जा चुका था। A boy had been taught.
2. लड़के पढ़ाए गए थे/पढ़ाए जा चुके थे। Boys had been taught.

EXERCISE 9

Translate into English.

1. कार्य पूरा किया जा चुका था।
2. पाठ्यक्रम समाप्त किया गया था।
3. हत्यारे को फाँसी दी जा चुकी थी।
4. खेत जोते गए थे।
5. कविताएँ लिखी जा चुकी थीं।
6. गायें खरीदी गई थीं।
7. घर बनाया जा चुका था।
8. कुर्सियाँ तोड़ी गई थीं।
9. मैच खेले जा चुके थे।
10. सैनिक मारे गए थे।

Rule VII अब, इन वाक्यों को लें—

1. लड़का पढ़ाया जाएगा।
2. लड़की पढ़ाई जाएगी।
3. लडके पढ़ाए जाएँगे।
4. सड़कें मरम्मत कराई जाएँगी।

ऐसे वाक्यों से यह बोध होता है कि कार्य भविष्य में सामान्यरूप से किया जाएगा। इनकी बनावट होती है—

> कर्ता + धातु + आ जाएगा/ई जाएगी/ए जाएँगे [सामान्य भविष्यत्]

इनका अनुवाद होता है—

Subject	*+ shall be/will be*	*+ past participle [future simple]*
A letter	will be	typed.
Roads	will be	repaired.

1. लड़का पढ़ाया जाएगा। A boy will be taught.
2. लड़के पढ़ाए जाएँगे। Boys will be taught.

EXERCISE 10

Translate into English.

1. मोहन को इनाम दिया जाएगा।
2. उसको सजा दी जाएगी।
3. दोष दूर किया जाएगा।
4. पत्र भेजे जाएँगे।
5. शिक्षकों की नियुक्ति की जाएगी।
6. उत्तर तैयार किए जाएँगे।
7. पुस्तकें छापी जाएँगी।
8. नई योजनाएँ तैयार की जाएँगी।

Rule VIII अब, इन वाक्यों पर विचार करें—

1. लड़का पढ़ाया जा चुका रहेगा।
2. लड़की पढ़ाई जा चुकी रहेगी।
3. लड़के पढ़ाए जा चुके रहेंगे।
4. सड़कें मरम्मत कराई जा चुकी रहेंगी।

ऐसे वाक्यों से यह बोध होता है कि कार्य भविष्य में पूर्णरूप से समाप्त हो जाएगा। इनकी बनावट होती है—

कर्ता + धातु + आ जा चुका रहेगा/ई जा चुकी रहेगी/ए जा चुकेंगे [पूर्ण भविष्यत्]

इनका अनुवाद होता है—

Subject	*+ shall/will have been*	*+ past participle [future perfect]*
A letter	will have been	typed.
Roads	will have been	repaired.

1. लड़का पढ़ाया जा चुका रहेगा। A boy will have been taught.
2. लड़के पढ़ाए जा चुके रहेंगे। Boys will have been taught.

EXERCISE 11

Translate into English.

1. एक योजना तैयार की जा चुकी रहेगी।
2. अँगरेजी सीखी जा चुकी रहेगी।
3. यह कार्य समाप्त किया जा चुका रहेगा।
4. हिन्दी पढ़ाई जा चुकी रहेगी।
5. ये घोड़े बेचे जा चुके रहेंगे।
6. यह पुस्तक पूरी की जा चुकी रहेगी।
7. इन बन्दरों को प्रशिक्षण दिया जा चुका रहेगा।
8. इस घर को खाली किया जा चुका रहेगा।

Hints: प्रशिक्षण देना = to train, खाली करना = to vacate

Rule IX अब, इन वाक्यों को लें—

1. लड़का पढ़ाया जाने को है। 2. लड़की पढ़ाई जाने को है।
3. लड़के पढ़ाए जाने को हैं। 4. सड़कें मरम्मत कराई जाने को हैं।

ऐसे वाक्यों से यह बोध होता है कि भविष्य में कार्य किसी आज्ञा या कार्यक्रम के अनुसार होनेवाला है। इनकी बनावट होती है—

कर्ता + धातु + आ जाने को है/ई जाने को है/ए जाने को हैं

इनका अनुवाद होता है—

Subject	*+ is to be/are to be*	*+ past participle*
A letter	is to be	typed.
Roads	are to be	repaired.

1. लड़का पढ़ाया जाने को है। A boy is to be taught.
2. लड़के पढ़ाए जाने को हैं। Boys are to be taught.

EXERCISE 12

Translate into English.

1. बच्चे खिलाए जाने को हैं। 2. पुस्तकें छापी जाने को हैं।
3. यह गाड़ी खरीदी जाने को है। 4. यह गाय बेची जाने को है।
5. एक उपन्यास लिखा जाने को है। 6. भोजन बनाया जाने को है।
7. घोड़े प्रशिक्षित किए जाने को हैं। 8. एक सभा बुलाई जाने को है।

Rule X अब, इन वाक्यों को लें—

1. लड़का पढ़ाया जाने को था। 2. लड़की पढ़ाई जाने को थी।
3. लड़के पढ़ाए जाने को थे। 4. सड़कें मरम्मत कराई जाने को थीं।

ऐसे वाक्यों से यह बोध होता है कि कार्य भूतकाल में किसी आज्ञा या कार्यक्रम के अनुसार होनेवाला था, पर वह हो न सका। इनकी बनावट होती है—

कर्ता + धातु + आ जाने को था/इ जाने को थी/ए जाने को थे

इनका अनुवाद होता है—

Subject	*+ was to be/were to be*	*+ past participle*
A letter	was to be	typed.
Roads	were to be	repaired.

1. लड़का पढ़ाया जाने को था। A boy was to be taught.
2. लड़के पढ़ाए जाने को थे। Boys were to be taught.

EXERCISE 13

Translate into English.

1. बच्चे खिलाए जाने को थे।
2. अँगरेजी सीखी जाने को थी।
3. हिन्दी पढ़ाई जाने को थी।
4. नेता चुने जाने को थे।
5. उनका स्वागत किया जाने को था।
6. पेड़ काटे जाने को थे।
7. कहानियाँ लिखी जाने को थीं।
8. रेडियो बेचा जाने को था।
9. एक घर बनाया जाने को था।
10. जूते खरीदे जाने को थे।

Rule XI अब, इन वाक्यों पर विचार करें—

1. लड़के को पढ़ाया जाना है।
2. लड़की को पढ़ाया जाना है।
3. लड़कों को पढ़ाया जाना पड़ा है।
4. लड़के को पढ़ाया जाना पड़ा है।
5. लड़की को पढ़ाया जाना पड़ा है।
6. लड़कियों को पढ़ाया जाना पड़ा है।

ऐसे वाक्यों से यह बोध होता है कि वर्तमान समय में कई कार्य लाचारी से (अर्थात बाध्य होकर) करना पड़ता है, स्वेच्छा से नहीं। ऐसे वाक्यों की बनावट होती है—

कर्ता + को + धातु + आ जाना है।
कर्ता + को + धातु + आ जाना पड़ा है।

इनका अनुवाद होता है—

Subject *Subject*	*+ has to be/have to be* *+ has got to be/have got to*	*+ past participle* *+ past participle*
A letter Roads	has to be/has got to be have to be/have got to be	typed. repaired.

1. लड़के को पढ़ाया जाना है/पढ़ाया जाना पड़ा है।
   A boy has to be taught or has got to be taught.
2. लड़कों को पढ़ाया जाना है/पढ़ाया जाना पड़ा है।
   Boys have to be taught or have got to be taught.

EXERCISE 14

Translate into English.

1. गेहूँ उपजाया जाना है।
2. खेतों को पटाया जाना है।
3. खेती का सुधार किया जाना है।
4. देश को मजबूत बनाया जाना है।

5. एक डॉक्टर को बुलाया जाना है। 6. डकैतों को पकड़ा जाना है।

Rule XII अब, इन वाक्यों को लें—

1. लड़के को पढ़ाया जाना पड़ा था।
2. किताब को छपाया जाना पड़ा था।

ऐसे वाक्यों से यह बोध होता है कि भूतकाल में कोई कार्य लाचारी से करना पड़ा था। इनकी बनावट होती है—

संज्ञा/सर्वनाम + को + धातु + आ पड़ा था/पड़ी थी।

इसका अनुवाद होता है—

Subject *Subject*	*+ had to be* *+ had got to be*	*+ past participle* *+ past participle*
A boy A boy	had to be had got to be	taught. taught.

1. किताब को छपाया जाना पड़ा था। A book had to be printed.
   A book had got to be printed.
2. पत्र को टंकित किया जाना पड़ा था। A letter had to be typed.
   A letter had got to be typed.

EXERCISE 15

Translate into English.

1. खेत को जोतवाया जाना पड़ा था।
2. फसलों को सिंचवाया जाना पड़ा था।
3. हाथी को मरवाया जाना पड़ा था।
4. हत्यारे को फाँसी दिलवाई जानी पड़ी थी।
5. इन सड़कों की मरम्मत करानी पड़ी थी।
6. पत्थरों को हटाना पड़ा था।

Rule XIII अब, इन वाक्यों को लें—

1. लड़के को/लड़की को/लड़कों को पढ़ाया जाना पड़ेगा/होगा।
2. इस कार्य को समाप्त किया जाना पड़ेगा/होगा।

ऐसे वाक्यों से यह बोध होता है कि भविष्य में कोई कार्य लाचारी से करना पड़ेगा। इनकी बनावट होती है—

कर्ता + को + धातु + आ + जाना + पड़ेगा/होगा

इनका अनुवाद होता है—

Subject	+ shall/will have to be	+ past participle
A letter	will have to be	typed.
Roads	will have to be	repaired.

1. लड़के/लड़कों को पढ़ाया जाना पड़ेगा/होगा।
   A boy/Boys will have to be taught.
2. इस कार्य को समाप्त किया जाना पड़ेगा/होगा।
   This work will have to be finished.

EXERCISE 16

Translate into English.

1. इस लड़के का सुधार किया जाना पड़ेगा/होगा।
2. इन पेड़ों को कटवाया जाना पड़ेगा/होगा।
3. इन बेंचों को हटाया जाना पड़ेगा/होगा।
4. इन घरों को खाली कराया जाना पड़ेगा/होगा।
5. इन कपड़ों को धुलाया जाना पड़ेगा/होगा।
6. इन जानवरों को खिलाया जाना पड़ेगा/होगा।

Rule XIV अब इन वाक्यों पर विचार करें—

1. लड़का पढ़ाया जा सकता है।
2. लड़की पढ़ाई जा सकती है।
3. लड़के पढ़ाए जा सकते हैं।
4. सड़कें मरम्मत कराई जा सकती हैं।

ऐसे वाक्यों से यह बोध होता है कि वर्तमान या भविष्य में कोई कार्य करने की शक्ति/क्षमता या सम्भावना है। इनकी बनावट होती है—

कर्ता + धातु + आ जा सकता है/ई जा सकती है/ए जा सकते हैं।

इनका अनुवाद होता है—

Subject	+ can be/may be	+ past participle
A letter	can be/may be	typed.
Roads	can be/may be	repaired.

1. लड़का पढ़ाया जा सकता है। A boy can be/may be taught.
2. लड़के पढ़ाए जा सकते हैं। Boys can be/may be taught.

Rule XV अब इन वाक्यों को लें—

1. लड़का पढ़ाया जा सकता था।
2. लड़की पढ़ाई जा सकती थी।
3. लड़के पढ़ाए जा सकते थे।
4. सड़कें मरम्मत कराई जा सकती थीं।

ऐसे वाक्यों से यह बोध होता है कि भूतकाल में कोई कार्य पूरा हो सकता था, पर वह पूरा नहीं हुआ। इनकी बनावट ऐसी होती है—

कर्ता + धातु + आ जा सकता था/ई जा सकती थी/ए जा सकते थे।

इनका अनुवाद होता है—

Subject	*+ could have been*	*+ past participle*
A letter	could have been	typed.
Roads	could have been	repaired.

1. लड़का पढ़ाया जा सकता था। A boy could have been taught.
2. लड़के पढ़ाए जा सकते थे। Boys could have been taught.
3. यह काम समाप्त किया जा सकता था। This work could have been finished.

EXERCISE 17

Translate into English.

1. उसको सुधारा जा सकता है।
2. उसको सुधारा जा सकता था।
3. मोहन को बुलाया जा सकता है।
4. मोहन को बुलाया जा सकता था।
5. राधा की मदद की जा सकती है।
6. राधा की मदद की जा सकती थी।
7. रोगी को बचाया जा सकता है।
8. रोगी को बचाया जा सकता था।
9. पुस्तकें छापी जा सकती हैं।
10. पेड़ लगाए जा सकते थे।

Hints: सुधारना = to reform/correct, रोगी = patient, पेड़ लगाना = to plant

Rule XVI अब, इन वाक्यों को लें—

1. लड़के को पढ़ाया जाना चाहिए।
2. लड़के को पढ़ाया जाए।
3. लड़की को पढ़ाया जाना चाहिए।
4. लड़की को पढ़ाया जाए।
5. लड़कों को पढ़ाया जाना चाहिए।
6. लड़के पढ़ाए जाएँ।

ऐसे वाक्यों से यह बोध होता है कि वर्तमान या भविष्य में कोई कार्य किया जाना चाहिए, क्योंकि वह कार्य उचित है।

इनकी बनावट होती है—

कर्ता + धातु + आ + जाना चाहिए
कर्ता + धातु + आ जाए/ए जाएँ

इनका अनुवाद होता है—

Subject	*+ should be/ought to be*	*+ past participle*
A letter	should be/ought to be	typed.
Roads	should be/ought to be	repaired.

1. लड़के को पढ़ाया जाना चाहिए/लड़के को पढ़ाया जाए।
   A boy should be taught./A boy ought to be taught.
2. लड़की को पढ़ाया जाना चाहिए/लड़की को पढ़ाया जाए।
   A girl should be taught./A girl ought to be taught.
3. यह कार्य किया जाना चाहिए/यह कार्य किया जाए।
   This work should be done./This work ought to be done.

EXERCISE 18

Translate into English.

1. नहरें खुदवाई जानी चाहिए।
2. पेड़ लगाए जाएँ।
3. पुस्तकें छपवाई जानी चाहिए।
4. एक गाय खरीदी जाए।
5. यह कार्य समाप्त किया जाना चाहिए।
6. एक सभा बुलाई जाए।
7. अब कार्य आरम्भ किया जाना चाहिए।
8. एक प्रीति-भोज किया जाए।
9. युद्ध जीता जाना चाहिए।
10. अब बच्चे खिलाए जाएँ।

Rule XVII अब, इन वाक्यों को देखें—

1. लड़के को पढ़ाया जाना चाहिए था।
2. लड़की को पढ़ाया जाना चाहिए था।
3. लड़कों को पढ़ाया जाना चाहिए था।

ऐसे वाक्यों से यह बोध होता है कि भूतकाल में कोई उचित कार्य होना चाहिए था, पर वह पूरा न हो सका। इनकी बनावट होती है—

कर्ता + धातु + आ जाना चाहिए था।

इनका अनुवाद होता है—

Subject *Subject*	*+ should have been* *+ ought to have been*	*+ past participle* *+ past participle*
A letter Roads	should have been ought to have been	typed. repaired.

1. लड़के/लड़की को पढ़ाया जाना चाहिए था।
   A boy/girl should have been taught.
   or
   A boy/girl ought to have been taught.

ध्यान दें—

Rule XVII (a) हिन्दी के कुछ वाक्यों की क्रियाएँ active voice में रहती हैं, पर इनका अनुवाद passive voice में होता है।

1. घोड़े सब जगह मिलते हैं। Horses are found everywhere.
2. यह सबको मालूम है। It is known to everybody.
3. उसका जन्म 1993 में हुआ। He was born in 1993.
4. उसका विवाह 2007 में हुआ। He was married in 2007.
5. उसे सजा मिलेगी। He will be punished.
6. बहुत लोगों को चोटें आईं। A lot of people were hurt/injured.
7. मेरा बैग गुम हो गया/खो गया। My bag was lost.
8. उसे शराब पीने/जुआ खेलने की आदत है।
   He is addicted to drinking/gambling.
9. मकान किराये पर लगा है। The house has been let out.
10. इस घर में ताला लगा है। The house is locked.
11. कुछ छात्रों को मार लगी। Some students were assaulted.
12. इस पुस्तक के पन्ने फटे हैं। The pages of this book are torn.
13. उसके सिर पर पट्टी बँधी है। His head is bandaged.
14. ये प्याले फूटे हैं। The cups are broken.
15. ये बसें ठसाठस भरी हैं। These buses are overcrowded.
16. उसका नाम कॉलेज से कट गया है।
    His name has been struck off the college rolls.
17. एक सभा हुई/होगी। A meeting was held/will be held.

Rule XVII (b) हिन्दी के कुछ वाक्यों की बनावट ऐसी होती है—

संज्ञा/सर्वनाम	+ का/की/के	+ संज्ञा	+ क्रिया +[होना]
राम	की	बुलाहट	हुई।
खेत	की	जुताई	हुई।
उस	का	स्वागत	हुआ।

इनका अनुवाद passive voice में इस प्रकार होता है—

Subject	*+ verb 'be'*	*+ past participle*
Ram	was	called.
The field	was	ploughed.
He	was	welcomed.

इस प्रकार के हिन्दी वाक्यों के **संज्ञा/सर्वनाम + का/की/के** अँगरेजी में subject हो जाते हैं; जैसे,

राम की = Ram, खेत की = The field, उसका = He

ऐसे वाक्यों की **संज्ञा + क्रिया [होना]** का अनुवाद होता है—

verb to be + past participle; जैसे,

बुलाहट हुई = was called, जुताई हुई = was ploughed

Rule XVII (c) **मरना** का प्रयोग सदा active voice में होता है; जैसे,

वह मर गया/उसकी मृत्यु हुई/हो गई—He died.

इनका अनुवाद इस प्रकार न करें—He was died.

EXERCISE 19

Translate into English.

1. भिखारियों को खिलाया जाना चाहिए था।
2. खेतों को पटाया जाना चाहिए था।
3. रुपया बचाया जाना चाहिए था।
4. कार्य समाप्त किया जाना चाहिए था।
5. एक डॉक्टर को बुलाया जाना चाहिए था।
6. छात्रों को इनाम दिया जाना चाहिए था।

EXERCISE 20

Choose the correct words.

1. My purse had/was lost in the fair.
2. That work should have been finish/finished.

3. A prize was given/giving to each girl.
4. This horse has got to be training/trained.
5. These roads are being cleared/clearing.
6. Wheat is grows/grown everywhere.
7. She was died/died last week.

EXERCISE 21

Fill in the blanks with the correct forms of the verbs given in brackets.

1. बहुत-सी बीमारियाँ मकड़ियों के द्वारा फैलायी जाती हैं।
   Many diseases_____by spiders. [spread]
2. मकड़ी के जाल मकड़ियों के द्वारा बनाए जाते हैं।
   Cobwebs_____by spiders. [spin]
3. घृणा के बीज बोए जा चुके हैं।
   Seeds of hatred_____. [sow]
4. धूल भरी राह पर पानी छिड़कवाया गया है।
   Water_____on the dusty path. [sprinkle]
5. लकड़ी का कुन्दा तख्तों में चीरा जा रहा है।
   The log ___into planks. [saw]
6. ट्रेन अभी आगे-पीछे की जा रही है।
   The train_____now. [shuttle]
7. मछली अब तली जा रही है।
   Fish_____now. [fry]
8. सूचना शीघ्र भेजी जाएगी।
   Information_____soon. [send]
9. गेहूँ मिल में पीसा गया है।
   Wheat_____in a mill. [grind]
10. कीटनाशक दवा पौधों पर छिड़की जा रही है।
    Insecticide_____on plants. [spray]

□

4. क्रिया के रूप : प्रेरणार्थक

यहाँ प्रेरणार्थक क्रिया (causative verb) के रूपों और अनुवादों पर विचार करें।

Rule I इन वाक्यों को देखें—

1. मैंने राम को हँसाया।
2. मोहन ने मुझे रुलाया।
3. उसने घोड़े को चलाया।

ऐसे वाक्यों से यह बोध होता है कि कार्य किसी दूसरे की सहायता से होता है, पर कर्ता स्वयं भी उसमें भाग लेता है। ऐसे वाक्यों की बनावट होती है—

कर्ता + संज्ञा/सर्वनाम [कर्म] + प्रेरणार्थक क्रिया [धातु + आ]

इनका अनुवाद होता है—

Subject	*+ make*	*+ noun/pronoun [object]*	*+ infinitive [without to]*
He	made	me	sing.
I	made	him	speak.

इनकी बनावट और अनुवाद को देखें—

1. मैंने राम को हँसाया। I made Ram laugh.
2. मोहन ने मुझे रुलाया। Mohan made me cry.
3. उसने घोड़े को चलाया। He made the horse walk.
4. मैंने उसे सुलाया। I made him sleep.

ध्यान दें—

Rule I (a) हिन्दी में ऐसी क्रिया को प्रेरणार्थक कहते हैं और अँगरेजी में causative verb.

Rule I (b) Make + object के बाद infinitive (to + verb) तो आता है, पर इसका चिह्न (to) सदा छिपा रहता है।

made me to laugh = made me laugh

made him to cry = made him cry

Rule II अब, इन वाक्यों को लें—

1. राम को हँसाया गया।
2. मुझे रुलाया गया।
3. घोड़े चलाए गए।
4. लड़की सुलाई गई।

इन वाक्यों की प्रेरणार्थक क्रियाएँ हैं passive voice में, क्योंकि सहायक क्रिया 'जाना' का प्रयोग हुआ है।

इनकी बनावट होती है—

कर्ता + धातु + आ जाता है/ई जाती है/ए जाते हैं
कर्ता + धातु + आ गया/ई गई/ए गए
कर्ता + धातु + आ जाएगा/ई जाएगी/ए जाएँगे

इनका अनुवाद होता है—

(i) Subject *(ii) Subject*	*+ is/are/was/were* *+ shall be/will be*	*+ made* *+ made*	*+ infinitive* *+ infinitive*
I He	was will be	made made	to sing. to speak.

1. राम/सीता को हँसाया जाता है। Ram/Sita is made to laugh.
2. लड़की नचाई जाती है। A girl is made to dance.
3. घोड़े चलाए जाते हैं। Horses are made to walk.
4. लड़का हँसाया गया। A boy was made to laugh.
5. लड़के रुलाए गए। Boys were made to cry.
6. लड़की नचाई जाएगी। A girl will be made to dance.
7. लड़के दौड़ाए जाएँगे। Boys will be made to run.

ध्यान दें—

Rule II (a) Causative verb के active voice में make के बाद infinitive का चिह्न (to) छिपा रहता है; जैसे, He made me **sing.**

Rule II (b) Causative verb के passive voice में make के बाद infinitive का चिह्न (to) प्रकट हो जाता है; जैसे, I was made **to sing.**

EXERCISE 1

Translate into English.

1. माँ ने बच्चों को सुलाया।
2. बच्चे सुलाए गए।
3. मोहन ने मुझे गवाया।
4. कुत्ते दौड़ाए गए।
5. मैंने उसे हँसाया।
6. वह हँसाया गया।
7. उसने मुझे टहलाया।
8. रोगी टहलाया गया।
9. मैंने उसे पेड़ पर चढ़ाया।
10. वह पेड़ पर चढ़ाया गया।

Rule III अब, इन वाक्यों पर विचार करें—

1. राम ने पत्र लिखवाया।
2. मोहन ने सड़क बनवाई।
3. मैंने बाल कटवाया।
4. उसने पेड़ लगवाए।

ऐसे वाक्यों की प्रेरणार्थक क्रियाओं से यह बोध होता है कि कार्य बिलकुल दूसरे के द्वारा होता है और कर्ता उसमें भाग नहीं लेता है। कर्ता केवल प्रेरणा देता है।

इनकी बनावट होती है—

कर्ता + संज्ञा/सर्वनाम [कर्म] + प्रेरणार्थक क्रिया [धातु + वाना]

इनका अनुवाद होता है—

(i) Subject *(ii) Subject*	*+ to have* *+ to get*	*+ noun/pronoun [object]* *+ noun/pronoun [object]*	*+ past participle* *+ past participle*
I I	had got	a tree a tree	planted. planted.

1. राम ने पत्र लिखवाया। Ram had a letter written.
   Ram got a letter written.
2. मैंने बाल कटवाया। I had my hair cut.
   I got my hair cut.
3. उसने एक घर बनवाया है। He has a house built.
   He has got a house built.
4. वह पौधों को पटवाती है। She has the plants watered.
   She gets the plants watered.

ध्यान दें—

Rule I ऐसे वाक्यों में object आता है get/have और past participle के बीच में, past participle के बाद नहीं।

Rule II अब इन वाक्यों की बनावट को देखें—

Subject	*+ get*	*+ object*	*+ infinitive + other words*
I	can't get	him	to understand me.
He	can't get	her	to talk to him.
I	got	the old watch	to work.
She	got	me	to wear a new suit.
I	didn't get	anyone	to do the work.

ऐसे वाक्यों में object के बाद infinitive (to + verb) आता है, न कि past participle.

EXERCISE 2

Translate into English.

1. उसने भिखारियों को खिलवाया।
2. मैंने गरीबों को मदद दिलवाई।
3. मैंने आवेदन पत्र को अग्रसारित करवाया।
4. उसने बदमाशों को दंड दिलवाया।
5. उसने अच्छे छात्रों को इनाम दिलवाया।
6. मैंने सभा स्थगित करवाई।
7. छात्रों ने परीक्षा रद्द करवाई।
8. उसने कार्य आरम्भ करवाया।
9. लोगों ने कूड़ा-करकट हटवाया।
10. मैंने सड़कों को चौड़ी करवाई।

Hints: अग्रसारित करना = to forward, स्थगित करना = to postpone, रद्द करना = to cancel, आरम्भ करना = to start, कूड़ा-करकट = rubbish. चौड़ा करना = to widen

EXERCISE 3

Correct these translations.

1. मैंने एक आवेदन पत्र लिखवाया। I had written an application.
2. उसने अपना खेत जोतवाया। He got plough his field.
3. मैंने फसलों को पटवाया। I had irrigate the crops.
4. उसने पेड़ लगवाए। He got plant trees.
5. मैंने रेडियो मरम्मत करवाई। I had repair the radio.

Rule III अब इन वाक्यों को लें—

1. राम पत्र लिखवा सकता है।
2. राम पत्र लिखवा सका।
3. राम पत्र लिखवा सकता था।

ऐसे वाक्यों में **प्रेरणार्थक क्रिया + सकना** का प्रयोग होता है और इनकी बनावट होती है—

कर्ता + कर्म + प्रेरणार्थक क्रिया + सकना [सकता है/सका/सकता था]

इनका अनुवाद होता है—

(i) Subject + can/could + have + object + past participle. *(ii) Subject + can/could + get/could have got + object + past participle.*

1. राम पत्र लिखवा सकता है। Ram can have a letter written.
   Ram can get a letter written.
2. राम पत्र लिखवा सका। Ram could get a letter written.

3. राम पत्र लिखवा सकता था। Ram could have a letter written.
Ram could have got a letter written.

4. धनी व्यक्ति यह सब करा ले सकते हैं। The rich can have all this done.
The rich can get all this done.

ध्यान दें—

Ram could have a letter written का अर्थ है—राम किसी दूसरे से पत्र लिखवा सकता था, पर Ram could have written a letter का अर्थ है—राम स्वयं पत्र लिख सकता था।

EXERCISE 4

Translate into English.

1. वह मुझे पिटवा सकता है।
2. वह मुझे पिटवा सकता था।
3. मोहन उसे मरवा सकता है।
4. मोहन उसे मरवा सकता था।
5. वह झोपड़ियों को जलवा सकता है।
6. वह झोपड़ियों को जलवा सकता था।
7. मैं सड़कों की मरम्मत करवा सकता हूँ।
8. मैं सड़कों की मरम्मत करवा सकता था।
9. पुलिस चोरों को पकड़वा सकती है।
10. पुलिस चोरों को पकड़वा सकती थी।
11. वह मुझे पुरस्कृत करवा सकता है।
12. वह मुझे पुरस्कृत करवा सकता था।

Rule V अब, इन वाक्यों को देखें—

1. राम को पत्र लिखवाना चाहिए।
2. राम को पत्र लिखवाना चाहिए था।

ऐसे वाक्यों में **प्रेरणार्थक क्रिया + चाहिए** का प्रयोग होता है और इनकी बनावट होती है—

कर्ता + कर्म + प्रेरणार्थक क्रिया + चाहिए/चाहिए था

इनका अनुवाद होता है—

(i) Subject *(ii) Subject* *(iii) Subject*	*+ should have* *+ should get* *+ should have got*	*+ object* *+ object* *+ object*	*+ past participle* *+ past participle* *+ past participle*
Ram	should have	a letter	written.
Ram	should get	a letter	written.
Ram	should have got	a letter	written.

1. मुझे यह कार्य करवाना चाहिए।
   I should have the work done.
   I should get the work done.
2. मुझे यह कार्य करवाना चाहिए था।
   I should have got the work done.

EXERCISE 5

Translate into English.

1. उसे बच्चों को पढ़वाना चाहिए।
2. उसे बच्चों को पढ़वाना चाहिए था।
3. मुझे किताब छपवानी चाहिए।
4. मुझे किताब छपवानी चाहिए थी।
5. उन्हें गरीबों को खिलवाना चाहिए।
6. उन्हें गरीबों को खिलवाना चाहिए था।
7. मुझे खेतों को जुतवाना चाहिए।
8. मुझे खेतों को जुतवाना चाहिए था।
9. उन्हें जंगलों को कटवाना चाहिए।
10. उन्हें जंगलों को कटवाना चाहिए था।

EXERCISE 6

Tick (✓) the correct words.

1. He was made sing/to sing.
2. He made us laugh/to laugh.
3. She got him hung/hanged.
4. I was made speak/to speak.
5. He got the soldiers march/to march.
6. She got him repair/to repair her watch.
7. I will get my house whitewashing/whitewashed.
8. I can't get her sing/to sing.
9. I can't make her sing/to sing.
10. She didn't get anybody cut/to cut her hair.

□

5. नामकरण-सूचक वाक्य
पहचान/परिचय-सूचक वाक्य

यहाँ ऐसे वाक्यों के अनुवाद पर विचार करें जिनसे किसी व्यक्ति/वस्तु के नाम (name), पहचान (identity) या परिचय (introduction) का बोध होता है।

Rule I इन वाक्यों पर विचार करें—

1. यह किताब है।
2. वह कलम है।
3. यह दवात है।
4. वह नारंगी है।
5. यह मोहन है।
6. वह सोहन है।
7. यह भारत है।
8. वह आकाशवाणी है।
9. ये बिल्लियाँ हैं।
10. वे नदियाँ हैं।

ऐसे वाक्यों से किसी व्यक्ति/वस्तु के नाम (name) का बोध होता है। इनकी बनावट होती है—

कर्ता [यह/वह/ये/वे] + संज्ञा + क्रिया [है/हैं]

Subject [this/that/these/those]	*+ verb [is/are]*	*+ noun [name]*
This	is	a book.
That	is	an orange.
These	are	cats.
Those	are	rivers.

1. यह कलम है। This is a pen.
2. यह दवात है। This is an inkpot.
3. यह मोहन है। This is Mohan.
4. यह चीनी है। This is sugar.

ध्यान दें—

Rule I (a) This/that के बाद singular verb और singular noun आता है, अर्थात सभी शब्द singular होते हैं, पर these/those के बाद plural verb और plural noun आता है, अर्थात सभी शब्द plural होते हैं।

Singular (S)			*Plural (P)*		
S	S	S	P	P	P
This This	is is	a book. an apple.	These These	are are	books. apples.

इसलिए S-S-S में P को और P-P-P में S को इस प्रकार न लिखें।

1. This is a pens. 2. These are girl.

Rule I (b) हिन्दी में क्रिया वाक्य के अंत में आती है, पर अँगरेजी में क्रिया कर्ता के बाद आती है। हिन्दी में ऐसे वाक्यों की बनावट होती है—

Subject + noun + verb
यह + पुस्तक + है

= [$S + N + V$]

पर अँगरेजी वाक्यों की बनावट होती है—

Subject + verb + noun
This + is + a book.

= [$S + V + N$]

Rule I (c) हिन्दी में जातिवाचक संज्ञा (common noun) के पहले कभी एक आता भी है और कभी नहीं भी आता, पर अँगरेजी में singular common noun (countable noun) के पहले a/an अवश्य आता है; जैसे,

1. यह किताब है/यह एक किताब है। This is a book.
2. यह दवात है/यह एक दवात है। This is an inkpot.

Rule I (d) अँगरेजी वाक्यों में proper/material/abstract noun (uncountable noun) के पहले a/an नहीं आता; जैसे,

1. यह भारत है। This is India.
2. यह चीनी है। This is sugar.

EXERCISE 1

Translate into English.

1. यह लड़का है। 2. यह सेब है। 3. वह गीत है। 4. यह आम है। 5. यह आँख है। 6. वह कान है। 7. यह छाता है। 8. यह गदहा है। 9. यह चूना है। 10. ये अण्डे हैं। 11. ये हाथ हैं। 12. ये केले हैं।

13. यह चाँदी है। 14. यह दूध है। 15. यह नमक है।
16. यह बिहार है। 17. यह स्कूल है। 18. यह पटना है।
19. यह स्याही है। 20. यह कलम है। 21. यह बंगाल है।
22. ये सब्जियाँ हैं। 23. ये मसाले हैं।

EXERCISE 2

Correct these translations.

1. यह घड़ी है। This a watch is.
2. यह दफ्तर है। That an office is.
3. यह गीत है। This is songs.
4. ये गाड़ियाँ हैं। These are a car.
5. ये आँखें हैं। These are an eye.

Rule II अब इन वाक्यों को देखें—

1. यह मेरी बहन है। 2. यह मेरे पिताजी हैं।
3. वह श्री वर्मा हैं। 4. यह मेरा मित्र है।

ऐसे वाक्यों से किसी व्यक्ति की पहचान (identity) या परिचय (introduction) का बोध होता है और इनकी बनावट होती है।

यह/वह + संज्ञा + क्रिया [है/हैं]

इनका अनुवाद होता है—

This	*+ is*	*+ noun [name]*
This	is	Mr Sinha.
This	is	my sister.

1. यह मेरे पिताजी हैं। This is my father.
2. यह मि॰ वर्मा हैं। This is Mr Verma.

ध्यान दें—

ऐसे noun के पहले possessive adjective का भी प्रयोग हो सकता है; जैसे—

1. This is my father. 2. This is his mother.

EXERCISE 3

Translate into English.

1. यह मेरा भाई है। 2. यह मेरी माता जी हैं। 3. यह मेरा मित्र है।
4. यह मेरी चाची हैं। 5. यह मि॰ सिन्हा हैं। 6. यह मि॰ यादव हैं।
7. यह राधा है। 8. यह मोहन है।

EXERCISE 4

Match the words under A and B to make correct sentences.

A	B
This is an	America
These are	university
This is an	cement
These are	HMT watch
This is	umbrella
That is a	leaves
That is	F-16 aircraft
This is an	knives

□

6. पेशा/व्यवसाय-सूचक वाक्य पद/जाति/धर्म/राष्ट्रीयता-सूचक वाक्य

यहाँ हम ऐसे वाक्यों के अनुवाद पर विचार करें जिनसे किसी व्यक्ति के पेशा/व्यवसाय (profession/occupation), पद (rank/post), जाति (caste/community), धर्म (religion) या राष्ट्रीयता (nationality) का बोध होता है।

Rule I इन वाक्यों को देखें—

1. मोहन डॉक्टर है।
2. राधा नर्स है।
3. रमेश लेखक है।
4. सुरेश किसान है।
5. वे कलाकार हैं।
6. वे शिक्षक हैं।
7. श्री सिंह मुख्यमंत्री हैं।
8. श्री वर्मा सचिव हैं।

ऐसे वाक्यों से किसी व्यक्ति के पेशा/व्यवसाय/पद का बोध होता है। इनकी बनावट होती है—

कर्ता [संज्ञा/सर्वनाम] + संज्ञा + क्रिया [है/हैं]

इनका अनुवाद होता है—

Subject [noun/pron.]	*+ verb [is/are]*	*+ noun [profession/post]*
Mohan	is	a doctor.
Radha	is	a nurse.
They	are	artists.

1. रमेश लेखक है। Ramesh is an author.
2. श्री वर्मा सचिव हैं। Sri Verma is a secretary.
3. श्री सिंह मुख्यमंत्री हैं। Sri Singh is the chief minister.
4. वे शिक्षक हैं। They are teachers.

ध्यान दें—

Rule I (a) ऐसे वाक्यों के सभी शब्द [subject + verb + noun] या तो singular होते हैं या plural; जैसे,

Singular (S)			*Plural (P)*		
S	*+ S*	*+ S*	*P*	*+ P*	*+ P*
He	is	a doctor.	They	are	doctors.
She	is	a nurse.	They	are	nurses.

Rule I (b) हिन्दी में ऐसे वाक्यों में क्रिया अन्त में आती है, पर अँगरेजी में क्रिया आती है कर्ता के बाद और संज्ञा के पहले। हिन्दी में ऐसे वाक्यों की बनावट होती है—

Subject	*+ noun*	*+ verb [S + N + V]*
वह	डॉक्टर	है।

पर अँगरेजी वाक्यों की बनावट होती है—

Subject	*+ verb*	*+ noun [S + V + N]*
He	is	a doctor.

ऐसे अँगरेजी वाक्यों की बनावट [S + N + V] इस प्रकार न करें—

1. He a doctor is.
2. She a nurse is.

Rule I (c) हिन्दी के ऐसे वाक्यों में एकवचन जातिवाचक संज्ञा (common noun) के पहले कभी **एक** आता भी है और कभी नहीं भी आता, पर अँगरेजी में singular common noun (countable noun) के पहले a/an अवश्य आता है।

1. वह शिक्षक है/एक शिक्षक है। He is a teacher.
2. वह विद्यार्थी है/एक विद्यार्थी है। He is a student.

Plural common noun के पहले a/an का प्रयोग कभी नहीं होता। इसलिए a/an का प्रयोग इस प्रकार न करें—

1. वे किसान हैं। They are a farmers.
2. वे मजदूर हैं। They are a labourers.

Rule I (d) पेशा/व्यवसाय का भाव इस प्रकार भी व्यक्त किया जा सकता है—

Subject + is/are + in + profession

1. वह सेना में है। He is in the army.
2. वे राजनीति में हैं। They are in politics.

EXERCISE 1

Correct these translations.

1. वह बढ़ई है। He a carpenter is.
2. वह खिलाड़ी है। He a player is.
3. वे फिल्म स्टार हैं। They a filmstar is.
4. वह नायक है। He hero is.
5. वे गायक हैं। They are a singers.

EXERCISE 2

Translate into English.

1. वह इंजीनियर है।
2. वह मोची है।
3. वे विक्रेता हैं।
4. तुम वकील हो।
5. शीला अफसर है।
6. वे व्यापारी हैं।
7. वह सम्पादक है।
8. मोहन लेखक है।
9. वे साधु हैं।
10. वह कलाकार है।
11. सोहन जादूगर है।
12. वे सेनापति हैं।
13. वह कारीगर है।
14. राम उपन्यासकार है।
15. वे ड्राइवर हैं।
16. वह राजदूत है।
17. श्याम पुरोहित है।
18. वे परीक्षक हैं।
19. वह जुलाहा है।
20. रहीम दूत है।
21. वे कसाई हैं।
22. वह देवदूत है।
23. वह नाटककार है।
24. वे फेरीवाले हैं।
25. वे प्रधानमंत्री हैं।
26. वे राष्ट्रपति हैं।
27. वह मंत्री है।

Hints: विक्रेता = seller, सम्पादक = editor, मोची = cobbler, कलाकार = artist, कारीगर = artisan, उपन्यासकार = novelist, राजदूत = ambassador, पुरोहित = priest, दूत = messenger, देवदूत = angel, नाटककार = dramatist, फेरीवाले = hawkers

Rule II अब, इन वाक्यों को लें—

1. वह क्षत्रिय है।
2. वे तमिल हैं।
3. वह हिन्दू है।
4. वे मुसलमान हैं।
5. वह बिहारी है।
6. हमलोग भारतीय हैं।

ऐसे वाक्यों से किसी व्यक्ति की जाति/धर्म/राष्ट्रीयता (caste/community/religion/nationality) का बोध होता है।

इनकी बनावट होती है—

कर्ता [संज्ञा/सर्वनाम] + संज्ञा + क्रिया [है/हैं]

इनका अनुवाद होता है—

Subject [noun/pron.]	*+ verb [is/are]*	*+ noun*
He	is	a lawyer.
They	are	Jews.
They	are	Punjabis.

1. वह हिन्दू है। He is Hindu.
2. वे मुसलमान हैं। They are Muslims.
3. वह बिहारी है। He is Bihari.
4. हमलोग भारतीय हैं। We are Indians.

EXERCISE 3

Translate into English.

1. वह अँगरेज है।
2. वह बिहारी है।
3. वे बंगाली हैं।
4. वह अमरीकी है।
5. वह गुजराती है।
6. वे मराठी हैं।
7. वह बौद्ध है।
8. वह ईसाई है।
9. वे भारतीय हैं।
10. वे रूसी हैं।
11. वे जापानी हैं।
12. वे सिख हैं।
13. वे जैनी हैं।
14. वे नेपाली हैं।
15. वे पंजाबी हैं।

EXERCISE 4

Match the sentences under A and B.

A	B
He works in a court.	He is a carpenter.
They worship in a church.	They are farmers.
He mends our shoes.	He is a washerman.
They make bridges.	He is a soldier.
He carries our luggage.	They are publishers.
He makes furniture.	He is a lawyer.
They produce wheat.	They are Christians.
He washes our clothes.	He is a cobbler.
He defends our country.	They are engineers.
They publish books.	He is a porter.

□

7. रूप-रंग/आकार-सूचक वाक्य
गुण-दोष-सूचक वाक्य
निहित/आवश्यक गुणसूचक वाक्य
उम्र-सूचक वाक्य

यहाँ ऐसे वाक्यों के अनुवाद पर विचार करें जिनसे किसी व्यक्ति/वस्तु के रूप-रंग (colour), आकार (size/shape), गुण-दोष (merit/demerit/quality) या उम्र (age) का बोध होता है।

Rule I इन वाक्यों को देखें—

1. यह गाड़ी लाल है।
2. वह टोपी काली है।
3. पृथ्वी गोल है।
4. वह लम्बा है।

ऐसे वाक्यों से रूप/रंग/आकार का बोध होता है और इनकी बनावट होती है—

कर्ता [संज्ञा/सर्वनाम] + विशेषण + क्रिया [है/हैं]

इनका अनुवाद होता है—

Subject [noun/pronoun]	*+ verb [is/are]*	*+ adjective [colour/size]*
This car The earth	is is	red. round.

1. वह टोपी काली है। That cap is black.
2. वह लम्बा है। He is tall.
3. सड़क चौड़ी है। The road is wide.
4. छत ऊँची है। The ceiling is high.
5. नदी गहरी है। The river is deep.
6. वह मोटा है। He is fat.

ध्यान दें—

Rule I (a) हिन्दी वाक्यों की बनावट होती है—subject + adjective. + verb [S + A + V], पर अँगरेजी वाक्यों की बनावट होती है—subject + verb + adjective [S + V + A]

Rule I (b) ऐसे adjectives के पहले a/an नहीं आता। क्यों? इसलिए कि इस प्रकार के adjectives के बाद noun नहीं आता है। इसलिए a/an का प्रयोग इस प्रकार न करें—

1. This car is a red.
2. This river is a deep.

Rule II अब इन वाक्यों की बनावट देखें—

1. यह लाल गाड़ी है।
2. वह काली टोपी है।
3. मोहन लम्बा लड़का है।
4. यह चौड़ी सड़क है।

ऐसे वाक्यों से भी रूप-रंग/आकार का बोध होता है और इनकी बनावट होती है—

कर्ता [संज्ञा/सर्वनाम] + विशेषण + संज्ञा + क्रिया [है/हैं]

इनका अनुवाद होता है—

Subject [noun/pronoun]	*+ verb [is/are]*	*+ adjective*	*+ noun*
This	is	a blue	pen.
That	is	a green	shirt.

इन वाक्यों की बनावट और अनुवाद देखें—

1. यह लाल गाड़ी है। This is a red car.
2. वह काली टोपी है। That is a black cap
3. मोहन लम्बा लड़का है। Mohan is a tall boy.
4. यह चौड़ी सड़क है। This is a wide road.

ध्यान दें—

Rule II (a) हिन्दी वाक्यों की बनावट होती है—subject + adjective + noun + verb [S + A + N + V] पर अँगरेजी वाक्यों की बनावट होती है—subject + verb + adjective + noun [S + V + A + N]

Rule II (b) ऐसे adjective के पहले a/an आता है। क्यों? इसलिए कि adjective के बाद noun आता है; जैसे,

1. This is a red car.
2. That is a black cap.

EXERCISE 1

Translate into English.

1. गाय उपयोगी है।
2. गाय उपयोगी जानवर है।
3. वह लम्बी है।
4. वह लम्बी लड़की है।
5. वह मोटा है।
6. वह मोटा लड़का है।
7. वह दुबली है।
8. वह दुबली लड़की है।
9. वह छोटा लड़का है।
10. यह मजबूत है।

11. यह मजबूत बक्सा है।
12. वह स्वस्थ लड़का है।
13. यह नीली है।
14. यह गाड़ी नीली है।
15. यह नीली गाड़ी है।
16. यह पीला है।
17. यह फूल पीला है।
18. यह पीला फूल है।

Rule III अब इन वाक्यों की बनावट को लें—

1. सीता सुन्दर है।
2. राधा तेज है।
3. मोहन धनी है।
4. सोहन गरीब है।
5. वह सुशील है।
6. वह अन्धा है।
7. यह किताब अच्छी है।
8. वह बदमाश है।

ऐसे वाक्यों से किसी व्यक्ति/वस्तु के गुण-दोष (quality) का बोध होता है और इनकी बनावट होती है—

कर्ता [संज्ञा/सर्वनाम] + विशेषण + क्रिया [है/हैं]

इनका अनुवाद होता है—

Subject [noun/pronoun]	*+ verb [is/are]*	*+ adjective/past participle*
Mohan	is	rich.
Sohan	is	poor.

इन वाक्यों की बनावट और अनुवाद को देखें—

1. सीता सुन्दर है। Sita is beautiful.
2. राधा तेज है। Radha is intelligent.
3. वे सन्तुष्ट हैं। They are satisfied.
4. वे आश्चर्यचकित हैं। They are surprised.

EXERCISE 2

Translate into English.

1. वह बहरा है।
2. वे सुस्त हैं।
3. वह चतुर लड़का है।
4. वह गरीब है।
5. वे धनी हैं।
6. वह धनी लड़की है।
7. वह बीमार है।
8. वे बेईमान हैं।
9. वह ईमानदार आदमी है।
10. वह दयालु है।
11. वह प्यासा है।
12. वह भूखा भिखारी है।
13. वह कमजोर है।
14. वे स्वस्थ हैं।
15. वह स्वस्थ लड़का है।
16. वह प्रसन्न है।
17. वह दुःखी है।
18. यह दुःखद समाचार है।
19. यह नया है।
20. यह पुराना है।
21. यह पुराना घर है।

EXERCISE 3

Correct these translations.

1. वह तेज है। He is an intelligent.
2. वह तेज चाकू है। This sharp knife is.

3. वह ईमानदार है। He an honest is.
4. नींद लाभदायक है। Sleep is a useful.
5. वह सुन्दर लड़की है। She beautiful girl is.

Rule IV अब इन वाक्यों की बनावट पर विचार करें—

1. दूध उजला होता है।
2. गरीब विनम्र होते हैं।
3. कोयल काली होती है।
4. बच्चे अबोध होते हैं।
5. दूध मीठा लगता है।
6. सुबह की हवा शीतल लगती है।
7. गर्मी में हवा गर्म रहती है।
8. जाड़े में पानी ठंडा रहता है।

ऐसे वाक्यों से किसी व्यक्ति/वस्तु के निहित गुण (inherent quality) या विशेष गुण/लक्षण (special quality) का बोध होता है। इनकी बनावट होती है—

कर्ता [संज्ञा] + विशेषण/संज्ञा + क्रिया [होता है/लगता है/रहता है]

इनका अनुवाद होता है—

Subject [noun]	*+ verb [is/are]*	*+ adjective/noun*
Butter	is	soft.
Iron	is	hard.

ऐसे वाक्यों की बनावट और अनुवाद को देखें—

1. दूध उजला होता है। Milk is white.
2. कोयल काली होती है। Cuckoo is black.
3. दूध मीठा लगता है। Milk is sweet.
4. सुबह की हवा शीतल लगती है। Morning air is cool.
5. गर्मी में पृथ्वी गर्म रहती है। The earth is hot in summer.
6. जाड़े में पानी ठंडा रहता है। Water is cold in winter.
7. गरीब विनम्र होते हैं। The poor are beggars.
8. बच्चे अबोध होते हैं। Children are innocent.

ध्यान दें—

Rule IV (a) विशेषण + है/हैं से सामान्य गुण या अस्थायी गुण का बोध होता है, पर **विशेषण + होता है/लगता है/रहता है** से आवश्यक गुण, अर्थात स्थायी गुण का बोध होता है। अँगरेजी में दोनों प्रकार के गुणों का बोध करने के लिए verb 'be' [is/are] का प्रयोग होता है; जैसे,

1. वह गरीब है। He is poor.
2. कोयला काला होता है। Coal is black.

Rule IV (b) ऐसे **होता है/लगता है/रहता है** का अनुवाद **seem/like** कभी नहीं होता। इसलिए ऐसे भद्दे अनुवादों से बचें—

1. जाड़े में पानी ठंडा रहता है। Water lives cold in winter.

2. सुबह की हवा शीतल लगती है। Morning air seems cold.

EXERCISE 4

Translate into English.

1. धनी लोभी होते हैं।
2. डाकू निर्दय होते हैं।
3. गरीब ईमानदार होते हैं।
4. मक्खन मुलायम होता है।
5. हाथी की आँखें छोटी होती हैं।
6. घोड़े की पूँछ लम्बी होती है।
7. माँ का हृदय कोमल होता है।
8. शिक्षक का कार्य कठिन होता है।
9. वसन्त की हवा शीतल लगती है।
10. इमली खट्टी लगती है।

EXERCISE 5

Correct these translations.

1. चीनी मीठी लगती है। Sugar seems sweet.
2. धनी बेईमान होते हैं। Rich are a dishonest.
3. गर्मी में पानी गर्म रहता है। Water lives hot in summer.
4. कंजूस दुःखी रहते हैं। Misers lives an unhappy.
5. कौए काले होते हैं। Crows are blacks.

Rule V अब इन वाक्यों की बनावट पर विचार करें—

1. घोड़े के पूँछ होती है।
2. घोड़े के सींग नहीं होते हैं।
3. मर्द के मूँछ होती है।
4. औरत के मूँछ नहीं होती है।
5. त्रिभुज के तीन भुजाएँ होती हैं।
6. हाथी के सूँड़ होती है।
7. डाकू के दिल नहीं होता है।

ऐसे वाक्यों से भी किसी व्यक्ति/वस्तु के निहित/आवश्यक गुण (inherent/important quality) का बोध होता है और इनकी बनावट होती है—

संज्ञा + के + संज्ञा + क्रिया [होता है/होती है/होते हैं]

इनका अनुवाद होता है—

Noun [subject]	*+ has/have*	*+ noun*
A cow	has	a tail.
Cows	have	horns.

इन वाक्यों की बनावट और अनुवाद का ध्यान रखें—

1. घोड़े के पूँछ होती है। A horse has a tail.
2. घोड़े के सींग नहीं होते। A horse has no horns.
3. मर्द के मूँछ होती है। A man has moustache.

4. औरत के मूँछ नहीं होती हैं। A woman has no moustache.
5. त्रिभुज के तीन भुजाएँ होती हैं। A triangle has three sides.
6. हाथी के सूँड़ होती है। An elephant has a trunk.
7. डाकू के दिल नहीं होता है। A robber has no heart.

ध्यान दें—

Rule V (a) हिन्दी के **संज्ञा + के** का अनुवाद होता है noun और वह noun वाक्य का subject होता है; जैसे,

घोड़े के = a horse, त्रिभुज के = a triangle, डाकू के = a robber

Rule V (b) singular subject के साथ has आता है और plural subject के साथ have. वाक्य में has/have का प्रयोग subject के अनुसार होता है, अर्थात has/have के पहले आनेवाले noun के अनुसार, has/have के बाद आनेवाले noun के अनुसार नहीं; जैसे,

1. A triangle has three sides. 2. Dogs have no horns.

ऐसे वाक्यों में has/have के बाद आनेवाले noun के अनुसार verb का प्रयोग इस प्रकार न करें।

1. A triangle have three sides. 2. Dogs has no horn.

EXERCISE 6

Translate into English.

1. औरत के दाढ़ी नहीं होती।
2. मर्द के दाढ़ी होती है।
3. माता के दिल होता है।
4. नेता के आँखें नहीं होतीं।
5. राजा के कान होते हैं।
6. आदमी के बतीस दाँत होते हैं।
7. गाय के चार पैर होते हैं।
8. आदमी के पंख नहीं होते।
9. परियों के पंख होते हैं।
10. मनुष्य के दो पैर होते हैं।
11. विधवा के पति नहीं होता है।
12. कुँवारे के पत्नी नहीं होतीं।
13. गरीब के भी दिल होता है।
14. धनी के दिल नहीं होता है।

EXERCISE 7

Correct these translations.

1. राजा के आँखें नहीं होतीं। A king have no eyes.
2. नेता के कान होते हैं। A leader have ears.
3. हाथी के गजदन्त होते हैं। An elephant have tusks.
4. आदमी के दो हाथ होते हैं। Man two hands have.
5. बच्चों के दाढ़ी नहीं होती। Children no beards has.

Rule VI अब इन वाक्यों की बनावट देखें—

1. मोहन की उम्र दस वर्ष है।
2. राधा की उम्र बारह वर्ष है।
3. उसकी उम्र पन्द्रह साल है।
4. तुम्हारी उम्र बीस साल है।
5. मोहन दस वर्ष/साल का है।
6. राधा बारह वर्ष/साल की है।

ऐसे वाक्यों से किसी व्यक्ति की उम्र (age) का बोध होता है और इनकी बनावट होती है—

संज्ञा/सर्वनाम + की उम्र [कर्ता] + विशेषण + वर्ष/साल + है
संज्ञा/सर्वनाम [कर्ता] + विशेषण + वर्ष/साल + का/की/के + है/हैं

इनका अनुवाद होता है—

Noun/pronoun [subject]	*+ is/are*	*+ numeral adjective [age]*
Mohan Radha	is is	ten. twelve.

इनका अनुवाद इस प्रकार भी हो सकता है—

Noun/pronoun [subject]	*+ is/are*	*+ numeral adjective*	*+ day/month/ year*	*+ old*
Mohan Radha	is is	ten twelve	years years	old. old.

इनका अनुवाद तीसरे प्रकार से भी हो सकता है—

Noun/Pronoun [Subject]	*+ is/are*	*+ numeral adjective + '-' + '-' + old*	*+ noun*
Mohan Radha	is is	a ten-year-old a twelve-year-old	boy. girl.

1. उसकी उम्र पन्द्रह साल/वर्ष है। He/she is fifteen.
   He/she is fifteen years old.
2. इस बच्चे की उम्र दो साल की है। This child is two years old.
   This is a two-year-old child.

ध्यान दें—

Rule VI (a) हिन्दी के **की उम्र** का अनुवाद नहीं होता।

Rule VI (b) अनुवाद में numeral adjective + years का प्रयोग इस प्रकार नहीं होता—

1. मोहन की उम्र दस साल है। Mohan is ten years.

2. राधा की उम्र बारह वर्ष है। Radha is twelve years.

जब year/years का प्रयोग होता है, तब इसके बाद **old** का भी प्रयोग होना आवश्यक है; जैसे,

1. He is ten-years old.
2. She is twelve-years old.

Rule VII अब इन वाक्यों को देखें—

1. यह घर दस वर्ष पुराना है।
2. वह मंदिर सौ साल पुराना है।
3. यह पेड़ बीस साल का है।
4. वह तालाब पचास वर्ष का है।

ऐसे वाक्यों से निर्जीव वस्तु (lifeless thing) की उम्र का बोध होता है और इनकी बनावट होती है—

संज्ञा/सर्वनाम [कर्ता] + संख्या वा॰ विशेषण + वर्ष/साल + पुराना + क्रिया [होना]

या

संज्ञा/सर्वनाम [कर्ता] + संख्या वा॰ विशेषण + वर्ष/साल + का + क्रिया [होना]

इनका अनुवाद होता है—

Noun/pronoun	*+ is/are*	*+ numeral/ adjective*	*+ year/years*	*+ old*
This house	is	ten	years	old.
That temple	is	hundred	years	old.

इनका अनुवाद इस प्रकार भी हो सकता है—

This/That	*+ is*	*+ numeral adjective + '-' + year + '-' + old*	*+ noun*
This	is	a ten-year-old	house.
That	is	a hundred-year-old	temple.

1. यह पेड़ बीस वर्ष पुराना है/वर्ष का है।
   This tree is twenty-years old.
   This is a twenty-years-old tree.
2. वह तालाब पचास साल पुराना है/पचास साल का है।
   That tank is fifty-years old.
   That is a fifty-years-old tank.

ध्यान दें—

Rule VII (a) निर्जीव वस्तुओं की उम्र बताने के लिए वाक्य की बनावट होती है—

adj. + year/years + old या **adj. + hyphen + year + hyphen old**; जैसे,

1. This house is ten-years old. 2. This is a ten-years-old house.

निर्जीव वस्तुओं की उम्र का अनुवाद इस प्रकार नहीं होता—

1. This house is ten. 2. This temple is fifty.

verb + numeral adjective से केवल सजीव व्यक्तियों की उम्र बताई जाती है; जैसे,

1. Mohan is ten. 2. Radha is fifty.

Rule VII (b) adjective + hyphen के बाद सदा month/year (singular noun) का प्रयोग होता है, months/years (plural noun) का नहीं; जैसे,

1. This is a ten-year-old house.
2. This is a hundred-year-old temple.

इनका अनुवाद इस प्रकार न करें।

1. This is a ten-years-old house.
2. This is a hundred-years-old temple.

Rule VII (c) **साल/वर्ष का हो रहा है** का अनुवाद होता है—

getting on for + age.

1. वह बीस साल की हो रही है। She is getting on for twenty.
2. वह साठ वर्ष का हो रहा है। He is getting on for sixty.

EXERCISE 8

Translate into English.

1. राधा की उम्र सोलह वर्ष है। 2. सीता की उम्र चालीस वर्ष है।
3. शैलेन्द्र बीस वर्ष का है। 4. उमा तीस साल की है।
5. यह बच्चा छह महीने का है। 6. वह लड़की तीन साल की है।
7. यह स्कूल तीस वर्ष पुराना है। 8. यह शहर सौ साल पुराना है।
9. यह कुर्सी पाँच साल की है। 10. यह पेड़ सात साल का है।

EXERCISE 9

Correct these translations.

1. यह कलम पाँच साल पुरानी है। This pen is five.
2. मंजू बीस वर्ष की है। Manju is twenty years.
3. रेखा की उम्र सत्रह वर्ष है। Rekha is seventeen years.
4. यह मस्जिद पचास वर्ष की है। This mosque is fifty.

Rule VIII अब, इन वाक्यों को लें—

1. वह तेरह से उन्नीस वर्ष का है।
2. वह बीस से उनतीस साल का है।

इनका अनुवाद होता है—

Subject [noun/pronoun]	*+ is/are*	*+ in his/her*	*+ teens, etc.*
She	is	in her	teens.
He	is	in his	twenties.
They	are	in their	thirties.
We	are	in our	forties.

ध्यान दें—

13 से 19 = teens, 20 से 29 = twenties, 30 से 39 = thirties,
40 से 49 = forties, 50 से 59 = fifties, 60 से 69 = sixties,
70 से 79 = seventies, 80 से 89 = eighties, 90 से 99 = nineties

EXERCISE 10

1. राधा सत्रह से उन्नीस साल की है।
2. मोहन तेरह से पन्द्रह वर्ष का है।
3. शीला बीस से बाईस वर्ष की है।
4. लीला तीस से तैंतीस वर्ष की है।
5. उषा चालीस से पैंतालीस साल की है।
6. कमला साठ से बासठ वर्ष की है।
7. रमेश साठ से बासठ साल का है।
8. सुरेश सत्तर से पचहत्तर वर्ष का है।

EXERCISE 11

Match the words under A and B to make meaningful sentences.

A	B
A wheel is	his fifties.
A square has	ten years old.
My son is	round.
This tree is	no horns.
He is in	fifteen.
Cats have	four sides.

□

8. समय/ऋतु/मौसम-सूचक वाक्य

यहाँ ऐसे वाक्यों के अनुवाद पर विचार करें जिनसे समय (time), ऋतु (season) या मौसम (weather) का बोध होता है।

Rule I इन वाक्यों पर विचार करें—

1. अभी सात बजा है। 2. अभी सुबह है। 3. अभी शाम है।
4. आज सोमवार है। 5. यह जनवरी है। 6. आज दूसरी जनवरी है।

ऐसे वाक्यों से समय (time), दिन (day), तिथि (date), महीना (month), वर्ष (year) का बोध होता है, अर्थात समय के किसी अंश (part) का। इनकी बनावट होती है—

कर्ता [समय/सूचक संज्ञा] + क्रिया [होना—है/था]

इनका अनुवाद होता है—

It	*+ is/was*	*+ noun [showing time/day/date/month/year]*
It	is	8 o'clock.
It	is	Tuesday.

1. अभी सात बजा है। It is seven now.
2. अभी सुबह है। It is morning now.
3. शाम है। It is evening.
4. आज सोमवार है। It is Monday today.
5. यह जनवरी है। It is January.
6. आज दूसरी जनवरी है। It is the 2nd of January today.
7. सन् 1942 का वर्ष था। It was 1942.
8. आज मेरा जन्म दिन है। It is my birthday today.

ध्यान दें—

Rule I (a) जब हिन्दी के वाक्यों में समय-सूचक संज्ञा वाक्य में कर्ता का कार्य करती है, तब अँगरेजी वाक्य it से आरम्भ होता है और ऐसे it का कोई अर्थ नहीं होता है। इसलिए ऐसे it को empty it या introductory it कहा जाता है।

Rule I (b) अँगरेजी वाक्यों में समय-सूचक संज्ञा पूरक (complement) का कार्य करती है और यह is/was के बाद आती है; जैसे,

आज सोमवार है। It is Monday today.

Rule I (c) जब हिन्दी के वाक्यों में **होना** के बदले कोई दूसरी क्रिया आती है, तब अँगरेजी वाक्य it से आरम्भ नहीं होते और इसलिए किसी दूसरी क्रिया का प्रयोग होता है, is/was का नहीं; जैसे,

1. सोमवार फिर आ गया है। Monday has come again.
2. जनवरी समाप्त हो चुकी है। January has ended.

Note: घड़ी देखकर समय इस प्रकार बताया जाता है—

1. अभी ठीक सात बजा है। It is seven. It is **just** seven.
2. अब सात बजने ही वाला है। It is **just on** seven.
3. सात बजने में दस मिनट बाकी है। It is ten **to** seven.
4. सात बजने में तीन मिनट बाकी है। It is three minutes **to** seven.
5. सात बजने में पन्द्रह मिनट बाकी है। It is a quarter **to** seven.
6. सात बजकर पन्द्रह मिनट हुआ है। It is a quarter **past** seven.
7. मध्यरात्रि होने ही वाली है। It is getting on **for** midnight.

ऐसे वाक्यों में to का अर्थ होता है—**कम/बाकी** और past का अर्थ होता है—**बजकर**। जब पाँच के multiple का बोध होता है [जैसे—पाँच, दस, पन्द्रह, बीस, पचीस] तब minute का प्रयोग नहीं होता है; जैसे,

1. It is five to seven.
2. It is ten to seven.
3. It is twenty to seven.

पर जब पाँच के multiple का प्रयोग नहीं होता, तो **minute/minutes** का प्रयोग अवश्य होता है, जैसे,

1. It is two **minutes** to seven.
2. It is three/four **minutes** to seven.

इन्हें इस प्रकार न लिखें।

सात बजने में छह मिनट बाकी है। It is six to seven.

Note: अमेरिका में past के बदले **after** का प्रयोग होता है और to के बदले **of** का, जैसे,

1. It is a quarter **after** seven.
2. It is a quarter **of** seven.

EXERCISE 1

Translate into English.

1. यह फरवरी है।
2. यह जुलाई है।
3. अभी रात है।
4. अभी दोपहर है।
5. आज मंगलवार है।
6. आज शुक्रवार है।
7. सन् 1947 का वर्ष था।
8. आज उसका जन्मदिन है।
9. आज उसका विवाह-दिन है।
10. अभी दस बजा है।
11. अभी नौ बजा है।
12. सन् 1857 का समय था।
13. आठ बजकर दस मिनट हुआ है।
14. आठ बजने में दस मिनट बाकी है।

15. दस बजने में पाँच मिनट बाकी है। 16. दस बजने में चार मिनट बाकी है।

Rule II अब इन वाक्यों को देखें—

1. बसन्त है। 2. जाड़ा है।
3. आज बहुत गर्मी है। 4. आज बहुत सर्दी है।

ऐसे वाक्यों से ऋतु (season) या मौसम (weather) का बोध होता है और ऋतु/मौसम-सूचक संज्ञा वाक्य में कर्ता का कार्य करती है। इनकी बनावट होती है।

कर्ता [ऋतु/मौसम-सूचक संज्ञा] + क्रिया [है/था/थी]

इनका अनुवाद होता है—

(i) It + is/was + noun [showing season/weather]
(ii) It + is/was + adjective [showing weather]

1. बसन्त है। It is spring. 2. बसन्त था। It was spring.
3. जाड़ा है। It is winter. 4. जाड़े का समय था। It was winter.
5. आज बहुत गर्मी है। It is very hot.
6. आज बहुत सर्दी है। It is very cold.

ध्यान दें—

Rule II (a) हिन्दी में ऋतु/मौसम सूचक संज्ञा कर्ता का कार्य करती है, पर अँगरेजी में ऐसी संज्ञा पूरक (complement) का कार्य करती है और वाक्य का subject होता है—it. इसलिए अनुवाद इस प्रकार न करें—

1. बसन्त है। Spring is. 2. जाड़ा है। Winter is.

Rule II (b) जब **होना** के बदले किसी दूसरी क्रिया का प्रयोग होता है, तब अँगरेजी वाक्य में it का प्रयोग नहीं होता, क्योंकि ऋतु/मौसम-सूचक संज्ञा कर्ता का कार्य करती है; जैसे,

1. बसन्त आ चुका है। Spring is come.
2. जाड़ा आरम्भ हो गया है। Winter has set in.

EXERCISE 2

Translate into English.

1. अभी हेमन्त है। 2. आज बहुत ठंढ़ा है।
3. आज बहुत गर्मी है। 4. आज बहुत शीतल है।
5. अभी बसन्त है। 6. अभी जाड़ा है।
7. वर्षाऋतु आरम्भ हो गई है। 8. जाड़ा समाप्त हो गया है।
9. बसन्त आ गया है।

Rule III अब इन वाक्यों को लें—

1. वर्षा हो रही है।
2. रिमझिम वर्षा हो रही है।
3. बर्फ गिर रही है।
3. जोरों की हवा चल रही है।

ऐसे वाक्यों में प्रकृति (nature) या मौसम (weather)-सम्बन्धी घटना (संज्ञा) वाक्य में कर्ता का कार्य करती है। इनका अनुवाद होता है—

It	*+ verb [showing weather conditions]*
It	is raining heavily.
It	rained last night.

1. वर्षा हो रही है। It is raining.
2. रिमझिम वर्षा हो रही है। It is drizzling.
3. बर्फ गिर रही है। It is snowing.
4. जोरों की हवा चल रही है। It is blowing hard.

ध्यान दें—

जब होना के बदले दूसरी क्रिया आती है, तब अँगरेजी वाक्य में it का प्रयोग नहीं होता, क्योंकि मौसम-सूचक संज्ञा स्वयं कर्ता का कार्य करती है; जैसे,

1. वर्षा रुक गई है। Rain has stopped.
2. वर्षा ने किसानों की मदद की है। Rain has helped farmers.

EXERCISE 3

Translate into English.

1. ठनका ठनक रहा है।
2. अभी अंधेरी रात है।
3. सर्दी पड़ रही है।
4. घनघोर वर्षा हो रही है।
5. आज छुट्टी है।
6. अभी सुबह है।
7. अभी दोपहर है।
8. अभी अपराह्न है।
9. आज क्रिसमस है।

Rule IV समय (time) और घड़ी (watch/clock)-सम्बन्धी वाक्य।

1. क्या आपके (आपके पास) घड़ी है?
   Do you have a watch on you?
2. क्या आप घड़ी देखना जानते हैं?
   Do you know how to tell the time?
   Do you know telling the time?
3. क्या आप नियमित रूप से घड़ी में चाबी देते हैं?
   Do you wind your watch regularly?
4. मेरी घड़ी बन्द हो गई है।
   My watch has stopped.

5. क्या आपकी घड़ी सुस्त है?
   Is your watch slow?
6. क्या आपकी घड़ी तेज है?
   Is your watch fast?
7. यह घड़ी पाँच मिनट रोज सुस्त चलती है।
   This watch loses five minutes a day.
8. यह घड़ी पाँच मिनट रोज तेज चलती है।
   This watch gains five minutes a day.
9. यह घड़ी ठीक चलती है।
   This watch neither gains nor loses.
10. यह घड़ी रेडियो से मिली हुई है।
    This watch is timed to the radio.
11. ये दीवार घड़ियाँ एक-दूसरे से मिली हुई हैं।
    These wall clocks are synchronized.
12. अभी कितना समय हुआ होगा? आपका अंदाज/अनुमान क्या है?
    What do you make the time? What time do you make it?

EXERCISE 4

Tick (✓) the correct words.

1. Today/It is very hot today.
2. Rain/It is raining now.
3. It is four/four minutes to seven.
4. It is ten/ten minutes to five.
5. Now/It is morning.

□

9. स्थिति/अस्तित्व-सूचक वाक्य स्थान-सूचक वाक्य

यहाँ हम ऐसे वाक्यों के अनुवाद पर विचार करें जिनसे किसी व्यक्ति/वस्तु की स्थिर स्थिति (position), अस्तित्व (existence) या स्थान (place) का बोध होता है।

Rule I इन वाक्यों पर विचार करें—

1. इस कुएँ में मेढ़क हैं।
2. टेबुल पर किताबें हैं।
3. मेरे गाँव में एक मन्दिर है।
4. छत पर बन्दर हैं।
5. इस शहर के पास बाजार है।
6. राम और श्याम में दोस्ती है।
7. यहाँ एक फुलवारी है।
8. वहाँ एक सिनेमाघर है।

ऐसे वाक्यों से यह बोध होता है कि कोई व्यक्ति/वस्तु स्थिर स्थिति में है। इसलिए इनसे अस्तित्व का बोध होता है और इनकी बनावट होती है—

संज्ञा + में/पर/पास + अनिश्चित संज्ञा [कर्ता] + क्रिया [होना—है/हैं]

इनका अनुवाद होता है—

There	*+ verb be [is/are]*	*+ indefinite noun pronoun [subject]*	*+ preposition/ adverb*	*+ noun*
There	is	a pen	in	his pocket.
There	are	books	on	the desk.
There	is	a lamp	over	the table.

इनकी बनावट और अनुवाद का ध्यान रखें—

1. इस कुएँ में मेढ़क हैं। There are frogs in this well.
2. टेबुल पर किताबें हैं। There are books on the table.
3. मेरे गाँव में एक मन्दिर है। There is a temple in my village.
4. छत पर बंदर हैं। There are monkeys on the roof.
5. इस शहर के पास/समीप बाजार है। There is a market near this town.
6. यहाँ एक फुलवारी है। There is a garden here.

इस प्रकार के वाक्य there से आरम्भ होते हैं, पर ऐसे there का कोई अर्थ नहीं होता, इसलिए इसे introductory there कहा जाता है। याद रखें कि ऐसे वाक्य there के बिना इस प्रकार नहीं लिखे जा सकते।

1. इस कुएँ में मेढ़क हैं। Frogs are in this well.
2. टेबुल पर किताबें हैं। Books are on the table.

3. इस शहर के पास एक मंदिर है। A temple is near the town.

ध्यान दें—

Rule I (a) ऐसे वाक्यों में ये स्थान-सूचक शब्द आते हैं—

Adverbs of place

above (ऊपर), around (चारों ओर), below (नीचे), down (नीचे), anywhere (किसी जगह), here (यहाँ), there (वहाँ), nowhere (कहीं नहीं), under (नीचे) up (ऊपर)।

Prepositions

at (पर/में), before (सामने), behind (पीछे), beyond (उस पार), by (पास), in (में), on (पर), over (के ऊपर), in front of (सामने)।

1. स्कूल के सामने एक सड़क है। There is a road in front of the school.
2. माँ के पीछे एक बच्चा है। There is a child behind the mother.
3. पेड़ के नीचे एक गाय है। There is a cow under the tree.
4. उसके सिर के ऊपर एक तलवार है। There is a sword over his head.
5. शहर के पास एक नदी है। There is a river by the town.

Rule I (b) ऐसे वाक्यों में संज्ञा + में/पर के बदले **यहाँ-वहाँ** का भी प्रयोग होता है, और कभी-कभी **यहाँ-वहाँ** छिपा भी रहता है; जैसे,

1. वहाँ एक गाय है। There is a cow over there.
2. यहाँ एक तालाब है। There is a tank here.
3. वहाँ बहुत भीड़ है। There is a great rush there.

Rule I (c) ऐसे वाक्यों में **होना** क्रिया [है/हैं/था/थी/थे] का प्रयोग होता है और कभी-कभी **रहना** क्रिया का भी प्रयोग **होना** के अर्थ में होता है; जैसे,

मेरे गाँव में एक साधु रहता था। There lived a saint in my village.

जब ऐसे वाक्यों में **'होना'** के बदले किसी दूसरी क्रिया का प्रयोग होता है, तब अनुवाद में there नहीं आता; जैसे,

1. मैदान में लड़के खेल रहे हैं। Boys are playing in the field. [अन्य क्रिया]
2. मैदान में लड़के हैं। There are boys in the field. [होना क्रिया]

Rule I (d) जब संज्ञा + में/पर आदि के बाद निश्चित संज्ञा/सर्वनाम (definite noun/pronoun) आता है तब अनुवाद में there नहीं आता; जैसे,

1. घर में एक लड़का है। There is a boy in the house. [अनिश्चित संज्ञा]
2. घर में कोई है/कोई नहीं है। There is some one/no one in the house. [अनिश्चित सर्वनाम]
3. घर में राम (वह) है। Ram (he) is in the house. [निश्चित संज्ञा/सर्वनाम]

EXERCISE 1

Correct these translations.

1. राम और श्याम में मित्रता है। Friendship is between Ram and Shyam.
2. बक्से में मेरी कमीजें हैं। My shirts are in the box.
3. कोने में कुर्सियाँ हैं। Chairs are in the corner.
4. छत पर बिल्लियाँ हैं। Cats are on the roof.
5. शहर के पास बस-पड़ाव है। A bus stop is near the town.

EXERCISE 2

Translate into English.

1. पेड़ पर बहुत बन्दर हैं।
2. इस कुएँ में पानी नहीं है।
3. उसके सर पर एक टोपी है।
4. इस गाँव के पास एक मस्जिद है।
5. इस स्कूल के निकट एक सड़क है।
6. इस सड़क के नजदीक एक जंगल है।
7. इस जंगल में बहुत हाथी हैं।
8. इस कलम में स्याही नहीं है।
9. वहाँ एक बड़ी नदी है।
10. वहाँ एक बड़ा मैदान है।
11. इस घर में एक नौकर है।
12. इस घर में मोहन है।

Rule II अब इन वाक्यों को देखें—

1. सिग्नल ऊपर है।
2. सिग्नल नीचे है।
3. वह पटना में रहती है।
4. वह मुंबई में रहती है।
5. वह घर पर है।
6. वह मृत्युशय्या पर है।

ऐसे वाक्यों से कार्य करने या होने के स्थान (place) का बोध होता है और इनकी बनावट होती है—

निश्चित कर्ता + स्थान-सूचक शब्द + क्रिया
निश्चित कर्ता + स्थान सूचक-विभक्ति + क्रिया

इनका अनुवाद होता है—

Subject	*+ verb*	*+ adverb/preposition [showing place]*
He	lives	in Mumbai.
She	works	in an office.

1. सिग्नल ऊपर है। The signal is up.
2. सिग्नल नीचे है। The signal is down.

3. वह पटना में रहती है। She lives in Patna.
4. वह मुंबई में रहती है। She lives in Mumbai.
5. वह घर पर है। He is at home.
6. वह मृत्युशय्या पर है। He is on deathbed.

Note: स्थान-सूचक शब्दों के अनुवाद पर आगे विचार होगा—विभक्तियों के अनुवाद के सम्बन्ध में। यहाँ इतना ही याद रखें कि इनका अनुवाद होता है adverb of place तथा preposition की सहायता से।

EXERCISE 3

Translate into English.

1. मैं लखनऊ में रहता हूँ।
2. वह दिल्ली में रहती है।
3. वे लंदन में रहते हैं।
4. वे राँची में रहते हैं।
5. शिक्षक कुर्सी पर बैठते हैं।
6. छात्र बेंच पर बैठते हैं।
7. वह टेबुल पर किताबें रखता है।
8. वह झोले में कलम रखता है।
9. मैं बिछावन पर सोता हूँ।
10. वह जमीन पर सोती है।

EXERCISE 4

Choose the correct words.

1. There is/are no ink in these pens.
2. A road is/there is a road in front of our school.
3. There is/are lions in this forest.
4. No one is/there is no one in this room.
5. I had my lunch on/in the train.

□

10. समय-सूचक वाक्य

यहाँ हम ऐसे वाक्यों के अनुवाद पर विचार करें जिनसे कार्य होने के समय (time) का बोध होता है।

Rule I इन वाक्यों को देखें—

1. कल एक सभा है।
2. आज रात एक पार्टी है।
3. दोपहर के बाद एक मैच है।
4. शाम में प्रीतिभोज है।

ऐसे वाक्यों से कार्य होने के समय (time) का बोध होता है और इनकी बनावट होती है—

समय-सूचक शब्द + अनिश्चित संज्ञा [कर्ता] + क्रिया [होना]

इनका अनुवाद होता है—

There	*+ verb 'be'*	*+ indefinite noun [subject]*	*+ adverb/preposition [showing time]*
There	is	a meeting	next week.
There	is	a meeting	in the morning.

1. कल एक सभा है। There is a meeting tomorrow.
2. आज रात एक पार्टी है। There is a party tonight.
3. दोपहर में एक मैच है। There is a match in the afternoon.
4. शाम में प्रीतिभोज है। There is a banquet in the evening.

ध्यान दें—

Rule I (a) ऐसे वाक्यों का कर्ता (subject) अनिश्चित रहता है।

Rule I (b) ऐसे वाक्यों में क्रिया **होना** का प्रयोग होता है।

Rule I (c) अँगरेजी के ऐसे वाक्य there से आरम्भ होते हैं, पर ऐसे there का कोई अर्थ नहीं होता। इसलिए इसे introductory **there** कहा जाता है।

ऐसे वाक्य there के बिना इस प्रकार नहीं लिखे जाने चाहिए—

1. A meeting is tomorrow.
2. A party is tonight.

EXERCISE 1

Translate into English.

1. अगले सप्ताह एक सभा है।
2. अगले वर्ष एक प्रतियोगिता है।
3. गत वर्ष एक मेला था।
4. गत महीना एक प्रीतिभोज था।

5. आज रात में एक सम्मेलन है। 6. दोपहर में एक कार्यक्रम है।
7. आज शाम में एक चाय-पार्टी है। 8. कल सुबह एक निमंत्रण है।

Rule II अब इन वाक्यों को लें—

1. वह आज सुबह में आई। 2. वह सुबह में आई।
3. वह आज शाम में लौटेगा। 4. वह शाम में लौटेगा।
5. वह सोमवार को आएगा। 6. वह सात बजे आएगा।
7. वह सोमवार से लिख रहा है। 8. वह एक सप्ताह से लिख रहा है।

ऐसे वाक्यों से कार्य होने/करने के समय (time) का बोध होता है और इनकी बनावट होती है—

समय-सूचक शब्द [विभक्ति/अव्यय] + निश्चित संज्ञा/सर्वनाम [कर्ता] + क्रिया

इनका अनुवाद होता है—

Definite noun/pronoun [subject]	*+ verb*	*+ adverb/preposition [showing/time]*
Radha	came	last month.
Radha	returned	on Tuesday.

1. वह आज सुबह में आई। She came this morning.
2. वह सुबह में आई। She came in the morning.
3. वह शाम में लौटेगी। She returns in the evening.
4. वह आज शाम में लौटेगी। She returns this evening.
5. वह सोमवार को आएगा। He will come on Monday.
6. वह सात बजे आएगा। He will come at 7 o'clock.
7. वह सोमवार से लिखता रहा है। He has been writing since Monday.
8. वह एक सप्ताह से लिखता रहा है। He has been writing for a week.

ध्यान दें—

Rule II (a) ऐसे वाक्यों में ये समय-सूचक शब्द आते हैं—

I

1. आज सुबह में/शाम में/रात में—this morning/evening [but tonight, not this night]
2. इसी सप्ताह में/महीने में/वर्ष में—this week/month/year
3. इसी जाड़े में/गर्मी में/वसन्त में—this winter/summer/spring [not, in this]
4. अगले सोमवार को/मंगलवार को/बुधवार को—
next Monday/Tuesday/Wednesday. [not, in next]

5. अगले सप्ताह में/महीने में/वर्ष में— next week/month/year [not, in next]
6. अगले जाड़े में/गर्मी में/वसन्त में— next winter/summer/spring
7. कल [आनेवाले] + सुबह में/दोपहर में/शाम में— tomorrow morning /afternoon/evening
8. कल (बीते हुए) + सुबह में/दोपहर में/शाम में— yesterday morning/ afternoon/evening
9. दिन/सप्ताह/महीना/वर्ष + के पहले— day/week/month/year + ago
   I saw him a week/month ago
10. गत + सप्ताह/महीना/वर्ष/सोमवार— last week/month/year/Monday
11. एक दिन + सुबह में/दोपहर में/शाम में— one morning/afternoon/ evening [not, *in one*]
12. सोमवार/मंगलवार/बुधवार + को/तक— on/by + Monday/Tuesday/ Wednesday
13. पहली जनवरी को/तक— on/by the first of January
14. जनवरी/फरवरी में— in January/February
15. सुबह में/दोपहर में/शाम में— in the morning/afternoon/evening
16. पहली मई को सुबह में/दूसरी जून को शाम में— on the morning of first of January, on the evening of the second of June [not, *in*]
17. सोमवार की सुबह में— on Monday morning

याद रखें कि this/next/last के पहले in/at आदि preposition का प्रयोग नहीं होता।

II

now (अब), then (तब), just then (तभी), today (आज), tomorrow (कल), yesterday (कल बीता हुआ), soon (जल्द), shortly (जल्दी), just (अभी), just now (तुरन्त, अभी-अभी), presently (अभी-अभी), recently (हाल ही में), often (बराबर), sometimes (कभी-कभी), now and then (कभी-कभी), now a days (आजकल), these days (आजकल), still (अभी तक), yet (अभी भी), as yet (अभी तक)।

III

at (में/बजे), after (बाद), before (पहले), behind (पीछे, देर से), by (तक), during (में), from (से), on (को), for (से), since (से), until (तक)

Rule II (b) For/since का प्रयोग इन नियमों के अनुसार होता है।

(i) इनके साथ present perfect/present perfect continuous tense आता है।

(ii) For का प्रयोग period of time (कितने समय से) के साथ होता है— for + some time/a long time/week/month/year

(iii) since का प्रयोग point of time (कब से) के साथ होता है।
since + exact time/day/date/month/year/event/festival

जैसे,

1. मैं यहाँ पाँच वर्षों से रहता आ रहा हूँ। I have been living here for five years.
2. मैं यहाँ 1972 से रहता आ रहा हूँ। I have been living here since 1972.

EXERCISE 2

Translate into English.

1. वह आजकल अस्वस्थ है।
2. वह कल पहुँचेगा।
3. वह यहाँ कभी-कभी आता है।
4. वह अभी तक सोया हुआ है।
5. वह अभी भी नहीं लौटा है।
6. उसने कल मुझे एक कलम दी।
7. तभी एक भिखारी पहुँचा।
8. वह अभी पहुँचा है।
9. वह आठ बजे चाय पीता है।
10. वह पूजा की छुट्टी में बाहर जाएगा।
11. वह मंगलवार को लौटेगा।
12. वह अगले सप्ताह लंदन जाएगा।
13. वह एक महीने से प्रतीक्षा कर रहा है।
14. वह मंगलवार से प्रतीक्षा कर रहा है।
15. एक सप्ताह से वर्षा हो रही है।
16. सात बजे से वर्षा हो रही है।

Rule III अब इन वाक्यों को लें—

1. उसने जब से कार्य आरम्भ किया तबसे पाँच घंटे बीत चुके हैं।
2. मैं जबसे यहाँ आया, तबसे दस वर्ष बीत चुके हैं।

ऐसे वाक्यों के दो भाग होते हैं। पहले भाग में **जबसे** आता है और दूसरे में **तबसे**। पहला भाग क्रियाविशेषण उपवाक्य होता है और दूसरा प्रधान उपवाक्य। इस प्रकार के वाक्यों से कार्य करने के समय का बोध होता है और इनकी बनावट होती है—

क्रियाविशेषण-उपवाक्य [जबसे] + तबसे [प्रधान उपवाक्य]

इनका अनुवाद होता है—

Principal clause [in present perfect]	*+ since*	*+ adverb clause [in past simple]*
Five hours have passed Ten years have passed	since since	he began the work. I came over here.

ध्यान दें—

Rule III (a) जबसे का अनुवाद होता है since और ऐसे since का प्रयोग conjuction की तरह होता है। इसलिए यह दो clauses को जोड़ता है।

Rule III (b) तबसे का अनुवाद नहीं होता और **तबसे + प्रधान उपवाक्य** अँगरेजी वाक्य में पहले आता है; जैसे,

1. Five hours have passed
2. Ten years have passed

जबसे + क्रियाविशेषण-उपवाक्य अँगरेजी वाक्य में principal clause के बाद आता है।

1. Since he began the work
2. Since I came over here

Rule III (c) Principal clause में present perfect tense आता है और adverb clause में past simple tense का प्रयोग होता है।

इन नियमों को भूलकर अनुवाद इस प्रकार न करें।

1. From **when** he began the work, **from then** five hours have passed.
2. From **when** I came over here, **from then** ten years have passed.

EXERCISE 3

Translate into English.

1. मैंने जबसे दवा खाई तबसे तीन घंटे बीत चुके हैं।
2. जबसे वर्षा आरम्भ हुई तबसे चार दिन बीत चुके हैं।
3. जबसे वह सोई तबसे छह घंटे हो चुके हैं।
4. उसने जबसे पदभार ग्रहण किया तबसे दस वर्ष बीत चुके हैं।
5. मैं जबसे उससे मिला तबसे बीस साल बीत चुके हैं।

Rule IV अब इन वाक्यों पर विचार करें—

1. जब वह लौटेगा तब मैं बाहर जाऊँगा।
2. जबतक वह नहीं लौटेगा, तबतक मैं बाहर नहीं जाऊँगा।
3. जब वह लौटेगा उसके पहले मैं बाहर जाऊँगा।
4. जब वह लौटेगा उसके बाद मैं बाहर जाऊँगा।

ऐसे वाक्यों के दो भाग होते हैं—प्रधान उपवाक्य और क्रियाविशेषण उपवाक्य इनसे समय (time) का बोध होता है। इनकी बनावट होती है—

प्रधान उपवाक्य + क्रिया विशेषण उपवाक्य

इनका अनुवाद होता है—

Principal Clause	*+ when*	*+ Adverb Clause*
Principal Clause	*+ before/after*	*+ Adverb Clause*
Principal Clause	*+ as/while*	*+ Adverb Clause*
Principal Clause	*+ till/until*	*+ Adverb Clause*
Principal Clause	*+ as soon as*	*+ Adverb Clause*
Principal Clause	*+ as quickly as*	*+ Adverb Clause*
Principal Clause	*+ as long as*	*+ Adverb Clause*

I will go out	when	he returns.
I will go out	before	he returns.
I will go out	after	he returns.
I will wait	until	he returns.
I will wait	till	it gets dark.

ध्यान दें—

जब ऐसे वाक्यों के principal clause में future tense का प्रयोग होता है, तब adverb clause में present simple tense आता है, future tense नहीं। इसलिए अनुवाद इस प्रकार न करें—

1. I will go out when he will return.
2. I will get off after the bus will stop.
3. I will go to the class before the bell will ring.

EXERCISE 4

Translate into English.

1. जब पिताजी आएँगे तब वे मिठाइयाँ लाएँगे।
2. जब वर्षाऋतु आएगी तब घास हरी हो जाएगी।
3. जब घंटी बजेगी उसके बाद शिक्षक आएँगे।
4. जब परीक्षा आरंभ होगी उसके पहले मैं कॉलेज जाऊँगा।
5. जब हमें प्रश्न-पत्र मिलेंगे उसके बाद हम उत्तर लिखेंगे।

EXERCISE 5

Tick (✓) the correct words.

1. We will stand up when the teacher will come/comes.
2. We will wait until the train arrives/will arrive.
3. Crops will dry up before it will rain/rains.
4. I will be grateful to you as long as I live/will live.
5. Make hay while the sun shines/will shine.

Rule V अब इन वाक्यों को लें—

1. ज्योंही/जैसे ही पुलिस पहुँची डाकू भाग गए।
2. ज्योंही/जैसे ही मैं रवाना हुआ, वर्षा होने लगी।

ऐसे वाक्यों की बनावट होती है—

प्रधान उपवाक्य + क्रियाविशेषण उपवाक्य

इनका अनुवाद इस प्रकार होता है—

Principal clause [No sooner]	*+ than*	*+ adverb clause*
Principal clause [Hardly]	*+ when*	*+ adverb clause*
Principal clause [Scarcely]	*+ when*	*+ adverb clause*
No sooner did the police reach	than	the robbers fled away.
Hardly had I started	when	it began to rain.

ध्यान दें—

No sooner/hardly/scarcely से आरंभ होनेवाले principal clause में auxiliary verb पहले आता है और इसके बाद subject; जैसे,

No sooner **did** he go to bed

Hardly **had** the bus stopped

इन्हें इस प्रकार न लिखें।

No sooner he went to bed

Hardly the bus had stopped

EXERCISE 6

Circle the correct words.

1. No sooner *did he see/he saw* a snake *than/when* he fled away.
2. Scarcely had a thief/a thief had broken into my house when/than I woke up.
3. Hardly he got up/had he got up when/than he felt pain in the chest.
4. No sooner the train had stopped/had the train stopped than/when passengers rushed in.
5. Hardly he had gone/had he gone to bed when/than he had a dream.

Rule VI अब इन वाक्यों पर विचार करें—

1. बिस्तर पर लेटे हुए मैं उपन्यास पढ़ रहा था।
2. पेड़ पर बैठे हुए वह डाली काट रहा था।

ऐसे वाक्यों से यह बोध होता है कि एक ही व्यक्ति दो कार्य एक साथ ही (simultaneously) करता है। इनकी बनावट होती है—

……धातु + ए हुए + कर्ता + क्रिया

इनकी बनावट ऐसी भी हो सकती है—

......धातु + ए + कर्ता + क्रिया
......धातु + कर + कर्ता + क्रिया

इन वाक्यों को लें—

1. बिस्तर पर लेटे/लेटकर मैं उपन्यास पढ़ रहा था।
2. पेड़ पर बैठे/बैठकर वह एक डाली काट रहा था।

इनका अनुवाद होता है—

Present participle *While + present participle*	*+ subject* *+ subject*	*+ verb* *+ verb*	*+ other words* *+ other words*
Lying in the bed Sitting in the tree	I he	was reading was cutting off	a novel. a branch.
While lying in bed	I	was reading	a novel.

Rule VII अब इन वाक्यों को देखें—

1. बक्सा खोलकर उसने बन्दूक निकाली।
2. समाचार सुनकर वह बहुत खुश हुआ।

ऐसे वाक्यों के धातु + कर से यह बोध होता है कि एक ही व्यक्ति दो कार्य करता है और दूसरा कार्य पहले कार्य के तुरंत बाद (immediately) होता है। इनकी बनावट होती है—

......धातु + कर + कर्ता + क्रिया

इनका अनुवाद होता है—

Present participle	*+ subject*	*+ verb*	*+ other words*
Opening the box	he	took out	a gun.
Hearing the news	he	felt	very happy.

Rule VIII अब इन वाक्यों को लें—

1. घर पहुँच कर मैंने स्नान किया।
2. पत्र टंकित कर उसने डाक से भेज दिया।

ऐसे वाक्यों से यह बोध होता है कि एक ही व्यक्ति दो कार्य करता है और दूसरा कार्य पहले कार्य के समाप्त (complete) होने पर आरंभ होता है। इनकी बनावट होती है—

......धातु + कर + कर्ता + क्रिया

इनका अनुवाद होता है—

Having + past participle	*+ subject*	*+ verb*	*+ other words*
Having reached home	I	had	a bath.
Having typed the letter	he	posted	it.

ध्यान दें—

Rule VIII (a) जब ऐसे वाक्यों का participle रहता है passive voice में, तब अनुवाद में being + *past participle* या having been + *past participle* का प्रयोग होता है; जैसे,

1. हार जाने पर वह भाग गया। Being defeated he fled away.
   Having been defeated he fled away.
2. पीटे जाने पर वह चिल्लाने लगा। Being beaten up, he began to cry.
   Having been beaten up he began to cry.

Rule VIII (b) ऐसे वाक्यों का अनुवाद दो simple sentence के द्वारा भी हो सकता है; जैसे,

1. I reached home and had a bath.
2. He typed the letter and posted it.

Rule IX अब इन वाक्यों को लें—

1. सूर्य उगने पर कुहासा फट गया।
2. रात होने पर सब घर चले गए।

ऐसे वाक्यों से यह बोध होता है कि दो व्यक्ति दो कार्य करते हैं और दूसरा कार्य पहले कार्य के बाद होता है। इनकी बनावट होती है—

कर्ता + धातु + कर/पर + कर्ता + क्रिया

इनका अनुवाद होता है—

Subject	*+ having + past participle*	*+ subject*	*+ verb*
The sun	having risen	the fog	disappeared.
The night	having come	all	went home.

ध्यान दें—

Rule IX (a) ऐसे having + *past participle* को nominative absolute कहा जाता है।

Rule IX (b) धातु + कर/पर से कारण या साधन का भी बोध होता है। इन पक्षों पर उपयुक्त अध्यायों में विचार किया गया है।

EXERCISE 7

Translate into English.

1. काम समाप्त कर वह घर गया।
2. टहलते हुए उसने एक साँप देखा।
3. हाथ उठाकर उसने मुझे पुकारा।
4. दिल्ली पहुँचकर मैं अपने मित्रों से मिला।
5. बाजार जाकर मैंने कलम खरीदी।
6. मैदान में खेलते हुए मैंने एक थैली पाई।
7. पूछे जाने पर मैंने उत्तर दिया।

EXERCISE 8

Correct these translations.

1. कल एक चाय-पार्टी है। A tea party is tomorrow.
2. एक सप्ताह से वर्षा हो रही है। It is raining since a week.
3. वह एक महीने से बीमार है। He is ill since a month.
4. वह आज सुबह में लौटी है। She has returned this morning.
5. जबसे उसने यह स्थान छोड़ा है तबसे मैंने उसे नहीं देखा। I didn't see him since he has left this place.

□

11. क्रिया के रूप : प्रेरणार्थक

यहाँ ऐसे वाक्यों के अनुवाद पर विचार करें जिनसे कार्य करने की शक्ति/क्षमता/अशक्ति (power/ability/absence of power or ability) का भाव व्यक्त होता है।

Rule I A इन वाक्यों पर विचार करें—

1. वह अँगरेजी बोल सकता है।
2. गूँगे बोल नहीं सकते।
3. वह कलम से लिख सकती है।
4. वह कलम के बिना नहीं लिख सकती।

ऐसे वाक्यों से कार्य होने या न होने की शक्ति/क्षमता/सामर्थ्य (power/ability) का बोध होता है। अर्थात यह बोध होता है कि कार्य करने की शक्ति (power), साधन (means) या अवसर (opportunity) है या नहीं। इनकी बनावट होती है—

कर्ता + धातु + सहायक क्रिया 'सकना'
कर्ता + धातु + नहीं + सहायक क्रिया 'सकना'

इनका अनुवाद इस प्रकार होता है

Subject *Subject*	*+ can/can't* *+ is/are + able/not able*	*+ infinitive [without to]* *infinitive*
He	can	speak English.
He	is able	to speak English.
The dumb	can't	speak.
The dumb	are not able	to speak.

1. वह कलम से लिख सकती है।
   She can write with a pen.
   She is able to write with a pen.
2. वह कलम के बिना/बगैर नहीं लिख सकती।
   She can't write without a pen.
   She is not able to write without a pen.

EXERCISE 1

Translate into English.

1. वह अँगरेजी सीख सकता है।
2. मैं तुम्हें अँगरेजी सिखा सकता हूँ।
3. वह भोजन बना सकती है।
4. अन्धे देख नहीं सकते।

5. वह पेंसिल से लिख सकता है।
6. वह पेंसिल के बिना नहीं लिख सकता है।
7. मैं चाबी से ताला खोल सकता हूँ।
8. मैं चाबी के बिना ताला नहीं खोल सकता।
9. वे हाथों से कार्य कर सकते हैं।
10. वे हाथों के बिना कार्य नहीं कर सकते हैं।

Rule I B अब इन वाक्यों को देखें—

1. वह नेता हो सकता है।
2. वह नेता नहीं हो सकता है।
3. वह महान बन सकता है।
4. वह महान नहीं बन सकता है।

ऐसे वाक्यों की बनावट होती है—

कर्ता + संज्ञा/विशेषण + हो सकना/बन सकना

इनका अनुवाद होता है—

Subject	*+ can be/can't be*	*+ noun/adjective*
He	can be/can't be	a minister.
She	can be/can't be	proud.

1. वह नेता हो सकता है। He can be a leader.
2. वह नेता नहीं हो सकता है। He can't be a leader.
3. वह महान बन सकता है। He can be great.
4. वह महान नहीं बन सकता है। He can't be great.

EXERCISE 2

Translate into English.

1. वह शिक्षक हो सकता है।
2. वह आज्ञाकारी बन सकता है।
3. वह अफसर हो सकती है।
4. वह धोखेबाज बन सकती है।
5. वह मंत्री हो सकता है।
6. वह स्वस्थ बन सकता है।
7. मैं लेखक हो सकता हूँ।
8. मैं बेईमान नहीं हो सकता हूँ।
9. वह अभिनेता हो सकता है।
10. वह मेहनती नहीं हो सकता है।

Rule I C अब इन वाक्यों को लें—

1. उस बूढ़े से चला नहीं जाता।
2. उससे खाया नहीं जाता।

ऐसे वाक्यों से अशक्ति/लाचारी का बोध होता है और इनकी बनावट होती है—

संज्ञा/सर्वनाम + से + धातु + आ + नहीं जाता

इनका अनुवाद होता है—

Subject [noun/pron.]	*+ is/are*	*+ not able*	
Mohan	is	not able	
They	are	not able	to

1. उस बूढ़े से चला नहीं जाता। The old man isn't able to walk.
2. उससे खाया नहीं जाता। He/she isn't able to eat.
3. उनसे कठिन परिश्रम किया नहीं जाता। They aren't able to work hard.

ध्यान दें—

Rule I C (a) सकना का अनुवाद होता है—**can** और धातु का अनुवाद होता है—**infinitive** [without *to*]; जैसे,

बोल सकता हूँ = can speak, देख सकता है = can see

Rule I C (b) नहीं जाता का अनुवाद होता है—**is/are + not able** और **धातु + आ** का अनुवाद होता है—infinitive; जैसे,

चला नहीं जाता = is not able to walk

खाया नहीं जाता = is not able to eat

Rule I C (c) is/are + able से यह बोध होता है कि कार्य कुछ कठिनाई के साथ होता है।

वह बोल सकता है। He is able to speak. [वह कठिनाई से बोल सकता है।]

EXERCISE 3

Translate into English.

1. मुझसे बोला नहीं जाता।
2. उससे बैठा नहीं जाता।
3. उनसे चला नहीं जाता।
4. उससे हँसा नहीं जाता।
5. मुझसे कुछ कहा नहीं जाता।
6. उनसे सोया नहीं जाता।
7. मुझसे भार ढोया नहीं जाता।
8. उससे पेड़ पर चढ़ा नहीं जाता।
9. उससे अब दौड़ा नहीं जाता।
10. मुझसे अब तैरा नहीं जाता।

Rule II अब इन वाक्यों को देखें—

1. वह पास कर सका।
2. वह पास नहीं कर सका।
3. वह मदद कर सकेगा।
4. वह मदद नहीं कर सकेगा।

ऐसे वाक्यों की बनावट होती है—

कर्ता + धातु + सका/सकी/सके [भूतकाल]
कर्ता + धातु + सकेंगा/सकेगी/सकेंगे [भविष्यत काल]

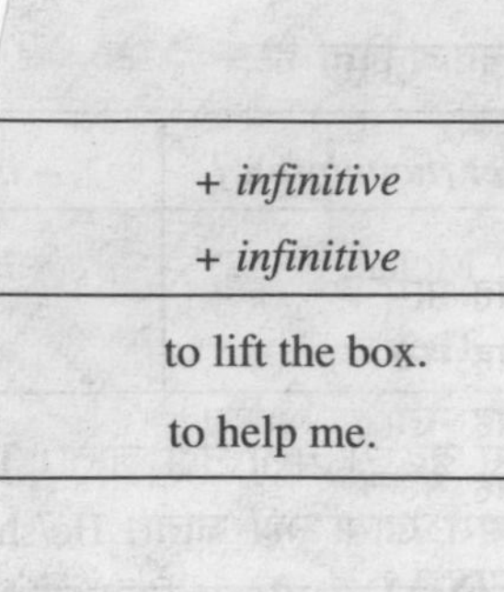

	+ *infinitive*
	+ *infinitive*
	to lift the box.
	to help me.

...ass.

...ble to pass.

...le to pass.

ध्यान दें—

Rule II (a) ऐसे वाक्यों के could से केवल इतना ही बोध होता है कि कार्य करने की शक्ति थी पर यह पता नहीं चलता कि कार्य हुआ। इन वाक्यों के अर्थ का ध्यान रखें—

1. He could pass. = He had the ability to pass.
2. He was able to pass. = He passed.

Rule II (b) ऐसे वाक्यों में **सकना** के बदले **पाना** का भी प्रयोग होता है; जैसे,

1. मैं उसकी मदद नहीं कर पाया। I was not able to help him.
2. वह पास नहीं कर पाएगी। She will not be able to pass.

EXERCISE 4

Translate into English.

1. वह मेरी मदद कर सका।
2. वह मेरी मदद नहीं कर सका।
3. वह समय पर पहुँच सका।
4. वह समय पर नहीं पहुँच सकेगा।
5. मैं तेरी मदद नहीं कर सकूँगा।
6. वह कार्य समाप्त नहीं कर सकेगी।
7. वह पहाड़ पर नहीं चढ़ सका।
8. वह कार्य आरम्भ नहीं कर सका।
9. वह गाड़ी नहीं चला सकी।
10. वह लॉटरी नहीं जीत सकी।

Rule III अब इन वाक्यों को देखें—

1. वह पास कर सकता था।
2. वह मेरी मदद कर सकती थी।
3. वह नेता हो सकता था।
4. वह महान बन सकता था।

ऐसे वाक्यों से यह बोध होता है कि भूतकाल में शक्ति सामर्थ्य थी, पर कार्य पूरा न हो सका। इनकी बनावट होती है—

कर्ता + धातु + सकता था/सकती थी/सकते थे
कर्ता + संज्ञा/विशेषण + हो/बन + सकता था/सकती थी/सकते थे

इनका अनुवाद होता है—

> Subject + could have + past participle
> Subject + could have been + noun/adjective

1. वह पास कर सकता था। He could have passed.
2. वह मेरी मदद कर सकती थी। She could have helped me.
3. वह नेता हो सकता था। He could have been a leader.
4. वह महान बन सकता था। He could have been great.

EXERCISE 5

Translate into English.

1. वह लेखक बन सकता था।
2. वह मुख्यमंत्री हो सकता था।
3. वह नाटककार बन सकता था।
4. वह डॉक्टर हो सकता था।
5. मैं मेहनती बन सकता था।
6. वह ईमानदार हो सकता था।
7. वह सफल हो सकता था।
8. वह अच्छा हो सकता था।
9. मैं सवाल बना सकता था।
10. वह समस्या का समाधान कर सकता था।
11. वह गाड़ी खरीद सकती थी।
12. वे पहाड़ पर चढ़ सकते थे।
13. वह प्रथम स्थान पा सकता था।
14. वे अँगरेजी सीख सकते थे।

Hints: सवाल बनाना = to do a sum, समस्या का समाधान करना = to solve a problem

EXERCISE 6

Circle (O) the correct words.

1. Birds can't/can fly without wings.
2. We can't work with/without fingers.
3. He could have win/won a lottery.
4. A baby is able/is not able to lift a box.
5. We can/can't wash clothes with soap.
6. We could swim/were able to swim to the bank.
7. I was happy because I could get/was able to get a medal.

□

12. अधिकार-सूचक, सम्बन्ध-सूचक एवं पारस्परिक सम्बन्ध-सूचक वाक्य

यहाँ हम ऐसे वाक्यों के अनुवाद पर विचार करें जिनसे अधिकार (ownership/possession), सम्बन्ध (relationship) या पारस्परिक सम्बन्ध (mutual relationship) का भाव व्यक्त होता है।

Rule I A इन वाक्यों को देखें—

1. मोहन के एक गाड़ी है।
2. राधा के एक लड़की है।
3. मेरे एक रेडियो है।
4. उसके दो भाई हैं।

ऐसे वाक्यों से अधिकार/सम्बन्ध का भाव व्यक्त होता है और इनकी बनावट होती है—

संज्ञा + के + संज्ञा [कर्ता] + क्रिया [होना-है/हैं]
सर्वनाम + के/रे + संज्ञा [कर्ता] + क्रिया [होना-है/हैं]

इनका अनुवाद होता है—

(i) Noun/pronoun [subject] *(ii) Noun/pronoun [subject]*	*+ has/have* *+ has/have got*	*+ noun [object]* *+ noun [object]*
Mohan Mohan	has has got	a car. a car.

1. राधा के एक लड़की है। Radha has/has got a daughter.
2. मेरे एक रेडियो है। I have/have got a radio.
3. उसके दो भाई हैं। He has/has got two brothers.
4. शीला के दो मित्र हैं। Sheela has/has got two friends.
5. करीम के तीन दुकानें हैं। Karim has/has got three shops.

ध्यान दें—

Rule I A (a) हिन्दी में के/रे के बाद आनेवाली संज्ञा कर्ता का कार्य करती है, के/रे के पहले आनेवाली संज्ञा नहीं। पर अँगरेजी में has/have के पहले आनेवाला noun/pronoun वाक्य का subject होता है। इसलिए has/have के बाद आनेवाले noun को subject मानकर verb का प्रयोग इस प्रकार न करें—

1. Sheela have two friends.
2. He have five books.

Rule I A (b) हिन्दी में कभी-कभी **के** के बदले **के पास** का भी प्रयोग होता है, पर अनुवाद में कोई अन्तर नहीं पड़ता; जैसे,

मोहन के पास एक गाड़ी है। Mohan has a car/has got a car.

Rule I (b) अब, इन वाक्यों को देखें—

1. मोहन के पास गाड़ी नहीं है। 2. सीता के पुत्र नहीं है।

ऐसे वाक्यों से अधिकार/सम्बन्ध के अभाव का बोध होता है और इनकी बनावट होती है—

संज्ञा/सर्वनाम + के + संज्ञा [कर्ता] + नहीं + क्रिया [होना है/हैं]

इनका अनुवाद कई प्रकार से होता है—

(i) Noun/pronoun [subject]	*+ has/have*	*+ no*	*+ noun*
(ii) Noun/pronoun [subject]	*+ hasn't/haven't*	*+ any*	*+ noun*
(iii) Noun/pronoun [subject]	*+ hasn't got/haven't got*	*+ any*	*+ noun*
(iv) Noun/pronoun [subject]	*+ don't have/doesn't have*	*+ any*	*+ noun*
Mohan	has	no	car.
Mohan	hasn't	any	car.
Mohan	hasn't got	any	car.
Mohan	doesn't have	any	car.

1. सीता के पुत्र नहीं है। Sita has no son. Sita hasn't any son. Sita hasn't got any son. Sita doesn't have any son.

2. उनके मित्र नहीं है। They have no friends. They haven't any friends. They haven't got any friends. They don't have any friends.

Rule I (c) अब इन वाक्यों को लें—

1. क्या मोहन के गाड़ी है? 2. क्या आपके पुत्र है?

3. क्या मोहन के गाड़ी नहीं है? 4. क्या आपके पुत्र नहीं है?

ऐसे वाक्यों से अधिकार/सम्बन्ध के विषय में प्रश्न किए जाते हैं और इनकी बनावट होती है—

क्या + संज्ञा/सर्वनाम + के + संज्ञा [कर्ता] + क्रिया [होना]

इनका अनुवाद होता है—

(i) Has/hasn't	*+ noun/pronoun [subject]*	—	*+ noun*
(ii) Has/hasn't	*+ noun/pronoun [subject]*	*+ got*	*+ noun*
(iii) Have/haven't	*+ noun/pronoun [subject]*	—	*+ noun*
(iv) Have/haven't	*+ noun/pronoun [subject]*	*+ got*	*+ noun*
(v) Do/does	*+ noun/pronoun [subject]*	*+ have*	*+ noun*
(vi) Don't/doesn't	*+ noun/pronoun [subject]*	*+ have*	*+ noun*
Has/hasn't	Mohan		a car?
Has/hasn't	Mohan	got	a car?
Doesn't	Mohan	have	a car?
Have/haven't	you		a son?
Have/haven't	you	got	a son?
Do/don't	you	have	a son?

ध्यान दें—

Rule I (d) जब वाक्य में have + no/not + noun आता है तब इससे यह बोध होता है कि यह अभाव अस्थायी (temporary) है, अर्थात इसका अभाव केवल वर्तमान में है और इसलिए इसकी पूर्ति भविष्य में सम्भव है; जैसे,

मेरे किताब नहीं है। I have no book/haven't any book. [अभी मेरे पास किताब नहीं है।] —**अस्थायी अभाव**

पर *do + not + have + noun* से यह बोध होता है कि अभाव स्थायी (permanent) है, अर्थात यह अभाव सदा के लिए है और इसकी पूर्ति भविष्य में सम्भव नहीं है; जैसे,

मेरे किताब नहीं है। I don't have a book. [मेरे पास किताब है ही नहीं, न साथ में, न घर पर।] —**स्थायी अभाव**

Rule I (e) जब प्रश्नवाचक वाक्य में have आता है, तब इससे अस्थायी (temporary) सम्बन्ध/अधिकार के विषय में प्रश्न किया जाता है; जैसे,

क्या तेरे किताब है? Have you a book? [क्या अभी तेरे पास किताब है?] —**अस्थायी अभाव**

जब प्रश्नवाचक वाक्य में do का प्रयोग होता है, तब इससे स्थायी (permanent) सम्बन्ध-अधिकार के विषय में प्रश्न किया जाता है; जैसे,

क्या तेरे किताब है? Do you have a book? [क्या तेरे पास या घर पर किताब है?] —**स्थायी अभाव**

किन्तु, आजकल इन दोनों रूपों (forms) में अन्तर नहीं माना जाता।

EXERCISE 1

Translate into English.

1. राम के एक पत्नी है।
2. मोहन के दो कमीज हैं।
3. राधा के बहुत मित्र हैं।
4. सोहन के बहुत भाई हैं।
5. करीम के चार घोड़े हैं।
6. रहीम के पाँच हाथी हैं।
7. मुझे एक मकान है।
8. उसके दो गाड़ियाँ हैं।
9. मुझे एक लाल कलम है।
10. उसके कई गायें हैं।
11. क्या आपके गाड़ी है?
12. क्या आपके गाड़ी नहीं है?
13. क्या उसके बहन है?
14. क्या उसके बहन नहीं है?
15. क्या आपके कलम है?
16. क्या आपके कलम नहीं हैं?
17. क्या उसके दो भाई हैं?
18. क्या आपके दुकान नहीं है?

EXERCISE 2

Translate into English.

1. उस महिला के गाड़ी नहीं है।
2. उस औरत के पुत्र नहीं है।
3. अरुण के बहन नहीं है।
4. मेरे किताब नहीं है।
5. उसके घर नहीं है।
6. उसके पास धन नहीं है।
7. मेरा कोई मददगार नहीं है।
8. उसके कोई प्रेमिका नहीं है।
9. उसके पास हाथी है।
10. उसे मुर्गियाँ नहीं हैं।

Rule II A अब इन वाक्यों पर विचार करें—

1. यह मेरी किताब है।
2. यह किताब मेरी है।
3. ये आपकी कलमें हैं।
4. ये कलमें आपकी हैं।
5. यह मेरा भाई है।
6. वह उसकी बहन है।

ऐसे वाक्यों से भी अधिकार/सम्बन्ध का बोध होता है और इनकी बनावट होती है—

> सार्वनामिक विशेषण + संज्ञा [कर्ता] + क्रिया [होना]
> या
> संज्ञा [कर्ता] + सार्वनामिक विशेषण + क्रिया [होना]

इनका अनुवाद होता है—

> Subject + verb 'be' [am/is/are] + possessive adjective + noun
> Subject + verb 'be' [am/is/are] + possessive pronoun

1. यह मेरी किताब है। This is my book.
2. यह किताब मेरी है। This book is mine.
3. ये आपकी कलमें हैं। These are your pens.
4. ये कलमें तेरी हैं। These pens are yours.
5. यह मेरा भाई है। He is my brother.

ऐसे वाक्यों का अनुवाद इस प्रकार भी होता है—

Subject [singular] + verb 'be' [am/is] + noun + of + possessive pronoun

1. यह मेरी किताब है। This is a book of mine.
2. वह आपका चचेरा भाई है। He is a cousin of yours.
3. वह उसकी सहेली है। She is a friend of hers.

ध्यान दें—

Rule II A (a) Possessive adjective का प्रयोग noun के पहले होता है; जैसे, my pen, your pencil, his/her book.

Rule II A (b) Possessive pronoun का प्रयोग verb या of के बाद होता है; जैसे, is mine, is yours, are theirs, a book of mine, a pen of yours.

Rule II A (c) Possessive pronoun का प्रयोग verb के पहले भी हो सकता है जब noun छिपा रहता है; जैसे,

1. Your pen is red. Mine is black.
2. My coat is new. Yours is old.
3. Her hair is long. His is short.

Rule II A (d) Possessive pronoun का प्रयोग noun के पहले नहीं होता। इसलिए ऐसे-ऐसे वाक्य न बनाएँ—

1. This is mine pen.
2. That is yours book.

Rule II B अब इन वाक्यों को लें—

1. यह मेरी अपनी किताब है। 2. वह उसका अपना घर है।

ऐसे वाक्यों की सहायता से सम्बन्ध/अधिकार का भाव जोरदार (emphatic) तरीके से व्यक्त किया जाता है। इसकी बनावट होती है—

सार्वनामिक विशेषण + अपना/अपनी/अपने + संज्ञा [कर्ता] + क्रिया

इनका अनुवाद होता है—

Subject	*+ verb 'be'*	*+ possessive adjective*	*+ own*	*+ noun*
This	is	her	own	car.
That	is	his	own	pen.

1. यह मेरी अपनी किताब है। This is my own book.
2. वह उसका अपना घर है। That is his own house.
3. ये तुम्हारे अपने नौकर है। They are your own servants.

ध्यान दें—

Rule II B (a) जब of + possessive pronoun का प्रयोग होता है, तब यह बोध होता है कि कोई व्यक्ति/वस्तु बहुत में से एक है; जैसे,

This is a book of mine. [मेरी बहुत किताबों में से एक किताब]

He is a brother of mine. [मेरे बहुत से भाइयों में से एक भाई]

इसलिए केवल एक व्यक्ति का बोध होने पर of + possessive pronoun का प्रयोग सर्वथा अनुचित है; जैसे,

1. He is a father of mine. [मेरे बहुत पिता में से एक पिता]
2. She is a mother of yours. [तुम्हारी बहुत माताओं में से एक माता]

Rule II B (b) Possessive adjectives और possessive pronouns की रचना इस प्रकार होती है—

Pronoun	*possessive adjective*	*possessive pronoun*
I	my	mine
we	our	ours
you	your	yours
he	his	his
she	her	hers
they	their	theirs

Rule II B (c) सार्वनामिक विशेषण + अपना/अपनी/अपने का अनुवाद होता है—मेरा अपना = my own, हमलोगों का अपना = our own, तुम्हारा अपना = your own, उसका अपना = his/her own, उनका अपना = their own

EXERCISE 3

Translate into English.

1. यह मेरा कुत्ता है।
2. यह कुत्ता मेरा है।
3. यह कलम उसकी है।
4. वह किताब तुम्हारी है।
5. वह तुम्हारी गाय है।
6. ये उनके खिलौने हैं।
7. ये खिलौने उनके हैं।
8. ये गहने उसके हैं।
9. ये उसके गहने हैं।
10. यह मेरी अपनी गाय है।
11. वह उसका अपना घर है।
12. ये उनके अपने खेत हैं।

Rule III अब इन वाक्यों को लें—

1. यह मोहन की किताब है।
2. वह राधा का भाई है।

ऐसे वाक्यों से भी सम्बन्ध/अधिकार का भाव प्रकट होता है और इनकी बनावट होती है—

संज्ञा + का/की/के + संज्ञा [कर्ता] + क्रिया [होना]

इनका अनुवाद होता है—

(i) Subject *(ii) Subject*	*+ verb 'be'* *+ verb 'be'*	*+ noun + 's* *+ noun*	*+ noun* *+ of + noun + 's*
This This	is is	Mohan's a book	book. of Mohan's.

1. वह राधा का भाई है। He is Radha's brother.
   He is a brother of Radha's.

2. वह सीता की सहेली है। She is Sita's friend.
   She is a friend of Sita's.

ध्यान दें—

ऐसे वाक्यों के noun + of + noun + 's (a book of Mohan's) से यह बोध होता है कि कोई व्यक्ति/वस्तु बहुत व्यक्तियों/वस्तुओं में से एक है; जैसे,

1. This is a book of Mohan's. [मोहन की बहुत किताबों में से एक].
2. She is a friend of Sita's. [सीता की बहुत सहेलियों में से एक].

इसलिए केवल एक व्यक्ति/वस्तु का बोध होने पर noun + of + noun + s का प्रयोग इस प्रकार न करें।

1. He is a father of Mohan's. [मोहन के बहुत पिताओं में से एक]
2. She is a mother of Mohan's. [मोहन की बहुत माताओं में से एक]

EXERCISE 4

Translate into English.

1. यह राधा का कुत्ता है।
2. वह सीता का पुत्र है।
3. यह शैलेन्द्र की गाड़ी है।
4. वह उमा का भाई है।
5. वह मंजू की बहन है।
6. वह रेखा का पति है।
7. वह उस औरत का घर है।
8. वह उस लड़के की गाय है।
9. ये राम के मित्र हैं।
10. वे श्याम के दोस्त हैं।

Rule IV अब इन वाक्यों को लें—

1. यह मकान का दरवाजा है।
2. यह मकान की खिड़की है।
3. ये इस किताब के पन्ने हैं।
4. पटना बिहार की राजधानी है।
5. वे इस स्कूल के प्रधानाध्यापक हैं।
6. वे इस कॉलेज के प्रधानाचार्य हैं।

ऐसे वाक्यों से किसी निर्जीव वस्तु (lifeless object) के साथ किसी व्यक्ति या वस्तु का सम्बन्ध व्यक्त होता है और यह बोध होता है कि एक वस्तु दूसरी वस्तु का एक भाग है। ऐसे वाक्यों की बनावट होती है—

संज्ञा [निर्जीव] + का/की/के + संज्ञा [सजीव/निर्जीव] + क्रिया

इनका अनुवाद होता है—

Subject	*+ verb 'be'*	*+ noun*	*+ of*	*+ noun*
Delhi	is	the capital	of	India.
These	are	the legs	of	this table.

1. यह इस मकान का दरवाजा है। This is the door of the house.
2. ये इस किताब के पन्ने हैं। These are the pages of this book.
3. पटना बिहार की राजधानी है। Patna is the capital of Bihar.
4. वे इस स्कूल के प्रधानाध्यापक हैं। He is the headmaster of this school.

ध्यान दें—

Rule IV (a) ऐसे वाक्यों के **निर्जीव संज्ञा + का/की/के** का अनुवाद noun + 's नहीं होता। इसलिए अनुवाद इस प्रकार न करें—

1. यह इस मकान की खिड़की है। This is this house's window.
2. वे इस कॉलेज के प्रधानाचार्य हैं। He is this college's principal.
3. ये इस टेबुल के पैर हैं। These are this table's legs.

Rule IV (b) जब ऐसे वाक्य this/that/these/those से आरम्भ होते हैं तो वाक्य का subject वह noun होता है जो of के पहले आता है।

1. This *is* the *door* of this house.
2. These *are* the *doors* of this house.

इसलिए of के पहले आनेवाले noun (subject) के ही अनुसार verb (is/are) का प्रयोग करें।

EXERCISE 5

Translate into English.

1. मैं इस स्कूल का छात्र हूँ।
2. वे इस स्कूल के शिक्षक हैं।
3. यह इस शहर का भाग है।
4. ये इस गाँव की सड़कें हैं।

5. यह इस गाड़ी का हॉर्न है।
6. ये इस किताब के पन्ने हैं।
7. वह इस घर का नौकर है।
8. वे इस बाग के फूल हैं।
9. यह इस कलम की निब है।
10. ये इस कमीज के बटन हैं।
11. ये भारत के प्रधानमंत्री हैं।
12. ये बिहार के मुख्यमंत्री हैं।
13. ये भारत के राज्य हैं।
14. वह बिहार का गौरव है।
15. ये इस टीम के खिलाड़ी हैं।
16. मैं जनता का सेवक हूँ।

Rule V अब इन वाक्यों पर विचार करें—

1. शैलेन्द्र और किरण एक-दूसरे को प्यार करते हैं।
2. वे एक-दूसरे की मदद करते हैं।

ऐसे वाक्यों की बनावट होती है।

बहुवचन कर्ता + एक-दूसरे + क्रिया

इनका अनुवाद होता है—

Subject [plural]	*+ verb*	*+ each other/one another*
Shailendra and Kiran	love	each other.
Uma and Shashi	look at	each other.
They	help	one another.

ध्यान दें—

Rule V (a) ऐसे वाक्यों का कर्ता सदा बहुवचन होता है।

Rule V (b) ऐसे वाक्यों की क्रिया सदा बहुवचन होती है।

EXERCISE 6

Translate into English.

1. विश्वेश्वर और कल्पना एक-दूसरे पर निर्भर करते हैं।
2. रामेश्वर और कान्ति एक-दूसरे में विश्वास करते हैं।
3. अजय और अभय एक-दूसरे को चिढ़ाते हैं।
4. दोनों मित्र एक-दूसरे की तारीफ करते हैं।
5. वे एक-दूसरे का आदर करते हैं।

6. वे एक-दूसरे से नफरत करते हैं।
7. वे एक-दूसरे से मिलने के लिए तरस रहे हैं।

EXERCISE 7

Choose the correct words.

1. That house is yours/your's.
2. She doesn't has/have a car.
3. Radha has/have got two dogs.
4. This is a pen's cap/cap of a pen.
5. That is a mine car/my car.
6. That is a his/her purse.
7. The boy and the girl like/likes each other.
8. I have a book. This is his own/my own book.
9. This school is ours/our's.
10. He is my/my own father.

□

13. आज्ञा/आदेश-सूचक वाक्य

यहाँ ऐसे वाक्यों के अनुवाद पर विचार करें जिनसे आज्ञा (order) या आदेश (command) का भाव व्यक्त होता है।

Rule I इन वाक्यों को देखें—

1. यहाँ आओ।
2. यहाँ आओ तो/यहाँ आओ न।
3. यहाँ आना।
4. यहाँ आना तो।
5. कल मुझसे मिलो।
6. कल मुझसे मिलना तो।
7. कल मुझसे जरूर मिलो।
8. कल मुझसे अवश्य मिलना।

ऐसे वाक्यों से कड़ी आज्ञा/आदेश का बोध होता है। इस प्रकार के वाक्यों की बनावट होती है—

कर्ता [लुप्त] + धातु + ओ/ओ तो
कर्ता [लुप्त] + धातु + ना/ना तो
कर्ता [लुप्त] + जरूर/अवश्य + धातु + ओ/ना

इनका अनुवाद होता है—

*Subject [**you** is understood]* *Subject [**you** is understood]*	*+ plural verb [infinitive without to]* *+ do + plural verb [infinitive without to]*
— —	Read this book. Do read this book.

इन वाक्यों की बनावट और अनुवाद का ध्यान रखें—

1. यहाँ आओ/यहाँ आओ तो। Come here.
2. यहाँ आना/यहाँ आना तो। Come here.
3. कल मुझसे मिलो/मुझसे मिलना। See me tomorrow.
4. कल मुझसे जरूर मिलो/अवश्य मिलना। Do see me tomorrow.
5. पेंसिल से जरूर लिखो/अवश्य लिखना। Do write in pencil.

ध्यान दें—

Rule I (a) तो का अनुवाद नहीं होता।

Rule I (b) ऐसे वाक्यों का अनुवाद infinitive के बदले interrogative sentence के द्वारा भी हो सकता है; जैसे,

1. यहाँ आओ। Will you come here?
2. कल मुझसे मिलना तो। Will you see me tomorrow?

Rule I (c) जरूर/अवश्य का प्रयोग आज्ञा/आदेश को जोरदार (emphatic) बनाने के लिए होता है और इसका अनुवाद होता है—**do.**

ऐसे वाक्यों की बनावट इस प्रकार की होती है—

Do + infinitive [without to]

1. कल मुझसे जरूर मिलो/अवश्य मिलना। Do see me tomorrow.
2. फाटक जरूर बंद करो/करना। Do close the gate.

ऐसे वाक्यों में must का प्रयोग इस प्रकार नहीं हो सकता—

1. Must see me tomorrow.
2. Must close the gate.

ऐसे क्यों? इसलिए कि imperative sentence में किसी भी modal verb [for/may/must आदि] का प्रयोग कभी नहीं होता।

EXERCISE 1

Translate into English.

1. एक कुर्सी लाओ।
2. एक प्याली चाय बनाना तो।
3. यह किताब पढ़ो।
4. मुझे कुछ खाने को देना तो।
5. यहाँ अपना नाम लिखो।
6. मुझे पत्र जरूर लिखना।
7. एक कहानी कहो।
8. एक गीत गाओ तो।
9. थोड़ी प्रतीक्षा करो।
10. मेरी प्रतीक्षा अवश्य करना।
11. बत्ती जरूर जलाओ।
12. मोमबत्ती अवश्य बुझा दो।
13. इसे टेबुल पर रख दो तो।
14. भोजन परोस दो।
15. बिस्तर बिछा दो तो।
16. चिट्ठी जरूर भेज देना।
17. अपना रास्ता लो।
18. घड़ी में चाबी अवश्य देना।

Hints: बत्ती जलाना = to light a lamp, बुझाना = to blow out, रखना = to put, रास्ता लो = go your own way, चाबी देना = to wind, भोजन परोस दो = lay the table, बिस्तर बिछाना = to make the bed

Rule II अब इन वाक्यों को लें—

1. तुम यहाँ आओ/आना।
2. तुम यहाँ आओ तो/आना तो।
3. सब कोई यहाँ आओ।
4. कोई रिक्शा तो बुलाओ।
5. मोहन, यहाँ आओ/आना।
6. उषा, चाय तो लाओ/तो लाना।

ऐसे वाक्यों में किसी को पुकार कर (सम्बोधन कर) कड़ी आज्ञा दी जाती है। ऐसी आज्ञा एक या एक से अधिक व्यक्तियों को दी जा सकती है। इस प्रकार के वाक्यों की बनावट होती है—

संज्ञा/सर्वनाम [सम्बोधन कारक] + धातु + ओ/धातु + ना

इनका अनुवाद इस प्रकार होता है—

1. तुम यहाँ आओ/आना/आओ तो/आना तो। You come here.
Come here, you.
2. सब कोई यहाँ आओ/आओ तो/आना तो। Come on, everybody.

3. कोई रिक्शा बुलाओ/बुलाना तो। Call a rickshaw, somebody.
4. मोहन यहाँ आओ/आना तो। Mohan, come here.
5. उषा, चाय तो लाओ/लाना तो। Usha, bring a cup of tea.
6. ऐ लड़के, पंखा बंद करो/करना तो। Switch off the fan, you boy.

ध्यान दें—

Rule II (a) ऐसे वाक्यों में you के बाद comma प्रायः नहीं आता, पर अन्य pronouns के बाद comma अवश्य रहता है। ऐसे nouns के बाद तो comma आता ही है। जब ऐसे noun वाक्य के अन्त में आते हैं, तो comma आता है noun के पहले; जैसे,

1. Bring a cup of tea, Usha.
2. Usha, bring a cup of tea.

Rule II (b) जब you का प्रयोग वाक्य के अन्त में होता है, तब इसके पहले comma अवश्य आता है; जैसे,

1. Come here, you.
2. Start at once, you.

Rule II (c) ऐसे वाक्यों में noun का प्रयोग वाक्य के अंत में करना अच्छा माना जाता है—

1. Go there, Mary.
2. Come here, Mohan.

EXERCISE 2

Translate into English.

1. सब कोई यहाँ बैठो।
2. उमा, कॉफी लाओ तो।
3. सब कोई गीत गाओ।
4. उषा, चाय बनाना तो।
5. ऐ लड़के, रेडियो खोलो।
6. मंजू, पंखा खोलना तो।
7. हे ईश्वर, मदद करो।
8. रेखा, बच्चों को खिलाओ तो।
9. ऐ बच्चे, यहाँ खेलो।
10. शैलेन्द्र, इस रोगी का इलाज करो तो।

Rule III अब इन वाक्यों पर विचार करें—

1. तुम मुझसे कल मिलो।
2. तुम तुरंत प्रस्थान करो।
3. वह मुझसे कल मिले।
4. वे मुझसे कल मिलें।

ऐसे वाक्यों से भी आज्ञा/आदेश का बोध होता है और इनकी बनावट होती है—

कर्ता + धातु + ओ/ए/एँ

इनका अनुवाद होता है—

Subject *Subject*	*+ is/are* *+ shall*	*+ infinitive* *+ infinitive [without to]*
You You	are shall	to see me tomorrow. see me tomorrow.

1. तुम तुरंत प्रस्थान करो। You are to start at once.
   You shall start at once.

2. वह मुझसे कल मिले। He is to see me tomorrow.
   He shall see me tomorrow.

EXERCISE 3

Translate into English.

1. तुम समय पर पहुँचो।
2. तुम कल लौटो।
3. वे जुर्माना अदा करें।
4. वे मुझे सूचना दें।
5. आप मुझसे बात करें।
6. आप उसकी मदद करें।
7. वे कलम से लिखें।
8. वे यहाँ हस्ताक्षर करें।
9. तुम सुबह प्रस्थान करो।
10. तुम ये चिट्ठियाँ बाँटो।

Rule IV A अब इन वाक्यों को लें—

1. वह मुझसे कल मिले।
2. वे मुझसे कल मिलें।
3. मोहन पक्का वादा करे।
4. राम मुझसे बातें करे।

ऐसे वाक्यों से परोक्षरूप से किसी को आज्ञा दी जाती है। इनकी बनावट होती है—

कर्ता [वह/वे/संज्ञा] + धातु + ए/एँ

इनका अनुवाद होता है—

Let him/her/them/noun	*+ infinitive [without to]*
Let him/her Let him/them	finish the work. pay a fine at once.

1. वह मुझसे कल मिले। Let him/her see me tomorrow.
2. वे मुझसे कल मिलें। Let them see me tomorrow.
3. मोहन पक्का वादा करे। Let Mohan make a firm promise.
4. राम मुझसे बातें करें। Let Ram discuss the matter with me.

ध्यान दें—

ऐसे वाक्यों में me/us का प्रयोग नहीं हो सकता। इस सम्बन्ध में प्रस्ताव-सूचक वाक्यों के अध्याय में विचार किया जाएगा।

Rule IV B अब इन वाक्यों को देखें—

1. हल्ला न हो।
2. शांति हो।

ऐसे वाक्यों से परोक्षरूप से आज्ञा दी जाती है। इनकी बनावट होती है—

कर्ता [संज्ञा] + हो/हों

इनका अनुवाद होता है—

Let there be + noun

1. हल्ला न हो। Let there be no noise.
2. शांति हो। Let there be peace.

EXERCISE 4

Translate into English.

1. यह फाटक बन्द करें।
2. वे यहाँ जमा हों।
3. वे यह किताब पढ़ें।
4. वह चाय बनाए।
5. वह निमंत्रण-पत्र बाँटे।
6. वह कठिन परिश्रम करे।
7. वे अपने स्वास्थ्य का ध्यान रखें।
8. वे मुझसे साफ-साफ कहें।
9. वह अनुवाद करना सीखे।
10. वे अँगरेजी बोलना आरम्भ करें।

Rule V अब इन वाक्यों पर विचार करें—

1. मैंने नौकर से कहा कि एक कुर्सी लाओ।
2. उसने मुझसे कहा कि माँ-बाप की आज्ञा मानो।

ऐसे वाक्यों से परोक्षरूप से आज्ञा/आदेश देने का भाव व्यक्त होता है। इस प्रकार के वाक्यों की बनावट होती है—

वाक्य [प्रधान उपवाक्य] + कि + आज्ञा-सूचक वाक्य

इनका अनुवाद इस प्रकार होता है—

Sentence [principal clause with tell/ask/order]	*+ infinitive*
I asked the servant He asked the visitors	to wash plates. to wait outside.

1. मैंने नौकर से **कहा** कि एक कुर्सी लाओ।
   I told/asked the servant to bring a chair.
2. उसने मुझसे **कहा** कि माँ-बाप की आज्ञा मानो।
   He told/asked me to obey my parents.

इनका अनुवाद इस प्रकार भी हो सकता है—

Sentence [principal clause]	*+ inverted commas + imperative + inverted commas*
I told the servant,	"Wash these plates."

1. मैंने नौकर से कहा कि एक कुर्सी लाओ।
   I told the servant, ''Bring a chair.''
2. उसने मुझसे कहा कि माँ-बाप की आज्ञा मानो।
   He told me, ''Obey your parents.''

ध्यान दें—

Rule V (a) जब ऐसे वाक्यों का अनुवाद indirect narration में होता है, तब **कि** का अनुवाद नहीं होता। इसलिए अनुवाद इस प्रकार न करें—

I asked the servant that *bring* a chair.

Rule V (b) Indirect narration में अनुवाद करने पर आज्ञा-सूचक हो जाता है infinitive [to + verb]; जैसे,

कुर्सी लाओ। to bring a chair, आज्ञा मानो। to obey

Rule V (c) Direct narration में अनुवाद करने पर **कि** का अनुवाद that नहीं होता और **कि** के बदले inverted commas का प्रयोग होता है; जैसे,

I told the servant, ''Bring a chair.''

EXERCISE 5

Translate into English.

1. मैंने मोहन से कहा कि यह किताब पढ़ो।
2. उसने मुझसे कहा कि यह किताब खरीदो।
3. मैंने बच्चों से कहा कि इस मैदान में खेलो।
4. मैंने पत्नी से कहा कि भोजन बनाओ।
5. उसने नौकर से कहा कि कोठरी साफ करो।
6. शिक्षक ने छात्रों से कहा कि कठिन परिश्रम करो।
7. पिता ने पुत्र से कहा कि सदा सच बोलो।
8. डॉक्टर ने रोगी से कहा कि शराब मत पिओ।
9. माँ ने बेटी से कहा कि उस लड़के से शादी न करो।
10. मैंने दुकानदार से कहा कि मुझे कलमें दिखाओ।

EXERCISE 6

Correct these translations.

1. मैंने उससे कहा कि अपना नाम बताओ।
   I told him that tell me your name.
2. उसने मुझसे कहा कि मेरी मदद करो।
   He told me that help me.

3. शिक्षक ने छात्रों से कहा कि एक रेखा खींचो।
   The teacher told the students that draw a line.
4. मैंने चालक से कहा कि गाड़ी चलाओ।
   I told the driver that start the car.
5. मैंने उससे कहा कि यहाँ धूम्रपान न करो।
   I told him that do not smoke here.

Rule VI अब इन वाक्यों को देखें—

1. बाहर न जाओ।
2. हल्ला नहीं/मत करो।
3. धूम्रपान न करो।
4. रात में देर तक नहीं/मत जागो।

ऐसे वाक्यों से निषेध (prohibition) का बोध होता है, अर्थात negative imperative की सहायता से आज्ञा/आदेश दिया जाता है। इनकी बनावट होती है—

न/नहीं/मत + धातु + ओ

इनका अनुवाद होता है—

Don't	*+ infinitive [without to]*
Don't	write on walls.
Don't	make a noise.

1. बाहर न/नहीं/मत जाओ। Don't go out.
2. हल्ला न/नहीं/मत करो। Don't shout.
3. धूम्रपान न/नहीं/मत करो। Don't smoke.
4. रात में देर तक नहीं जागो। Don't keep late hours.

ध्यान दें—

Rule VI (a) निषेध (prohibition) का भाव दूसरे प्रकार से भी व्यक्त किया जाता है और इससे कड़ी आज्ञा/आदेश का भाव प्रकट होता है। इन अनुवादों का ध्यान रखें—

No + verb + ing [gerund]; no + noun
Subject + can't + infinitive [without to]
Subject + mustn't + infinitive [without to]
Subject + shall + not + infinitive [without to]

1. यहाँ धूम्रपान न करो। No smoking here. You can't smoke here.
   You mustn't smoke here. You shall not
   smoke here.

2. यहाँ गाड़ी खड़ी मत करो। No parking here. You can't park cars here. You mustn't park cars here. You shall not park cars here.

Subject	*+ can't have*	*+ object*	*+ verb + ing*
I	can't have	you	playing here.
I	can't have	him	drinking here.

1. यहाँ धूम्रपान न करो।
   I can't have you smoking here.
2. यहाँ मत चिल्लाओ।
   I can't have you shouting here.
3. वे समय बरबाद न करें।
   I can't have them wasting time.

ऐसे वाक्यों में have का अर्थ होता है allow/permit. इसलिए ऐसे वाक्यों की बनावट इस प्रकार की भी हो सकती है—

1. यहाँ धूम्रपान करने की इजाजत/अनुमति नहीं है।
2. यहाँ धूम्रपान करना मना है।
3. यहाँ धूम्रपान वर्जित है।

Rule VI (c) ऐसे वाक्यों का अनुवाद इस प्रकार भी किया जा सकता है—

verb + ing [gerund] + is prohibited/not allowed/not permitted.

Smoking is prohibited/not allowed/not permitted here.

इस प्रकार का अनुवाद कार्यालयों में तो चल सकता है पर बोलचाल के लिए उपयुक्त नही माना जा सकता।

EXERCISE 7

Translate into English.

1. यहाँ शराब मत पिओ।
2. फूलों को मत तोड़ो।
3. टेबुलों पर मत लिखो।
4. यहाँ मत थूको।
5. झूठ कभी भी न बोलो।
6. बिना टिकट के यात्रा न करो।
7. किसी को गाली न दो।
8. चिड़ियों को न मारो।
9. पिंजड़े में हाथ मत डालो।
10. धूप में बाहर न जाओ।

11. चलती बस से न कूदो।
12. जंजीर न खींचो।
13. बकवास मत करो।
14. बुरा मत मानो।

Hints: बकवास करना = to talk nonsense, बुरा मानना = to mind

EXERCISE 8

Circle the correct words.

1. Let she/her see me tomorrow.
2. Do/Must write to me at once.
3. I can't have you use/using unfair means.
4. Don't make/makes a noise in the class.
5. Don't write/wrote on both sides.

□

14. निवेदन/निमंत्रण-सूचक वाक्य

यहाँ ऐसे वाक्यों के अनुवाद पर विचार करें जिनसे निवेदन (request) या निमंत्रण (invitation) का भाव व्यक्त होता है।

Rule I इन वाक्यों को देखें—

1. कृपा कर फाटक बन्द करें।
2. कृपा कर फाटक बन्द कीजिए।
3. कृपा कर मेरी मदद करें।
4. कृपा कर मेरी मदद कीजिए।
5. कृपा कर मेरी मदद की जाए।
6. कृपा कर मेरी मदद कीजिएगा।

ऐसे वाक्यों से निवेदन का भाव व्यक्त होता है और इनकी बनावट होती है—

कृपा कर/कृपया + कर्ता [छिपा हुआ—आप] + धातु + एँ/इए/इएगा

इनका अनुवाद होता है—

Please	*+ infinitive [without to]*
Please Please	close the gate. help me.

इनका अनुवाद इस प्रकार भी होता है—

(i) Infinitive [without to] *(ii) Infinitive [without to]* *(iii) Infinitive [without to]*	*+ comma* *+ comma* *+ comma*	*+ please* *+ will you?* *+ won't you?*
Close the gate Close the gate Close the gate	, , ,	please. will you? won't you?

1. कृपा कर मेरी मदद करें। Help me, please.
   Help me, won't you?
2. कृपा कर मेरी बातें सुनें। Listen to me, please.
   Listen to me, won't you?

ध्यान दें—

Rule I (a) Imperative + will you/won't you? होता है हिन्दी वाक्यों का भावानुवाद। यह अनुवाद हिन्दी वाक्यों की बनावट के आधार पर नहीं होता, पर निवेदन करने की यह विधि बहुत ही लोकप्रिय है। अनुवाद की दृष्टि से भी यह विधि please की अपेक्षा अधिक अच्छी है।

Rule I (b) Imperative + won't you? से निमंत्रण का भी बोध होता है; जैसे,

1. एक कप चाय लें। Have a cup of tea, won't you?
2. थोड़ा और लें/लीजिए। Have a little more, won't you?

Rule I (c) ऐसे वाक्यों में *just* का प्रयोग इस प्रकार होता है—

1. एक कप चाय लें। Just have a cup of tea, won't you?
2. थोड़ा और लें। Just have a little more, won't you?

EXERCISE 1

Translate into English.

1. कृपा कर खिड़की बन्द करें।
2. कृपा कर मुझे कुछ रुपये दें।
3. कृपा कर मेरी बातें सुनें।
4. कृपा कर उसे एक कमीज दें।
5. कृपा कर मेरा निमंत्रण स्वीकार करें।
6. कृपा कर मेरे यहाँ आइए।
7. कृपा कर मेरा आवेदन पत्र पढ़ें।
8. कृपा कर इन भिखारियों की मदद कीजिए।
9. कृपा कर अपना वोट मुझे दें।
10. कृपा कर बच्चों की देखभाल की जाए।
11. कृपा कर मुझे अपना छाता दीजिए।
12. कृपा कर आप अपना नाम बताइए।
13. कृपा कर यहाँ हल्ला न करें।
14. कृपा कर यहाँ धूम्रपान मत कीजिए।

Rule II अब इन वाक्यों को लें—

1. आप कल अवश्य आएँ।
2. एक कप चाय जरूर लें/लीजिए।
3. आप मुझे अवश्य लिखें।
4. मुझे जरूर याद रखें/रखिए।
5. आप मुझे अवश्य लिखिएगा।
6. मुझे जरूर याद रखिएगा।

ऐसे वाक्यों से जोरदार (emphatic) तरीके से निवेदन करने का बोध होता है। इनकी बनावट होती है—

आप + अवश्य/जरूर + धातु + ए/इए/इएगा

इनका अनुवाद होता है—

Please	*+ do*	*+ infinitive [without to]*
Please	do	have a cup of coffee.
Please	do	write to me next week.

1. आप कल अवश्य आएँ। Please do come tomorrow.
2. एक कप चाय जरूर लें/लीजिए। Please do have a cup of tea.
3. आप मुझे अवश्य लिखें/लिखिएगा। Please do write to me.

4. आप मुझे जरूर याद रखिएगा। Please do remember me.

ध्यान दें—

Rule II (a) हिन्दी के **आप** का अनुवाद नहीं होता। इसलिए ऐसे वाक्यों में you का प्रयोग इस प्रकार न करें।

1. Please you do come.
2. Please you do have a cup of tea.

Rule II (b) हिन्दी के **अवश्य/जरूर** का अनुवाद होता है—do; must नहीं। इसलिए अनुवाद इस प्रकार न करें—

1. Please must come.
2. Please must have a cup of tea.

EXERCISE 2

Translate into English.

1. आप कल मुझसे जरूर मिलें।
2. आप थोड़ा आराम अवश्य कीजिए।
3. आप वह फिल्म जरूर देखें।
4. आप सुबह अवश्य टहलिए।
5. आप गरीबों की मदद जरूर करें।
6. आप अँगरेजी अवश्य सीखिए।
7. आप यह किताब जरूर पढ़ें।
8. आप अँगरेजी अवश्य बोलिए।
9. आप अनुवाद करना जरूर सीखें।
10. आप अपने स्वास्थ्य का ध्यान अवश्य रखिए।

Rule III अब इन वाक्यों को देखें—

1. क्या आप फाटक बन्द करने की कृपा करेंगे/करेंगी?
2. क्या आप फाटक बन्द करने का कष्ट करेंगे/करेंगी?

ऐसे प्रश्नवाचक वाक्यों से नम्र निवेदन (polite request) का भाव व्यक्त होता है और इनकी बनावट होती है—

क्या + आप [कर्ता] + धातु + ने + की कृपा + क्रिया [करेंगे/करेंगी]
क्या + आप [कर्ता] + धातु + ने + का कष्ट + क्रिया [करेंगे/करेंगी]

इनका अनुवाद होता है—

(i) Will you *(ii) Would you* *(iii) Would you mind*	*+ infinitive [without to] + please?* *+ infinitive [without to] + please?* *+ verb + ing [present participle]?*
Will you Would you Would you mind	close the gate, please? close the gate, please? closing the gate?

इनका अनुवाद इस प्रकार भी हो सकता है—

Would you be so good/kind	*+ as*	*+ infinitive?*
Would you be so good/kind	as	to close the gate?
Would you be so good/kind	as	to give me some money?

क्या आप गीत गाने की कृपा/का कष्ट करेंगी?
Will you sing a song, please?
Would you sing a song, please?
Would you mind singing a song?
Would you be so good as to sing a song?

EXERCISE 3

Translate into English.

1. क्या आप एक कप कॉफी लेने की कृपा करेंगे?
2. क्या आप मुझे कुछ रुपये देने की कृपा करेंगी?
3. क्या आप मुझे अपना नाम बताने का कष्ट करेंगे?
4. क्या आप एक कप चाय बनाने का कष्ट करेंगी?
5. क्या आप मुझे राह दिखाने की कृपा करेंगी?
6. क्या आप मुझे अँगरेजी सिखाने का कष्ट करेंगे?
7. क्या आप मेरे लिए एक पत्र लिखने की कृपा करेंगी?
8. क्या आप मुझे कुछ रुपये उधार देने की कृपा करेंगे?
9. क्या आप मुझे बक्सा उठाने में मदद करने का कष्ट करेंगे?
10. क्या आप मेरे साथ नाचने की कृपा करेंगी?

Hints: उधार देना = to lend, बक्सा उठाना = to lift a box

Rule IV अब इन वाक्यों को लें—

1. मुझे टेलीफोन करने देने की कृपा करें/कष्ट करें/कीजिए।
2. क्या मैं आपके टेलीफोन का उपयोग कर सकता हूँ/सकती हूँ?
3. क्या मैं आपके टेलीफोन का उपयोग करूँ?

ऐसे वाक्यों से भी नम्र निवेदन का भाव व्यक्त होता है और इनकी बनावट होती है—

कर्ता [आप] + धातु + ने + की कृपा/का कष्ट करें/कीजिए।
क्या + मैं + धातु + कर सकता हूँ/सकती हूँ/धातु + ऊँ?

इनका अनुवाद होता है—

Could	*+ subject [I/you]*	*+ infinitive [without to]?*
Might	*+ subject [I]*	*+ infinitive [without to]?*
Shall	*+ subject [I]*	*+ infinitive [without to]?*

1. मुझे टेलीफोन करने देने की कृपा/का कष्ट करें/कीजिए।
   क्या मैं आपके टेलीफोन का उपयोग कर सकता हूँ/सकती हूँ?
   क्या मैं आपके टेलीफोन का उपयोग करूँ?
   Could I use your telephone? Might I use your telephone? Shall I use your telephone?
2. क्या मैं आपसे कल मिल सकता हूँ/सकती हूँ?
   Could/Might/Shall I see you tomorrow?
3. मेरी थोड़ी मदद की जाए/मुझे थोड़ी मदद करने की कृपा/कष्ट करें।
   Could you help me a little?
4. क्या आप मुझे रमेश का पता दे सकती हैं?
   Could you give me Ramesh's address?
5. क्या सूई में धागा लगा दूँ?
   Shall I thread the needle?

ध्यान दें—

Rule IV (a) ऐसे वाक्यों में could के साथ कर्ता के रूप में I/you आता है, पर might/shall के साथ I आता है; you नहीं। इस प्रकार के वाक्यों में he/she का प्रयोग नहीं होता।

Rule IV (b) ऐसे वाक्यों के could/might से वर्तमान/भविष्यत् काल का बोध होता है; भूतकाल का नहीं।

Rule IV (c) ऐसे वाक्यों का अनुवाद could/might के बदले can/may से भी हो सकता है, पर can/may उतना अच्छा नहीं होता जितना could/might. क्यों? इसलिए कि can/may से अनुमति (permission) का भाव भी प्रकट होता है और यह समझना कठिन हो जाता है कि वाक्य से अनुमति का बोध होता है या निवेदन का; जैसे,

क्या मैं आपसे कल मिल सकता हूँ? Can/May I see you tomorrow?
—निवेदन + अनुमति
Could/Might I see you tomorrow?
—निवेदन

Rule IV (d) कुछ वाक्यों में shall I/will you के बदले shall we का प्रयोग होता है और इनकी सहायता से बहुत बुद्धिमानी से निवेदन का भाव व्यक्त किया जाता है—

1. क्या आप मेरे साथ नाचेंगी?
   Shall we dance together?
2. क्या आप मुझसे शादी करेंगी?
   Shall we get married?
3. क्या आप मेरे साथ भोजन करेंगे?
   Shall we dine together?
4. क्या आप मेरे साथ टहलेंगे?
   Shall we walk together?

ऐसा अनुवाद भाव के आधार पर होता है, वाक्य की बनावट के आधार पर नहीं।

EXERCISE 5

Translate into English.

1. क्या मैं आपकी कलम से लिखूँ?
2. क्या मैं आपकी साइकिल का उपयोग कर सकता हूँ?
3. क्या मैं आपको पत्र लिख सकता हूँ?
4. मुझे अपना छाता देने की कृपा करेंगे।
5. क्या मैं आपके रूमाल का उपयोग करूँ?
6. क्या मैं चाय बना दूँ?
7. जगदीश का फोन नंबर देने की कृपा करें।
8. क्या खिड़की बन्द कर दूँ?
9. क्या मैं आपकी घड़ी का उपयोग कर सकती हूँ?
10. क्या मैं घड़ी में चाबी दे दूँ?

EXERCISE 6

Tick (✓) the correct words.

1. Would you mind wait/waiting for some time?
2. Please you do/do see me tomorrow.
3. Please must/do come next week.
4. Could I see/saw you in the office?
5. Would you mind close/closing the gate?

□

15. परामर्श-सूचक एवं प्रस्ताव-सूचक वाक्य

यहाँ हम ऐसे वाक्यों के अनुवाद पर विचार करें जिनसे परामर्श/राय/सलाह (advice) या प्रस्ताव (proposal) का भाव व्यक्त होता है।

Rule I इन वाक्यों को लें—

1. आप कुछ दवा खाएँ/खाइए।
2. तुम कुछ दवा खाओ।
3. आप पूरा आराम करें/कीजिए।
4. तुम पूरा आराम करो।

ऐसे वाक्यों से किसी व्यक्ति को सलाह/परामर्श (advice) या सुझाव (suggestion) देने का भाव व्यक्त होता है। इनकी बनावट होती है।

कर्ता [आप]	+ क्रिया + [धातु + एँ/इए]
कर्ता [तुम]	+ क्रिया + [धातु + ओ]

इनका अनुवाद होता है—

*Subject (**you** is understood)*	*+ infinitive [without to]*
—	Take some medicine.
—	Take complete rest.

1. तुम फिर कोशिश करो। Try again.
2. आप स्वास्थ्य का ध्यान रखें। Take care of your health.

ऐसे वाक्यों का अनुवाद इस प्रकार भी हो सकता है—

Subject	*+ might*	*+ infinitive [without to]*
You	might	take some medicine.
You	might	try again.

ध्यान दें—

Rule I (a) ऐसे वाक्यों में you का प्रयोग प्रायः नहीं होता।

इसलिए **तुम/आप** के लिए you का प्रयोग न करें। हाँ, might के साथ you का प्रयोग आवश्यक है।

Rule I (b) जब वाक्य में **न/नहीं** आता है, तब अँगरेजी में don't का प्रयोग इस प्रकार होता है—

Don't	*+ infinitive [without to]*
Don't	drink too much.
Don't	sleep too much.

1. अब देर न करें/नहीं कीजिए। Don't delay now.
2. इसकी चिन्ता न करो/नहीं कीजिए। Don't worry about it.

EXERCISE 1

Translate into English.

1. आप यह किताब पढ़ें।
2. आप अनुवाद सीखें।
3. आप अँगरेजी सीखें।
4. आप सुबह उठें।
5. तुम फिर परीक्षा दो।
6. तुम कठिन परिश्रम करो।
7. तुम झूठ मत बोलो।
8. तुम सदा सच बोलो।
9. तुम जंजीर न खींचो।
10. तुम गरीबों की मदद करो।
11. तुम दुखी मत होओ।
12. तुम किसी डॉक्टर से राय लो।

Rule II अब इन वाक्यों पर विचार करें—

1. तुम पूरा आराम जरूर/अवश्य करो।
2. आप पूरा आराम जरूर/अवश्य करें/कीजिए।

ऐसे वाक्यों से जोरदार (emphatic) सलाह/सुझाव का बोध होता है और इनकी बनावट होती है—

कर्ता + जरूर/अवश्य + क्रिया [धातु + ओ/इए/एँ]

इनका अनुवाद होता है—

Do	*+ infinitive [without to]*
Do	take complete rest.
Do	take care of your health.

इसका अनुवाद इस प्रकार भी हो सकता है—

Subject	*+ must*	*infinitive [without to]*
You	must	take complete rest.
You	must	take care of your health.

1. तुम सच जरूर बोलो। Do speak the truth.
   You must speak the truth.
2. वह डॉक्टर से अवश्य मिले। He must consult a doctor.

ध्यान दें—

Rule II (a) Do का प्रयोग तब होता है जब वाक्य का कर्ता होता है you.

Rule II (b) जब वाक्य का कर्ता you नहीं होता, अर्थात I/he/they या कोई noun होता है, तब अनुवाद में must का प्रयोग होता है, do का नहीं। इस प्रकार, you के साथ do और must—दोनों का प्रयोग हो सकता है, पर अन्य कर्ता के साथ केवल must का।

EXERCISE 2

Translate into English.

1. तुम कुछ दवाएँ जरूर खाओ।
2. आप यह किताब अवश्य पढ़ें।
3. तुम अँगरेजी जरूर सीखो।
4. आप अँगरेजी अवश्य बोलें।
5. तुम डॉक्टर से जरूर राय लो।
6. आप मुझसे कल अवश्य मिलें।
7. वह मुझसे कल जरूर मिले।
8. वह मुझे पत्र अवश्य लिखे।
9. वे कड़ी मेहनत जरूर करें।
10. आप कड़ी मेहनत अवश्य करें।
11. तुम थोड़ा व्यायाम जरूर करो।
11. वह माँ-बाप की आज्ञा अवश्य माने।

Rule III अब इन वाक्यों को देखें—

1. तुमको पूरा आराम करना चाहिए।
2. आपको कुछ दवा खानी चाहिए।
3. तुमको आज्ञाकारी होना चाहिए।
4. उसको ईमानदार बनना चाहिए।
5. मोहन को डॉक्टर बनना चाहिए।
6. राधा को नायिका होना चाहिए।

ऐसे वाक्यों से भी किसी व्यक्ति को सलाह/सुझाव देने का बोध होता है और इनकी बनावट होती है—

कर्ता + क्रिया [धातु + ना/नी/ने] + चाहिए
कर्ता + विशेषण/संज्ञा + क्रिया [धातु + ना/नी/ने] + चाहिए

इनका अनुवाद होता है—

Subject *Subject*	*+ should* *+ should be*	*+ infinitive [without to]* *+ noun/adjective*
You	should	take complete rest.
He	should be	honest.
Mohan	should be	a doctor.

1. आपको कुछ दवा खानी चाहिए। You should take some medicine.

2. तुमको आज्ञाकारी होना चाहिए। You should be obedient.

ध्यान दें—

जब हिन्दी वाक्यों में **न/नहीं** आता है तब अँगरेजी वाक्यों में should + not (shouldn't) का प्रयोग होता है।

Subject *Subject*	*+ shouldn't* *+ shouldn't be*	*+ infinitive [without to]* *+ noun/adjective*
You You	+ shouldn't + shouldn't be	sleep too much. disobedient.

EXERCISE 3

Translate into English.

1. मोहन को नेता बनना चाहिए।
2. सोहन को अभिनेता बनना चाहिए।
3. रहीम को सुशील बनना चाहिए।
4. तुमको बदमाश नहीं बनना चाहिए।
5. करीम को मेहनती बनना चाहिए।
6. उनको सावधान रहना चाहिए।
7. आदमी को कृतज्ञ होना चाहिए।
8. इन्हें आलसी नहीं होना चाहिए।
9. राम को कार्य आरंभ करना चाहिए।
10. श्याम को कार्य समाप्त करना चाहिए।

Rule IV अब इन वाक्यों को देखें—

1. आपको अपने स्वास्थ्य का ध्यान रखना अच्छा होगा।

2. उसके लिए डॉक्टर की सलाह लेना उचित होगा।

ऐसे वाक्यों से सलाह/सुझाव का बोध होता है और यह व्यक्त होता है कि कोई कार्य करना अच्छा/उचित होगा। इनकी बनावट होती है—

कर्ता + धातु + ना + अच्छा/उचित होगा

इनका अनुवाद होता है—

Subject	*+ had better*	*+ infinitive [without to]*
You	had better	see a doctor.

1. आपको अपने स्वास्थ्य का ध्यान रखना चाहिए।
   You had better take care of your health.
2. उसके लिए डॉक्टर की सलाह लेना उचित होगा।
   He had better consult a doctor.

EXERCISE 4

Translate into English.

1. आपके लिए घर पर ठहरना अच्छा होगा।
2. उसके लिए आराम करना उचित होगा।
3. उनके लिए यह पुस्तक पढ़ना अच्छा होगा।
4. तेरे लिए कड़ी मेहनत करना उचित होगा।
5. तेरे लिए सुबह टहलना अच्छा होगा।
6. उसके लिए शराब छोड़ना उचित होगा।
7. मेरे लिए अँगरेजी सीखना अच्छा होगा।
8. उसके लिए कम खाना उचित होगा।
9. आपके लिए सवेरे उठना अच्छा होगा।
10. तेरे लिए अनुवाद सीखना उचित होगा।

Rule V अब इन वाक्यों को लें—

1. उसके लिए चिन्ता क्यों?
2. अब देर क्यों?
3. आज ही प्रस्थान क्यों नहीं करते?
4. अभी कार्य समाप्त क्यों नहीं करते?

ऐसे वाक्यों से भी सलाह/सुझाव का भाव व्यक्त होता है और इनकी बनावट होती है—

....क्यों + क्रिया [लुप्त] + ...?
क्यों + क्रिया + ...?

इनका अनुवाद होता है—

Why	*+ subject [you understood]*	*+ infinitive [without to]*
Why	—	worry about him?
Why	—	delay now?

1. आज ही प्रस्थान क्यों नहीं करते? Why not start today?
2. अभी कार्य समाप्त क्यों नहीं करते? Why not finish the work now?

ध्यान दें—

Rule V (a) ऐसे why/why not के बाद infinitive का चिह्न (to) सदा छिपा रहता है।

Rule V (b) ऐसे वाक्यों में subject (you) का प्रयोग नहीं होता क्योंकि subject के प्रयोग से प्रश्न (question) का बोध होता है, सलाह/सुझाव (advice) का नहीं; जैसे,

1. Why worry about him?
2. Why do you worry about him?

EXERCISE 5

Translate into English.

1. अभी कार्य आरम्भ क्यों नहीं करते?
2. अब आराम क्यों नहीं करते?
3. अब थोड़ा क्यों नहीं खाते?
4. अब थोड़ी चाय क्यों नहीं लेते?
5. अब थोड़ा क्यों नहीं सोते?
6. अब थोड़ी देर क्यों नहीं खेलते?
7. आज ही पत्र क्यों नहीं लिखते?
8. आज क्यों नहीं लौटते?

Rule VI अब इन वाक्यों पर विचार करें—

1. अब हमलोग चलें।
2. आज शाम सिनेमा चलें।
3. हमलोग समाजसेवा करें।
4. कल पिकनिक मनाएँ।

ऐसे वाक्यों से प्रस्ताव (proposal) या सुझाव (suggestion) का भाव व्यक्त होता है। इनकी बनावट होती है—

कर्ता [हमलोग] + धातु + एँ
कर्ता [हमलोग-लुप्त] + धातु + एँ

इनका अनुवाद होता है—

Let + us *Let + us*	*+ infinitive [without to]* *+ infinitive [without to] + shall we?*
Let us Let us	dance now. dance now, shall we?

1. अब हमलोग चलें। Let's go now. Let's go now, shall we?
2. सिनेमा चलें। Let's go to the cinema.
   Let's go to the pictures, shall we?
3. हमलोग समाजसेवा करें। Let's do social service.
   Let's do social service, shall we?

ध्यान दें—

Rule VI (a) Let + him/her/them/noun से आज्ञा का बोध होता है, प्रस्ताव का नहीं, जैसे,

1. Let him/her finish the work. [आज्ञा]
2. Let us now finish the work. [प्रस्ताव]

आज्ञासूचक let के साथ question tag का रूप होता है—

will you?

पर प्रस्ताव/परामर्शसूचक let के साथ question tag का रूप होता है—

shall we?

इन्हें देखें—

1. Let him play, will you?—आज्ञा
2. Let us play, shall we?—प्रस्ताव

Rule VI (b) प्रस्ताव-सूचक वाक्यों का negative इस प्रकार बनता है—not +infinitive.

Let's go. Let's not go. Let's play. Let's not play.

Rule VI (c) Let + me से इच्छा (wish) का बोध होता है, प्रस्ताव का नहीं—

अब मैं कुछ खाऊँ। Let me eat something now.

EXERCISE 6

Translate as in the example: Let's go by air.

1. हमलोग ट्रेन से यात्रा करें।
2. हमलोग नाव से चलें।
3. हमलोग रात में प्रस्थान करें।
4. हमलोग कुछ गीत गाएँ।
5. हमलोग कुछ खेल खेलें।
6. हमलोग पिकनिक मनाएँ।
7. हमलोग एक सभा बुलाएँ।
8. हमलोग ताजमहल देखने चलें।
9. हमलोग प्रतियोगिता में भाग लें।
10. हमलोग झण्डा फहराएँ।

Translate as in the example: Let's sing now, shall we?

1. हमलोग वायुयान से यात्रा करें।
2. हमलोग रेडियो सुनें।
3. हमलोग एक साथ नाचें।
4. हमलोग टी॰ वी॰ देखें।
5. हमलोग एक मैच खेलें।
6. हमलोग पतंग उड़ाएँ।
7. हमलोग मैदान में टहलें।
8. हमलोग फुटबॉल खेलें।
9. हमलोग भोजन बनाएँ।
10. हमलोग देश की सेवा करें।
11. हमलोग गरीबों को खिलाएँ।
12. हमलोग दूसरों की मदद करें।

Rule VII अब इन वाक्यों को देखें—

1. सिनेमा चलना कैसा रहेगा?
2. पिकनिक मनाना कैसा रहेगा?

ऐसे वाक्यों से भी प्रस्ताव/सुझाव का बोध होता है और इनकी बनावट होती है—

कर्ता [क्रियार्थक संज्ञा—धातु + ना] + कैसा रहेगा?

इनका अनुवाद होता है—

(i) What about/How about + verb + ing? [present participle]
(ii) Suppose/Supposing + subject + verb [present simple]

1. सिनेमा चलना कैसा रहेगा? What/How about going to the pictures?
Suppose/Supposing we go to the cinema?
2. पिकनिक मनाना कैसा रहेगा? What/How about enjoying a picnic?
Suppose/Supposing we enjoy a picnic?
3. थोड़ी देर नाचना कैसा रहेगा? What/How about dancing for a while?
Suppose/Supposing we dance for a while?

ध्यान दें—

हिन्दी वाक्यों का ऐसा अनुवाद मुहावरेदार होता है; वाक्य की बनावट के आधार पर नहीं।

EXERCISE 8

Translate as in the example: What/How about going by air?

1. टेनिस खेलना कैसा रहेगा?
2. शतरंज खेलना कैसा रहेगा?
3. थोड़ी देर खेलना कैसा रहेगा?
4. पतंग उड़ाना कैसा रहेगा?
5. मछली पकड़ना कैसा रहेगा?
6. टी॰ वी॰ देखना कैसा रहेगा?
7. गीत गाना कैसा रहेगा?
8. मुंबई जाना कैसा रहेगा?

EXERCISE 9

Translate as in the example: Suppose/Supposing we go by air.

1. सभा बुलाना कैसा रहेगा?
2. बागवानी करना कैसा रहेगा?
3. तितलियाँ पकड़ना कैसा रहेगा?
4. बच्चों को खिलाना कैसा रहेगा?
5. राधा को चिढ़ाना कैसा रहेगा?
6. घोड़े पर चढ़ना कैसा रहेगा?
7. अब सोना कैसा रहेगा?
8. अब होटल जाना कैसा रहेगा?

Hints: चिढ़ाना = to tease, घोड़े पर चढ़ना = to ride/to get on a horse

Rule VIII अब इन वाक्यों को लें—

1. मुझे बताएँ कि कहाँ जाऊँ।
2. मुझे राय दो कि कौन दवा खाऊँ।

ऐसे वाक्यों की सहायता से परोक्षरूप से सुझाव माँगा जाता है।

इस प्रकार के वाक्यों के दो भाग होते हैं और ये **कि** की सहायता से जोड़े जाते हैं। इनकी बनावट होती है—

परामर्श-सूचक वाक्य + कि + क्या/कौन/कहाँ/कब/कैसे + क्रिया

इनका अनुवाद होता है—

Imperative	*+ what/who/which/where/when/how*	*+ infinitive*
Tell me Show me	what how	to read. to do it.

1. मुझे बताएँ कि कहाँ जाऊँ। Tell me where to go.
2. मुझे राय दें कि कौन दवा खाऊँ। Advise me which medicine to take.
3. मुझे बताएँ कि क्या करूँ। Tell me what to do.

ध्यान दें—

Rule VIII (a) अँगरेजी के ऐसे वाक्यों में 'कि' का अनुवाद होता ही नहीं। इसलिए that का प्रयोग इस प्रकार न करें—

1. Tell me that where to go.
2. Tell me that what to do.

Rule VIII (b) ऐसे वाक्यों के infinitive का अर्थ होता है—**चाहिए**; जैसे,

Tell me where to go. कहाँ जाना चाहिए।

EXERCISE 10

Translate into English.

1. मुझे बताएँ कि कब जाऊँ।
2. मुझे राय दें कि कौन किताब पढ़ूँ।
3. मुझे बताएँ कि कहाँ ठहरूँ।
4. मुझे राय दें कि कार्यक्रम कब आरम्भ करूँ।
5. मुझे बताएँ कि वह कौन है।
6. मुझे राय दें कि कार्य कैसे करूँ।
7. मुझे बताएँ कि वह क्यों दुखी है।
8. मुझे राय दें कि लन्दन कैसे जाऊँ।

Rule IX A अब इन वाक्यों को देखें—

1. यह खेलने का समय है।
2. यह तरक्की करने का रास्ता है।

ऐसे वाक्यों से किसी व्यक्ति को सही/उचित समय या तरीके के सम्बन्ध में सुझाव दिया जाता है। इनकी बनावट होती है—

यह + धातु + ने + का + संज्ञा [समय/तरीका/रास्ता] + क्रिया

इनका अनुवाद होता है—

It is *This is*	*+ time* *+ the way*	*+ infinitive* *+ infinitive*
It is This is	time the way	to play. to rise.

ध्यान दें—

अनुवाद में proper/correct/right आदि शब्दों का प्रयोग इस प्रकार न करें—

1. It is the right time to play.
2. This is not the proper way to do.

Rule IX B अब इन वाक्यों को लें—

1. अब कोशिश करना बेकार है। 2. अब पछताना व्यर्थ है।

ऐसे वाक्यों से भी सुझाव का भाव प्रकट होता है। इनकी बनावट होती है—

कर्ता [धातु + ना] + विशेषण [बेकार/व्यर्थ/निरर्थक] + है

इनका अनुवाद होता है—

It + is	*+ no use/no good*	*+ verb + -ing*
It is	no use/no good	regretting now.

1. अब कोशिश करना बेकार है।
   It's no use trying now.
   It's no good trying now.
2. अब पछताना व्यर्थ है।
   It's no use/no good repenting now.

ध्यान दें—

हिन्दी के ऐसे वाक्यों की बनावट इस प्रकार की भी होती है, पर अनुवाद में कोई अन्तर नहीं पड़ता—

1. अब कोशिश करने से कोई **लाभ/फायदा** नहीं।
   It's no use/no good trying now.
2. अब पछताने से कोई **लाभ/फायदा** नहीं।
   It's no use/no good repenting now.

EXERCISE 11

Translate into English.

1. यह पढ़ने का समय है।
2. यह सोने का समय है।
3. यह कार्य करने का समय है।
4. यह लड़ने का समय नहीं है।
5. यह परिश्रम करने का समय है।
6. यह नष्ट करने का समय नहीं है।
7. यह सफलता पाने का रास्ता है।
8. यह आदर पाने का तरीका है।
9. यह अँगरेजी सीखने का तरीका है।
10. यह रुपया कमाने का रास्ता है।

11. अब रोना बेकार है।
12. अब खेत जोतना व्यर्थ है।
13. अब उसे पढ़ाना बेकार है।
14. अब उन्हें राय देना व्यर्थ है।

EXERCISE 12

Choose the correct words.

1. It's no/not good call/calling a doctor now.
2. It's time/proper time to go to bed.
3. How about go/going on an excursion?
4. Tell me how/that how to solve the problem.
5. You might wait/waiting for some time.
6. Let's go to the picture, shall we/will we?
7. Why worry/to worry about her now?
8. She had better stay/to stay indoors
9. He must/do see a doctor at once.
10. What about play/playing bridge now?

□

16. अनुमति-सूचक वाक्य

यहाँ ऐसे वाक्यों के अनुवाद पर विचार करें जिनसे अनुमति (permission) माँगने या देने का बोध होता है।

Rule I इन वाक्यों पर विचार करें—

1. क्या मैं बाहर जा सकता हूँ?
2. क्या मैं अन्दर आ सकती हूँ?
3. क्या मैं कुर्सी पर बैठ सकता हूँ?
4. क्या मैं गृहकार्य कर सकती हूँ?
5. क्या मैं रेडियो खोल दूँ?
6. क्या मैं खिड़की बन्द कर दूँ?

ऐसे वाक्यों से अनुमति माँगने का भाव व्यक्त होता है और इनकी बनावट होती है—

क्या + मैं + धातु + सकता हूँ/सकती हूँ?
क्या + मैं + धातु + ऊँ?

इनका अनुवाद होता है—

(i) May + I *(ii) Can + I* *(iii) Might + I* *(iv) Could + I*	*+ infinitive [without to]?* *+ infinitive [without to]?* *+ infinitive [without to]?* *+ infinitive [without to]?*
May I Could I	play here? play here?

1. क्या मैं बाहर जा सकता हूँ/जाऊँ? May/Can I go out?
Could/I go out?
2. क्या मैं अन्दर आ सकती हूँ/आऊँ? May/Can I come in?
Could/I come in?
3. क्या मैं रेडियो खोल सकती हूँ/खोलूँ? May/Can I switch on the radio?
Could/Might I switch on the radio?

ध्यान दें—

Rule I (a) May के बदले can का प्रयोग बोलचाल की भाषा में होता है। औपचारिक (formal) रूप से अनुमति माँगने के लिए may का ही प्रयोग अधिक प्रचलित है।

Rule I (b) Could/might के प्रयोग से यह बोध होता है कि अनुमति बहुत नम्रतापूर्वक माँगी गई है। Might का इस प्रकार प्रयोग अधिक प्रचलित नहीं है।

Rule I (c) ऐसे अनुमतिसूचक वाक्यों का अनुवाद इन विधियों की सहायता से भी होता है—

(i) Do you mind my + verb + ing?
(ii) Do you mind if I + full verb [present simple]?
(iii) Would you mind if I + full verb [past simple]?

1. क्या मैं रेडियो खोल सकती हूँ/खोल दूँ?
Do you mind my switching on the radio?
Would you mind if I switched on the radio?
2. क्या मै अन्दर आ सकता हूं/आऊं?
Do you mind my coming in?
Do you mind if I come in?
Would you mind if I came in?
3. क्या मैं यहाँ बैठ कर सकता हूँ/बैठूँ?
Do you mind my sitting here?
Do you mind if I sit here?
Would you mind if I sat here?

इस प्रकार का अनुवाद हिन्दी वाक्यों की बनावट के आधार पर नहीं होता। यह है भावानुवाद जो लिखने-बोलने में बहुत सहायता करता है।

EXERCISE I

Translate into English.

1. क्या मैं यहाँ खेल सकता हूँ?
2. क्या मैं खिड़की खोल दूँ?
3. क्या मैं रेडियो बंद कर दूँ?
4. क्या मैं यहाँ विश्राम करूँ?
5. क्या मैं आपकी कलम से लिखूँ?
6. क्या मैं आपकी साईकिल का उपयोग करूँ?
7. क्या मैं कुर्सी पर बैठ सकता हूँ?
8. क्या मैं मुंबई जा सकती हूँ?
9. क्या मैं हवाई जहाज से सफर कर सकता हूँ?
10. क्या मैं टेलीफोन कर सकती हूँ?

Rule II अब इन वाक्यों को देखें—

1. मुझे प्रथम श्रेणी में यात्रा करने की अनुमति दी जाए।
2. मुझे गाड़ी से यात्रा करने की इजाजत दी जाए।

ऐसे वाक्यों से अफसरों या उच्च अधिकारियों से अनुमति माँगने का बोध होता है। इनकी बनावट होती है—

..... धातु + ने + की अनुमति/इजाजत दी जाए

इनका अनुवाद होता है—

(i) Subject + may be allowed/permitted *(ii) Subject + may be given permission*	*+ infinitive* *+ infinitive*
I may be allowed/permitted I may be given permission	to take my exam. to take my exam.

1. मुझे प्रथम श्रेणी में यात्रा करने की अनुमति/इजाजत दी जाए।
   I may be allowed/permitted to travel first class.
   I may be given permission to travel first class.
2. मुझे गाड़ी से यात्रा करने की अनुमति/इजाजत दी जाए।
   I may be allowed/permitted to travel by car.
   I may be given permission to travel by car.
3. उसे आपसे मिलने की अनुमति दी जाए।
   He/She may be allowed/permitted to see you.
   He/She may be given permission to see you.

ध्यान दें—

ऐसे वाक्यों का प्रयोग दफ्तरों/कार्यालयों में तो होता है, पर बोलचाल में इस प्रकार के वाक्य विरले ही मिलते हैं।

EXERCISE 2

Translate into English.

1. मुझे वायुयान से यात्रा करने की अनुमति दी जाए।
2. मुझे यहाँ गाड़ी लगाने की अनुमति दी जाए।
3. मुझे छुट्टियों में घर जाने की अनुमति दी जाए।
4. मुझे भीतर प्रवेश करने की अनुमति दी जाए।
5. मुझे बैंक से रुपया निकालने की इजाजत दी जाए।
6. मुझे पत्नी से मिलने की इजाजत दी जाए।
7. मुझे बच्चों की देखभाल करने की अनुमति दी जाए।
8. मुझे अँगरेजी में बोलने की इजाजत दी जाए।

Hints: गाड़ी लगाना = to park a car, रुपया निकालना = to withdraw

Rule III अब इन वाक्यों को लें—

1. क्या मैं बाहर जा सकता हूँ/जाऊँ? हाँ जा सकते हैं/नहीं, नहीं जा सकते।
2. क्या मैं अन्दर आ सकती हूँ/आऊँ? हाँ, आ सकती हैं/नहीं, नहीं आ सकतीं।

ऐसे वाक्यों से अनुमति देने या नहीं देने का बोध होता है। इनकी बनावट होती है—

हाँ + धातु + सकते हैं/सकती हैं/सकते हो
नहीं + नहीं + धातु + सकते हैं/सकती हैं/सकते हो

इनका अनुवाद होता है—

Yes *No*	*+ Comma* *+ Comma*	*+ you may/you can* *+ you may not/you can't*
Yes No	, ,	you may/you can. you may not/you can't.

1. हाँ, जा सकते हैं। Yes, you may/you can.
2. नहीं, नहीं जा सकते। No, you may not/you can't.
3. हाँ, आ सकती हैं। Yes, you may/you can.
4. नहीं, नहीं आ सकती हैं। No, you may not/you can't.

ध्यान दें—

Rule III (a) साधारणतः अनुमति नहीं देने का भाव may not से प्रकट होता है और जोरदार तरीके से अनुमति नहीं देने का भाव प्रकट होता है can't से।

Rule III (b) औपचारिक रूप से अनुमति नहीं देने का भाव इस प्रकार व्यक्त किया जाता है—

आपको प्रथम श्रेणी में यात्रा करने की अनुमति नहीं दी जाती है—
ऐसे वाक्यों की बनावट होती है—

.....अनुमति/इजाजत + नहीं दी जाती है

इनका अनुवाद होता है—

Subject + is/are + not allowed/permitted *Subject + is/are + not given permission*	*+ infinitive* *+ infinitive*
You are not allowed/permitted You are not given permission He is not allowed/permitted	to travel first class. to travel first class. to travel first class.

EXERCISE 3

Translate into English.

1. क्या मैं यहाँ खेल सकता हूँ? हाँ, खेल सकते हैं।
2. क्या मैं इससे फोनकर सकता हूँ? नहीं, नहीं कर सकते हैं।
3. क्या मैं अब कार्य आरंभ कर सकता हूँ? हाँ, कर सकते हैं।
4. क्या मैं अब लिखना बंद कर सकता हूँ? नहीं, नहीं कर सकते।
5. क्या मैं अब रेडियो सुन सकता हूँ? हाँ, सुन सकते हैं।
6. क्या मैं अब दरवाजा बंद कर दूँ? नहीं, नहीं बंद कर सकते हैं।
7. आपको यहाँ गाड़ी लगाने की अनुमति नहीं दी जाती है।
8. आपको घर जाने की इजाजत नहीं दी जाती है।
9. आपको परीक्षा में बैठने की अनुमति नहीं दी जाती है।
10. आपको बाहर जाने की इजाजत नहीं दी जाती है।

EXERCISE 4

Match the words under the colums A and B to make correct sentences.

A	B
Do you mind	switch off the fan?
You are not allowed	if I slept here?
I may be permitted	if I park my car here?
May I	my opening the window?
Would you mind	to travel without ticket.
Do you mind	to play here.

□

17. संभावना-सूचक एवं अनुमान-सूचक वाक्य

यहाँ ऐसे वाक्यों के अनुवाद पर विचार करें जिनसे कार्य की संभावना का बोध होता है, अर्थात यह बोध होता है कि कार्य होने की आशा है या नहीं। कार्य होने की अधिक संभावना को probability (प्रोबॅबिल्-इटि) या likelihood (लाइक्-लि-हूड) कहा जाता है और कम संभावना को possibility (पॉसिबिल्-इटि) कहते हैं।

Rule I A इन पाक्यों पर पिचार करें—

1. आज रात वर्षा हो सकती है।
2. आज रात वर्षा नहीं भी हो सकती है।
3. वह आज शाम में लौट सकता है।
4. वह आज शाम में नहीं भी लौट सकता है।

हिन्दी के ऐसे स्वीकारात्मक (positive) और नकारात्मक (negative) दोनों ही प्रकार के वाक्यों से संभावना का बोध होता है। इनकी बनावट होती है—

कर्ता + धातु + सकता है/सकती है/सकते हैं
कर्ता + नहीं भी + धातु + सकता है/सकती है/सकते हैं

इनका अनुवाद होता है—

Subject *Subject*	*+ may/may not* *+ might*	*+ infinitive [without to]* *+ infinitive [without to]*
He He	might may/may not	pass. pass.

1. आज रात वर्षा हो सकती है। It may rain tonight.
   It might rain tonight.
2. आज रात वर्षा नहीं भी हो सकती है। It may not rain tonight.
3. वह आज शाम लौट सकता है। He may return this evening.
   He might return this evening.
4. वह आज शाम नहीं भी लौट सकता है। He may not return this evening.

ध्यान दें—

जब हिन्दी वाक्यों में **संभावना** का प्रयोग होता है, तब अनुवाद में likelihood/probability/possibility का प्रयोग होता है; जैसे,

आज वर्षा होने की संभावना है। There is likelihood of rain today.

परन्तु, जब वाक्य में **संज्ञा + संभव** का प्रयोग होता है तब अनुवाद में likely/probable/possible आता है; जैसे,

1. आज वर्षा संभव है। Rain is likely today.
2. जीत संभव है। Victory is possible.

Rule I B अब इन वाक्यों को लें—

1. वह चोर हो सकता है।
2. वह चोर नहीं भी हो सकता है।
3. वह महान बन सकता है।
4. वह महान नहीं भी बन सकता है।

ऐसे वाक्यों में भी संभावना का भाव व्यक्त होता है और इनकी बनावट होती है—

कर्ता + संज्ञा/विशेषण + धातु + सकता है/सकती है/सकते हैं
कर्ता + संज्ञा/विशेषण + नहीं भी + धातु + सकता है/सकती है/सकते हैं

इनका अनुवाद होता है—

Subject + may be/might be + noun/adjective
Subject + may/might not be + noun/adjective

1. वह चोर हो सकता है। He may/might be a thief.
2. वह चोर नहीं भी हो सकता है। He may/might not be a thief.
3. वह महान हो सकता है। He may/might be great.

ध्यान दें—

Rule I B (a) May और **may not** इन दोनों से संभावना का बोध होता है। याद रखें कि may not से संभावना के अभाव का बोध नहीं होता। संभावना के बिल्कुल अभाव, (अर्थात असंभव) का बोध इस प्रकार होता है—

Subject + can't + infinitive/can't be + noun/adjective

1. आज रात वर्षा नहीं हो सकती है। It can't rain tonight.
2. आज शाम में वह नहीं लौट सकता। He can't return this evening.

Rule IB (b) (i) अधिक संभावना का बोध होता है—may/may not से।

(ii) कम संभावना का बोध होता है—might/might not से।

(iii) कोई भी संभावना नहीं (असम्भव) का बोध होता है—can't से।

Rule I B (c) कार्य होने की संभावना अधिक है या कम—यह हिन्दी के वाक्यों से स्पष्ट नहीं होता, पर अँगरेजी वाक्यों की बनावट से (may/might के आधार पर) यह अन्तर स्पष्ट हो जाता हैं। इसलिए अनुवाद करते समय आप ही को तय करना है कि संभावना की मात्रा कम है या अधिक। यदि ऐसा निर्णय लेना कठिन हो तो may/might में से किसी एक की सहायता लें, क्योंकि अनुवाद की दृष्टि से इनमें कोई अन्तर नहीं है।

Rule IB (d) कार्य होने की संभावना रहने पर हिन्दी वाक्यों में **नहीं भी** का प्रयोग होता है और संभावना बिल्कुल ही नहीं रहने पर केवल **नहीं** का। याद रखें—

नहीं भी = may not, नहीं = can't; जैसे,

1. वह नहीं भी आ सकता है। He may not come.
2. वह नहीं आ सकता है। He can't come.

EXERCISE 1

Translate into English.

1. वह पास कर सकता है।
2. वह पास नहीं भी कर सकती है।
3. वह लॉटरी जीत सकता है।
4. वह मदद नहीं भी कर सकती है।
5. वे समय पर लौट सकते हैं।
6. वे समय पर नहीं पहुँच सकते हैं।
7. वह घर गिर सकता है।
8. वह घर नहीं गिर सकता है।
9. वह मर सकता है।
10. वह नहीं भी मर सकता है।
11. वह नेता हो सकता है।
12. वह नेता नहीं हो सकता है।
13. वह अच्छा बन सकता है।
14. वह अच्छा नहीं बन सकता है।
15. वह मुख्यमंत्री बन सकता है।
16. वह कवि नहीं बन सकता है।
17. वह झूठ बोल सकता है।
18. वह झूठ नहीं भी बोल सकता है।
19. वह डॉक्टर बन सकता है।
20. वह सफल नहीं भी हो सकता है।

Rule I C अब इन वाक्यों को लें—

1. शायद आज रात वर्षा होगी।
2. संभव है, आज रात वर्षा हो।
3. हो सकता है आज रात वर्षा हो।

ऐसे वाक्यों की बनावट होती है—

शायद/संभव है/हो सकता है + वाक्य [कर्ता + क्रिया]

इनका अनुवाद होता है—

Perhaps/probably + sentence [principal clause]
It is possible + sentence [noun clause]

1. शायद आज वर्षा हो। Perhaps it will rain today.
2. संभव है आज रात वर्षा हो। Probably it will rain tonight.
3. हो सकता है आज रात वर्षा हो। It is possible that it will rain tonight.
4. हो सकता है ट्रेन शीघ्र पहुँचे। It is possible that the train will reach soon.
   Perhaps the train will reach soon.

EXERCISE 2

Translate into English.

1. शायद वह आज लौट सकती है।
2. संभव है वह पास करे।

3. हो सकता है वह आज पहुँचे।
4. हो सकता है वह पास करे।
5. शायद आज आँधी आए।
6. संभव है वह मेरी मदद करे।
7. हो सकता है वह चोर हो।
8. संभव है वे जासूस हों।
9. शायद वह गायक है।
10. हो सकता है वर्षा बन्द हो जाए।

Rule II इन वाक्यों को देखें—

1. क्या वह झूठ बोल सकता है?
2. क्या कीमतें गिर सकती हैं/सकेंगी?
3. क्या वह लौट सकेगा?
4. क्या वे महान बन सकेंगे?

ऐसे प्रश्नवाचक वाक्यों से वर्तमान/भविष्यत् काल की संभावना के सम्बन्ध में प्रश्न किया जाता है और प्रश्नकर्ता जानना चाहता है कि वर्तमान/भविष्य में कार्य होने की संभावना है या नहीं। ऐसे वाक्यों की बनावट होती है—

क्या + कर्ता + धातु + सकता है/सकती है/सकते हैं/सकेगा/सकेगी/सकेंगे

ऐसे वाक्यों का अनुवाद होता है—

(i) *Can + subject + be + noun/adjective/infinitive [without to]*
(ii) *Do you think + assertive sentence [future tense]*
(iii) *Is/Are + subject + likely + noun/adjective/infinitive*

1. क्या वह झूठ बोल सकता है। Can he tell lies? Do you think he will tell lies? Is he likely to tell lies?
2. क्या कीमतें गिर सकती हैं/सकेंगी? Can prices fall?
   Do you think prices will fall?
   Are prices likely to fall?
3. क्या वह चोर हो सकता है? Can he be a thief?

ध्यान दें—

अँगरेजी में can का कोई रूप future tense के लिए नहीं होता। इसलिए future tense बताने के लिए do you think + assertive या is/are + subject + likely + infinitive का प्रयोग होता है। ऐसा अनुवाद अर्थ की दृष्टि से होता है, हिन्दी वाक्य की बनावट की दृष्टि से नहीं। इस प्रकार, may [possibility] का प्रश्नवाचक रूप होता है **can**; जैसे,

It may rain tonight. = Can it rain tonight? [not, may it rain tonight?]

EXERCISE 3

Translate into English.

1. क्या वह आज पहुँच सकता है?
2. क्या वह कल पहुँच सकेगा?
3. क्या वह अगले महीने शादी कर सकता है?
4. क्या वह मेरी मदद कर सकेगा?
5. क्या वह अगले वर्ष लंदन जा सकता है?
6. क्या वह लॉटरी जीत सकेगी?
7. क्या वह आदमी साधु हो सकता है?
8. क्या वह नेता हो सकेगा?

9. क्या वह लड़का मुझे धोखा दे सकता है?
10. क्या वह मुझे धोखा दे सकेगा?

Rule III A अब इन वाक्यों को लें—

1. आज रात वर्षा जरूर हो सकती है।
2. कीमतें जरूर घट सकती हैं।
3. यात्रा अवश्य सुरक्षित हो सकती है।
4. वह अवश्य डॉक्टर बन सकता है।

ऐसे वाक्यों से यह बोध होता है कि कार्य होने की संभावना बहुत अधिक है। इनकी बनावट होती है—

कर्ता + जरूर/अवश्य + धातु + सकता है/सकती है/सकते हैं
कर्ता + जरूर/अवश्य + संज्ञा/विशेषण + धातु + सकता है/सकती है/सकते हैं

इनका अनुवाद होता है—

Subject *Subject*	*+ is/are going* *+ is/are going to be*	*+ infinitive* *+ noun/adjective*
He He	is going is going	to win the race. to be a minister.

1. आज रात वर्षा अवश्य हो सकती है। It is going to rain tonight.
2. कीमतें जरूर घट सकती हैं। Prices are going to fall.
3. यात्रा सुरक्षित अवश्य हो सकती है। Travelling is going to be safe.
4. वह डॉक्टर अवश्य बन सकता है। He is going to be a doctor.

ध्यान दें—

ऐसे अवश्य/जरूर का अनुवाद होता है—**is/are going** + infinitive, must नहीं।

Rule III B अब इन वाक्यों को लें—

1. वह मूर्ख अवश्य है।
2. वह पागल जरूर है।
3. मैंने इसे ट्रेन में अवश्य छोड़ा होगा।
4. आपने सीता को जरूर देखा होगा।

ऐसे वाक्यों से भी अधिक सम्भावना का बोध होता है और इनकी बनावट होती है—

कर्ता/संज्ञा/विशेषण + अवश्य/जरूर + है/हैं
कर्ता + अवश्य/जरूर + धातु + होगा/होगी/होंगे

इनका अनुवाद होता है—

(i) *Subject + must be + noun/adjective*
(ii) *Subject + must have + past participle*
(iii) *Ten to one + that + clause*

1. वह अवश्य मूर्ख होगा। He must be a fool.
2. वह जरूर पागल होगा। He must be mad.
3. मैंने इसे ट्रेन में अवश्य छोड़ा होगा। I must have left it in the train.
4. आपने सीता को जरूर देखा होगा। You must have seen Sita.
5. वह जरूर पास करेगी। Ten to one that she will pass.
6. वह अवश्य आएगा। Ten to one that he will come.

ध्यान दें—

ऐसे अधिक सम्भावना के बिल्कुल अभाव (अर्थात असम्भव) का बोध इस प्रकार होता है—

(i) *Subject + can't + infinitive [without to]*
(ii) *Subject + can't be + noun/adjective*
(iii) *Subject + can't have + past participle*

1. वह मूर्ख अवश्य नहीं होगा। He can't be a fool.
2. वह पागल जरूर नहीं होगा। He can't be mad.
3. वह सच अवश्य नहीं होगा। It can't be true.
4. आज वर्षा अवश्य नहीं होगी। It can't rain today.
5. मैंने इसे ट्रेन में अवश्य नहीं छोड़ा होगा। I can't have left it in the train.
6. आपने सीता को अवश्य नहीं देखा होगा। You can't have seen Sita.

EXERCISE 4

Translate into English.

1. कीमतें अवश्य बढ़ सकती हैं।
2. वे शादी जरूर कर सकते हैं।
3. वह अँगरेजी अवश्य सीख सकती है।
4. वह मेरी मदद जरूर कर सकती है।
5. आपने यह किताब अवश्य पढ़ी होगी।
6. वह चोर अवश्य होगा।
7. हमलोग मैच जरूर जीत सकते हैं।
8. वह बदमाश अवश्य होगा।
9. वे इनाम अवश्य पा सकते हैं।
10. वह अभिनेत्री जरूर होगी।
11. मैंने कलम बस में जरूर छोड़ दी होगी।
12. आपने मेरा नाम जरूर सुना होगा।
13. शैलेन्द्र बड़ा आदमी अवश्य हो सकता है।
14. वह मंत्री अवश्य होगा।
15. यह घर जरूर गिर सकता है।
16. यह सच अवश्य होगा।

17. मोहन उन्नति अवश्य कर सकता है। 18. वह खिलाड़ी जरूर होगा।

Rule IV अब इन वाक्यों को देखें—

1. आपने यह किताब पढ़ी होगी।
2. वह कहीं गई होगी।
3. वे लौट गये होंगे।
4. आपने उनका नाम सुना होगा।

ऐसे वाक्यों की सहायता से भूतकाल में किए गए कार्य की सम्भावना के सम्बन्ध में अनुमान (guess) व्यक्त किया जाता है। इनकी बनावट होती है—

कर्ता + धातु + आ + ई + ए + होगा/होगी/होंगे

इनका अनुवाद होता है—

Subject *Subject* *Subject*	*+ may have* *+ can have* *+ will have*	*+ past participle* *+ past participle* *+ past participle*
She	may have	gone home.
He	may have	caught the bus
He	can have	seen the thief.
You	will have	heard the news.

1. आपने यह किताब पढ़ी होगी। You may have read this book.
2. आपने मेरा नाम सुना होगा। You may have heard his name.
3. वे लौट गए होंगे। They may have returned.
4. वह कहीं गई होगी। She may have gone somewhere.

ऐसे वाक्यों से संभावना + अनिश्चितता (possibility + uncertainty) का भाव व्यक्त होता है।

ध्यान दें—

Rule V (a) ऐसे वाक्यों के will से वर्तमान काल का बोध होता है, भविष्यत् काल का नहीं।

Rule I (b) ऐसे वाक्यों के शायद/सम्भव का अनुवाद होता ही नहीं, क्योंकि वह भाव will have से ही व्यक्त हो जाता है।

EXERCISE 5

Translate into English.

1. शायद आपने अजायबघर देखा होगा।
2. शायद आपने ताजमहल देखा होगा।
3. शायद आपने यह समाचार सुना होगा।

4. शायद आपने उसे देखा होगा।
5. सम्भव है वह मुंबई पहुँच गया होगा।
6. सम्भव है वह लौट गया होगा।
7. उसने तेरी मदद की होगी।
8. उसने घड़ी चुराई होगी।

Rule V (b) अब इन वाक्यों को लें—

1. मेरी गाड़ी छूट गयी होती।
2. वह मारा गया होता।

ऐसे वाक्यों से यह बोध होता है कि जिस कार्य के होने की सम्भावना भूतकाल में थी वह कार्य नहीं हो सका, अर्थात भूतकाल की सम्भावना, सम्भावना ही रह गयी। इनकी बनावट होती है—

कर्ता + धातु + आ होता/ई होती/ए होते

इनका अनुवाद होता है—

Subject *Subject*	*+ might have* *+ might have been*	*+ past participle [active voice]* *+ past participle [passive voice]*
He She	might have might have been	caught the train. injured in the riot.

1. मेरी गाड़ी छूट गयी होती। I might have missed the train.
[पर गाड़ी छूटी नहीं]
2. वह मारा गया होता। He might have been killed. [पर मारा नहीं गया]
3. उसने पास किया होता। He might have passed. [पर पास नहीं किया]
4. आपने यह पुस्तक पढ़ी होती। You might have read this book. [पर पढ़ी नहीं]

EXERCISE 6

Translate as in the example: Mohan might have passed.

1. वह पहुँचा होता।
2. उसने लिखा होता।
3. आपने उसे देखा होता।
4. वह पढ़ाई गई होती।
5. वे ठगे गये होते।
6. वह दंडित किया गया होता।
7. उसने कार्य पूरा किया होता।

8. उसने मेरी मदद की होती।
9. वह गई होती।
10. उसने ट्रेन पकड़ी होती।
11. हमलोगों ने मैच जीता होता।
12. उसे इनाम मिला होता।

Rule VI अब इन वाक्यों पर विचार करें—

1. वह करीब बीस साल की होगी।
2. उसकी उम्र तीस वर्ष के लगभग होगी।
3. वह मोहन की माँ होगी।
4. वह मोहन का भाई होगा।

ऐसे वाक्यों से वर्तमान काल के कार्य के सम्बन्ध में सम्भावना (probability) तथा अनुमान (guess) दोनों भाव व्यक्त होते हैं।

इनकी बनावट होती है—

कर्ता + क्रिया [होगा/होगी/होंगे]

इनका अनुवाद इस प्रकार होता है—

Subject	*+ verb [would be]*	*+ other words [noun/adj.]*
She	would be	about sixteen.
She	would be	his sister.

1. वह करीब बीस साल की होगी। She would be about twenty.
2. उसकी उम्र तीस वर्ष के लगभग होगी। He would be in his thirties.
3. वे लगभग पचास साल के होंगे। They would be in their fifties.
4. वह मोहन की माँ होगी। She would be Mohan's mother.

ध्यान दें—

Rule VI (a) किसी व्यक्ति/वस्तु के सम्बन्ध में अनुमान इस प्रकार लगाया जाता है—

प्रश्न	**अनुमान**
1. How old is she?	She would be about twenty.
2. How old is he?	He would be in his thirties.
3. Is she older than you?	No, she would be a little younger.
4. Who is she?	She would be Mohan's mother.

Rule VI (b) teens/twenties/thirties का अर्थ होता है—

teens = thirteen to nineteen years of age. twenties = twenty to twenty-nine.
thirties = thirty to thirty-nine. forties = forty to forty-nine.

EXERCISE 7

Translate as in the example: He would be about ten.

1. उसकी उम्र पन्द्रह साल की होगी।
2. वह आपसे कुछ छोटी होगी।
3. वह आपसे कुछ लम्बी होगी।
4. उसकी उम्र करीब चालीस वर्ष की होगी।
5. उसकी उम्र तीस साल की होगी।
6. उसकी उम्र अस्सी वर्ष की होगी।
7. वह मोहन की बहन होगी।
8. वह इस टीम का कप्तान होगा।

□

18. कर्तव्य/बाध्यता/अनिवार्यता-सूचक एवं आवश्यकता-सूचक वाक्य

यहाँ हम ऐसे वाक्यों के अनुवाद पर विचार करें जिनसे बाध्यता (obligation), अनिवार्यता (compulsion) या आवश्यकता (necessity) का बोध होता है, अर्थात यह बोध होता है कि कोई कार्य लाचार या विवश होकर करना पडता है।

Rule I A इन वाक्यों को देखें—

1. उसे भीख माँगनी होती/पड़ती है।
2. उन्हें कठिन परिश्रम करना होता/पड़ता है।
3. मुझे कपड़े धोने होते/पड़ते हैं।
4. उसे भोजन बनाना होता/पड़ता है।

ऐसे वाक्यों से बाध्यता/अनिवार्यता का भाव व्यक्त होता है, अर्थात यह भाव व्यक्त होता है कि कार्य लाचार होकर करना पड़ता है, स्वेच्छा से नहीं।

इनकी बनावट होती है—

कर्ता + धातु + ना/नी/ने + होता है/होती है/पड़ता है/ पड़ती है/पड़ते हैं

इनका अनुवाद होता है—

(i) Subject *(ii) Subject*	*+ have/have got* *+ must/mustn't*	*+ infinitive* *+ infinitive [without to]*
He	has	to take medicine.
He	has got	to take medicine.
He	must	take medicine.
We	mustn't	betray our country.

1. उसे भीख माँगनी होती/पड़ती है। He has to beg.
   He has got to beg. He must beg.
2. उन्हें कठिन परिश्रम करना होता/पड़ता है। They have to work hard.
   They have got to work hard.
3. मुझे कपड़े धोने होते हैं/पड़ते हैं। I have to wash clothes.
   I have got to wash clothes.
   I must wash clothes.

4. उसे स्वयं भोजन बनाना होता/पड़ता है। He has/has got to cook food himself.
He must cook food himself.

5. उसे जुर्माना देना पड़ा। He had to pay a fine.

6. उसे जुर्माना देना पड़ेगा। He shall have to pay a fine.

ऐसे वाक्यों में mustn't के प्रयोग से आवश्यकता या बाध्यता के अभाव (absence) का बोध नहीं होता है।

ध्यान दें—

Rule I A (a) कभी-कभी **पड़ना** या **होना** के बदले केवल **करना** का प्रयोग होता है, पर इससे भी बाध्यता/आवश्यकता का भाव व्यक्त होता है; जैसे,

1. हमें शिक्षा का प्रसार करना है। We have/have got to spread education.
2. हमें जीवनस्तर ऊँचा करना है। We have/have got to raise the standard of living.

Rule I A (b) बाध्यता/अनिवार्यता का भाव इस प्रकार भी व्यक्त किया जा सकता है—

Subject + cannot choose but + infinitive [without to]

1. उसे भीख माँगनी होती/पड़ती है। He cannot choose but beg.
2. मुझे स्वयं भोजन बनाना होता/पड़ता है। I cannot choose but cook food myself.

Rule I A (c) बाध्यता/अनिवार्यता का भाव व्यक्त करने के लिए past tense के साथ had और future tense के साथ shall have का प्रयोग होता है—

1. उसे आज्ञा माननी पड़ी। He had to obey.
2. उसे आज्ञा माननी होगी/पड़ेगी। He shall have to obey.

EXERCISE 1

Translate as in the example: He must consult a doctor.

1. उसे दवा खानी पड़ती है।
2. उसे सवेरे उठना होता है।
3. उसे ट्रक चलाना पड़ता है।
4. मुझे घर साफ करना होता है।
5. उन्हें चन्दा देना पड़ता है।
6. उन्हें पैदल चलना होता है।
7. उसे घर बेचना पड़ा।
8. पुलिस को गोली चलानी पड़ी।
9. उसे मुम्बई जाना पड़ेगा।
10. उसे कड़ी मेहनत करनी होगी।

EXERCISE 2

Translate as in the example: He has got to consult a doctor.

1. उसे अस्पताल जाना पड़ता है।
2. मुझे बच्चों को पढ़ाना होता है।
3. उन्हें खान में काम करना पड़ता है।
4. उन्हें दूसरों पर निर्भर रहना होता है।
5. उसे सूखी रोटी खानी पड़ती है।
6. उसे बस से यात्रा करनी पड़ती है।
7. उसे प्लेट धोने पड़ते हैं।
8. उसे भोजन बनाना होता है।

EXERCISE 3

Translate as in the example: I have to get up early.

1. मुझे पत्र लिखने पड़ते हैं।
2. मुझे पत्रों के उत्तर देने होते हैं।
3. उसे सुबह में चाय बनानी पड़ती है।
4. उसे पत्थर तोड़ना होता है।
5. उसे आज्ञा माननी पड़ती है।
6. उसे चिट्ठियाँ बाँटनी होती है।
7. मुझे उसकी खुशामद करनी पड़ेगी।
8. मुझे उसे खुश करना होगा।

EXERCISE 4

Translate as in the example: He had to/shall have to pay a fine.

1. उसे लड़ाई करनी पड़ी।
2. उसे लड़ाई करनी पड़ेगी।
3. उसे भीख माँगनी पड़ी।
4. उसे भीख माँगनी होगी।
5. मुझे अँगरेजी में बोलना पड़ा।
6. तुम्हें अँगरेजी में बोलना पड़ेगा।
7. उसे परीक्षा देनी पड़ेगी।
8. उसे परीक्षा देनी पड़ी।
9. मुझे घर की मरम्मत करनी पड़ी।
10. उन्हें भोजन बनाना पड़ेगा।

Rule I B अब इन वाक्यों को लें—

1. उसे भीख माँगनी पड़ सकती है।
2. उसे कठिन परिश्रम करना पड़ सकता है।

ऐसे वाक्यों से बाध्यता/अनिवार्यता की संभावना का बोध होता है, अर्थात यह बोध होता है कि कार्य बाध्य होकर करने की संभावना है।

इनकी बनावट होती है—

कर्ता + धातु + ना/नी/ने + पड़ + सकता है/सकती है/सकते हैं

इनका अनुवाद होता है—

Subject	*+ may*	*+ have*	*+ infinitive [without to]*
He He	may may	have have	to beg. to work hard.

1. उसे तुरंत प्रस्थान करना पड़ सकता है। He may have to start at once.
2. राम को अफसोस करना पड़ सकता है। Ram may have to regret.

EXERCISE 5

Translate as in the example: He may have to beg.

1. उसे कुछ देर प्रतीक्षा करनी पड़ सकती है।
2. मुझे पैदल जाना पड़ सकता है।

3. उन्हें फिर परीक्षा देनी पड़ सकती है।
4. मुझे उसपर निर्भर करना पड़ सकता है।
5. उसे जुर्माना देना पड़ सकता है।
6. उसे अँगरेजी में बोलना पड़ सकता है।
7. पुलिस को गोली चलानी पड़ सकती है।
8. मुझे उसकी देखभाल करनी पड़ सकती सकती है।

Hints: गोली चलाना = to open fire, देखभाल करना = to look after

Rule II अब इन वाक्यों को लें—

1. उसे भीख नहीं माँगनी होती/पड़ती है।
2. मुझे कपड़े नहीं धोने होते/पड़ते हैं।

ऐसे वाक्यों से बाध्यता/अनिवार्यता के अभाव (absence) का बोध होता है, अर्थात यह बोध होता है कि कर्ता के लिए कार्य करना अनिवार्य/आवश्यक नहीं है। ऐसे वाक्यों की बनावट होती है—

> कर्ता + नहीं + धातु + ना/नी/ने + होता है/होती है/होते हैं/पड़ता है/पड़ती है/पड़ते हैं

इनका अनुवाद होता है—

(i) Subject	*+ needn't*	*+ infinitive [without to]*
(ii) Subject	*+ hasn't/haven't*	*+ infinitive*
(iii) Subject	*+ hasn't/haven't got*	*+ infinitive*
(iv) Subject	*+ don't/doesn't have*	*+ infinitive*
(v) Subject	*+ don't/doesn't need*	*+ infinitive*
He	needn't	work hard.
He	hasn't	to work hard.
He	hasn't got	to work hard.
He	doesn't have	to work hard.
He	doesn't need	to work hard.

1. उसे भीख नहीं माँगनी होती/पड़ती है। He needn't beg. He has not to beg. He has not got to beg. He does not have to beg. He does not need to beg.
2. मुझे कपड़े नहीं धोने होते/पड़ते हैं। I needn't wash clothes.
   I have not to wash clothes.
   I have not got to wash clothes.
   I do not have to wash clothes.
   I do not need to wash clothes.

3. उन्हें रविवार को कार्यालय नहीं जाना होता/पड़ता है।
   They needn't go to office on Sundays.
   They haven't to go to office on Sundays.
   They haven't got to go to office on Sundays.
   They don't need to go to office on Sundays.
   ऐसे वाक्यों में mustn't का प्रयोग अनुचित है।

ध्यान दें—

कभी-कभी बाध्यता/अनिवार्यता का अभाव इस प्रकार भी व्यक्त हो सकता है—

Subject + need hardly / scarcely + infinitive [without to]

कहने की जरूरत नहीं। I need hardly mention.
I need scarcely mention.

ऐसे वाक्यों में need hardly/scarcely से अच्छा होता है—

subject + needn't + infinitive [without to]

1. मुझे कहने की जरूरत नहीं। I needn't mention.
2. तुम्हें धन्यवाद देने की जरूरत नहीं। You needn't thank me.

EXERCISE 6

Translate as in the example: I don't have to work hard.

1. मुझे गाड़ी चलानी नहीं पड़ती है।
2. उसे भोजन बनाना नहीं पड़ता है।
3. उन्हें कठिन परिश्रम नहीं करना पड़ता है।
4. उन्हें रविवार को स्कूल नहीं जाना पड़ता है।
5. उसे किसी की खुशामद नहीं करनी पड़ती है।
6. उसे अपने मकान की मरम्मत नहीं करनी पड़ती है।
7. मुझे अपने हाथों से कार्य नहीं करना पड़ता है।
8. उन्हें गन्दा पानी नहीं पीना होता है।

EXERCISE 7

Translate as in the example: He needn't work hard.

1. उन्हें खदानों में काम नहीं करना पड़ता है।
2. उन्हें कठिन परिश्रम नहीं करना होता है।
3. उसे घर में ताला नहीं लगाना पड़ता है।
4. मुझे कपड़े धोने नहीं होते हैं।
5. उसे रिक्शा नहीं चलाना पड़ता है।
6. उसे प्रतीक्षा नहीं करनी होती है।
7. उसे टिकट नहीं कटाना पड़ता है।
8. उन्हें भारी बोझ नहीं ढोना होता है।

EXERCISE 8

Translate as in the example: He hasn't got to work hard.

1. उन्हें पैदल नहीं चलना पड़ता है।
2. मुझे साइकिल से स्कूल नहीं जाना होता है।
3. मुझे कठिन परिश्रम नहीं करना पड़ता है।
4. उसे बरतन नहीं धोना होता है।
5. उसे खड़ा नहीं रहना पड़ता है।
6. उसे दवा नहीं खानी होती है।
7. उन्हें अस्पताल नहीं जाना पड़ता है।
8. उन्हें जूतों की पॉलिश नहीं करनी होती है।
9. मुझे दूध नहीं खरीदना पड़ता है।
10. उसे झूठ नहीं बोलना होता है।

Rule III अब इन वाक्यों को देखें—

1. मोहन को कल घर जाना है।
2. राम को परीक्षा देनी है।

ऐसे वाक्यों से यह बोध होता है कि कर्ता अपनी लाचारी से या किसी की आज्ञानुसार कार्य करता है। इनकी बनावट होती है—

संज्ञा/सर्वनाम + को + धातु + ना है/नी है/ने हैं

इनका अनुवाद होता है—

Noun/pron. [subject]	*+ has/have got*	*+ infinitive*
Mohan	has/has got	to go home.
Ram	has/has got	to take his examination

EXERCISE 9

1. सीता को कल मुंबई जाना है।
2. राधा को कल भोजन बनाना है।
3. बच्चों को पाठ तैयार करना है।
4. रेखा को तुरन्त प्रस्थान करना है।
5. लड़कियों को स्वेटर बनाना है।
6. किसानों को खेत जोतना है।

Rule IV अब इन वाक्यों को लें—

1. हमें सच बोलना चाहिए।
2. हमें झूठ नहीं बोलना चाहिए।
3. हमें ईमानदार होना चाहिए।
4. हमें बेईमान नहीं होना चाहिए।
5. हमें अच्छा नागरिक बनना चाहिए।
6. उन्हें सस्ता नेता नहीं बनना चाहिए।

ऐसे वाक्यों से कर्तव्य (duty) का बोध होता है जो कई प्रकार का हो सकता है— धार्मिक, नैतिक, पारिवारिक, सामाजिक, राष्ट्रीय आदि।

इस प्रकार के वाक्यों की बनावट होती है—

कर्ता + धातु + ना/नी/ने + चाहिए
कर्ता + विशेषण/संज्ञा + धातु + ना/नी/ने + चाहिए

इनका अनुवाद होता है—

Subject *Subject*	*+ should* *+ should be*	*+ infinitive [without to]* *+ noun/adjective*
We	should	help the poor.
He	should be	gentle and polite.

1. हमें सच बोलना चाहिए। We should speak the truth.
2. हमें ईमानदार होना चाहिए। We should be honest.
3. हमें अच्छा नागरिक बनना चाहिए। We should be good citizens.

ध्यान दें—

Rule IV (a) जब ऐसे वाक्यों में **नहीं** आता है, तब अनुवाद में not का प्रयोग होता है और इस प्रकार के negative वाक्यों से भी कर्तव्य का भाव व्यक्त होता है—

1. हमें झूठ नहीं बोलना चाहिए। We shouldn't tell lies.
2. हमें बेईमान नहीं होना चाहिए। We shouldn't be dishonest.
3. उन्हें सस्ता नेता नहीं बनना चाहिए। They shouldn't be cheap leaders.

Rule IV (b) ऐसे वाक्यों से सलाह/परामर्श (advice) का भी बोध होता है। इस पक्ष पर **सलाह/परामर्श-सूचक** वाक्यों के सम्बन्ध में विचार हो चुका है।

EXERCISE 10

Translate into English.

1. हमें अँगरेजी लिखनी चाहिए।
2. हमें चोरी नहीं करनी चाहिए।
3. आपको यह किताब पढ़नी चाहिए।
4. आपको शराब नहीं पीनी चाहिए।
5. उसे आज्ञाकारी होना चाहिए।
6. उन्हें धोखेबाज नहीं होना चाहिए।
7. उसे कठिन परिश्रम करना चाहिए।
8. उसे आलसी नहीं होना चाहिए।
9. आपको अच्छा छात्र होना चाहिए।
10. उसे सस्ता कवि नहीं होना चाहिए।

EXERCISE 11

Correct these translations.

1. उसे समाचार-पत्र पढ़ने चाहिए। He should reads newspapers.
2. उन्हें सवेरे उठना चाहिए। They should gets up early.
3. उसे गरीबों को सताना नहीं चाहिए। He shouldn't oppressed the poor.

4. तुम्हें शिक्षकों की आज्ञा नहीं माननी चाहिए। You should be obey your teachers.

Rule V अब इन वाक्यों को देखें—

1. हमें सच अवश्य बोलना चाहिए।
2. हमें झूठ अवश्य नहीं बोलना चाहिए।
3. हमें ईमानदार अवश्य होना चाहिए।
4. हमें बेईमान अवश्य नहीं होना चाहिए।
5. हमें अच्छा नागरिक अवश्य बनना चाहिए।
6. हमें सस्ता नेता अवश्य नहीं बनना चाहिए।

ऐसे वाक्यों से भी कर्तव्य/बाध्यता का बोध होता है और इसे जोरदार (emphatic) तरीके से व्यक्त किया जाता है।

इनकी बनावट होती है—

कर्ता + अवश्य/जरूर + धातु + ना/नी/ने + चाहिए
कर्ता + संज्ञा/विशेषण + अवश्य/जरूर/ + धातु + ना/नी/ने + चाहिए

इनका अनुवाद होता है—

(i) Subject	*+ must*	*+ infinitive [without to]*
(ii) Subject	*+ must be*	*+ noun/adjective*
(iii) Subject	*+ ought*	*+ infinitive*
(iv) Subject	*+ ought to be*	*+ infinitive*
		+ noun/adjective
He	must	obey.
He	must be	obedient.
He	ought	to obey.
He	ought to be	obedient.

1. हमें सच अवश्य बोलना चाहिए। We must speak the truth.
   We ought to speak the truth.
2. हमें ईमानदार अवश्य होना चाहिए। We must be honest.
   We ought to be honest.
3. हमें अच्छा नागरिक अवश्य बनना चाहिए। We must be good citizens.
   We ought to be good citizens.

ध्यान दें—

Rule V (a) जब ऐसे वाक्यों में नहीं आता है, तब अनुवाद में not का प्रयोग होता है और इस प्रकार के negative वाक्यों से भी कर्तव्य का बोध होता है; जैसे,

1. हमें झूठ अवश्य नहीं बोलना चाहिए। We mustn't tell lies.
   We oughtn't to tell lies.
2. हमें बेईमान अवश्य नहीं होना चाहिए। We mustn't be dishonest.
   We oughtn't to be dishonest.

Rule V (b) अँगरेजी वाक्यों में must और should के बाद infinitive (to + verb) तो आता है, पर to सदा छिपा रहता है, पर ought के बाद पूरा infinitive (to + verb) आता है—

should speak/must speak/ought to speak

EXERCISE 12

Translate into English.

1. हमें रेडियो अवश्य सुनना चाहिए।
2. हमें व्यायाम अवश्य करना चाहिए।
3. उसे सुबह में अवश्य टहलना चाहिए।
4. उन्हें गंदा पानी अवश्य नहीं पीना चाहिए।
5. हमें ठंढा भोजन अवश्य नहीं खाना चाहिए।
6. हमें बहुत अधिक नहीं खाना चाहिए।
7. उसे विनम्र अवश्य होना चाहिए।
8. उन्हें विश्वासपात्र अवश्य बनना चाहिए।
9. हमें दयालु अवश्य होना चाहिए।
10. उसे पुस्तकालय का सदस्य अवश्य बनना चाहिए।
11. हमें दूसरों पर निर्भर अवश्य नहीं करना चाहिए।
12. उसे अपने पर नियंत्रण अवश्य रखना चाहिए।
13. पुस्तकों को उपयोगी अवश्य होना चाहिए।
14. छात्रों को दूसरों की नकल अवश्य नहीं करनी चाहिए।
15. छात्रों को अनुशासित अवश्य होना चाहिए।
16. हमें हिंसा को अवश्य त्यागना चाहिए।

Hints: विनम्र = polite, विश्वासपात्र = faithful, दयालु = kind-hearted, निर्भर करना = to depend, नियंत्रण रखना = to control, अनुशासित = disciplined, हिंसा violence, त्यागना = to give up/to renounce

Rule VI अब इन वाक्यों को देखें—

1. उसे सच बोलना चाहिए था।
2. उसे झूठ नहीं बोलना चाहिए था।
3. उसे सतर्क रहना चाहिए था।
4. उसे ईर्ष्यालु नहीं होना चाहिए था।

ऐसे वाक्यों से यह बोध होता है कि भूतकाल में जो कार्य कर्तव्य या बाध्यता के चलते होना था वह पूरा नहीं हुआ, अर्थात अनुचित कार्य हुआ।

इनकी बनावट होती है—

कर्ता + धातु + ना + चाहिए था
कर्ता + विशेषण + धातु + ना + चाहिए था

इनका अनुवाद होता है—

(i) Subject	*+ should have*	*+ past participle*
(ii) Subject	*+ should have been*	*+ adjective*
(iii) Subject	*+ ought to have*	*+ past participle*
(iv) Subject	*+ ought to have been*	*+ noun/adjective*
He	should have	worked hard.
He	should have been	more careful.
He	ought to have	worked hard.
He	ought to have been	more careful.

1. उसे सच बोलना चाहिए था। He/She should have spoken the truth.
   He/She ought to have spoken the truth.
2. उसे सतर्क रहना चाहिए था। He/She should have been cautious.
   He/She ought to have been cautious.

ध्यान दें—

Rule VI (a) Should के बाद have आता है, पर ought के बाद to have आता है; जैसे,

Should have spoken. Ought to have spoken.

Rule VI (b) जब हिन्दी वाक्यों में **नहीं** आता है, तब अनुवाद में not का प्रयोग इस प्रकार होता है—

1. उसे झूठ नहीं बोलना चाहिए था। He/She shouldn't have told lies.
   He/She oughtn't to have told lies.
2. उसे ईर्ष्यालु नहीं होना चाहिए था। He/She shouldn't have been jealous.
   He/She oughtn't to have been jealous.

EXERCISE 13

Translate into English.

1. उन्हें समय पर आना चाहिए था।
2. तुम्हें परीक्षा देनी चाहिए थी।
3. उसे आज्ञाकारी होना चाहिए था।
4. उन्हें विश्वासपात्र होना चाहिए था।
5. तुम्हें उसकी मदद करनी चाहिए थी।
6. तुम्हें डॉक्टर से सलाह लेनी चाहिए थी।
7. उन्हें सस्ती किताबें नहीं पढ़नी चाहिए थी।
8. उन्हें अनुपस्थित नहीं होना चाहिए था।
9. उसे निमंत्रण स्वीकार करना चाहिए था।
10. मुझे मोहन को बधाई देनी चाहिए थी।
11. तुम्हें मुझे निमंत्रित करना चाहिए था।
12. उसे गाड़ी पर पत्थर नहीं फेंकना चाहिए था।

Rule VII अब, इन वाक्यों पर विचार करें—

1. मुझे एक कलम चाहिए। 2. मुझे एक कप चाय चाहिए।

ऐसे वाक्यों से आवश्यकता (need/requirement) का बोध होता है, बाध्यता/अनिवार्यता का नहीं। इस प्रकार के वाक्यों की बनावट होती है—

कर्ता + संज्ञा [कर्म] + चाहिए

इसका अनुवाद होता है—

Subject	*+ want/need/require*	*+ noun [object]*
I	want/need/require	a glass of water.
He	wants/needs/requires	a piece of paper.

1. मुझे एक कलम चाहिए। I need/want a pen.
2. मुझे एक कप चाय चाहिए। I need/want a cup of tea.
3. उसे थोड़ी मदद चाहिए। He needs some help.

EXERCISE 14

Translate into English.

1. उसे थोड़ा दूध चाहिए।
2. बच्चों को मिठाइयाँ चाहिए।
3. भूखे को थोड़ा भोजन चाहिए।
4. प्यासे को थोड़ा पानी चाहिए।
5. मुझे एक टैक्सी चाहिए।
6. उसे एक रिक्शा चाहिए।
7. उन्हें कुछ खिलौने चाहिए।
8. उन्हें कुछ गहने चाहिए।
9. मुझे थोड़ी चाँदी चाहिए।
10. उसे कुछ सीमेंट चाहिए।

EXERCISE 15

Match the words under the columns A and B to make correct sentences.

A	B
I have got	sleep on the floor.
You shouldn't	to kill birds.
He should	to have started early.
She ought	have replied to the letter.
She needn't	to finish the work to day.
He oughtn't	hate your neighbour.

□

19. योजना/कार्यक्रम-सूचक वाक्य

यहाँ ऐसे वाक्यों के अनुवाद पर विचार करें जिनसे योजना (plan) या कार्यक्रम (programme) का बोध होता है।

Rule I इन वाक्यों को देखें—

1. प्रधानमंत्री यहाँ कल आएँगे।
2. प्रधानमंत्री यहाँ कल आ रहे हैं।
3. मैं अगले वर्ष परीक्षा दूँगा।
4. मैं अगले वर्ष परीक्षा दे रहा हूँ।

ऐसे वाक्यों से यह बोध होता है कि कोई कार्य भविष्य में पूर्वनिर्धारित योजना या कार्यक्रम के अनुसार होनेवाला है। इनकी बनावट होती है—

कर्ता + समय-सूचक अव्यय (भविष्यत काल) + धातु + एगा/एगी/एँगे
[सामान्य भविष्यत]

कर्ता + समय-सूचक अव्यय (भविष्यत काल) + धातु + रहा है/रही है/रहे हैं
[तात्कालिक वर्तमान]

इनका अनुवाद होता है—

(i) Subject *(ii) Subject*	*+ full verb [present simple]* *+ am/is/are + verb + ing* *[present progressive]*	*+ adverb of time [future]* *+ adverb of time [futrue]*
He He	visits Delhi is visiting Delhi	next week. next week.

1. प्रधानमंत्री यहाँ कल आएँगे। The Prime Minister comes here tomorrow.
The Prime Minister is coming here tomorrow.
2. मैं अगले वर्ष परीक्षा दूँगा। I take my examination next year.
I am taking my examination next year.

ध्यान दें—

Rule I (a) हिन्दी के ऐसे सामान्य भविष्यत का अनुवाद होता है present simple, [future simple नहीं] क्यों? इसलिए कि future simple से केवल Future time का बोध होता है, भविष्य में पूर्वनिर्धारित कार्यक्रम के अनुसार कार्य होने का नहीं; जैसे,

1. I shall take my examination next year. [भविष्य में कार्य होने की आशा]

2. I take my examination next year. [भविष्य में कार्य होने का निर्णय/योजना]

Rule I (b) वर्तमान या निकट भविष्य में कार्यक्रम (programme) से सम्बन्धित वाक्यों का मुहावरेदार अनुवाद इस प्रकार भी होता है—

1. क्या कल कोई कार्यक्रम है? Is there anything **on** tomorrow?

2. आज शाम में आपका कोई प्रोग्राम है? Have you anything **on** this evening?

ऐसे वाक्यों के कार्यक्रम/प्रोग्राम का अनुवाद होता है—**on**

EXERCISE 1

Translate as in the example: He goes to Delhi next week.

1. मुख्यमंत्री कल लौटेंगे।
2. शिक्षामंत्री कल पहुँचेंगे।
3. पिताजी अगले सप्ताह जापान जाएँगे।
4. माताजी अगले महीने मुंबई जाएँगी।
5. वे अगले वर्ष शादी करेंगे।
6. वह अगले वर्ष एक गाड़ी खरीदेगी।
7. मैं अगले सप्ताह माँ से मिलूँगा।
8. वह कल मुबई के लिए प्रस्थान करेगा।
9. वह अगले साल एक घर खरीदेगा।
10. मैं अगले सोमवार को घर जाऊँगा।
11. मतदान कल आरंभ होगा।
12. टेस्ट मैच कल आरंभ होगा।

Hints: मतदान = the poll, टेस्ट मैच = the test match

EXERCISE 2

Translate as in the example : She is seeing her mother next week.

1. शिक्षामंत्री कल पटना लौट रहे हैं।
2. माताजी परसों दिल्ली जा रही हैं।
3. मैं अगले साल गाड़ी खरीद रहा हूँ।
4. वे अगले सप्ताह एक सभा कर रहे हैं।
5. हमलोग अगले महीने पिकनिक मना रहे हैं।
6. वह अगले मंगलवार को प्रीतिभोज दे रही है।
7. मैं अगले बुधवार को मित्रों से मिलने जा रहा हूँ।
8. वह अगले वर्ष एक स्कूल खोलने जा रहा है।

Hints: प्रीतिभोज = banquet

Rule II अब इन वाक्यों को लें—

1. वह परीक्षा देने को है। 2. वे शादी करने को हैं।

ऐसे वाक्यों से भी भविष्य में होनेवाले कार्यक्रम (योजना/प्रबन्ध) का भाव व्यक्त होता है। इनकी बनावट होती है—

कर्ता + धातु + ने + को + है/हैं

इनका अनुवाद होता है—

Subject	*+ am/is/are*	*+ to + verb [infinitive]*
I	am	to leave at once.
He	is	to come in an hour.

1. वह परीक्षा देने को है। He is to take his examination.
2. वे शादी करने को हैं। They are to get married.

ध्यान दें—

हिन्दी के ऐसे वाक्यों में धातु + ने + को के बदले धातु + ने + वाला/वाली/वाले आता है, पर अनुवाद में कोई अन्तर नहीं पड़ता; जैसे,

1. वह परीक्षा देनेवाला है। He is to take his examination.
2. वे शादी करनेवाले हैं। They are to get married.

Rule III अब इन वाक्यों को देखें—

1. वह परीक्षा देने को था। 2. वे घर बेचने को थे।

ऐसे वाक्यों से यह बोध होता है कि भूतकाल में जो कार्य किसी योजना/कार्यक्रम के अनुसार होने को था वह पूरा न हुआ। इनकी बनावट होती है—

कर्ता + धातु + ने + को + था/थी/थे

इनका अनुवाद होता है—

Subject *Subject*	*+ was/were* *+ was/were*	*+ to + verb [infinitive]* *+ to have + past participle [perfect infinitive]*
I I	was was	to see him. to have seen him.

1. वह परीक्षा देने को था। He was to take his examination.
   He was to have taken his examination.
2. वे घर बेचने को थे। They were to sell their house.
   They were to have sold their house.

ध्यान दें—

Was/were + infinitive से यह बोध होता है कि कार्य निकट भूतकाल में पूरा न हुआ, पर

was/were + to have + past participle (perfect infinitive) से यह बोध होता है कि जो कार्य भूतकाल में बहुत पहले पूरा होनेवाला था वह पूरा न हो सका; जैसे,

1. He was to come. [निकट भूतकाल में आने को था]
2. He was to have come. [भूतकाल में बहुत पहले आने को था]

EXERCISE 3

Translate into English.

1. वह मेरी मदद करने को था।
2. वे यहाँ लौटने को थे।
3. वह यहाँ पहुँचने को थी।
4. वह गहने खरीदने को थी।
5. वे गाड़ी खरीदने को थे।
6. वे शादी करने को थे।
7. वह कविताएँ लिखने को है।
8. वह कहानी सुनाने को है।
9. वे दिल्ली जाने को हैं।
10. मैं लंदन जाने को हूँ।
11. वह मेरी देखभाल करने को है।
12. वे पुस्तकें लिखने को हैं।
13. मैं तुरन्त रवाना होने को हूँ।
14. वे कार्य आरंभ करने को हैं।
15. वे कार्य समाप्त करने को थे।
16. वह कल घर बेचने को है।
17. वह खेतों को जोतने को है।
18. वे खेतों को पटाने को थे।

EXERCISE 4

Correct these translations.

1. वह हवाई जहाज से यात्रा करने को था। He was travelling by air.
2. वे अगले सप्ताह परीक्षा देने को है। They are take their examination next week.
3. वह मुझे कुछ रुपये देने को था। He was giving me some money.
4. वह कल रेडियो खरीदने को है। He will buy a radio tomorrow.

EXERCISE 5

Tick (✓) the correct words.

1. She is leaves/leaving for home tomorrow.
2. He was to finish the work last week/next week.
3. The plane take off/takes off at 9 o'clock.
4. She is to fly/flying to London tomorrow/yesterday.
5. He was to have gave/given me money last year/next year.

□

20. इरादा/संकल्प-सूचक वाक्य

यहाँ ऐसे वाक्यों के अनुवाद पर विचार करें जिनसे कार्य करने के इरादे (intention) या संकल्प (determination) का भाव व्यक्त होता है।

Rule I इन वाक्यों पर विचार करें—

1. मैं गाड़ी खरीदने जा रहा हूँ।
2. वे शादी करने जा रहे हैं।
3. सरकार अस्पताल खोलने जा रही है।
4. वह अँगरेजी सीखने जा रहा है।

ऐसे वाक्यों से इरादे या संकल्प का बोध होता है, अर्थात यह बोध होता है कि कार्य करने का दृढ़ निर्णय लिया गया है। इस प्रकार के वाक्यों की बनावट होती है—

कर्ता + धातु + ने + जा रहा हूँ/रहा है/रही है/रहे हैं

इनका अनुवाद होता है—

Subject	*+ am/is/are + going*	*+ infinitive*
He	is going	to sell his car.
She	is going	to start a school.

इन वाक्यों की बनावट और अनुवाद पर गौर करें—

1. मैं गाड़ी खरीदने जा रहा हूँ। I am going to buy a car.
2. वे शादी करने जा रहे हैं। They are going to get married.
3. सरकार अस्पताल खोलने जा रही है। The government is going to start a hospital.
4. वह अँगरेजी सीखने जा रहा है। He is going to learn English.

ध्यान दें—

Rule I (a) ऐसे वाक्यों के **जा** (going) का अर्थ **कहीं जाना** नहीं होता। कर्ता कहीं जाता नहीं है। वह केवल इरादा/संकल्प व्यक्त करता है।

Rule I (b) ऐसे वाक्यों में कर्ता—**होने/बनने + संज्ञा + जा रहा है/रही है/रहे हैं** का भी प्रयोग हो सकता है। इनका अनुवाद होता है—

Subject + am/is/are + going + to be + noun

1. शैलेन्द्र डॉक्टर होने/बनने जा रहा है। Shailendra is going to be a doctor.
2. मोहन मंत्री होने/बनने जा रहा है। Mohan is going to be a minister.

EXERCISE 1

Translate as in the exmaple: He is going to deceive everybody.

1. वह एक घर खरीदने जा रहा है।
2. वह गाड़ी बेचने जा रहा है।
3. मैं उसकी मदद करने जा रहा हूँ।
4. वह कार्य आरम्भ करने जा रहा है।
5. वे कार्य समाप्त करने जा रहे हैं।
6. मैं एक पुस्तक लिखने जा रहा हूँ।
7. वह नेता होने/बनने जा रहा है।
8. वह माँ होने/बनने जा रही है।
9. वह पिता होने/बनने जा रहा है।
10. वह अभिनेता होने/बनने जा रहा है।
11. मैं एक दुकान खोलने जा रहा हूँ।
12. वे एक सम्मेलन करने जा रहे हैं।
13. वह एक पद पाने जा रही है।
14. वह तरक्की पाने जा रही है।

Hints: सम्मेलन = conference, सम्मेलन करना = to hold conference, पद = post, तरक्की = promotion

Rule II अब, इन वाक्यों को लें—

1. मेरा इरादा गाड़ी खरीदने का है।
2. उसका इरादा अँगरेजी सीखना है।

ऐसे वाक्यों के **इरादा** से ही इरादा का भाव प्रकट हो जाता है। इनकी बनावट होती है—

कर्ता [इरादा] + धातु + ने + का + है
कर्ता [इरादा] + धातु + ना + है

इसका अनुवाद इस प्रकार होता है—

Subject [noun/pron.] *Subject [noun/pron.]*	*+ verb [intend]* *+ verb [intend]*	*+ to + verb* *+ verb + ing*
I I	intend intend	to go home. going home.

1. मेरा इरादा गाड़ी खरीदने का है। I intend to buy a car.
I intend buying a car.

2. उसका इरादा अँगरेजी सीखना है। He intends to learn English.
He intends learning English.

3. उसका इरादा सबको धोखा देना है। He intends to deceive all.
He intends deceiving all.

ध्यान दें—

Rule II (a) हिन्दी वाक्यों में **इरादा** (संज्ञा) कर्ता का कार्य करता है, पर अँगरेजी वाक्यों में इसे क्रिया के समान प्रयुक्त किया जाता है।

Rule II (b) अँगरेजी में भी इरादा का प्रयोग संज्ञा (कर्ता) के समान इस प्रकार हो सकता है—

Subject + [intention]	*+ is*	*+ to + verb*
His intention	is	to use unfair means.
My intention	is	to help everybody.

1. उसका इरादा अँगरेजी सीखना है। His intention is to learn English.
2. उसका इरादा सबको धोखा देना है। His intention is to deceive everybody.

EXERCISE 2

Translate as in the example: His intention is to steal my pen.

1. मेरा इरादा उसकी मदद करने का है।
2. उसका इरादा मुझे मदद करने का है।
3. उसका इरादा मुझे काम देने का है।
4. उनका इरादा खेती करने का है।
5. उसका इरादा अपना घर बेचने का है।
6. मेरा इरादा किताबें लिखने का है।
7. उनका इरादा मेहनत करने का है।
8. मेरा इरादा उद्योग लगाने का है।
9. उनका इरादा शादी करने का है।
10. उसका इरादा मुझे निमंत्रण देने का है।

Rule III अब इन वाक्यों को देखें—

1. मेरा इरादा गाड़ी खरीदने का था।
2. उसका इरादा अँगरेजी सीखना था।

ऐसे वाक्यों से यह बोध होता है कि जो इरादा/संकल्प भूतकाल में था वह पूरा न हो सका। इनकी बनावट होती है—

(i) Subject [noun/pron.] + was/were + going + infinitive
(ii) Subject [noun/pron.] + verb [intended] + infinitive
(iii) Subject [noun/pron.] + verb [intended] + to have + past participle

1. मेरा इरादा गाड़ी खरीदने का था। I was going to buy a car.
   I intended to buy a car.
   I intended to have bought a car.
2. उसका इरादा अँगरेजी सीखना था। He was going to learn English.
   He intended to learn English.
   He intended to have learnt English.

ध्यान दें—

Rule III (a) अर्थ की दृष्टि से intended + to + verb (infinitive) और intended + to have + past participle में थोड़ा अन्तर है। केवल to + verb से यह बोध होता है कि इरादा निकट भूतकाल में पूरा नहीं हुआ, पर to have + past participle से यह बोध होता है कि इरादा भूतकाल में बहुत पहले पूरा न हो सका।

Rule III (b) ऐसे वाक्यों में भी इरादा (संज्ञा) का अनुवाद noun के द्वारा हो सकता है और तब यह वाक्य में कर्ता का कार्य करता है; जैसे,

1. उसका इरादा सबको धन्यवाद देना था। His intention was to thank all.
2. उसका इरादा स्पष्ट नहीं था। His intention was not clear.

EXERCISE 3

Translate into English.

1. उसका इरादा मुझे काम देने का था।
2. उसका इरादा एक घर खरीदने का था।
3. उनका इरादा मुझे धन्यवाद देने का था।
4. मेरा इरादा उसकी मदद करने का था।
5. उसका इरादा परीक्षा देने का था।
6. मेरा इरादा रुपया उधार लेने का था।
7. उनका इरादा दूसरों को मदद था।
8. मेरा इरादा बच्चों को पढ़ाने का था।
9. उनका इरादा विवाह करना था।
10. उसका इरादा मुझसे व्यापार का था।

Hints: रुपया उधार लेना = to borrow money, मदद = to help

EXERCISE 4

Correct these translations.

1. वह हाथी खरीदने जा रहा है। He is goes to bought an elephant.
2. मैं एक उपन्यास लिखने जा रहा हूँ। I am go to wrote a novel.
3. मेरा इरादा गरीबों की मदद करने का है। My intention is to helped the poor.
4. उसका इरादा अपनी पत्नी की हत्या करना था। He intented to have murder/murdered his wife.
5. मैं उसे टेलीफोन करने जा रहा हूँ। I am goes to rang him up.

□

21. लक्ष्य/उद्देश्य-सूचक वाक्य

यहाँ ऐसे वाक्यों के अनुवाद पर विचार करें जिनसे कार्य करने के लक्ष्य (aim) या उद्देश्य (purpose) का बोध होता है।

Rule I इन वाक्यों पर विचार करें—

1. पढ़ने के लिए दो पुस्तकें हैं।
2. पढ़ने को दो पुस्तकें हैं।
3. खाने के लिए थोड़ा भोजन है।
4. खाने को थोड़ा भोजन है।
5. पहनने के लिए एक कोट है।
6. पहनने को एक कोट है।

ऐसे वाक्यों से उद्देश्य (purpose) का बोध होता है और इनकी बनावट होती है—

धातु + ने + के लिए + संज्ञा [कर्ता—अनिश्चित] क्रिया **होना** [है/था]
धातु + ने + को + संज्ञा [कर्ता—अनिश्चित] + क्रिया होना [**है**/था]

इनका अनुवाद होता है—

There	*+ be [is/are]*	*+ noun [subject—indefinite]*	*+ infinitive*
There There	is are	work shoes	to do. to wear.

इन वाक्यों की बनावट और अनुवाद का ध्यान रखें—

1. पढ़ने के लिए/पढ़ने को दो पुस्तकें हैं। There are two books to read.
2. खाने के लिए/खाने को थोड़ा भोजन है। There is some food to eat.
3. पहनने के लिए/पहनने को एक कोट है। There is a coat to wear.
4. उड़ाने के लिए/उड़ाने को रुपया नहीं है। There is no money to squander.

ध्यान दें—

Rule I (a) ऐसे वाक्यों का कर्ता (संज्ञा) अनिश्चित रहता है और वाक्य में **होना** क्रिया का प्रयोग होता है। इसलिए इस प्रकार के वाक्य there से आरंभ होते हैं, पर ऐसे there का कोई अर्थ नहीं होता—

Rule I (b) ऐसे वाक्यों में infinitive के बदले for + verb + ing का प्रयोग इस प्रकार नहीं होना चाहिए—

1. There are two books for reading.
2. There is no money for squandering.

EXERCISE 1

Translate into English.

1. भोजन बनाने के लिए एक नौकर है। 2. घंटी बजाने के लिए एक चपरासी है।

3. पहनने के लिए दो जोड़े जूते हैं।
4. पहनने के लिए कोई कमीज नहीं है।
5. मदद करने के लिए कई मित्र हैं।
6. लिखने के लिए दो किताबें हैं।
7. पढ़ने के लिए कोई किताब नहीं है।
8. खाने के लिए भोजन नहीं है।
9. पीने के लिए पानी नहीं है।
10. काम करने के लिए दो हाथ हैं।

Rule II अब इन वाक्यों को लें—

1. मोहन को पढ़ने के लिए किताबें हैं।
2. सीता को पहनने के लिए ब्लाउज है।
3. उसे खाने को थोड़ा भोजन है।
4. मुझे खर्च करने को थोड़ा रुपया है।

ऐसे वाक्यों से भी उद्देश्य का बोध होता है और इनकी बनावट होती है—

संज्ञा/सर्वनाम + को [कर्म कारक] + धातु + ने + के लिए + संज्ञा [कर्ता] + क्रिया [होना]

संज्ञा/सर्वनाम + को [कर्म कारक] + धातु + ने + को + संज्ञा [कर्ता] + क्रिया [होना]

इनका अनुवाद होता है—

Noun/pronoun [subject]	*+ have*	*+ noun [object]*	*+ infinitve*
Sita I	has have	blouse some money	to wear. to spend.

1. मोहन को पढ़ने के लिए पुस्तकें हैं। Mohan has books to read.
2. उसे खाने को थोड़ा भोजन है। He/She has some food to eat.

ध्यान दें—

Rule II (a) हिन्दी का कर्म कारक (= संज्ञा/सर्वनाम + को) अँगरेजी वाक्य का कर्ता कारक (subject) हो जाता है और हिन्दी का कर्ता कारक अँगरेजी वाक्य में कर्म कारक (object) बन जाता है। किसका object? उत्तर है—has/have/had का।

Rule II (b) हिन्दी के धातु + ने + को/के लिए का अनुवाद होता है, infinitive, for + verb + ing नहीं। इसलिए अनुवाद इस प्रकार न करें—

1. सीता को पहनने के लिए ब्लाउज है। Sita has a blouse for wearing.
2. मुझे खर्च करने को थोड़ा रुपया है। I have some money for spending.

EXERCISE 2

Translate into English.

1. राधा को पहनने के लिए दो साड़ियाँ हैं। 2. उसे खाने के लिए भोजन नहीं है।
3. उसे पढ़ने के लिए बहुत अखबार है। 4. उसे करने के लिए काम नहीं है।
5. मुझे मदद करने को कोई नहीं है। 6. उसे मदद करने को कई मित्र हैं।
7. उसे पहनने को जूते नहीं हैं। 8. उसे खर्च करने को रुपया नहीं है।
9. राम को रहने के लिए एक घर है। 10. मुझे लिखने को कागज नहीं है।

Rule III अब इन वाक्यों को देखें—

1. मैं कलम खरीदने बाजार गया। 2. मैं कलम खरीदने को बाजार गया।
3. मैं कलम खरीदने के लिए बाजार गया। 4. वह मुझे देखने/देखने को/देखने के लिए यहाँ आया।

ऐसे वाक्यों से भी कार्य करने के उद्देश्य का भाव व्यक्त होता है और इनकी बनावट होती है।

कर्ता + कर्म + धातु + ने/ने को/ने के लिए + क्रिया

इनका अनुवाद इस प्रकार होता है—

Subject	*+ verb*	*+ infinitive*	*+ object*
I	work hard	to get	success.
I	read this book	to learn	translation.

1. मैं कलम खरीदने/खरीदने को/के लिए बाजार गया। I went to market to buy a pen.
2. वह मुझे देखने/देखने को/के लिए यहाँ आया। He came here to see me.

Rule III (a) अब इन वाक्यों को लें—

1. वह खेलने के लिए गया है। 2. वे लड़ने/लड़ने को/लड़ने के लिए गए हैं।

ऐसे वाक्यों की बनावट होती है—

कर्ता + धातु + ने + ने/को/ने के लिए + क्रिया

इनका अनुवाद होता है—

Subject	*+ verb*	*+ infinitive*
They She	have come has gone	to play. to cook.

1. वह खेलने/खेलने को/खेलने के लिए गया है। He has gone to play.
2. वे लड़ने/लड़ने को/लड़ने के लिए गए हैं। They have gone to fight.

ध्यान दें—

कभी-कभी **धातु + ने/ने को/ने के लिए** का अनुवाद noun के द्वारा भी होता है। वैसी अवस्था में अनुवाद इस प्रकार होता है—

Subject	*+ verb*	*+ for*	*+ noun*
He She	has gone has gone	for for	a walk. a swim.

1. वह तैरने/तैरने को/तैरने के लिए गई है—She has gone for a swim.
2. वह स्नान करने/स्नान करने को/स्नान के लिए गया है—He has gone for a bath.

Rule III (b) अब इन वाक्यों को देखें—

1. मैं जानने को/के लिए उत्सुक हूँ।
2. वह जाने को/के लिए तैयार है।
3. वह सुनने को/के लिए बेचैन है।
4. वे सीखने को/के लिए इच्छुक हैं।

ऐसे वाक्यों से भी उद्देश्य का बोध होता है और इनकी बनावट होती है—

कर्ता + धातु + ने को/के लिए + विशेषण + क्रिया

इनका अनुवाद होता है—

Subject + verb to be + adjective + infinitive

1. मैं जानने को/के लिए उत्सुक हूँ। I am curious to know.
2. वह जाने को/के लिए तैयार है। He is ready to go.
3. वह सुनने को/के लिए बेचैन है। He is anxious to hear.
4. वे सीखने को/के लिए इच्छुक हैं। They are eager to learn.

ध्यान दें—

धातु + ने/ने को/ने के लिए का अनुवाद **in order to** + verb भी होता है, पर केवल to + verb (infinitive) ही अधिक लोकप्रिय है; जैसे,

1. He went to market **to buy** a pen.
2. He went to market **in order to buy** a pen.

EXERCISE 3

Translate into English.

1. मैंने अनुवाद सीखने के लिए यह पुस्तक खरीदी।
2. मैं उसे देखने लंदन गया।
3. मैंने खाने के लिए भोजन बनाया।
4. मैं ज्ञान पाने के लिए स्कूल जाता हूँ।
5. वह मेरी मदद करने को यहाँ आया।
6. मैंने मिठाइयाँ खरीदने को उसे रुपये दिए।
7. वह अँगरेजी सीखने को तैयार है।
8. वह ज्ञान प्राप्त करने के लिए इच्छुक है।
9. वह ट्रेन पकड़ने के लिए स्टेशन गया।
10. मैं टिकट खरीदने को डाकघर गया।

Rule IV अब इन वाक्यों को लें—

1. मैंने मोहन के लिए एक किताब खरीदी।
2. मैंने मोहन के लिए पढ़ने को एक किताब खरीदी।
3. उसने मेरे लिए कोट खरीदा।
4. उसने मेरे लिए पहनने को एक कोट खरीदा।

ऐसे वाक्यों की बनावट होती है—

कर्ता + संज्ञा/सर्वनाम + के लिए + संज्ञा [कर्म] + क्रिया
कर्ता + संज्ञा/सर्वनाम + के लिए + धातु + ने को + संज्ञा [कर्म] + क्रिया

इनका अनुवाद होता है—

Subject	*+ verb*	*+ noun [object]*	*+ for*	*+ noun/pronoun*	—
Subject	*+ verb*	*+ noun [object]*	*+ for*	*+ noun/pronoun*	*+ infinitive*
I I	wrote wrote	a story a story	for for	Mohan/him. Mohan/him	— to read.

1. मैंने मोहन के लिए/उसके लिए एक किताब खरीदी। I bought a book for Mohan/for him.

2. मैंने मोहन के लिए/उसके लिए एक किताब पढ़ने को खरीदी। I bought a book for Mohan/for him to read.

3. उसने मेरे लिए पहनने को एक कोट खरीदा। He bought a coat for me to wear.

ध्यान दें—

Rule IV (a) **संज्ञा/सर्वनाम + के लिए** का अनुवाद होता है—**for + noun/pronoun** पर **धातु + ने/को/के लिए** का अनुवाद होता है—infinitive.

Rule IV (b) ऐसे वाक्यों से दो-दो उद्देश्यों का भाव व्यक्त होता है।

1. किसी व्यक्ति के लिए— **for + noun/pronoun**
2. किसी कार्य के लिए—**infinitive** [to + verb]

Rule IV (c) कभी-कभी संज्ञा/सर्वनाम + के लिए का अनुवाद **to + noun/pronoun** भी होता है; जैसे,

1. यह मेरे लिए बेकार है। It is of no use to me.
2. यह सबके लिए बेकार है। It is of no use to anybody.

Rule IV (d) ऐसे वाक्यों में संज्ञा + के लिए का अनुवाद इस प्रकार भी होता है—

Subject + verb + object + for + the sake of + noun
Subject + verb + object + for + noun + 's + sake

1. मैंने बच्चों के लिए खिलौने खरीदे। I bought toys for the sake of the children.
I bought toys for the children's sake.
2. उसने देश के लिए सब कुछ न्योछावर कर दिया। He sacrificed everything for the sake of the country.

Rule IV (e) ऐसे कुछ वाक्यों में संज्ञा/सर्वनाम + के लिए का अनुवाद for + object के बदले **object + object** होता है। ऐसे वाक्यों की बनावट होती है—

Subject	*+ verb*	*+ object*	*+ object*
I	bought	him	a book.
She	made	me	a sweater.

1. उसने मेरे लिए एक स्वेटर बनाया। She made me a sweater.
2. वह मेरे लिए दूसरी कलम लाया। He got me another pen.
3. मैंने उसके लिए अच्छा उपहार पसंद किया। I chose him a nice present.
4. क्या मेरे लिए थोड़ा समय निकाल सकते हैं? Can you spare me some time?

5. क्या मेरे लिए एक काम करेंगे? Will you do me a favour?
6. क्या आपने उसके लिए कुछ भोजन रखा है? Have you left him/her some food?
7. क्या आप मेरे लिए एक कलम खरीदेंगे? Will you buy me a pen?

ध्यान दें—ऐसे वाक्यों के सजीव object (me/him/her) का अर्थ होता है—

for + object [for me/him/her], पर for छिपा रहता है।

EXERCISE 4

Translate into English.

1. मैंने राधा के लिए पहनने को चप्पल खरीदे।
2. मैंने मोहन के लिए कलमें खरीदीं।
3. उसने मेरे लिए पीने को दूध खरीदा।
4. उसने मेरे लिए कॉफी बनाई।
5. मैंने रामू के लिए पढ़ने को पुस्तकें खरीदीं।
6. मैंने बच्चों के लिए खिलौने खरीदे।
7. मैंने सीता के लिए समाचार जानने को अखबार खरीदा।
8. उसने परिवार के लिए कठिन परिश्रम किया।
9. उसने मेरे लिए खाने को भोजन बनाया।
10. उसने देश के लिए कुछ नहीं किया।

Rule V अब इन वाक्यों पर विचार करें—

1. मैंने लिखने को/लिखने के लिए कलम खरीदी।
2. उसने रहने को/रहने के लिए घर बनाया।
3. यहाँ बैठने को/बैठने के लिए कुर्सी है।
4. यहाँ लिखने को/लिखने के लिए स्याही नहीं है।

ऐसे वाक्यों से यह बोध होता है कि उद्देश्य की पूर्ति (अर्थात कार्य करने) के लिए साधन (means) है या नहीं। ऐसा साधन वह noun होता है जो **धातु + ने + को + या धातु + ने + के लिए** के बाद आता है; जैसे, कलम, घर आदि।

ऐसे वाक्यों की बनावट होती है—

कर्ता + धातु + ने + को/के लिए + संज्ञा [साधन] + क्रिया

इनका अनुवाद होता है—

Subject	*+ verb*	*+ noun*	*+ infinitive*	*+ preposition*
He	has	a house	to live	in.
We	have	hands	to work	with.

1. मैंने लिखने को/के लिए कलम खरीदी। I bought a pen to write with.
2. उसने रहने को/के लिए घर बनाया। He built a house to live in.
3. यहाँ बैठने को/के लिए कुर्सी है। Here is a chair to sit on.
4. यहाँ लिखने को/के लिए स्याही नहीं है। There is no ink to write in.
5. यहाँ लिखने को/के लिए कागज नहीं है। There is no paper to write on.

ध्यान दें—

अँगरेजी में ऐसे वाक्यों की बनावट रहती है—

preposition + which + clause; जैसे,

1. I have a pen **with which** I write.
2. He has a house **in which** he lives.

ऐसे वाक्यों से which + subject का लोप हो जाता है, verb बदल जाता है infinitive में और preposition चला जाता है वाक्य के अन्त में, अर्थात infinitive (to + verb) के बाद; जैसे,

1. I have a pen with which I write = I have a pen to write with.
2. He has house **in which** he lives = He has a house to live in.

इस प्रकार complex sentence बदल जाता है simple sentence में।

EXERCISE 5

Translate into English.

1. उसने लिखने के लिए कलम खरीदी।
2. उसने बैठने के लिए कुर्सियाँ खरीदीं।
3. उसे रहने के लिए घर नहीं है।
4. उसे लिखने के लिए कागज नहीं है।
5. हमें कार्य करने के लिए दो हाथ हैं।
6. हमें चलने के लिए दो पैर हैं।
7. हमें देखने के लिए दो आँखें हैं।
8. उसे टहलने के लिए एक छड़ी है।
9. उसे फल काटने को एक चाकू है।
10. उसे चिड़ियाँ मारने को एक बंदूक है।

Rule VI अब इन वाक्यों को लें—

1. वह परिश्रम करता है/जिससे कि पास करे/कर सके।
2. तुरंत प्रस्थान करो कि/जिससे कि ट्रेन पकड़ सको।
3. इसे लिख लो जिससे कि भूल न जाओ।

ऐसे वाक्यों के दो भाग होते हैं। पहला भाग होता है—प्रधान उपवाक्य जिसमें कार्य होने की चर्चा होती है। दूसरा भाग होता है—क्रियाविशेषण उपवाक्य। यह **कि/जिससे कि** से आरंभ होता है और इसमें कार्य करने के उद्देश्य पर प्रकाश डालता है। ऐसें वाक्यों की बनावट होती है—

प्रधान उपवाक्य + कि/जिससे कि/जिससे कि.....नहीं + क्रियाविशेषण उपवाक्य

इसका अनुवाद होता है—

Principal clause	*+ that/so that/lest + adverb clause*
He started early	that/so that he might catch the train.
Take exercise	lest you should get too fat.

1. वह परिश्रम करता है/जिससे कि पास करे/कर सके।
   He works hard that/so that he may pass.
2. तुरंत प्रस्थान करो कि/जिससे कि ट्रेन पकड़ सको।
   Start at once that/so that you may catch the train.
3. इसे लिख लो जिससे कि भूल न/नहीं जाओ।
   Note it down lest you should forget it.
   Note it down so that you may not forget it.

ध्यान दें—

Rule VI (a) that/so that + clause में साधारणतः may/might का प्रयोग होता है।

Rule VI (b) Lest का अर्थ होता है—**जिससे कि न/नहीं** और इसलिए lest के बाद not नहीं आता। यदि not का प्रयोग करना ही हो, तो **so that.....not** का व्यवहार करें। यह भी देखें कि lest के साथ साधारणतः should आता है।

EXERCISE 6

Translate into English.

1. कठिन परिश्रम करो जिससे कि सफलता मिले।
2. तुरंत रवाना हो जाओ जिससे बस पकड़ सको।
3. तुम्हें सुबह में टहलना चाहिए जिससे तुम्हें शुद्ध हवा मिले।
4. उन्हें सवेरे उठना चाहिए जिससे वे स्वस्थ रह सकें।
5. उन्हें गरीबों की मदद करनी चाहिए जिससे कि वे राहत पा सकें।
6. आपको सदा सच बोलना चाहिए जिससे आपको आदर मिले।
7. तुम्हें विनम्र होना चाहिए जिससे कि लोग तुम्हें प्यार कर सकें।
8. आपको यह किताब पढ़नी चाहिए जिससे कि आप अनुवाद सीख सकें।

Hints: राहत = relief, विनम्र = polite/humble

Rule VII अब उद्देश्य-सूचक इन वाक्यों को देखें—

(i) with a view to + verb + ing
(ii) to aim at + noun
(iii) to aim at + verb + ing
(iv) without any aim/purpose
(v) verb + aimlessly/at random
(vi) is + no use/any use

इन वाक्यों के अनुवाद को देखें—

1. उसने सफलता के लिए कड़ी मेहनत की।
   He worked hard with a view to achieving success.
2. लाल किला देखने के लिए वह दिल्ली गया।
   He went to Delhi with a view to seeing the Red Fort.
3. उसका लक्ष्य/उद्देश्य सफलता है।
   He aims at success.
4. वह यों ही भटका फिरता है।
   He wanders about without any aim/purpose.
   He wanders about aimlessly.
5. वह यों ही गेंद मार रहा है।
   He is kicking the ball at random.
6. यह सबके लिए बेकार है।
   It is no use to anybody.
7. गिरे हुए दूध के लिए रोना बेकार है।
   It is no use crying over spilt milk.
8. क्या यह आपके लिए लाभकारी है?
   Is it any use to you?

EXERCISE 7

Match the clauses under the columns A and B to make meaningful sentences.

A	B
Ring up the fire brigade	so that he might be saved.
Take an umbrella	so that you may note down
Start early	telephone numbers.
	so that teachers may love you.
He was rushed to hospital	so that fire may be put out.
Keep a diary	so that you may not get wet.
Behave well at school	lest you should miss the bus.

EXERCISE 8

Choose the correct words.

1. He is going to market to buy/for buying combs.
2. There is no time to lose/for losing now.
3. He has no chair to sit on/in.
4. He has only one shirt to wear/for wearing.
5. Note it down lest you should/shouldn't forget it.

□

22. आदत/पुनरावृत्ति-सूचक वाक्य : चिरन्तन सत्य-सूचक वाक्य

यहाँ ऐसे वाक्यों के अनुवाद पर विचार करें जिनसे आदत (habit), कार्य की पुनरावृत्ति (repetition) या चिरन्तन सत्य (eternal truth) का भाव व्यक्त होता है।

Rule I इन वाक्यों को देखें—

1. मैं सदा बिछावन पर पढ़ता हूँ।
2. वह मछली-चावल पसद करता है।
3. वह मेरे यहाँ रोज आया करती है।
4. सूरज पूरब में उगता है/उगा करता है।
5. वे सुबह में दाँत साफ करते हैं/किया करते हैं।

ऐसे वाक्यों से आदत या चिरन्तन सत्य का बोध होता है। इसकी बनावट होती है—

कर्ता + धातु + ता हूँ/ती है/ते हैं [सामान्य वर्तमान]
कर्ता + धातु + आ + करता हूँ/करता है/करती है/करते हैं

इनका अनुवाद होता है

Subject	*+ full verb [present simple]*
He	goes to office at 10 o'clock.
I	get up at 5 o'clock.

1. मैं सदा बिछावन पर पढ़ता हूँ/पढ़ा करता हूँ। I always read in bed.
2. वह मछली-चावल पसन्द करती है/किया करती है। She likes rice and fish.
3. सूरज पूरब में उगता है/उगा करता है। The sun rises in the east.
4. वे सुबह में दाँत साफ करते हैं/किया करते हैं। They brush their teeth in the morning.

ध्यान दें—

Rule I (a) जब हिन्दी वाक्य में **नहीं** आता है तब अँगरेजी में do not/does not का प्रयोग होता है और ऐसे वाक्यों से भी आदत का बोध होता है।

1. वह शराब नहीं पीता है/नहीं पिया करता है। He doesn't drink.
2. वे धूम्रपान नहीं करते हैं/नहीं किया करते हैं। They don't smoke.

Rule I (b) ऐसे वाक्यों का अनुवाद **use to** के द्वारा इस प्रकार न करें—

1. वह मेरे यहाँ रोज आया करता है। He uses to come to me everyday.
2. वे सवेरे उठा करते हैं। They use to get up early.

Rule I (c) ऐसे वाक्यों में इन adverbs का प्रयोग होता है—

always, often, never, occasionally, usually, regularly, rarely, hardly, generally, sometimes, normally

EXERCISE 1

Translate into English.

1. बच्चे यहाँ खेला करते हैं।
2. लोग यहाँ जमा होते है।
3. वह कॉफी पिया करता है।
4. कुत्ते घर की रखवाली करते हैं।
5. मैं दूध पसंद नहीं करता हूँ।
6. वह मुझसे बातें किया करती है।
7. वह सुबह में टहला करती है।
8. मैं रोज तैरा करता हूँ।
9. वह रोज इंटरनेट लगाया करता है।
10. वे रोज मछली नहीं खाते हैं।
11. वे शाम में मछली बेचा करते हैं।
12. मैं शाम में खेला करता हूँ।
13. वह सदा उपन्यास नहीं पढ़ा करती है।
14. वह झूठ नहीं बोला करता है।
15. वह सदा सिर खुजलाया करता है।
16. वह सदा पैर हिलाया करती है।
17. वे रोज देर से स्कूल पहुँचते हैं।
18. वे समय पर कभी भी नहीं आया करते हैं।

Hints: इंटरनेट लगाना = to use internet, खुजलाना = to scratch, हिलाना = to shake

EXERCISE 2

Correct these translations.

1. वह सदा कुर्सी पर बैठा करती है।
   She is always sits on the chair.
2. वे सदा बहाना किया करते हैं।
   They are always make excuse.
3. वह सुबह में टहला नहीं करती है।
   She doesn't goes for a walk in the morning.
4. वह सदा अँगरेजी नहीं बोला करता है।
   He doesn't always speaks English.

Rule II अब इन वाक्यों को लें—

1. उसे भीख माँगने की आदत है।
2. उसे शिकायत करने की आदत है।

ऐसे वाक्यों से भी आदत (habit) का बोध होता है और इनकी बनावट होती है—

संज्ञा + सर्वनाम + को + धातु + ने + की आदत है

इनका अनुवाद होता है—

(i) Subject *(ii) Subject*	*+ am/is/are* *+ has/have*	*+ in the habit of* *+ the habit of*	*+ verb + ing* *+ verb + ing*
He He	is has	in the habit of the habit of	complaining. complaining.

1. उसे भीख माँगने की आदत है। He/She is in the habit of begging.
   He/She has the habit of begging.

2. मुझे बिछावन पर पढ़ने की आदत है। I am in the habit of reading in bed.
   I have the habit of reading in bed.

Rule III अब इन वाक्यों पर विचार करें—

1. वह धूल का आदी हो चुका है। 2. वे धुआँ के आदी/अभ्यस्त हैं।

इस प्रकार के वाक्यों में आदत पड़ जाने का बोध होता है और इनकी बनावट होती है—

कर्ता + संज्ञा + का/के + आदी/अभ्यस्त + क्रिया [होना]

इनका अनुवाद होता है—

Subject *Subject*	*+ am/is/are* *+ am/is/are*	*+ used to* *+ accustomed to*	*+ noun* *+ noun*
I I	am am	used to accustomed to	hard work. hard work.

1. वह धूल का आदी हो चुका है। He is used to/accustomed to dust.
2. वे धुएँ के आदी/अभ्यस्त हो चुके हैं। They are used to/accustomed to smoke.

EXERCISE 3

Translate into English.

1. उसे नाखुन चबाने की आदत है।
2. उसे झूठ बोलने की आदत है।
3. उन्हें देर तक जागने की आदत है।
4. उन्हें उधार लेने की आदत है।
5. उसे दूसरों को नुकसान करने की आदत है।
6. उसे दूसरों को धोखा देने की आदत है।

7. मुझे चाय पीने की आदत है।
8. मुझे सुबह में टहलने की आदत है।
9. वह देर तक जागने का आदी हो चुका है।
10. वह अपमान का आदी/अभ्यस्त है।

Hinst: नुकसान करना = to harm, अपमान = insult

Rule IV अब इन वाक्यों को देखें—

1. वह तैरना पसन्द करता है।
2. वह टेनिस खेलना पसन्द करती है।

ऐसे वाक्यों के **पसन्द करना** से भी आदत का भाव व्यक्त होता है और इसकी बनावट होती है—

कर्ता + धातु + ना [क्रियार्थक संज्ञा—कर्म] + क्रिया [पसन्द करना]

इनका अनुवाद होता है—

Subject + verb [like/likes] + to + verb [infinitive]
Subject + verb [like/likes] + verb + ing [gerund]

1. वह तैरना पसंद करता है। He likes to swim. He likes swimming.
2. वह टेनिस खेलना पसंद करती है। She likes to play tennis.
   She likes playing tennis.

ध्यान दें—

ऐसे वाक्यों के gerund (verb + ing) से यह बोध होता है कि कोई व्यक्ति कार्य बराबर करता है या पसन्द करता है, अर्थात यह उसकी आदत है, पर infinitive (to + verb) से यह बोध होता है कि कोई कार्य खास अवसर पर होता है, अर्थात कार्य कभी-कभी होता है।

EXERCISE 4

Translate into English.

1. वह चाय बनाना पसंद करती है।
2. वह भोजन बनाना पसंद करती है।
3. वे उपन्यास पढ़ना पसंद करते हैं।
4. वे कहानी कहना पसंद करते हैं।
5. मैं कहानी सुनना पसंद करता हूँ।
6. मैं साइकिल चलाना पसंद करता हूँ।
7. वह मछली पकड़ना पसंद करता है।
8. वह सच बोलना पसंद करती है।

Rule V अब इन वाक्यों को लें—

1. वह सात बजे स्नान करता है।
2. वह आठ बजे नाश्ता करती है।
3. वे सुबह में टहलते हैं।

ऐसे वाक्यों से भी आदत का बोध होता है और इनकी बनावट होती है—

कर्ता + धातु + ता है/ती है/ते हैं [सामान्य वर्तमान]

इनका अनुवाद होता है—

Subject	*+ has/have*	*+ noun*	*+ other words*
I	have	my dinner	at 8 p.m.

1. वह सात बजे स्नान करता है। He has his bath at 7 o'clock.
2. वह आठ बजे नाश्ता करती है। She has her breakfast at 8 o'clock.
3. वे सुबह में टहलते हैं। They have a walk in the morning.
4. मैं तीन बजे चाय पीता हूँ। I have my tea at 3 p.m.
5. मैं दिन का भोजन एक बजे करता हूँ—I have my lunch at 1 p.m.

इसी प्रकार **तैरना** का अनुवाद होता है—to have a swim, **आराम करना**—to have a rest और **घोड़ा/साइकिल चढ़ना**। to have a ride.

Rule VI अब इन वाक्यों को देखें—

1. वह सदा भनभनाती रहती है।
2. वह बराबर सिर खुजलाता रहता है।

ऐसे वाक्यों से आदत का बोध होता है और इनकी बनावट होती है—

कर्ता + सदा/बराबर + धातु + ता रहता है/ती रहती है/ते रहते हैं [तात्कालिक वर्तमान]

इनका अनुवाद होता है—

Subject + is/are + always/constantly/continually + verb + ing [present progressive]

1. वह सदा भनभनाती रहती है। She is always muttering.
2. वह बराबर सिर खुजलाता रहता है। He is constantly scratching his head.

EXERCISE 5

Translate into English.

1. वह सदा शिकायत करता रहता है।
2. वह सदा धूम्रपान करता रहता है।
3. वे सदा खेलते रहते हैं।
4. वे बराबर हँसते रहते हैं।
5. वह सदा लिखता रहता है।
6. वह बराबर पढ़ती रहती है।

7. वह सदा स्वेटर बुनती रहती है। 8. वह बराबर चिल्लाती रहती है।

Rule VII अब इन वाक्यों को लें—

1. वह मुंबई में रहता था/रहा करता था।
2. वह मेरी मदद करती थी/किया करती थी।

ऐसे वाक्यों से यह बोध होता है कि भूतकाल में कोई कार्य सदा या बराबर होता था। इनकी बनावट होती है—

कर्ता + धातु + ता था/ती थी/ते थे
कर्ता + धातु + आ + करता था/करती थी/करते थे

इनका अनुवाद होता है—

Subject	*+ used*	*+ infinitive*
She He	used used	to dance at college. to tease girls.

1. वह मुंबई में रहता था/रहा करता था। He used to live in Mumbai.
2. वह मेरी मदद करती थी/किया करती थी। She used to help me.
3. वे सुबह भर वायलिन बजाते थे/बजाया करते थे। They used to play violin all morning.
4. वह सफेद झूठ बोलता था/बोला करता था। He used to tell white lies.
5. वह मुझे नानी की कहानी कहती थी/कहा करती थी। She used to tell me cock and bull stories.
6. वे अपनी पूरी आमदनी पुस्तकों में लगाते थे/लगाया करते थे। They used to spend their whole income on books.

ध्यान दें—

जब ऐसे वाक्यों में **नहीं** आता है, तब अनुवाद में not का प्रयोग used के बाद इस प्रकार होता है—

used + not + infinitive; जैसे,

1. वह मुंबई में नहीं रहा करता था। He used not to live in Mumbai.
2. वह चाय नहीं पिया करती थी। She used not to drink tea.

ऐसे वाक्यों का अनुवाद **did + not + use + infinitive** के द्वारा इस प्रकार भी कुछ लोग करते हैं—

1. He didn't use to live in Mumbai.
2. She didn't use to drink.

पर **did not use** का प्रयोग अच्छा नहीं माना जाता।

EXERCISE 6

Translate into English.

1. वह मछली पकड़ा करता था।
2. मैं फुटबॉल खेला करता था।
3. वह भेंड़ चराया करती थी।
4. वह कुत्ता घर का पहरा दिया करता था।
5. वह टिकट के बिना यात्रा करता था।
6. वह दूसरों को नुकसान पहुँचाया करता था।
7. वह लड़कियों को चिढ़ाया करता था।
8. वह मुझ पर निर्भर किया करता था।
9. मैं पतंग नहीं उड़ाया करता था।
10. वह समय नष्ट नहीं किया करता था।
11. वह पेड़ पर नहीं चढ़ा करता था।
12. वह माँ-बाप की आज्ञा नहीं माना करता था।
13. वह लंदन में रहा करता था।
14. वह उपन्यास लिखा करती थी।

Rule VIII अब इन वाक्यों पर विचार करें—

1. वह मेरे यहाँ कभी-कभी आता था/आया करता था।
2. वह बराबर सिनेमा जाती थी/जाया करती थी।

ऐसे वाक्यों से यह बोध होता है कि भूतकाल में कोई कार्य कभी-कभी या रुक-रुक कर होता था। इनकी बनावट होती है—

कर्ता + समय-सूचक अव्यय + क्रिया [धातु + ता था/ती थी/ते थे।]
कर्ता + समय-सूचक अव्यय + क्रिया [धातु + आ करता था/करती थी/करते थे।]

इनका अनुवाद होता है—

Subject	*+ would*	*+ adv. of frequency*	*+ infinitive [without to]*
He	would	often	come to me.
She	would	frequently	go to the pictures.

ध्यान दें—

Rule VIII (a) जब वाक्य से यह बोध होता है कि भूतकाल में कोई कार्य सदा/हमेशा होता था अर्थात स्थायीरूप से होता था, तब used to का प्रयोग होता है। पर जब यह बोध होता है कि कार्य कभी-कभी होता था, तब would का प्रयोग होता है।

Rule VIII (b) ऐसे वाक्यों में इन adverbs of frequency का प्रयोग होता है—

often, occasionally, frequently, regularly, sometimes, every + week/month/year

EXERCISE 7

Translate as in the example. He would often sing in the bathroom.

1. वह कभी-कभी कहानी सुनाया करता था।
2. वह कभी-कभी गीत लिखा करती थी।
3. मैं कभी-कभी गीत गाया करता था।
4. वह बराबर मेरी मदद किया करता था।
5. वह प्रत्येक सप्ताह सिनेमा जाया करती थी।
6. वह प्रत्येक महीना पत्र लिखा करती थी।
7. वह प्रत्येक वर्ष गरीबों को खिलाया करता था।
8. वे प्रत्येक सप्ताह यहाँ आया करते थे।
9. वह कभी-कभी भोजन बनाया करता था।
10. मैं कभी-कभी उससे मिला करता था।

EXERCISE 8

Correct these translations.

1. वह कभी-कभी शतरंज खेला करता था। He used to play chess.
2. मैं अकेले सोया करता था। I would sleep alone.
3. वह धन उड़ाया नहीं करता था। He didn't use to waste money.
4. वह मुझे अँगरेजी पढ़ाया करती थी। She would teach me English.

EXERCISE 8

Circle the correct words.

1. I like rice and fish but she don't/doesn't.
2. She is always scratches/scratching her head.
3. He is in the habit of murmur/murmuring.
4. She would often talk/talked for hours.
5. They go/use to go to the pictures on Sundays.

□

23. इच्छा/अभिलाषा-सूचक वाक्य

यहाँ ऐसे वाक्यों के अनुवाद पर विचार करें जिनसे इच्छा (wish) या अभिलाषा (ambition) का भाव व्यक्त होता है।

Rule I इन वाक्यों को देखें—

1. ईश्वर तेरी मदद करें।
2. वह चिरंजीवी हो।
3. वह शीघ्र स्वस्थ हो जाए।
4. वे बरबाद हो जाएँ।

ऐसे वाक्यों से इच्छा/कामना (wish) का बोध होता है और इस प्रकार की इच्छा/कामना से आशीर्वाद (blessing) या शाप (curse) का भाव व्यक्त होता है। इनकी बनावट होती है—

कर्ता + अन्य शब्द + क्रिया [धातु + हो/हों/ए/एँ]

इनका अनुवाद होता है—

May	*+ subject*	*+ infinitive [without to]*
May May	God he	help you! live long!

1. वह शीघ्र स्वस्थ हो जाए। May he get well soon!
2. वे प्रोन्नत हो जाएं। May they be promoted!
3. आप सफल हों। May you be successful!
4. आपकी यात्रा सुखद हो। May you have a pleasant journey!
5. नया वर्ष मंगलमय हो। May you have a happy new year!

ध्यान दें—

Rule I (a) कुछ वाक्यों में may छिपा रहता है। वैसी अवस्था में वाक्य की बनावट होती है—

Subject	*+ infinitive [without to]*
God Lord	help you! save you!

Rule I (b) ऐसे कुछ वाक्यों में subject वाक्य के अंत में आता है; जैसे,

1. Long live the king/queen!
2. Long live Indo-Russian friendship!

EXERCISE 1

Translate into English.

1. वह पास करे।
2. वह सफल हो।
3. वे जीत जाएँ।
4. वे हार जाएँ।
5. उसे पुत्र हो।
6. उसे पुत्री हो।
7. वह उन्नति करे।
8. ईश्वर तेरी रक्षा करे।

Rule II A अब इन वाक्यों को लें—

1. मैं आपकी सफलता की कामना करता हूँ।
2. मैं आपके लिए सफलता की कामना करता हूँ।
3. मैं आपकी सुखद यात्रा की कामना करता हूँ।
4. मैं आपके लिए सुखद यात्रा की कामना करता हूँ।

ऐसे वाक्यों से भी इच्छा/कामना का भाव व्यक्त होता है। इनकी बनावट होती है—

कर्ता + सम्बन्ध कारक [का/की/के] + संज्ञा + क्रिया [कामना करना]
कर्ता + सम्प्रदान कारक [के लिए] संज्ञा + क्रिया [कामना करना]

इनका अनुवाद होता है—

Subject	*+ verb [wish]*	*+ object*	*+ object*
I	wish	you	success.
I	wish	you	a pleasant journey.

1. मैं आपके दीर्घ जीवन की कामना करता हूँ। I wish you a long life.
2. मैं उसके लिए सुखी नए वर्ष की कामना करता हूँ। I wish him/her a happy new year.

ध्यान दें—

Rule II A (a) हिन्दी के सम्बन्ध कारक और सम्प्रदान कारक—दोनों ही अँगरेजी में कर्म कारक (objective case) हो जाते हैं; जैसे,

आपकी सफलता/आपके लिए सफलता = you (object) + success (object)
उसके दीर्घ जीवन/उसके लिए दीर्घ जीवन = him/her (object) + long life (object)

Rule II A (b) हिन्दी के ऐसे वाक्यों की बनावट दूसरे प्रकार की भी होती है—

1. मैं चाहता हूँ कि आपको सफलता मिले।
2. मैं चाहता हूँ कि आपकी यात्रा सुखद हो।

ऐसे वाक्यों के दो भाग होते हैं। पहले भाग में इच्छा/कामना व्यक्त की जाती है और दूसरे में इच्छा/कामना की व्याख्या की जाती है। ये दोनों भाग **कि** के द्वारा जुड़े रहते हैं।

इनकी बनावट होती है—

प्रधान उपवाक्य [कर्ता + क्रिया 'चाहना'] + कि + संज्ञा उपवाक्य

इनका भी अनुवाद होता है—

Subject	*+ verb [wish]*	*+ object*	*+ object*
I	wish	you	success.
I	wish	you	a pleasant journey.
I	wish	him/her	a happy new year.

ऐसे अनुवाद में कि के बदले that नहीं आता, क्योंकि अँगरेजी वाक्यों में दो भाग नहीं रहते। हिन्दी के प्रधान उपवाक्य + कि + आश्रित उपवाक्य [संज्ञा उपवाक्य] का अनुवाद होता है सरल वाक्य (simple sentence) के द्वारा। इस प्रकार के वाक्यों का अनुवाद complex sentence के द्वारा करना अच्छा नहीं माना जाता। इसलिए अनुवाद इस प्रकार न करें—

1. I wish that you get success.
2. I wish that you have a pleasant journey.

EXERCISE 2

Translate into English.

1. मैं आपके सुखी वैवाहिक जीवन की कामना करता हूँ।
   मैं चाहता हूँ कि आपका वैवाहिक जीवन सुखी हो।
2. मैं उसके उन्नतिशील जीवन की कामना करता हूँ।
   मैं चाहता हूँ कि उसका जीवन उन्नतिशील हो।
3. वह मेरी सफ़ल जीविका की कामना करती है।
   वह चाहती है कि मेरी जीविका सफल हो।

Hints: वैवाहिक जीवन = married life, उन्नतिशील = prosperous, जीविका = career

Rule II B अब इन वाक्यों को देखें—

1. मैं चाहता हूँ कि वह एक किताब लिखे।
2. वह चाहता है कि मैं शीघ्र लौटूँ।

ऐसे वाक्यों के दो भाग होते हैं और ये **कि** के द्वारा जुड़े रहते हैं। एक भाग से इच्छा का बोध होता है और दूसरे भाग से इच्छानुकूल कार्य करने का। इनकी बनावट होती है—

प्रधान उपवाक्य [कर्ता + क्रिया 'चाहना'] + कि + संज्ञा उपवाक्य

इनका अनुवाद होता है—

Subject	*+ verb [wish/want]*	*+ object*	*+ infinitive + other words*
I	wish	him	to write a book.
He	wants	me	to return soon.

1. मैं चाहता हूँ कि वह डॉक्टर हो। I wish him to be a doctor.
2. माँ चाहती है कि मैं घर पर रहूँ। Mother wants me to stay indoors.

ध्यान दें—

Rule II B (a) ऐसे अनुवाद में **कि** के बदले that नहीं आता, क्योंकि हिन्दी के दोनों भागों का अनुवाद सरल वाक्य (simple sentence) में होता है।

Rule II B (b) हिन्दी के संज्ञा उपवाक्य का कर्ता अँगरेजी में कर्म (object) हो जाता है; जैसे,

वह = him, मैं = me

Rule II B (c) हिन्दी के संज्ञा उपवाक्य की क्रिया अँगरेजी में infinitive बन जाती है; जैसे,

वह किताब लिखे = him to write a book
मैं शीघ्र लौटूँ = me to return soon

Rule II B (d) हिन्दी के ऐसे वाक्यों का अनुवाद complex sentence के द्वारा इस प्रकार अच्छा नहीं माना जाता—

1. मैं चाहता हूँ कि वह एक किताब लिखें। I wish that he should write a book.
2. वह चाहता है कि मैं शीघ्र लौटूँ। He wants that I should return soon.

इस प्रकार के complex sentence (principal clause + that + noun clause) को simple sentence में बदल दें और इसे बदलने का तरीका है—**object + infinitive;** जैसे,

That I should return soon = me to return soon

That he should write a book = him to write a book

Rule II B (e) हिन्दी के ऐसे वाक्यों का अनुवाद इस प्रकार भी करना अच्छा माना जाता है—

Subject	*+ will/would have*	*+ object*	*+ infinitive [without to]*
I	will/would have	him	write a book.
He	will/would have	me	return soon.

1. मैं चाहता हूँ कि आप इसे जानें। I will/would have you know this.
2. वे चाहते हैं कि छात्र अच्छा बरताव करें। They will/would have the students behave well.
2. वह चाहती है कि मैं अँगरेजी सीखूँ। She will/would have me learn English.

इस प्रकार के वाक्यों के **चाहना** का अनुवाद होता है—will/would have. ऐसे वाक्यों के **कि** का अनुवाद होता ही नहीं और संज्ञा उपवाक्य की क्रिया का अनुवाद होता है—infinitive [without to].

EXERCISE 3

Translate into English.

1. मैं चाहता हूँ कि वह एक गाड़ी खरीदे।
2. वह चाहता है कि मैं लेखक बनूँ।
3. वह चाहता है कि मैं मुंबई जाऊँ।
4. वे चाहते हैं कि मैं नेता बनूँ।
5. मैं चाहता हूँ कि वे विवाह करें।
6. मैं चाहता हूँ कि लोग ईमानदार बनें।

Rule III अब इन वाक्यों को लें—

1. मैं चाहता हूँ कि शांत हो।
2. मैं चाहता हूँ कि सब जगह खुशी हो।

ऐसे वाक्यों के दो भाग होते हैं और ये **कि के** द्वारा जुड़े रहते हैं। दूसरे भाग का कर्ता अनिश्चित रहता है और वाक्य में होना क्रिया का प्रयोग होता है। इनकी बनावट होती है—

प्रधान उपवाक्य [कर्ता + क्रिया 'चाहना'] + कि + संज्ञा उपवाक्य [अनिश्चित कर्ता + क्रिया 'होना']

इनका अनुवाद होता है—

Subject	*+ verb [want/wish/like]*	*+ there*	*+ to be*	*+ noun*
I	want	there	to be	peace.
I	want	there	to be	happiness everywhere.

1. वह नहीं चाहता है कि दंगा हो। He doesn't like there to be a riot.
2. मैं नहीं चाहता कि अनुशासनहीनता हो। I don't want there to be indiscipline.

ध्यान दें—

Rule III B (a) ऐसे वाक्यों के कि का अनुवाद नहीं होता, क्योंकि अँगरेजी में simple sentence का प्रयोग किया जाता है।

Rule III (b) हिन्दी के संज्ञा उपवाक्य का कर्ता (संज्ञा) अँगरेजी वाक्य में **to be** के बाद आता है; जैसे,

शांति हो = to be peace, खुशी हो = to be happiness

Rule III (c) ऐसे वाक्यों का अनुवाद complex sentence के द्वारा इस प्रकार करना अच्छा नहीं माना जाता—

1. मैं चाहता हूँ कि शांति हो। I want that there should be peace.
2. मैं नहीं चाहता कि दंगा हो। I don't want that there should be a riot.

EXERCISE 4

Translate into English.

1. मैं नहीं चाहता कि युद्ध हो।
2. मैं चाहता हूँ कि ईमानदारी हो।
3. वे चाहते हैं कि दोस्ती हो।
4. वे नहीं चाहते कि अशांति हो।
5. मैं नहीं चाहता कि हिंसा हो।
6. वे चाहते हैं कि उन्नति हो।
7. वे नहीं चाहते कि तनाव हो।
8. वे चाहते हैं कि सद्भावना हो।

Hints: अशांति = disturbance, हिंसा = violence, उन्नति = prosperity, तनाव = tension, सद्भावना = goodwill

Rule IV अब इन वाक्यों पर विचार करें—

1. यदि मैं समय पर पहुँच पाऊँ!
2. अगर वह समय पर पहुँच पाए!

ऐसे वाक्यों से तीव्र इच्छा (strong wish/desire) का बोध होता है और ऐसी इच्छा का संबंध वर्तमान या भविष्यत् काल से रहता है। इनकी बनावट होती है—

यदि/अगर + कर्ता + क्रिया [धातु + ऊँ/ए/ऐं] वर्तमान काल में]

इनका अनुवाद कई प्रकार से हो सकता है—

I wish *If only* *Would that* *O/Oh that*	*+ clause [subject + verb in past simple]* *+ clause [subject + verb in past simple]* *+ clause [subject + verb in past simple]* *+ clause [subject + verb in past simple]*
I wish If only Would that O/Oh that	I reached on time. I reached on time! I reached on time! I reached on time!

1. अगर वह समय पर पहुँच पाए। I wish he reached on time.
If only he reached on time!
Would that he reached on time!
O/Oh that he reached on time!

2. यदि मैं रानी होऊँ। I wish I were a queen.
If only I were a queen!
Would that I were a queen!
O/Oh that I were a queen!

ध्यान दें—

Rule IV (a) ऐसे वाक्यों के यदि/अगर का अनुवाद नहीं होता और यदि/अगर का भाव व्यक्त करने के लिए I wish/if only आदि का प्रयोग किया जाता है।

Rule IV (b) ऐसे वाक्यों के past simple से वर्तमान या भविष्यत् काल का बोध होता है, भूतकाल का नहीं।

Rule IV (c) ऐसे वाक्यों में i/he/she के साथ भी सदा were का प्रयोग होता है जब वाक्य में कर्ता के बाद **संज्ञा या विशेषण** आता है; जैसे,

1. यदि मैं रानी होऊँ। I wish I were a queen. If only I were a queen.,
Would that I were a queen.
2. अगर वह राजा हो। I wish he were a king.
If only he were a king.
3. यदि मैं धनी होऊँ। I wish I were rich. Would that I were rich.

Rule IV (d) ऐसे वाक्यों का अनुवाद O/Oh to be + noun/adjective के द्वारा भी होता है जब कर्ता के बाद **संज्ञा या विशेषण** आता है; जैसे,

1. यदि मैं रानी होऊँ। O/Oh to be a queen!
2. अगर मैं धनी होऊँ। O/Oh to be rich!

EXERCISE 5

Translate into English in as many ways as you can.

1. यदि मैं लॉटरी जीतूँ। 2. अगर वह सर्वप्रथम स्थान पाए।
3. यदि मैं प्रधानमंत्री होऊँ। 4. अगर वह राष्ट्रपति हो।
5. यदि मैं अमर होऊँ। 6. अगर वह बन्दर हो।
7. यदि वह जीवित हो। 8. अगर उसके कार हो।

Rule V अब इन वाक्यों को लें—

1. यदि मैं समय पर पहुँच पाता! 2. अगर वह राजा होता!

ऐसे वाक्यों की तीव्र इच्छा का संबंध भूतकाल से रहता है और इससे यह बोध होता है कि कोई इच्छा भूतकाल में पूरी न हो सकी। इनकी बनावट होती है—

यदि/अगर + कर्ता + क्रिया [भूतकाल में]

इनका अनुवाद इन विधियों की सहायता से होता है—

(i) I wish *(ii) If only* *(iii) Would that* *(iv) O/Oh that*	*+ clause [subject + verb in past perfect]* *+ clause [subject + verb in past perfect]* *+ clause [subject + verb in past perfect]* *+ clause [subject + verb in past perfect]*
I wish If only Would that O/Oh that	I had reached on time. I had reached on time! I had reached on time! I had reached on time!

1. यदि मैं उसे जान पाता। I wish I had known him.
   If only I had known him!
   Would that I had known him!
   O/Oh that I had known him!
2. यदि मैं रानी होती। I wish I had been a queen.
   If only I had been a queen!
   Would that I had been a queen!
   O/Oh that I had been a queen!

ध्यान दें—

Rule V (a) ऐसे वाक्यों के यदि/अगर का अनुवाद नहीं होता।

Rule V (b) ऐसे वाक्यों में had been + noun/adjective आता है जब हिन्दी वाक्यों में कर्ता के बाद संज्ञा या विशेषण का प्रयोग होता है।

Rule V (c) ऐसे वाक्यों का अनुवाद O/Oh to have been + noun/adjective की सहायता से भी होता है जब वाक्य में कर्ता के बाद संज्ञा या विशेषण आता है; जैसे,

1. यदि मैं रानी होती। O/Oh to have been a queen!
2. यदि मैं धनी होता। O/Oh to have been rich!

EXERCISE 6

Translate into English in as many ways as you can.

1. यदि मैं लॉटरी जीत पाता!
2. यदि मैं कार खरीद पाता!
3. यदि मैं राजकुमारी होती!
4. अगर वह जीवित होती!
5. यदि वह लम्बी होती!
6. अगर वह धनी होता!
7. यदि वह प्रधानमंत्री होता!
8. अगर वह परीक्षक होता!

Rule VI अब इन वाक्यों को देखें—

1. वह प्रेमिका के लिए बेचैन/व्याकुल है।
2. वह प्रेमिका के लिए लालायित है।

3. वह प्रेमिका के लिए तरस/ललक रहा है।
4. वह प्रेमिका के लिए ललच/छटपटा रहा है।

ऐसे वाक्यों के विशेषण या क्रिया से तीव्र इच्छा का बोध होता है। इनका अनुवाद कई प्रकार से हो सकता है—

Subject	*+ verb [hanker/long/pine]*	*+ object*
He He	is longing/pining for is hankering after	the beloved. wealth

इनका अनुवाद इस प्रकार भी हो सकता है—

Subject	*+ have*	*+ a longing/hankering for*	*+ object*
He He	has has	a longing for a hankering for	the beloved. fame.

EXERCISE 7

Translate into English.

1. वह प्रोन्नति के लिए व्याकुल है।
2. वह छुट्टी के लिए तरस रहा है।
3. वह प्रेमी के लिए छटपटा रही है।
4. बच्चे मिठाइयों के लिए ललच रहे हैं।
5. गरीब भोजन के लिए लालायित है।
6. वह नौकरी के लिए बेचैन है।
7. वह प्रतिष्ठा के लिए तरस रही है।
8. वह एक पुत्र के लिए व्याकुल है।

□

24. साधन-सूचक वाक्य

यहाँ ऐसे वाक्यों के अनुवाद पर विचार करें जिनसे कार्य करने के साधन (means/medium/agent/instrument) का बोध होता है।

Rule I इन वाक्यों पर विचार करें—

1. हम लोग आँख से देखते हैं।
2. हमलोग आँख के बिना नहीं देख सकते हैं।
3. मैं कलम से लिखता हूँ।
4. मैं कलम के बिना नहीं लिख सकता हूँ।

ऐसे वाक्यों से निर्जीव साधन (instrument) की सहायता से कार्य होने और साधन के बिना कार्य नहीं होने का भाव व्यक्त होता है। इनकी बनावट होती है—

कर्ता + निर्जीव संज्ञा + से [साधन] + क्रिया
कर्ता + निर्जीव संज्ञा + के बिना/बगैर [साधन] + क्रिया

इनका अनुवाद होता है—

(i) Subject *(ii) Subject*	*+ verb* *+ negative verb*	*+ with* *+ without*	*+ noun* *+ noun*
We We	see can't see	with without	eyes. eyes.

1. मैं कलम से लिखता हूँ। I write with a pen.
2. मैं कलम के बिना/बगैर नहीं लिख सकता हूँ। I can't write without a pen.

ध्यान दें—

Rule I (a) ऐसे वाक्यों के **से** का अनुवाद होता है—with और **के बिना/बगैर** का अनुवाद होता है—without.

Rule I (b) कभी-कभी हिन्दू-उर्दू के ऐसे वाक्यों में बहुवचन संज्ञा के बाद **से का** लोप हो जाता है, पर अनुवाद करते समय with का प्रयोग आवश्यक है; जैसे,

1. मैंने यह आँखों देखा। I saw it **with** my own eyes.
2. मैंने यह कानों सुना। I heard it **with** my own ears.

EXERCISE 1

Translate into English.

1. हमलोग हाथों से काम करते हैं।
2. हम लोग कान से सुनते हैं।
3. वह चाकू से फल काटता है।
4. उसने छुरे से उस आदमी की हत्या की।
5. उसने बन्दूक से चिड़ियाँ मारी।
6. उसने बमों से उस आदमी की हत्या की।
7. मैंने रस्सी से लकड़ियाँ बाँधी।
8. हमलोग उँगलियों के बिना भोजन नहीं उठा सकते।
9. वह चश्मे के बिना नहीं देख सकता।
10. मैं गिलास के बिना पानी नहीं पी सकता।
11. हम लोग पैर के बिना नहीं चल सकते।
12. वह हाथों से बक्स उठा रहा है।
13. हमलोग रंगों के बिना तसवीर नहीं बना सकते।
14. हमलोग फीते के बिना नहीं नाप सकते।

Hints: चाकू = knife, चश्मा = glasses/spectacles, उठाना = to lift, फीता = tape, नापना = to measure

Rule II अब इन वाक्यों को लें—

1. ताजमहल शाहजहाँ के द्वारा बनाया गया।
2. रामायण तुलसीदास के द्वारा लिखी गई।

ऐसे वाक्यों से सजीव साधन (agent/doer) की सहायता से कार्य होने का भाव व्यक्त होता है। इनकी बनावट होती है—

कर्ता + के द्वारा + क्रिया [प्रधान क्रिया + सहायक क्रिया 'जाना']

इनका अनुवाद होता है—

Subject	*+ be*	*+ past participle*	*+ by*	*+ noun [agent / doer]*
The Taj Mahal	was	built	by	Shahjehan.
The Ramayan	was	written	by	Tulsidas.

1. यह सड़क शेरशाह के द्वारा बनाई गई। This road was built by Shershah.
2. वह लड़की श्री सिन्हा के द्वारा पढ़ाई गई। That girl was taught by Shri Sinha.

ध्यान दें—

Rule II (a) ऐसे **के द्वारा** का अनुवाद होता है—by.

Rule II (b) कभी-कभी निर्जीव साधन के साथ भी by आता है जब वह सजीव साधन (agent) की तरह कार्य करता है; जैसे,

1. वाष्प से इंजन चलते हैं। Engines are operated by steam.
2. वह घर आग लगने से नष्ट हो गया। That house was destroyed by fire.
3. वह बिजली गिरने से मर गया। He was killed by lightning.

EXERCISE 2

Transalte into English.

1. हैमलेट शेक्सपीयर के द्वारा लिखा गया।
2. ये कविताएँ सूरदास के द्वारा लिखी गईं।
3. यह कलम सोहन के द्वारा खरीदी गई।
4. ये चोर पुलिस के द्वारा पकड़े गए।
5. यह गीत लता के द्वारा गाया गया है।
6. यह पुल एक महान इंजीनियर के द्वारा बनाया गया है।
7. रावण राम के द्वारा मारा गया।
8. यह पत्र मेरे द्वारा टंकित किया जा रहा है।
9. यह पुस्तक भारती भवन के द्वारा प्रकाशित की गई है।
10. वह पुस्तक श्री सिंह के द्वारा संशोधित की गई है।

Hints: हैमलेट = Hamlet, शेक्सपीयर = Shakespeare, कविताएँ = poems, टंकित = to type, प्रकाशित करना = to publish, संशोधित करना = to revise

Rule III अब इन वाक्यों को देखें—

1. उसने ट्रेन से यात्रा की।
2. वह कार से आया।
3. मैंने सड़क से यात्रा की।
4. वह समुद्र से गया।
5. वह हवाई जहाज से आया।
6. मैंने पत्र डाक से भेजा।

ऐसे वाक्यों से यातायात/संचार के साधन (means of travel/transport/communication) का बोध होता है। इनकी बनावट होती है—

कर्ता + संज्ञा [साधन] + से + क्रिया

इनका अनुवाद होता है—

Subject	*+ verb*	*+ by*	*+ noun [means]*
He	travelled	by	train.
He	came	by	car.

1. मैंने सड़क से यात्रा की। I travelled by road.
2. वह समुद्र से गया। He went by sea.

3. वह हवाई जहाज से आया। He came by air.
4. मैंने पत्र डाक से भेजा। I sent the letter by post.

ध्यान दें—

Rule III (a) यातायात के साधन का अनुवाद होता है—**by + noun;** जैसे, travel by bus/car/train/scooter/bicycle/boat/ship/air

पर **पैदल चलने** और **घोड़े से यात्रा करने** का अनुवाद होता है—

on foot/on horseback.

Rule III (b) जब यातायात के साधन का प्रयोग किसी विशेष साधन के अर्थ में होता है, तब by के बदले in/on का प्रयोग होता है; जैसे,

1. मैं अपनी कार से मुंबई गया। I went to Mumbai in my own car.
2. वह एक लाल कार/टैक्सी से आई। She came in a red car/taxi.
3. वह एक बड़ी कार से आई। She came in a big car.
4. वह अपनी साइकिल से स्कूल जाता है। He goes to school on his own bicycle.

ऐसे अर्थ में यातायात के साधन के पहले article या adjective का प्रयोग होता है।

EXERCISE 3

Translate into English.

1. मैंने हवाई जहाज से यात्रा की।
2. मैं दिल्ली रेलगाड़ी से गया।
3. वह लंदन समुद्र से गया।
4. वह यहाँ नाव से आई।
5. मैं अपनी लाल गाड़ी से पटना गया।
6. वह अपनी नई गाड़ी से मुंबई गई।
7. वह यहाँ स्कूटर से आया है।
8. मैने रुपया मनीऑर्डर से भेजा।
9. वह एक छोटी कार से यहाँ आया।
10. वह एक पीली टैक्सी से गया।

Rule IV अब इन वाक्यों को लें—

1. वह खिड़की से देख रही है।
2. वह दूरबीन से देख रहा है।
3. पत्र स्याही से लिखा गया।
4. वह पुस्तक दो रंगों में छापी गई।

ऐसे वाक्यों से किसी माध्यम (medium) से कार्य होने का भाव व्यक्त होता है। उनकी बनावट होती है—

कर्ता + संज्ञा [माध्यम] + से/में + क्रिया

इनका अनुवाद होता है—

Subject	*+ verb*	*+ in/through*	*+ noun [medium]*
She The letter	is looking was written	through in	the window. ink.

1. वह दूरबीन से देख रहा है। He is looking through a telescope.
2. वह एक छेद से देख रही है। She is looking through a hole.
3. वह पुस्तक दो रंगों से छपी है। That book has been printed in two colours.
4. पत्र पेंसिल से लिखा गया। The letter was written in pencil.
5. उसे वेतन नकद रूप में दिया गया। He was paid his salary in cash.
6. यह अँगरेजी में बोला जाता है। It is spoken in English.

EXERCISE 4

Translate into English.

1. वह पुस्तक कई रंगों में छपी है।
2. यह फिल्म टेकनीकलर में है।
3. आवेदन पत्र स्याही से लिखा गया।
4. यह हिन्दी में बोला जाता है।
5. वह खिड़की से झाँक रही है।
6. मैं एक छेद से देख रहा हूँ।

Hints: टेकनीकलर = technicolour, झाँकना = to peep

Rule IV अब इन वाक्यों पर विचार करें—

1. वे भीख माँगकर जीवन बिताते हैं।
2. वह गीत गाकर बहुत कमाती है।

ऐसे वाक्यों के **धातु + कर** से यह बोध होता है कि एक कार्य दूसरे कार्य की सहायता से होता है, अर्थात कार्य होने का साधन कोई कार्य है। इनकी बनावट होती है।

कर्ता + धातु + कर [साधन] + क्रिया

इनका अनुवाद होता है—

Subject	*+ verb*	*+ by*	*+ verb + ing [means]*
They She	pass their lives earns a lot	by by	begging. singing songs.

1. वह गीत लिखकर कुछ कमा लेता है। He earns a little by composing songs.

2. वह बच्चों को पढ़ाकर अपना गुजर करती है। She maintains herself by coaching children.
3. मैं सिगरेट नहीं पीकर पैसे बचाता हूँ। I save money by not smoking.
4. उसने नेताओं की खुशामद कर तरक्की पाई। He got promotion by flattering leaders.

EXERCISE 5

Translate into English.

1. कुछ लोग खुशामद कर तरक्की पाते हैं।
2. कुछ लोग। धूस लेकर धनी बन जाते हैं।
3. वह नाचकर बहुत कमा रही है।
4. मैं किताबें लिखकर थोड़ा कमा लेता हूँ।
5. वह बच्चों को पढ़ाकर जीवन बिताता है।
6. वह दूसरों को लूटकर धनी हो गया है।
7. वह दूसरों को नुकसान कर सुख पाता है।
8. मैं दूसरों की मदद कर सुख पाता हूँ।
9. मैंने कठिन परिश्रम कर सफलता पाई।
10. मैं पैदल चलकर रुपया बचाता हूँ।
11. वह शराब पीकर अपना स्वास्थ्य बिगाड़ता है।
12. वह टैक्सी चलाकर जीवन बिताता है।
13. मैं अच्छी किताबें पढ़कर ज्ञान प्राप्त करता हूँ।
14. वह इधर-उधर भटक कर समय नष्ट करता है।

Hints: खुशामद करना = to flatter, लूटना = to rob, नुकसान करना = to harm, बिगाड़ना = to spoil, भटकना = to wander, नष्ट करना = to waste

EXERCISE 6

Tick (✓) the correct words.

1. I earn a lot by writing/write books.
2. We can't shoot with/without a gun.
3. We go to school by/in bus.
4. She came by/in a big car.
5. He went home on/by foot.
6. He is looking in/through a hole.
7. We can kill a snake with/by a stick.

□

25. कारण-सूचक वाक्य
परिणाम-सूचक वाक्य

यहाँ ऐसे वाक्यों के अनुवाद पर विचार करें जिनसे कार्य होने या न होने के कारण (cause) तथा परिणाम (result) का बोध होता है।

Rule I A इन वाक्यों को देखें—

1. एक बच्चा उस झगड़े का कारण था।
2. आतंकवाद उस युद्ध की वजह थी।

ऐसे वाक्यों से कारण का बोध होता है। इनकी बनावट होती है—

कर्ता [कारण] + संज्ञा + का/की/के + कारण/वजह + क्रिया [होना]

इनका अनुवाद होता है—

Subject [cause]	*+ verb 'be'*	*+ the cause*	*+ of*	*+ noun*
A child Terrorism	was was	the cause the cause	of of	that quarrel. that war.

1. गलत दवा उसकी मृत्यु का कारण थी। A wrong medicine was the cause of his death.
2. बीमारी उसकी अनुपस्थिति की वजह थी। Illness was the cause of his absence.

ऐसे वाक्यों का अनुवाद दूसरे प्रकार से भी हो सकता है—

The cause [subject]	*+ of*	*+ noun*	*+ verb*	*+ noun*
The cause The cause	of of	that quarrel that war	was was	a child. terrorism.

1. गलत दवा उसकी मृत्यु का कारण थी। The cause of his death was wrong medicine.
2. बीमारी उसकी अनुपस्थिति की वजह थी। The cause of his absence was illness.

Rule I B अब इन वाक्यों को लें—

1. अब चिंता का कोई कारण नहीं है। 2. तलाक की कोई वजह नहीं थी

ऐसे वाक्यों से यह बोध होता है कि कार्य होने का कोई औचित्य (justification) नहीं है। ऐसे वाक्यों से कारण का बोध नहीं होता। इनकी बनावट होती है—

संज्ञा + का/की/के + कोई + कारण/वजह + नहीं + क्रिया

इनका अनुवाद होता है—

There	*+ verb*	*+ no*	*+ cause*	*+ for*	*+ noun*
There There	is was	no no	cause cause	for for	anxiety. divorce.

1. शिकायत की कोई वजह नहीं है। There is no cause for complaint.
2. दुश्मनी का कोई कारण नहीं था। There was no cause for enmity.

ध्यान दें—

Rule I B (a) Cause of से कारण का बोध होता है पर cause for से कार्य होने के औचित्य (justification) का।

Rule I B (b) कारण व्यक्त करने के लिए reason for का भी प्रयोग होता है; जैसे,

उनकी अनुपस्थिति का कारण बीमारी थी।

The reason for his absence was illness.

इनका अनुवाद दूसरे प्रकार से भी हो सकता है—

The reason why + clause + is/was + that + clause; जैसे,

इस प्रकार के वाक्यों में that के बदले because का प्रयोग इस प्रकार नहीं हो सकता—

The reason why he was absent is because he was ill.

EXERCISE 1

Translate into English.

1. सम्पत्ति झगड़े की वजह थी।
2. धन चिंता का कारण है।
3. गरीबी दुःख की वजह है।
4. कठिन परिश्रम सफलता का कारण है।
5. खुशामद करना तरक्की की वजह थी।
6. दुर्घटना उसकी मृत्यु का कारण है।
7. झगड़े का कोई कारण नहीं था।
8. शिकायत की कोई वजह नहीं थी।
9. जल्दबाजी का कोई कारण नहीं है।

10. घबराहट की कोई वजह नहीं है।
11. पुरानी दुश्मनी उस हत्या की वजह थी।
12. असावधानी उस दुर्घटना का कारण थी।

Rule II अब इन वाक्यों को लें—

1. वह इतना धनी है कि वह एक नई गाड़ी खरीद सकता है।
2. वह इतना तेज दौड़ता है कि वह दौड़ जीत सकता है।

ऐसे वाक्यों के दो भाग होते हैं। पहले भाग से कार्य होने के कारण (cause) का बोध होता है और दूसरे भाग से परिणाम (result/consequence) का भाव व्यक्त होता है। इनकी बनावट होती है—

प्रधान उपवाक्य [इतना + विशेषण/क्रियाविशेषण] + कि + उपवाक्य

इनका अनुवाद होता है—

Principal clause [so + adjective /adverb] *Principal clause [such + noun]*	*+ that* *+ that*	*+ clause [adverb clause]* *+ clause [adverb clause]*
So rich is he	that	he can buy a new car.
He is so rich	that	he can buy a new car.
He runs so fast	that	he can win this race.
He gave such a talk	that	no one liked it.

इसका अनुवाद इस प्रकार भी होता है—

Subject	*+ verb*	*+ adjective / adverb*	*+ enough*	*+ infinitive.*
He	is	rich	enough	to buy a new car.
He	runs	fast	enough	to win this race.

ध्यान दें—

जब principal clause आरंभ होता है so से, तब वाक्य में पहले verb आता है और इसके बाद subject।

He is rich = So rich is he

1. वह इतना दयालु है कि वह सबकी मदद कर सकता है।
   He is so kind that he can help all.
   He is kind enough to help all.
2. वह इतना कठिन परिश्रम करता है कि महान सफलता मिल सकती है।
   He works so hard that he can get grand success.
   He works hard enough to get grand success.

3. यह ऐसी किताब है जिसे सबलोग पसन्द करते हैं।
   It is such a book that everyone likes it.
4. वह इतना/ऐसा दयालु है कि वह सबकी मदद करता है।
   So kind-hearted is he that he helps everybody.

EXERCISE 2

Translate as in the example. So rich is he that he can buy a car.
He is so rich that he can buy a car.
He is rich enough to buy a car.

1. वह इतना लम्बा है कि छत को छू सकता है।
2. वह इतना चालाक है कि किसी गुत्थी को सुलझा सकता है।
3. वह इतना बलवान है कि भारी बोझ ढो सकता है।
4. वह इतना तेज है कि कठिन सवाल हल कर सकता है।
5. वह इतनी सुन्दर है कि सबको अपनी ओर आकृष्ट कर सकती है।
6. वह इतना बुद्धिमान है कि गंभीर समस्याओं का समाधान कर सकता है।
7. वह इतना भाग्यशाली है कि लॉटरी जीत सकता है।
8. वह इतना लोकप्रिय है कि चुनाव जीत सकता है।

Hints: छत = ceiling, सवाल हल करना = to do a sum, आकृष्ट करना = to attract, गंभीर = serious/grave, समस्या = problem, समाधान करना = to solve, भाग्यशाली = lucky, लोकप्रिय = popular

Rule III अब इन वाक्यों को देखें—

1. वह इतना कमजोर है कि खड़ा नहीं हो सकता।
2. वह इतना धीरे दौड़ता है कि दौड़ नहीं जीत सकता।

ऐसे वाक्यों के दो भाग होते हैं। पहले भाग से कार्य नहीं होने के कारण (cause) का बोध होता है और दूसरे भाग से परिणाम (result/consequence) का भाव प्रकट होता है। इनकी बनावट होती है—

प्रधान उपवाक्य [इतना + विशेषण/क्रियाविशेषण] + कि + उपवाक्य

इनका अनुवाद होता है—

Principal clause [so + adjective / adverb]	*+ that*	*+ clause [adverb clause]*
He is so weak He runs so slowly	that that	he can't stand. he can't win the race.

इनका अनुवाद इस प्रकार भी होता है—

Subject	*+ verb*	*+ too*	*+ adjective/adverb*	*+ infinitive*
He	is	too	weak	to stand.
He	runs	too	slowly	to win the race.

1. वह इतनी घमंडी है कि सीख नहीं सकती।
   She is so proud that she can't learn anything.
   She is too proud to learn anything.
2. यह इतना कड़ा है कि मैं इसे तोड़ नहीं सकता।
   It is so hard that I can't break it.
   It is too hard for me to break.

EXERCISE 3

Translate as in the example. He is so poor that he can't buy books.
He is too poor to buy books.

1. वह इतना छोटा है कि छत को छू नहीं सकता।
2. वह अँगरेजी में इतना कमजोर है कि पास नहीं कर सकता।
3. वह इतना बेवकूफ है कि आसान सवाल भी नहीं बना सकता।
4. वह इतना आलसी है कि सफलता नहीं पा सकता।
5. वह इतनी कमजोर है कि बोल नहीं सकती।
6. वह इतना मोटा है कि रेलगाड़ी के डब्बे में घुस नहीं सकता।
7. वह इतना निर्दय है कि किसी की मदद नहीं कर सकता।
8. यह किताब इतनी बड़ी है कि बैग में घुस नहीं सकती।

Hints: डब्बा = compartment, घुसना = to go into/enter, निर्दय = cruel

Rule IV A अब इन वाक्यों को लें—

1. मैंने धक्का देकर खिड़की खोली।
2. उसने धोकर कपड़ा साफ किया।

ऐसे वाक्यों के **धातु + कर** से कारण (cause) का बोध होता है और इसके बाद आनेवाले विशेषण से फल (result) का भाव व्यक्त होता है। इनकी बनावट होती है—

कर्ता + धातु + कर + अन्य शब्द + क्रिया

इनका अनुवाद होता है—

Subject	*+ verb + other words*	*+ noun*
I	pushed the windows	open.
He	washed the cloth	clean.

EXERCISE 4

Translate into English.

1. मैंने धक्का देकर फाटक खोला।
2. उसने रँगकर बाल काला किया।
3. बिल्ली ने चाटकर प्लेट साफ किया।
4. उसने रँगकर खिड़की लाल की।
5. मैंने पॉलिश लगा कर जूते चमकाए किए।
6. मैंने रँगकर मकान उजला किया।

Hints: धक्का = to push, बाल रँगना = to dye hair, चाटना = to lick, खिड़की रँगना = to paint the window, पॉलिश लगाना = to polish/to shine, चमकाना = to brighten

Rule IV B अब इन वाक्यों पर विचार करें—

1. मैं पत्र पाकर खुश हुआ।
2. वह समाचार सुनकर दुःखी हुआ।

ऐसे वाक्यों से भी कारण (cause) और परिणाम (result) का बोध होता है—**धातु + कर** से कारण का भाव व्यक्त होता है और विशेषण से परिणाम का। इनकी बनावट होती है—

कर्ता + संज्ञा [कर्म] + धातु + कर + विशेषण + क्रिया

इनका अनुवाद होता है—

Subject	*+ verb*	*+ adjective/past participle*	*+ infinitive*	*+ noun [object]*
I	was	glad	to receive	the letter.
He	was	sorry	to hear	the news.

1. वह शेर को देखकर आश्चर्यचकित हुआ। He was surprised to see a lion.
2. आपसे मिलकर मैं खुश हूँ। I am glad to see you.
3. उसकी मृत्यु का समाचार जानकर मैं स्तब्ध हूँ। I am shocked to learn of his death.

EXERCISE 5

Translate into English.

1. वह मुझसे मिलकर बहुत खुश हुई।
2. माँ मुझे देखकर बहुत खुश हुई।
3. मैं पत्र पढ़कर बहुत निराश हुआ।
4. वह पत्र पढ़कर बहुत दुःखी हुई।
5. मैं बाघ देखकर घबड़ा गया।
6. वह साँप देखकर डर गया।
7. मैं आपको यहाँ देखकर आश्चर्यित हूँ।
8. मैं आपका निमंत्रण पाकर खुश हूँ।

Hints: निराश = disappointed, घबड़ाना = to be perplexed, डरना = to be afraid [not, fearful], आश्चर्यचकित = surprised [not, wonderful]

Rule V अब इन वाक्यों को लें—

1. मुझे खुशी है कि आप आए।
2. मैं खुश हूँ कि आप आए।
3. मुझे दुःख है कि वह नहीं आ सकता।
4. मैं दुःखी हूँ कि वह नहीं आ सकता।

ऐसे वाक्यों के दो भाग होते हैं। पहले भाग से परिणाम (result) का बोध होता है और दूसरे भाग से कारण (cause) का। पहले भाग में मनोभाव (emotion) सूचक adjective या past participle का प्रयोग होता है। इस प्रकार के वाक्यों की बनावट होती है—

प्रधान उपवाक्य + कि + उपवाक्य [क्रियाविशेषण]

इनका अनुवाद होता है—

Principal clause [with adjective/past participle]	*+ that*	*+ clause [adverb clause]*
I am glad I am sorry	that that	you came. he can't come.

ध्यान दें—

Rule V (a) ऐसा that + clause कारण का भाव व्यक्त करता है और इसलिए यह adverb clause होता है।

Rule V (b) ऐसे वाक्यों में that छिपा भी रहता है; जैसे,

1. I am glad you came.
2. I am sorry he can't come.

EXERCISE 6

Translate into English.

1. मैं खुश हूँ कि आपने मुझे याद किया है।
2. मैं दुःखी हूँ कि आप मुझे भूल गए हैं।
3. मुझे गौरव है कि आप मेरे दोस्त हैं।
4. मुझे शर्म है कि वह मेरा मित्र है।
5. हमें गौरव है कि हम भारत के नागरिक हैं।
6. मुझे आश्चर्य है कि वह फेल कर गई।
7. मैं निराश हूँ कि वह अच्छा नहीं कर सका।

Hints: गौरव है = am/is/are proud, शर्म है = am/is/are ashamed, आश्चर्य है = am/is/are surprised, निराश हूँ = am/is/are disappointed.

Rule VI अब इन वाक्यों को देखें—

1. मैं बच्चा नहीं हूँ कि तुम मुझे लॉलीपॉप देते हो!
2. क्या मैं मूर्ख हूँ कि तुमपर विश्वास करूँ?

ऐसे negative exclamatory sentences या interrogative sentences के दो भाग होते हैं। पहले भाग से कारण (cause) का बोध होता है और दूसरे से परिणाम का बोध होता है। इनकी बनावट होती है—

प्रधान उपवाक्य + कि + उपवाक्य [क्रियाविशेषण]

इनका अनुवाद होता है—

Principal clause [with noun]	*+ that*	*+ clause [adverb clause]*
I am not a child	that	you give me a lollypop!
I am not a fool	that	I will believe you!

1. मैं गाय नहीं हूँ कि तुम मुझे घास देते हो!
   I am not a cow that you give me grass!
2. वह राजा नहीं है कि तुम उसे सलाम करते हो!
   He is not a king that you salute him!
3. क्या मैं बच्चा हूँ कि तुम मुझे ठग सकते हो?
   Am I a child that you can deceive me?

EXERCISE 7

Translate into English.

1. मैं बच्चा नहीं हूँ कि तुम मुझे टॉफी देते हो!
2. मैं बेवकूफ नहीं हूँ कि तुम मुझे ठगना चाहते हो!
3. तुम शेर नहीं हो कि मुझे निगल जाओगे!
4. मैं भिखारी नहीं हूँ कि तुम मुझे केवल एक रुपया देते हो!

Rule VII अब इन वाक्यों पर विचार करें—

1. रावण, जो सीता को हर ले गया, अंत में मारा गया।
2. वह हत्यारा, जो दोषी पाया गया, फाँसी पर लटकाया गया।

ऐसे वाक्यों के दो भाग होते हैं। पहले भाग (प्रधान उपवाक्य) से परिणाम (result) का बोध होता है और दूसरे भाग से कारण (cause) का। दूसरा भाग से आरंभ होता है और यह कॉमा (comma) के बाद आता है। इनकी बनावट होती है—

संज्ञा + कॉमा + जो + उपवाक्य + क्रिया

इस प्रकार के वाक्यों में **संज्ञा + क्रिया** मिलकर प्रधान उपवाक्य का कार्य करते हैं और **जो + उपवाक्य** एक क्रियाविशेषण उपवाक्य का कार्य करते हैं।

इनका अनुवाद होता है—

Noun	*+ comma*	*+ who*	*+ clause*	*+ verb*
Ravana	,	who	abducted Sita,	was killed in the end.
The murderer	,	who	was found guilty,	was hanged.

ध्यान दें—

Rule VII (a) ऐसे वाक्यों में comma के पहले आनेवाला noun होता है principal clause का subject और who + clause (adverb clause) के बाद आनेवाला verb होता है principal clause का verb; जैसे,

1. Ravana was killed in the end.
2. The murderer was hanged.

Rule VII (b) Who से आरम्भ होनेवाला होता है adverb clause और इसका subject होता है—who; जैसे,

who abducted Sita　　　　who was found guilty

EXERCISE 8

Translate into English.

1. वह व्यक्ति, जो निर्दोष पाया गया, छोड़ दिया गया।
2. वह आदमी, जो बहुत कमजोर था, चल नहीं सकता था।
3. वह औरत, जो बहुत गरीब थी, पत्थर तोड़ा करती थी।
4. वे छात्र, जो कठिन परिश्रम करते हैं, सफलता पाते हैं।
5. वे शिक्षक, जो छात्रों को प्यार करते हैं, सम्मान पाते हैं।

Hints: निर्दोष = innocent, सम्मान पाना = to get respect

Rule VIII अब इन वाक्यों को लें—

1. वह अनुपस्थित था, क्योंकि/चूँकि वह बीमार था।
2. वह देर से आई, क्योंकि/चूँकि वर्षा हो रही थी।

ऐसे वाक्यों के दो भाग होते हैं। इनमें से क्योंकि/चूँकि + उपवाक्य से कारण (cause) का बोध होता है और दूसरे भाग से परिणाम (result) का। इनकी बनावट होती है—

प्रधान उपवाक्य + चूँकि/क्योंकि + उपवाक्य [क्रियाविशेषण]

इनका अनुवाद होता है—

Principal clause	*+ because*	*+ clause [adverb clause]*
He was absent	because	he was ill.
She came late	because	it was raining.

1. वह दौड़ नहीं सकता क्योंकि/चूँकि वह कमजोर है।
   He can't run because he is weak.
2. मै बाहर नहीं जाऊँगा, क्योंकि आज बहुत गर्मी है।
   I won't go out because it is too hot today.

It	*+ is*	*+ because*	*+ clause*	*+ that*	*+ clause*
It	is	because	he was ill	that	he was absent.
It	is	because	it was raining	that	she came late.

1. वह दौड़ नहीं सकता। क्योंकि/चूँकि वह कमजोर है।
   It is because he is weak that he can't run.
2. वह मुझसे नहीं मिल सका, क्योंकि/चूँकि वह देर से आया।
   It is because he came late that he was not able to see me.

EXERCISE 9

Translate into English.

1. वह फेल कर गई, क्योंकि उसने कड़ी मेहनत नहीं की।
2. वह बीमार पड़ गया, चूँकि उसने सावधानी नहीं बरती।
3. उसके घर नहीं है क्योंकि वह बहुत गरीब है।
4. उन्होंने विवाह किया, चूँकि उन्हें प्रेम हो गया।
5. मैं असफल रहा, क्योंकि मैंने मेहनत नहीं की।
6. उसने इनाम पाया, क्योंकि वह सर्वप्रथम हुआ।
7. वह बस नहीं पकड़ सका, क्योंकि वह देर से रवाना हुआ।

Hints: बीमार पड़ना = to fall ill, प्रेम होना = to fall in love

Rule IX अब इन वाक्यों पर विचार करें—

1. चूँकि वह कमजोर है, इसलिए वह दौड़ नहीं सकता।
2. चूँकि आज हमलोगों को कोई कार्य नहीं है, इसलिए सिनेमा जाएँगे।

ऐसे वाक्यों के दो भाग होते हैं। पहला भाग **चूँकि** से आरम्भ होता है और इससे

कारण (cause) का बोध होता है। दूसरा भाग **इसलिए** से आरम्भ होता है और इससे परिणाम (result) का बोध होता है। इस प्रकार के वाक्यों की बनावट होती है—

चूँकि + उपवाक्य + इसलिए + उपवाक्य

इनका अनुवाद होता है—

(i) As	*+ clause [adverb clause]*	*+ principal clause*
(ii) Since	*+ clause [adverb clause]*	*+ principal clause*
(iii) Now that	*+ clause [adverb clause]*	*+ principal clause*
(iv) Seeing that/ Considering that	*+ clause [adverb clause]*	*+ principal clause*
(v) In that	*+ clause [adverb clause]*	*+ principal clause*
(vi) In as much as	*+ clause [adverb clause]*	*+ principal clause*
As/Since	he is weak	he can't run.
Seeing that	we are free today	we will go to the pictures.
Now that	he is a minister	he should be honest.

1. चूँकि हमलोग दिल्ली में है, इसलिए हमलोग लाल किला देखेंगे।
   Now that we are in Delhi, we will see the Red Fort.
2. चूँकि वर्षा हो रही है, इसलिए हमलोग बाहर न जाएँ।
   Since/seeing that it is raining, we shouldn't go out.

ध्यान दें—

Rule IX (a) हिन्दी के ऐसे वाक्यों के इसलिए का अनुवाद नहीं होता। इसलिए अनुवाद इस प्रकार न करें—

As/since he is weak, therefore he can't run.

Rule IX (b) अँगरेजी के जो उपवाक्य as/since/now that/seeing that/ considering that से शुरू होत हैं वे वाक्य के आरम्भ में रखे जाते हैं। पर because से शुरू होनेवाले उपवाक्य साधारणतः principal clause के बाद आते हैं, वाक्य के आरम्भ में नहीं; जैसे,

1. He can't run because he is weak.
2. As/since he is weak, he can't run.

EXERCISE 10

Translate into English in as many ways as you can.

1. चूँकि वह बच्चा है, इसलिए उसने गलती की।
2. चूँकि वह क्षमा माँगता है, इसलिए उसे माफ कर दिया जाए।

3. चूँकि वह गरीब था, इसलिए वह भूख से मर गया।
4. चूँकि वह किताब आसान है, इसलिए उसे हर कोई समझ सकता है।
5. चूँकि वह कंजूस है, इसलिए वह दूसरों को नहीं खिलाता है।
6. चूँकि वह निडर है, इसलिए वह किसी से नहीं डरता।
7. चूँकि वह देर से रवाना हुई, इसलिए वह ट्रेन नहीं पकड़ सकी।
8. चूँकि वह बलवान है, इसलिए वह भारी बोझ उठा सकता है।
9. चूँकि वे लोग खदानों में काम करते है, इसलिए उनके कपड़े गंदे हैं।
10. चूँकि ये लोग निरक्षर हैं, इसलिए ये ठगे जाते हैं।

Hints: गलती करना = to commit a mistake, क्षमा माँगना = to beg apology, माफ कर दिया जाए = may be excused, भूख से मरना = to die of starvation, कंजूस = miser, निडर = fearless, डरना = to be afraid of/to fear

Rule X अब इन वाक्यों को देखें—

1. खराब मौसम के कारण/के चलते/की वजह से मैं बाहर नहीं जा सकता।
2. बीमारी के कारण/के चलते/की वजह से वह अनुपस्थित था।
3. सम्पत्ति को लेकर/के चलते उन लोगों में गृह-कलह हुआ।
4. खराब मौसम को देखते हुए मैं बाहर नहीं जा सकता।

ऐसे वाक्यों से भी कारण (cause) का बोध होता है। कारण का बोध होता है—के कारण/के चलते/को लेकर/की वजह से/के द्वारा। कारण के परिणाम (result) का बोध होता है इनके बाद आनेवाले वाक्यों से। इनकी बनावट होती है—

संज्ञा + के कारण/के चलते/को लेकर/की वजह से/देखते हुए + वाक्य
[कर्ता + क्रिया]

इनका अनुवाद होता है—

Sentence [subject + verb]	*+ on account of/owing to + noun*
I can't go out	on account of/owing to bad weather.
He was absent	on account of/owing to illness.
I can't go out	in view of bad weather.

1. भारी वर्षा के कारण/के चलते/की वजह से आज स्कूल बंद रहेगा।
The school will remain closed today on account of heavy rain.
The school will remain closed today owing to heavy rain.
2. गरीबी के कारण/के चलते/की वजह से वह तरक्की नहीं कर सका।
He was not able to rise high on account of poverty.

ध्यान दें—

Rule X (a) देखते हुए का अनुवाद होता है—**in view of + noun**; जैसे,

उसकी गरीबी देखते हुए मैंने उसकी मदद की।

I helped him in view of his poverty.

Rule X (b) संज्ञा + के कारण/के चलते/की वजह से का अनुवाद due to भी होता है पर due to के पहले केवल noun आता है, adjective/verb आदि नहीं।

Noun [subject] + is/are + due to + noun

1. उसकी अनुपस्थिति बीमारी के कारण हुई।
   His absence was due to illness.
2. दुर्घटना असावधानी के चलते/की वजह से हुई।
   The accident was due to carelessness.

Rule X (c) कुछ वाक्यों में **संज्ञा + के कारण/के चलते/की वजह से** का प्रयोग होता है और इनसे कारण (cause) तथा माध्यम (medium) दोनों भावों का बोध होता है। इनका अनुवाद होता है—

Subject + verb + object + through + noun

1. मोहन को राम के कारण/के चलते/की वजह से नौकरी मिली।
   Mohan got a job through Ram.
2. आपको कठिन परिश्रम के कारण/के चलते/की वजह से सफलता मिलेगी।
   You will get success through hard work.

Rule X (d) ऐसे कुछ वाक्यों का मुहावरेदार अनुवाद इस प्रकार होता है—

1. आपके कारण/के चलते/की वजह से मुझे यह नौकरी मिली।
   Thanks to your help, I got this job.
2. मुझे यह नौकरी मिली पर आपके कारण/के चलते/की वजह से नहीं।
   I got this job, but small thanks to you.

ऐसे वाक्यों के **thanks to** से कार्य होने के कारण का बोध होता है, पर **small thanks** से यह बोध होता है कि कार्य किसी कारण या माध्यम से नहीं होता है।

EXERCISE 11

Translate into English in as many ways as you can.

1. वर्षा के कारण मैं बाहर नहीं जा सकता।
2. कीचड़ के चलते मेरे जूते गंदे हो गए हैं।
3. अंधेपन की वजह से वह देख नहीं सकती।
4. गरीबी की वजह से वह उच्च शिक्षा प्राप्त नहीं कर सकी।
5. गलत दवा के चलते वह आदमी मर गया।
6. उसकी मृत्यु गलत दवा के चलते हुई।

7. महावीर जयंती के कारण कल स्कूल बंद था।
8. रविवार के कारण आज सभी दुकानें बंद हैं।
9. अनपढ़ होने की वजह से मुझे बहुत कष्ट उठाना पड़ा।
10. दंगे के कारण बहुत लोग मारे गए।
11. कड़ी मेहनत के चलते उसको प्रोन्नति मिली।
12. गलतफहमी के चलते मित्र शत्रु बन गए।

Hints: उच्च शिक्षा = higher education [not high], बंद = close, कष्ट उठाना = to suffer, बहुत = a lot/much, दंगा = riot, प्रोन्नति = promotion, बन गए = turned

Rule XI अब इन वाक्यों पर विचार करें—

1. बिना टिकट रेल यात्रा करने के कारण/के चलते/की वजह से उसे जुर्माना हुआ।
2. चोरी करने के कारण/के चलते/की वजह से मोहन को सजा मिली।

ऐसे वाक्यों से भी कारण (cause) का बोध होता है। कारण का बोध होता है—धातु + ने + के कारण/के चलते/की वजह से के द्वारा। कारण के परिणाम का बोध होता है इनके बाद आनेवाले वाक्यों से। इनकी बनावट होती है—

संज्ञा + धातु + ने + के कारण/के चलते/की वजह से + वाक्य
[कर्ता + क्रिया]

इनका अनुवाद होता है—

Sentence [subject + verb]	*+ for*	*+ verb + ing*	*+ noun [object]*
He was fined He was punished	for for	breaking committing	traffic rules theft.

1. सच बोलने के लिए उसे इनाम दिया गया।
   He was rewarded for speaking the truth.
2. गाड़ी तेज चलाने के चलते/की वजह से मुझे जुर्माना देना पड़ा।
   I had to pay a fine for driving fast.
3. जया को अभिनय के लिए पुरस्कार मिला।
   Jaya got an award for acting.

EXERCISE 12

Translate into English.

1. बिना टिकट के यात्रा करने के कारण उसे सजा मिली।
2. चोरी करने की वजह से उसे जेल जाना पड़ा।
3. सच बोलने के कारण उसकी प्रशंसा की गई।
4. परीक्षा भवन में चोरी करने के चलते वह निष्कासित किया गया।
5. घूस लेने की वजह से वह निलंबित किया गया।

Hints: चोरी करना = to steal, परीक्षा भवन में चोरी करना = to use unfair means in the examination hall, प्रशंसा की गई = was praised, निष्कासित किया गया = was expelled, निलंबित किया गया = was suspended

Rule XII अब इन वाक्यों को लें—

1. कुछ तो गरीबी और कुछ आलस के कारण वह तरक्की नहीं कर सकता।
2. कुछ तो बीमारी और कुछ बुरी आदतों की वजह से/के चलते वह पास न कर सका।

ऐसे वाक्यों से दो-दो कारणों (causes) का बोध होता है। ऐसे कारणों का बोध होता है—**कुछ तो + संज्ञा और कुछ + संज्ञा** के द्वारा। इस प्रकार के वाक्यों की बनावट होती है—

कुछ तो + संज्ञा + और + कुछ + संज्ञा + के करण/के चलते/की वजह से + वाक्य

इनका अनुवाद होता है—

What with	*+ noun*	*+ and*	*+ what with*	*+ noun*	*+ sentence*
What with	poverty	and	what with	idleness,	he can't rise high.
What with	illness	and	what with	bad habits,	he was not able to pass.

इनका अनुवाद इस प्रकार भी हो सकता है—

Partly because of	*+ noun*	*+ and*	*+ partly because of*	*+ noun*	*+ sentence*
Partly because of	poverty	and	partly because of	idleness	he can't rise high.

1. कुछ तो अल्प वेतन और कुछ महँगाई के कारण/के चलते लोग कष्ट में हैं।
   What with low salary and what with rising prices, people are in trouble.
   Partly because of low salary and partly because of rising prices, people are in trouble.

2. कुछ तो भूख और कुछ कमजोरी के कारण/के चलते वह दौड़ नहीं सकता।
   What with hunger and what with weakness, he can't run.
   Partly because of hunger and partly because of weakness, he can't run.

ध्यान दें—

ऐसे वाक्यों में partly because of के बदले partly on account of या partly owing to का भी प्रयोग हो सकता है।

EXERCISE 13

Translate into English in as many ways as you can.

1. कुछ तो बीमारी और कुछ भूख के कारण वह कमजोर हो गई है।
2. कुछ तो गरीबी और कुछ बेवकूफी के वजह से वह तरक्की नहीं पा सका।
3. कुछ तो बुद्धि और कुछ कठिन परिश्रम के कारण वह महान बना।
4. कुछ तो ईमानदारी और कुछ सहायता के चलते उसने अच्छा किया।
5. कुछ तो अच्छे शिक्षकों और कुछ अच्छी किताबों के कारण वह अँगरेजी सीख सका।
6. कुछ तो कम वेतन और कुछ महँगाई के चलते लोग तकलीफ में हैं।
7. कुछ तो बुढ़ापा और कुछ बीमारी के कारण वह दौड़ नहीं सकता।

Hints: बुद्धि = intelligence, अच्छा किया = did well, कम वेतन = low salary, महँगाई = rising prices/inflation

Rule XIII अब इन वाक्यों को देखें—

1. वह हैजा से मरा।
2. वह बुखार से पीड़ित है।
3. वह ख़ुशी से नाच उठा।
4. मैं आपकी सफलता से खुश हूँ।

कर्ता + संज्ञा + से [कारण] + क्रिया

इनका अनुवाद होता है —

Subject	*+ verb*	*+ preposition*	*+ noun*
He	died	of	cholera.
He	is sick	with	fever.
He	danced	for	joy.
I	am glad	of	your success.
He	is suffering	from	fever.

1. वह शर्म से चुप है। He is silent with shame.
2. वह भूख से मर रही है। She is dying of hunger.
3. मैं उससे तंग आ गया हूँ। I am fed up with him.
4. वह जाड़े से थरथरा रहा है। He is shivering with cold.
5. उसका चेहरा आँसू से भींगा हुआ है। His face is wet with tears.
6. उसकी आँखें आँसू से फूल गई हैं। His eyes are swollen with tears.
7. उसका चेहरा क्रोध से लाल हो गया है। His face is red with anger.

EXERCISE 14

Translate into English.

1. वह कैंसर से मरी।
2. वह क्रोध से थरथरा रहा है।
3. मैं खुशी से कूद उठा।
4. वह बुखार से थरथरा रहा है।
5. वह भूख से मरी।
6. उसके कपड़े वर्षा से भींग गए हैं।

EXERCISE 15

Match the clauses under A and B to make meaningful sentences.

A	B
Now that he is better	I excuse you this time.
As it is foggy	that he can't help anybody.
I am glad	you have failed.
Since it is your first offence	he may leave the hospital.
He is so selfish	we can't see the road.
I am sorry	you are feeling fine.

EXERCISE 11

Circle the correct words.

1. The accident took place/was due to rash driving.
2. She is suffering with/from fever now.
3. The school will be closed due to/owing to heavy rain.
4. She is too rich/poor to buy a car.
5. He is kind enough/enough kind to help everybody.

□

26. शर्त/संकेत-सूचक वाक्य
कल्पना-सूचक वाक्य

यहाँ ऐसे वाक्यों के अनुवाद पर विचार करें जिनसे शर्त/संकेत (condition) या कल्पना (supposition) का भाव व्यक्त होता है।

Rule I इन वाक्यों पर विचार करें—

1. यदि तुम परिश्रम करोगे, तो सफल होगे।
2. अगर मैं दिल्ली जाऊँगा, तो अपने मित्रों से मिलूँगा।

ऐसे वाक्यों के दो भाग होते हैं। एक भाग में **यदि/अगर** का प्रयोग होता है और इससे शर्त (condition) का बोध होता है तो दूसरे भाग में परिणाम (result) का भाव व्यक्त होता है। इस प्रकार के वाक्यों से यह बोध होता है कि शर्त पूरी होने की संभावना है। इनकी बनावट होती है—

यदि/अगर + आश्रित उपवाक्य + तो + प्रधान उपवाक्य

इनका अनुवाद होता है—

If	*+ subordinate clause [in present simple]*	*+ principal clause [in future simple]*
If If	you work hard, I go to Delhi,	you will be successful. I will see my friends.

ध्यान दें—

Rule I A (a) हिन्दी वाक्यों में आश्रित उपवाक्य भविष्यत काल में रहता है, पर अँगरेजी में present tense का प्रयोग होता है और ऐसे present tense से future time का बोध होता है; जैसे,

1. यदि परिश्रम करोगे। If you work hard [not, will work hard]
2. यदि मैं दिल्ली जाऊँगा। If I go to Delhi [not, will go to Delhi]

Rule I A (b) ऐसे वाक्यों के **तो** का अनुवाद नहीं होता है। इसलिए अँगरेजी वाक्यों में then का प्रयोग न करें। इसके बदले केवल comma से काम चल जाता है।

Rule I A (c) हिन्दी के ऐसे वाक्यों में **कभी-कभी यदि/अगर** का प्रयोग नहीं भी होता है, पर अँगरेजी में if का प्रयोग अवश्य होता है; जैसे,

तुम परिश्रम करोगे, तो सफलता पाओगे।

If you work hard, you will get success.

EXERCISE 1

Translate into English.

1. यदि तुम आगरा जाओगे, तो ताजमहल देखोगे।
2. यदि तुम स्कूल जाओगे, तो ज्ञान पाओगे।
3. यदि आप दवा खाएँगे, तो स्वस्थ्य हो जाएँगे।
4. अगर वह अच्छा खेलेगा, तो इनाम पाएगा।
5. यदि वह तेज दौड़ेगी, तो दौड़ जीतेगी।
6. यदि तुम गरीबों की मदद करोगे, तो ईश्वर तेरी मदद करेगा।
7. यदि तुम कठिन परिश्रम करोगे, तो सफल हो जाओगे।
8. अगर तुम हवाई जहाज से जाओगे, तो जल्दी पहुँचोगे।

Hints: अच्छा होना = to get well/be cured, थक जाना = to get tired

Rule I B अब इन वाक्यों को लें—

1. यदि यहाँ भूकंप आ जाए, तो सब भाग खड़े हो जाएँ।
2. अगर मैं पक्षी हो जाऊँ, तो तेरे पास उड़ आऊँ।

ऐसे वाक्यों के दो भाग होते हैं। एक भाग में **यदि/अगर** आता है और इससे शर्त (condition) का बोध होता है। इससे ऐसी शर्त का बोध होता है जिसकी पूर्ति की संभावना प्रायः नहीं है। इसलिए वाक्य के दूसरे भाग से ऐसे परिणाम (result) का बोध होता है जो संभव नहीं है। इनकी बनावट होती है—

यदि/अगर + आश्रित उपवाक्य + तो + प्रधान उपवाक्य

इनका अनुवाद होता है—

If	*+ subordinate clause [in past simple]*	*+ (principal clause) would + could + simple infinitive*
If If	a ghost appeared in this room, I were a bird,	all would flee away. I would fly to you.

1. यदि मैं राजा होऊँ तो तुझे अपनी रानी बनाऊँ।
   If I were a king I would make you my queen.
2. यदि सभी लड़के बन्दर हो जाएँ तो सभी बगीचे नष्ट हो जाएँ।
   If all boys became monkeys, all orchards would be destroyed.

ध्यान दें—

Rule I B (a) ऐसे वाक्यों में I/he/she के साथ were का प्रयोग होता है, was का नहीं।

Rule I B (b) ऐसे वाक्यों का if छिप भी जा सकता है और वाक्य were से आरम्भ होते हैं। ऐसे were से **यदि/अगर** का बोध होता है; जैसे,

1. यदि मैं पक्षी हो जाऊँ। Were I a bird
2. यदि वह राजा हो जाए। Were he a king

Rule I B (c) ऐसे वाक्य were के बदले should से भी आरंभ हो सकते हैं; जैसे,

1. यदि मैं पक्षी हो जाऊँ। Should I become a bird
2. यदि वह रानी हो जाए। Should she become a queen

इस प्रकार ऐसे वाक्यों का अनुवाद होता है—

subordinate clause [were/should + subject] + principal clause
[would/should/could etc. + simple infinitive]

EXERCISE 2

Translate into English.

1. यदि मैं प्रधान मंत्री होऊँ, तो परीक्षाओं को उठा दूं।
2. यदि मैं बिल्ली होऊँ, तो सभी चूहों को खा जाऊँ।
3. यदि यहाँ शेर आ जाए, तो सब भाग जाएँ।
4. यदि मुझे पंख हों, तो मैं तेरे पास उड़ आऊँ।
5. यदि मैं कवि होऊँ, तो महाकाव्य लिखूँ।
6. यदि मैं घोड़ा होऊँ, तो खूब तेज दौड़ूँ।
7. वह कछुआ हो जाए, तो बहुत धीरे दौड़े।

Hinst: पंख = wings, महाकाव्य – epic, कछुआ = tortoise

Rule I C अब इन वाक्यों को लें—

1. यदि उसने कठिन परिश्रम किया होता, तो सफल हुआ होता।
2. अगर वह दिल्ली गई होती, तो लाल किला देखी होती।

ऐसे वाक्यों के दो भाग होते हैं। एक भाग में यदि/अगर आता है ओर इससे यह बोध होता है भूतकाल में शर्त (condition) पूरी नहीं हुई। इसलिए दूसरे भाग से यह बोध होता है कि कार्य पूरा नहीं हुआ। इस प्रकार ऐसे वाक्यों से यह भाव व्यक्त होता है कि भूतकाल में कार्य होने की संभावना (might have been) बनकर रह गई। इनकी बनावट होती है—

यदि + अगर + आश्रित उपवाक्य + तो + प्रधान उपवाक्य

इनका अनुवाद होता है—

If	*+ subordinate clause [in past perfect]*	*principal clause + would + should + could + perfect infinitive*
If If	he had worked hard, she had gone to Delhi,	he would have succeeded. she would have seen the Red Fort.

1. यदि वह आगरा गया होता, तो उसने ताजमहल देखा होता।
   If he had visited Agra, he would have seen the Taj Mahal.
2. अगर तुमने मेरी राय सुनी होती, तो अफसोस नहीं करना पड़ता।
   If you had heeded my advice, you wouldn't have regretted.

ऐसे वाक्यों का अनुवाद If के बिना इस प्रकार भी हो सकता है—

Subordinate clause [had + subject + past participle]	*principal clause + could + should + would etc. + perfect infinitive*
Had he visited Agra, Had you heeded my advice,	he would have seen the Taj Mahal. you wouldn't have regretted.

1. यदि वह आगरा गया होता, तो उसने ताजमहल देखा होता।
   If he had visited Agra, he would have seen the Taj Mahal.
2. अगर तुमने मेरी राय सुनी होती, तो अफसोस नहीं करना पड़ता।
   If you had heeded my advice, you wouldn't have regretted.

EXERCISE 3

Translate into English.

1. यदि उसने किताब पढ़ी होती, तो अँगरेजी सीखी होती।
2. यदि मैंने धन बचाया होता, तो धनी हुआ होता।
3. यदि उसने मेहनत की होती, तो प्रोन्नति पाई होती।
4. यदि उसने हत्या की होती, तो फाँसी पर लटकाया गया होता।
5. यदि उसने चोरी की होंती, तो गिरफ्तार हुआ होता।
6. अगर उसने परीक्षा दी होती, तो पास किया होता।
7. यदि उसने शादी की होती, तो उसका परिवार होता।
8. अगर उसने गलती नहीं की होती, तो सजा नहीं मिली होती।

Rule II अब इन वाक्यों को लें—

1. यदि बिजली गुल हो जाए, तो मोमबत्ती का उपयोग करो।
2. अगर वर्षा हो, तो छाता ले लो।

ऐसे वाक्यों के दो भाग होते हैं। एक भाग के **यदि/अगर** से शर्त का बोध होता है और साथ ही यह भी बोध होता है कि संभावना (possibility/contingency) के प्रति सावधानी बरतनी है। इनकी बनावट होती है—

यदि/अगर + आश्रित उपवाक्य + तो + प्रधान उपवाक्य

इनका अनुवाद होता है—

Principal clause	*+ in case*	*+ subordinate clause*
Use a candle, Take an umbrella,	in case in case	electricity fails. it rains.

1. यदि बीमार पड़ जाओ, तो यह दवा खाओ।
   Take this medicine, in case you fall ill.
2. यदि मेरी जरूरत हो, तो मुझे तार भेजो।
   Send me a telegram, in case you need my help.

ध्यान दें—

Rule II (a) ऐसे वाक्यों में principal clause पहले आता है और in case + subordinate clause बाद में।

Rule II (b) ऐसे in case का अर्थ होता है **यदि/अगर**, पर इस प्रकार के वाक्यों में if से अधिक अच्छा होता है in case का प्रयोग।

EXERCISE 4

Translate into English.

1. यदि तुम्हें रुपये की जरूरत हो, तो पत्र लिखना।
2. यदि तुम्हें मेरी जरूरत हो, तो तार भेजना।
3. अगर तुम्हें मदद की जरूरत हो, तो मुझे टेलीफोन करना।
4. अगर तुम उससे मिलो, तो झट पत्र देना।
5. अगर तुम बहुत थक जाओ, तो यह गोली खाना।

Hints: तार भेजना = to send a telegram, मुझे टेलीफोन करना = ring me up, थक जाओ = feel tired, गोली = pill

Rule III अब इन वाक्यों को देखें—

1. यदि तुम परिश्रम नहीं करोगे, तो सफल नहीं होगे।
2. अगर वह दिल्ली नहीं जाएगा, तो लाल किला नहीं देख सकेगा।

ऐसे वाक्य के **यदि/अगर + उपवाक्य** से शर्त का बोध होता है और ऐसी शर्त के साथ **नहीं** आता है। इसलिए वाक्य के दूसरे भाग में भी नहीं आता है। इस प्रकार के वाक्यों की बनावट होती है—

यदि/अगर + आश्रित वाक्य [+ नहीं] + तो + प्रधान उपवाक्य [+ नहीं]

इनका अनुवाद होता है—

Unless	*+ subordinate clause*	*+ principal clause [negative]*
Unless Unless	you work hard, he goes to Delhi,	you can't be successful. he won't be able to see the Red Fort.

1. यदि आप दवा नहीं खाएँगे, तो आप अच्छे नहीं हो सकते।
   Unless you take medicine, you can't be cured.
2. अगर आप यह किताब नहीं पढ़ेंगे, तो आप अँगरेजी नहीं सीख सकते।
   Unless you read this book, you won't be able to learn English.

ध्यान दें—

Rule III (a) **यदि/अगर...नहीं** का अनुवाद होता है—unless. इसलिए unless + clause में not का प्रयोग नहीं हो सकता। हाँ, इसका अनुवाद if + clause [negative] हो सकता है, पर if not की सहायता से शर्त का भाव जोरदार तरीके से व्यक्त नहीं होता; जैसे,

1. If you do not work hard, you can't be successful. [साधारण शर्त]
2. Unless you work hard, you can't be successful. [जोरदार शर्त]

Rule III (b) ऐसे वाक्यों में **यदि अगर...नहीं** के बदले **जब तक...नहीं तब तक...नहीं** का भी प्रयोग इस प्रकार होता है—

जब तक + आश्रित उपवाक्य [+ नहीं] + तब तक + प्रधान उपवाक्य [+ नहीं]

इनका अनुवाद भी unless के द्वारा इस प्रकार होता है—

Unless	*+ subordinate clause*	*+ principal clause*
Unless	you help me,	I can't finish this work.

1. जब तक आप अधिक अन्न नहीं उपजाएँगे, तब तक आप धनी नहीं हो सकते।
   Unless you grow more food, you can't be rich.
2. जब तक वे कठिन मेहनत नहीं करेंगे, तब तक वे पास नहीं कर सकते।
   Unless they work hard, they can't pass.

ऐसे वाक्यों में **जब तक** नहीं का अनुवाद until नहीं होता, क्योंकि until से समय (time) का बोध होता है, शर्त (condition) का नहीं।

EXERCISE 5

Translate into English.

1. यदि तुम यह किताब नहीं पढ़ोगे, तो अँगरेजी नहीं सीख सकते।
2. जब तक वह क्षमा नहीं माँगेगा, तब तक मैं उसे माफ नहीं कर सकता।
3. यदि तुम परिश्रम नहीं करोगे, तो प्रोन्नति नहीं पाओगे।
4. यदि तुम तुरंत प्रस्थान नहीं करोगे, तो गाड़ी नहीं पकड़ सकते।
5. जब तक हम परिश्रमी नहीं होंगे, तब तक देश उन्नति नहीं करेगा।
6. जब तक हमारे नेता ईमानदार नहीं होंगे, तब तक देश सम्पन्न नहीं होगा।
7. जब तक सभी देश हिंसा नहीं छोड़ेंगे, तब तक शांति नहीं होगी।

Hints: परिश्रमी = hard-working, हिंसा violence.

Rule IV अब इन वाक्यों को लें—

1. यदि एक बार निर्णय करो, तो उसपर डटे रहो।
2. यदि एक बार प्रतिज्ञा करो, तो उसे निभाओ।

ऐसे वाक्यों के **यदि एक बार/अगर एक बार + उपवाक्य** से शर्त का बोध होता है और दूसरे भाग से परिणाम का। इनकी बनावट होती है—

यदि/अगर + एक बार + आश्रित उपवावय + तो + प्रधान उपवाक्य

इनका अनुवाद होता है—

Once	*+ subordinate clause*	*+ principal clause*
Once Once	you take a decision, you make a promise,	stick to it. keep it.

ध्यान दें—

Rule IV (a) ऐसे once का अर्थ होता है—यदि एक बार [केवल **एक बार** नहीं]

Rule IV (b) ऐसे वाक्यों में once + subordinate clause के साथ past/future tense का प्रयोग नहीं होता।

EXERCISE 6

Translate into English.

1. यदि एक बार झूठ बोलो, तो तुझपर कोई विश्वास नहीं करेगा।
2. अगर एक बार सिद्धांत छोड़ो, तो बरबाद हो जाओगे।
3. यदि एक बार चोरी करोगे, तो बुरी संगत में पड़ जाओगे।
4. यदि एक बार इस किताब को पढ़ोगे, तो इसे पसंद करोगे।

Hints: बुरी संगत – bad company

Rule V अब इन वाक्यों को देखें—

1. मैं आपको पचास रुपये उधार दे सकता हूँ बशर्ते आप एक सप्ताह में लौटा दें।
2. मैं इसबार जुर्माना माफ कर सकता हूँ, बशर्ते तुम ऐसी गलती फिर न करो।

ऐसे वाक्यों के **बशर्ते + उपवाक्य** से शर्त का बोध होता है, क्योंकि बशर्ते का अर्थ होता है—यदि/अगर। इनकी बनावट होती है—

प्रधान उपवाक्य + बशर्ते + आश्रित उपवाक्य

इनका अनुवाद होता है—

Principal clause *Principal clause* *Principal clause*	*+ provided/provided that* *+ on condition that* *+ so long as*	*+ subordinate clause* *+ subordinate clause* *+ subordinate clause*
I can lend you fifty rupees,	provided/provided that	you return it in a week.
I can waive fine this time	on condition that	you don't commit this mistake again.
You can get books,	so long as	you return them in time.

ध्यान दें—

ऐसे वाक्यों में if का भी प्रयोग हो सकता है, तब शर्त का भाव उतने जोरदार तरीके से व्यक्त नहीं हो सकेगा।

EXERCISE 6 (a)

Translate into English.

1. मैं तुम्हें माफ कर सकता हूँ, बशर्ते तुम माफी माँगो।
2. तुम नौकरी पा सकते हो, बशर्ते तुम प्रयास करो।
3. तुम प्रोन्नति पा सकते हो, बशर्ते तुम प्रयास करो।
4. तुम सफलता पा सकते हो, बशर्ते तुम कठिन परिश्रम करो।
5. तुम आदर पा सकते हो, बशर्ते तुम ईमानदार बनो।

Rule VI अब इन वाक्यों पर विचार करें—

1. आप इसे चाहे पसंद करें या न करें, आपको इसे करना ही पड़ेगा।
2. आप इसे पसन्द करें या न करें, आपको इसे करना ही पड़ेगा।

ऐसे वाक्यों के दो भाग होते हैं। एक में चाहे + क्रिया + या न + क्रिया या क्रिया + या न क्रिया का प्रयोग होता है, अर्थात इस भाग में दो या दो से अधिक क्रियाएँ **या न** के द्वारा जोड़ी जाती हैं और इससे शर्त का बोध होता है। दूसरे भाग से परिणाम का भाव व्यक्त होता है। इनकी बनावट होती है—

आश्रित उपवाक्य [कर्ता + चाहे + क्रिया + या न क्रिया] + प्रधान उपवाक्य
आश्रित उपवाक्य [कर्ता + क्रिया + या न + क्रिया] + प्रधान उपवाक्य

इनका अनुवाद होता है—

Subordinate Clause *[whether + subject + verb + or not]*	*+ principal clause*
Whether you like it or not,	you shall have to do it.
Whether we eat rice or not,	we are all Indians.

1. वह मुझे चाहे याद करे या न करे, मैं उसे कभी भी नहीं भूल सकता।
   वह मुझे याद करे या न करे, मैं उसे कभी भी नहीं भूल सकता।
   Whether he remembers me or not, I can never forget him.
2. तुम्हें चाहे किताब हो या नहीं हो, तुम्हें पाठ तैयार करना ही पड़ेगा।
   तुम्हें किताब हो या न हो, तुम्हें पाठ तैयार करना ही पड़ेगा।
   Whether you have a book or not, you shall have to prepare your lesson.

ध्यान दें—

Rule VI (a) ऐसे वाक्यों का अनुवाद whether......or not के बदले either......or not के द्वारा इस प्रकार **नहीं** करना चाहिए—

Either you like it or not, you shall have to do it.

Rule VI (b) ऐसे वाक्यों में या न के द्वारा दो विशेषणों या संज्ञाओं को भी जोड़ा जा सकता है। वैसी अवस्था में इनका अनुवाद होता है—

Subordinate clause */ [whether + subject + verb + adjective/noun + or not]*	*+ principal clause*
Whether you are rich or not,	you shall have to pay a fine.
Whether you have a book or not,	you shall have to prepare your lesson.

EXERCISE 7

Translate into English.

1. वह मेरी मदद करे या न करे, मैं उसका नुकसान नहीं कर सकता।
2. तुम बीमार हो या न हो, तुम्हें परीक्षा देनी ही पड़ेगी।
3. तुम चाहे स्वस्थ हो या न हो, तुम्हें व्यायाम करना ही चाहिए।
4. वह चाहे वापस आए या न आए, मैं कल अवश्य जाऊँगा।
5. आप चाहे मेरी सुनें या न सुनें, मैं आप से निवेदन अवश्य करूँगा।
6. वह खाए या न खाए, मैं इसकी परवाह नहीं करता।
7. डॉक्टर चाहे पहुँचे या न पहुँचे, मरीज बचाया नहीं जा सकता।
8. वह चाहे आये या न आये, मुझे उसकी चिंता नहीं।

Hints: मेरी सुने या न सुने = listen to me or not, परवाह करना = to care for, मुझे उसकी चिंता नहीं = I am not worried about him

Rule VII अब इन वाक्यों को देखें—

1. हम चाहे लिखें या बोलें, हमें व्याकरण के नियमों का पालन करना चाहिए।
2. हम लिखें या बोलें, हमें व्याकरण के नियमों का पालन करना चाहिए।

ऐसे वाक्यों के दो भाग होते हैं। एक भाग में **चाहे + क्रिया + या + क्रिया** या **क्रिया + या + क्रिया** का प्रयोग होता है, अर्थात दो या दो से अधिक क्रियाएँ या के द्वारा जोड़ी जाती हैं और इनसे शर्त का बोध होता है। दूसरे भाग से परिणाम का भाव व्यक्त होता है। इनकी बनावट होती है—

आश्रित उपवाक्य [कर्ता + चाहे + क्रिया + या + क्रिया] + प्रधान उपवाक्य
आश्रित उपवाक्य [कर्ता + क्रिया + या + क्रिया] + प्रधान उपवाक्य

इनका अनुवाद होता है—

Subordinate clause *[whether + subject + verb + or + verb]*	*+ principal clause*
Whether we write or speak,	we should observe the rules of grammar.

ध्यान दें—

Rule VII (a) ऐसे वाक्यों का अनुवाद whether...or के बदले either...or के द्वारा इस प्रकार **नहीं** किया जा सकता—

Either we write or speak, we should observe the rules of grammar.

Rule VII (b) ऐसे वाक्यों में **या** के द्वारा दो विशेषणों या संज्ञाओं को भी जोड़ा जा सकता है। इनकी बनावट होती है—

आश्रित उपवाक्य/कर्ता + चाहे + विशेषण/संज्ञा + क्रिया + या + विशेषण/संज्ञा + प्रधान उपवाक्य
आश्रित उपवाक्य/कर्ता + विशेषण/संज्ञा + क्रिया + या + विशेषण/संज्ञा + प्रधान उपवाक्य

इनका अनुवाद होता है—

Subordinate clause *+ whether + subject + verb + adjective/noun + or + adjective/noun*	*+ principal clause*
Whether you are rich or poor, Whether you are a leader or a dealer,	you shall have to pay a fine. you must be honest.

1. हम पढ़ें या खेलें, हमें अनुशासित होना चाहिए।
   Whether we read or play, we should be disciplined
2. हम चावल खाएँ या चपाती, हम सब भारतीय है।
   Whether we eat rice or chapati, we are all Indians.
3. हम धनी हों या गरीब हम सबको काम करना ही है।
   Whether we are rich or poor, we all must work.

EXERCISE 8

Translate into English.

1. हम गेहूँ उगाएँ या धान, हमें खाद का प्रयोग अवश्य करना चाहिए।
2. तुम कलम से लिखो या पेंसिल से, तुम्हें साफ-साफ लिखना चाहिए।
3. आप ट्रेन से यात्रा करें या बस से, आपको टिकट अवश्य खरीदना चाहिए।
4. आप अँगरेजी में लिखें या हिन्दी में, आपको शुद्ध-शुद्ध लिखना चाहिए।
5. वह घर पर हो या स्कूल में, उसे अनुशासित अवश्य होना चाहिए।
6. वह डॉक्टर हो या इंजीनियर, उसे ईमानदार होना चाहिए।
7. हम सूट पहनें या धोती, हम सब भारतीय हैं।
8. हम गोरे हों या काले, हम सब मनुष्य हैं।

EXERCISE 9

Correct these translations.

1. तुम मुझे लिखो या न लिखो, मैं इसकी परवाह नहीं करता।
   Either you write to me or not, I don't care for it.
2. हम हिन्दू हों या मुसलमान, हम सब भारतीय हैं।
   Either we are Hindus or Muslims, we are all Indians.

Rule VIII अब इन वाक्यों पर विचार करें—

1. तुम मुझे खून दो और मैं तुम्हें आजादी दूँगा।
2. अधिक बच्चे पैदा करो और तुम्हारा परिवार बरबाद हो जाएगा।

ऐसे वाक्यों के दो भाग होते हैं। एक वाक्य आज्ञासूचक होता है और इससे शर्त का बोध होता है। इसलिए यह भाग कभी-कभी **यदि/अगर** से आरंभ होता है। दूसरे भाग से परिणाम का भाव व्यक्त होता है। ये दोनों भाग **और** के द्वारा जुड़े रहते हैं। इनकी बनावट होती है—

आज्ञा सूचक वाक्य + और + निश्चयवाचक वाक्य

इनका अनुवाद होता है—

Imperative sentence + and + assertive sentence

1. मुझे खून दो और मैं तुम्हें आजादी दूँगा।
   Give me blood and I will give you freedom.
2. अधिक बच्चे पैदा करो और तुम्हारा परिवार बरबाद हो जाएगा।
   Produce more children and your family will be ruined.

ध्यान दें—

ऐसे वाक्यों का अनुवाद if के द्वारा इस प्रकार भी हो सकता है—

If + subordiante clause + principal clause; जैसे,

1. If you give me blood, I will give you freedom.
2. If you produce more children, your family will be ruined.

EXERCISE 10

Translate into English.

1. मुझे गोलियाँ दो और मैं दुश्मन को भगा दूँगा।
2. इस किताब को पढ़ो और तुम अँगरेजी सीख जाओगे।
3. कठिन परिश्रम करो और तुम सफलता पाओगे।
4. इन्हें प्यार दो और ये तुम्हारी मदद करेंगे।
5. मेहनती बनो और तुरंत सफल हो जाओ।
6. मुझे पैसा दो और तुम्हारा काम कर दूँगा।

Hints: गोलियाँ = bullets, भगाना = drive away, काम करना = do work

Rule IX अब इन वाक्यों को लें—

1. क्या आप अँगरेजी सीखना चाहते हैं? तो यह किताब पढ़ें।
2. क्या आप आजादी पाना चाहते हैं? तो मुझे खून दें।

ऐसे प्रश्नवाचक वाक्यों से शर्त का बोध होता है और **तो + प्रधान उपवाक्य** से परिणाम का। इनकी बनावट होती है—

प्रश्नवाचक + तो + आशासूचक वाक्य

इनका अनुवाद होता है—

Interrogative	*+ then + imperative*
Do you like to learn English? Do you like to get freedom?	Then read this book. Then give me blood.

1. क्या तुम सफल होना चाहते हो? तो कड़ी मेहनत करो।
   Do you like to be successful? Then work hard.
2. क्या आप मानसिक शांति चाहते हैं? तो ईमानदार बनिए।
   Do you want mental peace? Then be honest.

ध्यान दें—

ऐसे वाक्यों का अनुवाद if के द्वारा इस प्रकार भी हो सकता है—

If + subordinate clause + principal clause

1. If you want to learn English, read this book.
2. If you want to get freedom, give me blood.
3. If you like to be successful, work hard.

EXERCISE 11

Translate into English.

1. क्या आप धनी होना चाहते हैं? तो मेहनत करें।
2. क्या आप अँगरेजी धाराप्रवाह बोलना चाहते हैं? तो यह किताब पढ़ें।
3. क्या तुम सर्वप्रथम स्थान पाना चाहते हो? तो तुम्हें कठिन परिश्रम करना चाहिए।
4. क्या तुम आदर पाना चाहते? तो तुम्हें झूठ नहीं बोलना चाहिए।
5. क्या तुग बीमार पड़ना नहीं चाहते हो? तो तुम्हें व्यायाम करना चाहिए।
6. क्या आप ट्रेन पकड़ना चाहते है? तो तुरंत प्रस्थान करें।
7. क्या आप मानसिक शांति पाना चाहते हैं? तो ईश्वर पर निर्भर करें।

Rule X अब इन वाक्यों को देखें—

1. मान लीजिए कि आपको लॉटरी मिले, तो आप क्या करेंगे?
2. मान लो कि आदमी अमर हो जाए, तो खाद्य-समस्या का क्या होगा?

ऐसे वाक्यों के दो भाग होते हैं—एक भाग में **मान लो/मान लीजिए** + उपवाक्य का प्रयोग होता है और इससे कल्पना (supposition/assumption) का बोध होता है। दूसरा भाग में **तो** से आरम्भ होता है और इससे परिणाम/अनुमान का भाव व्यक्त होता है। इनकी बनावट होती है—

मान लो/लीजिए + कि + उपवाक्य , तो + उपवाक्य

इनका अनुवाद होता है—

(i) Suppose *(ii) Supposing*	*+ clause* *+ clause*	*+ comma* *+ comma*	*+ clause* *+ clause*
Supposing	you won a lottery	,	what would you do?
Suppose	man became immortal	,	what would happen to food problem?

ध्यान दें—

Rule X (a) जब ऐसी कल्पना (supposition/assumption) का बोध हो जिसकी पूर्ति असंभव हो, तो दोनों clauses का प्रयोग इस प्रकार होता है—

Suppose/supposing + clause [past] + clause [future]
मान लो कि मरे हुए जी गए, तो क्या होगा?

Suppose the dead **came** back to life, what **would** happen?

जब ऐसी कल्पना का बोध हो, जिसकी पूर्ति कुछ हद तक संभव है, तो पहले भाग में present tense और दूसरे भाग में future tense का प्रयोग इस प्रकार होता है—

Suppose/supposing + clause [present] + clause [future]
मान लो कि आज रात वर्षा हो, तो क्या करोगे?

Supposing it **rains** tonight, what **will** you do?

Rule X (b) ऐसे वाक्यों में **कि** का अनुवाद that नहीं होता, अर्थात that छिपा रहता है।

EXERCISE 12

Translate into English.

1. मान लीजिए कि वर्षा हो, तो आप क्या करेंगे?
2. मान लो कि तुम प्रधानमंत्री हो जाओ, तो तुम क्या करोगे?
3. मान लो कि पिता जी मेरी सफलता को देखें, तो वे क्या कहेंगे?
4. मान लीजिए मैं आपकी शर्तें मान लूँ, तो आप क्या कहेंगे?
5. मान लीजिए कि ट्रेन नहीं आई, तो क्या होगा?
6. मान लो कि तुम पास करो, तो तुम क्या करोगे?
7. मान लो कि तुम चुनाव जीतो, तो तुम क्या करोगे?
8. मान लीजिए कि चूहा बिल्ली हो जाए, तो क्या होगा?

Hints: शर्त = terms/conditions, मानना = to accept, क्या होगा? = what will happen?

Rule XI अब इन वाक्यों को लें—

1. मान लो/मान लीजिए कि यह एक वृत्त है।
2. मान लो/मान लीजिए कि ABC एक त्रिभुज है।

ऐसे वाक्यों के दो भाग होते हैं। पहले भाग में **मान लो/मान लीजिए** आता है और इससे कल्पना (supposition/assuption) करने का आदेश/निर्देश दिया जाता है। इस प्रकार पहला भाग आज्ञासूचक (आज्ञार्थक) वाक्य होता है। दूसरा भाग **कि** से आरंभ होता है।

ऐसे वाक्यों की बनावट होती है—

मान लो/लीजिए + कि + उपवाक्य

इनका अनुवाद होता है—

Let	*+ subject*	*+ be*	*+ noun/adjetive*
Let	it	be	a circle.
Let	ABC	be	a triangle.

ध्यान दें—

Rule XI (a) ऐसे वाक्यों में कि का अनुवाद नहीं होता।

Rule XI (b) ऐसे वाक्यों में है/हैं का अनुवाद होता है—be/is/are नहीं।

Rule XI (c) उपवाक्य का कर्ता let का object होता है; जैसे,

Let it, let, ABC, let him/her/them

EXERCISE 13

Translate into English.

1. मान लो कि यह एक पेड़ है।
2. मान लो कि यह एक ट्रेन है।
3. मान लो कि यह एक बिन्दु है।
4. मान लो कि ABC बराबर है CDE के।
5. मान लो कि यह सच है।
6. मान लो कि यह झूठ है।

Hints: बिन्दु = point, बराबर = equal to

EXERCISE 14

Complete these sentences.

1. Unless you go to Agra ....
2. So long you behave well ....
3. Whether we live in Bihar or Bengal ....
4. Had they fought with courage ....
5. If you touch a live wire ....
6. Once you tell a lie ....
7. .... provided you work hard.
8. .... we are all human beings.
9. .... if a ghost appeared.
10. .... if you haven't got money.

□

27. विपरीतता-सूचक वाक्य

यहाँ ऐसे वाक्यों के अनुवाद पर विचार करें जिनसे विरोध/विपरीत (opposite/ contrast) का भाव व्यक्त होता है, अर्थात यह बोध होता है कि वाक्य के एक भाग में जो कुछ कहा जाता है उसके विरोध/विपरीत दूसरे भाग में कहा जाता है।

Rule I इन वाक्यों पर विचार करें—

1. यद्यपि वह धनी है तथापि/तो भी वह कंजूस है।
2. यद्यपि वह गरीब है तथापि/तो भी वह सुखी है।

ऐसे वाक्यों के दो भाग होते हैं। पहले भाग में **यद्यपि** का प्रयोग होता है और दूसरे भाग में **तथापि/तो भी** का। पहले भाग में जो कुछ कहा जाता है उसके विरोध/विपरीत वाक्य के दूसरे भाग में कहा जाता है।

इनकी बनावट होती है—

यद्यपि + उपवाक्य + तथापि/तो भी + प्रधान उपवाक्य

इनका अनुवाद इस प्रकार हो सकता है—

Though/Although	*+ subordinate clause [adverb clause]*	*+ principal clause*
Though/Although Though/Although	he is rich he is poor	he is a miser. he is happy.

1. यद्यपि ये पोशाक कीमती है, तथापि/तो भी ये गंदे हैं।
   Though/although these clothes are costly, they are dirty.
2. यद्यपि उसने कठिन परिश्रम किया, तथापि/तो भी वह फेल कर गया।
   Though/although he worked hard, he failed.

ध्यान दें—

Rule I (a) ऐसे वाक्यों के **तथापि/तो भी** का अनुवाद नहीं होता। केवल comma से ही काम चल जाता है। इसलिए (principal clause) में yet का प्रयोग आवश्यक नहीं है। जब (principal clause) को जोरदार बनाना होता है तब yet का प्रयोग हो सकता है, पर but का प्रयोग कभी नहीं होता।

Rule I (b) ऐसे वाक्यों का अनुवाद दूसरे प्रकार से भी हो सकता है—

(i) Subject	*+ may be*	*+ noun/ adjective*	*+ but*	*+ subject*	*+ verb + other words*
(ii) Subject	*+ may be*	*+ infinitive*	*+ but*	*+ subject*	*+ verb + other words*
He	may be	rich,	but	he	is a miser.
He	may be	poor,	but	he	is happy.
He	may be	a child,	but	he	is wise.
He	may	work hard,	but	he	can't pass.

1. यद्यपि वह नेता है तथापि/तो भी वह बेईमान है।
   He may be a leader, but he is dishonest.
2. यद्यपि वह साँवली है तथापि/तो भी वह सुंदर लगती है।
   She may be dark-complexioned, but she looks beautiful.

Rule I (c) इस प्रकार के वाक्यों का अनुवाद ऐसा भी हो सकता है—

Adjective /Adverb	*+ as*	*+ subject*	*+ verb*	*+ principal clause [subject + verb]*
Rich	as	he	is,	he is a miser.
Poor	as	he	is,	he is happy.
Fast	as	he	runs,	he can't win the race.

1. यद्यपि वह धनी है तथापि/तो भी वह दुःखी है।
   Rich as he is, he is unhappy.
2. यद्यपि वह कमजोर है, तथापि/तो भी वह थोड़ा चल सकता है।
   Weak as he is, he can walk a little.

EXERCISE 1

Translate into English.

1. यद्यपि वह बच्चा है, तथापि वह बुद्धिमान है।
2. यद्यपि यह भोजन सादा है, तो भी यह स्वादिष्ट है।
3. यद्यपि वह बीमार है, तथापि वह कमजोर नहीं है।
4. यद्यपि वह धनी है, तो भी वह संतुष्ट नहीं है।
5. यद्यपि वह साँवला है, तथापि वह सुन्दर है।
6. यद्यपि वह गोरी है, तो भी वह सुन्दर नहीं है।
7. यद्यपि घर सुन्दर है, तथापि यह आरामदायक नहीं है।

Rule II अब इन वाक्यों को लें—

1. तुम मुझे भले ही गाली दो, मैं तो तुम्हें प्यार करता ही रहूँगा।
2. तुम मुझे क्यों न गाली दो, मैं तो तुम्हें प्यार करता ही रहूँगा।
3. तुम मुझे चाहे गाली दो, मैं तो तुम्हें प्यार करता ही रहूँगा।

ऐसे वाक्यों के दो भाग होते हैं। एक भाग में **भले ही/क्यों न/चाहे** का प्रयोग होता है। पहले भाग में जो कुछ कहा जाता है उसके विपरीत दूसरे भाग में कहा जाता है। इस प्रकार के वाक्यों की बनावट होती है—

आश्रित उपवाक्य [भले ही/क्यों न/चाहे] + प्रधान उपवाक्य

इनका अनुवाद होता है—

Even if *No matter*	*+ subordinate clause* *[adverb clause]* *+ subordinate clause* *[adverb clause.]*	*+ principal clause* *+ principal clause*
Even if No matter	you abuse me, you abuse me,	I will continue to love you. I will continue to love you.

1. तुम मुझे **भले ही/क्यों न/चाहे** भूल जाओ, मैं तो भी तुम्हें याद रखूँगा।
   Even if/No matter you forget me, I will still remember you.
2. मैं **भले ही/क्यों न/चाहे** टूट जाऊँ, मैं झुकूँगा नहीं।
   Even if/No matter I break, I will not bend.

ध्यान दें—

Rule II (a) ऐसे वाक्यों में कभी-कभी भले ही/क्यों न/चाहे का प्रयोग नहीं होता फिर भी इनका अनुवाद even if/no matter के द्वारा होता है; जैसे,

तुम मुझे गाली दो, मैं तो तुम्हें प्यार करता ही रहूँगा।
Even if/No matter you abuse me, I will continue to love you.

Rule II (b) ऐसे वाक्यों का अनुवाद even if/no matter के बदले though/although के द्वारा भी हो सकता है, पर तब वाक्य बहुत जोरदार नहीं होता; जैसे,

Though/Although you abuse me, I will continue to love you.

EXERCISE 2

Transalte into English.

1. तुम मुझे भले ही ठुकरा दो, मैं तो तुम्हें प्यार करता ही रहूँगा।
2. वह मुझे क्यों न भूल जाए, मैं तो उसे सदा याद ही रखूँगा।
3. वह मुझे चाहे मदद न करे, मैं तो उसका नुकसान नहीं करूँगा।
4. मुझे प्रोन्नति भले ही न मिले, मैं खुशामद नहीं कर सकता।
5. वह गरीब ही क्यों न रहे, वह बेईमान नहीं बन सकता।

6. मैं भले ही मिट जाऊँ, मैं अपना सिद्धांत नहीं छोड़ सकता।
7. वह चाहे कितनी भी मेरी खुशामद करे, मैं उसकी चालों में नहीं आ सकता।

Hinst: प्रोन्नति = promotion, खुशामद करना = to flatter, मिट जाना = to be ruined, सिद्धांत = principle, छोड़ना = to give up, चाल में आना = to be taken in

Rule III अब इन वाक्यों को देखें—

1. वह कितना भी/कितना ही **कठिन परिश्रम** करे वह सफल नहीं हो सकता।
2. वह चाहे कितना भी/कितना ही **कठिन परिश्रम** करे वह सफल नहीं हो सकता।
3. वह कितना भी/ही/चाहे कितना भी/ही **धनी हो**, सुखी नहीं है।

ऐसे वाक्यों के दो भाग होते हैं—एक भाग में **कितना भी/कितना ही/चाहे कितना भी/चाहे कितना ही + विशेषण/क्रियाविशेषण** का प्रयोग होता है। पहले भाग में जो कुछ कहा जाता है दूसरे भाग में उसके विपरीत कहा जाता है।

इस प्रकार के वाक्यों की बनावट होती है—

आश्रित उपवाक्य [कितना ही/भी, चाहे कितना ही/भी + विशेषण/क्रिया-विशेषण] + प्रधान उपवाक्य

इनका अनुवाद होता है—

However	*+ adjective/ adverb*	*+ subordinate clause*	*+ principal clause*
However	hard	he may work,	he can't be successful
However	rich	he may be,	he is not happy.

1. वह कितना भी/कितना ही/चाहे कितना ही/भी गरीब हो, वह सुखी है।
   However poor he may be, he is happy.
2. वह कितना भी/कितना ही/चाहे कितना ही/भी तेज दौड़े, वह दौड़ नहीं जीत सकता।
   However fast he may run, he can't win the race.

EXERCISE 3

Translate into English.

1. वह कितना ही तेज दौड़े, वह दौड़ नहीं जीत सकती।
2. वह चाहे कितनी भी मेरी खुशामद करे, वह मुझे धोखा नहीं दे सकता।
3. वह कितनी ही सुन्दर हो, वह मुझे अपनी ओर आकृष्ट नहीं कर सकती।
4. वह चाहे कितना भी बड़ा अफसर हो, वह ईमानदार नहीं हो सकता।
5. वह कितना भी कठिन प्रयास करे, वह पास नहीं करेगा।
6. वह कितना भी अच्छा खेले, वह मैच नहीं जीतेगी।

Hints: दौड़ = race, धोखा देना = to deceive, आकृष्ट करना = to attract, बड़ा अफसर = big officer, प्रयास करना = to try, अच्छा खेलना = to play well [not, good]

Rule IV A अब इन वाक्यों को देखें—

1. तुम कितना भी/कितना ही प्रयास करो, तुम सफल नहीं हो सकते।
2. तुम चाहो कितना भी/कितना ही प्रयास करो, तुम सफल नहीं हो सकते।
3. वे कितना भी/कितना ही/चाहे कितना भी कहें, मैं बेईमान नहीं हो सकता।

ऐसे वाक्यों के दो भाग होते हैं—एक भाग में **कितना भी/कितना ही/चाहे कितना भी/चाहे कितना ही + क्रिया** का प्रयोग होता है। पहले भाग मे जो कुछ कहा जाता है दूसरे भाग में उससे विपरीत कहा जाता है। इनकी बनावट होती है—

> आश्रित उपवाक्य [कितना भी/ही, चाहे कितना भी/ही + क्रिया] + प्रधान उपवाक्य

इनका अनुवाद होता है—

Subordinate clause *[Infinitive without to] + as + subject + will*	*+ principal clause*
Try as you will, Change as they will,	you can't be successful. I can't be dishonest.

1. वह कितना भी चाहें कितना भी/ही बोले, मैं उत्तर नहीं दूँगा।
   Speak as he will, I won't reply.
2. वे कितना भी/ही/चाहे कितना भी/ही चिल्लाएँ, मैं उनकी बात नहीं सुनूँगा।
   Cry as they will, I won't listen to them.

EXERCISE 4

Translate into English.

1. तुम कितनी भी गाली दो, मैं तुम्हारा नुकसान नहीं करूँगा।
2. वह चाहे कितना भी लिखे, मैं उसका उत्तर नहीं दे सकता।
3. वह कितना ही तेज दौड़े, वह दौड़ नहीं जीत सकती।
4. वह चाहे कितना भी खाए, वह बीमार नहीं पड़ सकता।
5. वह चाहे कितना भी बड़बड़ाए, मैं चुप रहँगा।

Hints: बड़बड़ाना = to murmur/grumble, चुप रहना = to keep quiet/silent

Rule IV B अब इन वाक्यों को लें—

1. तुम कुछ भी कहो, मैं तुमसे सहमत नहीं हो सकता।
2. तुम चाहे कुछ भी कहो, मैं तुमसे सहमत नहीं हो सकता।

ऐसे वाक्यों के एक भाग में **कुछ भी/चाहे कुछ भी + क्रिया** का प्रयोग होता है और इस भाग में जो कुछ कहा जाता है उसके विपरीत दूसरे भाग में कहा जाता है।

इनकी बनावट होती है—

आश्रित उपवाक्य [कुछ भी/चाहे कुछ भी + क्रिया] + प्रधान उपवाक्य

इनका अनुवाद होता है—

Subordinate clause *[Infinitive without to] + what* *+ subject + will*	*+ principal clause*
Say what you will,	I can't agree with you.

1 वह कुछ भी/चाहे कुछ भी बोले, मैं उत्तर नहीं दूँगा।
Speak what he will, I won't reply.

2. आप कुछ भी/चाहे कुछ भी करें, मुझे कोई आपत्ति नहीं है।
Do what you will, I have no objection.

ध्यान दें—

Rule IV B (a) ऐसे वाक्यों का अनुवाद whatever के द्वारा इस प्रकार भी हो सकता है।

Subordinate clause *[Whatever + subject + verb]*	*+ principal clause*
Whatever you may say, Whatever you may speak,	I can't agree with you. I won't reply.

Rule IV B (b) जब वाक्य में कुछ भी + हो/चाहे कुछ भी + हो रहता है तो अनुवाद इस प्रकार होता है—

Whatever may happen, + principal clause Come what may + principal clause

1. कुछ भी हो/चाहे कुछ भी हो, मैं अपना सिद्धांत नहीं बदल सकता।
Whatever may happen, I can't change my principle.

2. कुछ भी हो चाहे कुछ भी हो, मैं बदला अवश्य लूँगा।
Whatever may happen, I will certainly take revenge.
Come what may, I will certainly take revenge.

EXERCISE 5

Translate into English.

1. कुछ भी हो, मैं खुशामद नहीं कर सकता।

2. चाहे कुछ भी हो, वह घूस नहीं ले सकता।
3. तुम चाहे कुछ भी कहो, मैं उसपर विश्वास नहीं कर सकता।
4. तुम चाहे कुछ भी सोचो, मैं अपना सिद्धांत बदल नहीं सकता।
5. तुम कुछ भी खाओ, मुझे कोई परवाह नहीं है।

Rule V अब इन वाक्यों पर विचार करें—

1. धन के रहते हुए भी/के बावजूद वह दुःखी है।
2. पुत्रों के रहते हुए भी/के बावजूद वह असहाय है।

ऐसे वाक्यों के पहले भाग में **संज्ञा + के रहते हुए भी/के बावजूद** का प्रयोग होता है और इस भाग में जो कुछ कहा जाता है उसके विपरीत दूसरे भाग में कहा जाता है। पर वाक्य/विश्लेषण (analysis) की दृष्टि से ये सरल वाक्य (simple sentence) होते हैं, क्योंकि इनमें केवल एक उपवाक्य रहता है। इनकी बनावट होती है—

संज्ञा + के रहते हुए भी + कर्ता + विशेषण + क्रिया

इनका अनुवाद होता है—

In spite of + noun *Despite + noun* *For all + noun*	*+ clause* *+ clause* *+ clause*
In spite of wealth, Despite wealth, For all his wealth,	he is unhappy. he is unhappy. he is unhappy.

1. पुत्रों के रहते हुए भी वह असहाय है।
   In spite of sons, he is helpless.
   For all his sons, he is helpless.
2. विद्वत्ता के रहते हुए भी वह मूर्ख है।
   In spite of his learning, he is foolish.
   For all his learning, he is foolish.

EXERCISE 6

Translate into English.

1. बीमारी के रहते हुए भी वह सुखी है।
2. बीमारी के बावजूद वह मजबूत है।
3. बुढ़ापे के रहते हुए भी वह स्वस्थ है।
4. बाधाओं के बावजूद उसने तरक्की की।
5. विरोध के बावजूद मैं अपने सिद्धांत पर अटल रहूँगा।
6. कुछ दोषों के रहते हुए भी वह अच्छा आदमी है।
7. एक काले धब्बे के बावजूद चन्द्रमा सुन्दर है।

Hints: बाधा = hurdle/handicap, दोष = defect, धब्बा = spot, विरोध = opposition, अटल रहना = stick to

Rule VI अब इन वाक्यों को लें—

1. जहाँ वह गरीबों को सताता है, वहाँ मैं उनकी मदद करता हूँ।
2. जहाँ वह अनाथों से घृणा करती है, वहाँ मैं उनको प्यार करता हूँ।

ऐसे वाक्यों के दो भाग होते हैं—एक भाग में **जहाँ** आता है और दूसरे भाग में **वहाँ**। पहले भाग में जो कुछ कहा जाता है दूसरे भाग में उसके विपरीत बात कही जाती है। इनकी बनावट होती है—

आश्रित उपवाक्य [जहाँ + उपवाक्य] + प्रधान उपवाक्य [वहाँ + उपवाक्य]

इनका अनुवाद होता है—

While *Whereas*	*+ subordinate clause* *[adverb clause]* *+ subordinate clause* *[adverb clause]*	*+ principal clause* *+ principal clause*
While Whereas	he oppresses the poor, she hates orphans,	I help them. I love them.

ध्यान दें—

Rule VI (a) ऐसे वाक्यों के **जहाँ** का अनुवाद where नहीं होता और **वहाँ** का अनुवाद होता ही नहीं। इसलिए वहाँ के अनुवाद there इस प्रकार न करें—

Where he oppresses the poor, there I help them.

Rule VI (b) ऐसे वाक्यों की बनावट इस प्रकार भी हो सकती है—

जहाँ + एक ओर + उपवाक्य + वहाँ + दूसरी ओर + प्रधान उपवाक्य

इनका अनुवाद होता है—

While on the one hand + subordinate clause + principal clause + on the other.

जहाँ एक ओर अत्यधिक गरीबी है वहाँ दूसरी ओर विशाल धन है।
While on the one hand there is extreme poverty, there is vast wealth on the other.

EXERCISE 7

Translate into English.

1. जहाँ वह मसालेदार सब्जियाँ पसन्द करता है वहाँ मैं सादी सब्जियाँ पसन्द करता हूँ।
2. जहाँ वह सूट पहनता है वहाँ मैं धोती पहनता हूँ।
3. जहाँ वे झूठ बोलते हैं वहाँ मैं सच बोलता हूँ।
4. जहाँ वे हल्ला करते हैं वहाँ मैं चुप रहता हूँ।
5. जहाँ एक ओर खुशी है वहाँ दूसरी ओर दुःख है।
6. जहाँ एक ओर विनाश है वहाँ दूसरी ओर सृजन है।
7. जहाँ एक ओर जन्म है वहाँ दूसरी ओर मृत्यु है।
8. जहाँ एक ओर सफलता है वहाँ दूसरी ओर विफलता है।

Hints: विनाश = destruction, सृजन = creation, विफलता = failure

EXERCISE 8

Complete these sentences.

1. Though she is old ....
2. However learned he may be ....
3. Weak as he is ....
4. Even if I suffer ....
5. However diffcult a problem may be ....
6. In spite of his bad health ....
7. Whatever the result ....

EXERCISE 9

Match the clauses under A and B to make meaningful sentences.

A	B
Even if I suffer	he is a miser.
Even if he hates me	she looks beautiful.
However hard he may try	he won't be fined.
Though he is rich	I can't be dishonent.
Dark-comploxioned as she is	I will still help him.
Even if he comes late	he won't get sucess.
Even if he is tired	she won't beg.
Although he is a child	I will go out.
Even if she is poor	he will continue to work.
Even if it is too hot	he is very wise.

□

28. रीति/विधि-सूचक वाक्य
दर/कीमत-सूचक वाक्य
माप/तौल-सूचक वाक्य
दूरी/गति-सूचक वाक्य

यहाँ ऐसे वाक्यों के अनुवाद पर विचार करें जिनसे कार्य करने की रीति/विधि (method/manner) आदि का भाव व्यक्त होता है।

Rule I इन वाक्यों को लें—

1. वह चाय बनाना चाहती है।
2. मैं साइकिल चलाना सीख रहा हूँ।

ऐसे वाक्यों में **धातु + ना** [अर्थात क्रियार्थक संज्ञा] से कार्य करने की रीति/विधि का बोध होता है, अर्थात यह बोध होता है कि कार्य कैसे किया जाता है। इनकी बनावट होती है—

कर्ता + धातु + ना + सकर्मक क्रिया

इनका अनुवाद होता है—

Subject	*+ transitive verb*	*+ how*	*+ infinitive*
She	knows	how	to make tea.
I	am learning	how	to ride a bicycle.

ध्यान दें—

Rule I (a) ऐसे वाक्यों में **जानना/सीखना** आदि के बदले **आना** का भी प्रयोग होता है। ऐसे **आना** का अर्थ होता है जानना। इसलिए अनुवाद इस प्रकार होता है—

1. उसे भोजन बनाना आता है। He/She knows how to cook food.
2. उसे अँगरेजी बोलना नहीं आता। He/She doesn't know how to speak English.

Rule I (b) अब ऐसे **धातु + ना** का अनुवाद gerund (verb + ing) की सहायता से होता है, तब वाक्य में how का प्रयोग नहीं होता; जैसे,

वह तैरना जानता है। He knows swimming.

पर जब ऐसे **धातु + ना** का अनुवाद infinitive होता है, तब इसके पहले how अवश्य आता है। इसलिए अनुवाद इस प्रकार न करें—

1. वह कार चलाना जानता है। He knows to drive a car.
2. वह अँगरेजी बोलना जानती है। She knows to speak English.

EXERCISE 1

Translate into English.

1. वह घोड़ा चढ़ना जानता है।
2. वह कार चलाना सीख रहा है।
3. वह रेडियो बजाना जानता है।
4. वह सितार बजाना सीख रहा है।
5. वह नाचना सिखा रहा है।
6. वह घड़ी मरम्मत करना सिखा रहा है।
7. वह मुझे तैरना दिखा रहा है।
8. वह स्वेटर बुनना दिखा रहा है।

Hints: रेडियो बजाना = to switch on radio, सितार बजाना = to play the sitar, सिखाना = to teach, दिखाना = to show

Rule II अब इन वाक्यों को लें—

1. मैंने उसे गाते देखा।
2. मैंने उसे नाचते पाया।
3. मैंने उसे जाते हुए देखा।
4. मैंने उसे नाचते हुए पाया।

ऐसे वाक्यों में **संज्ञा/सर्वनाम + धातु + ते** या **संज्ञा/सर्वनाम + धातु + ते हुए** आता है और इससे कार्य करने की रीति का बोध होता है। इनकी बनावट होती है—

कर्ता + कर्म [संज्ञा/सर्वनाम] + धातु + ते + क्रिया
कर्ता + कर्म [संज्ञा/सर्वनाम] + धातु + ते हुए + क्रिया

इनका अनुवाद होता है—

Subject *Subject*	*+ verb* *+ verb*	*+ object {noun/pronoun]* *+ object [noun/pronoun]*	*+ infinitive [without to]* *+ present participle [verb + ing]*
I I	saw found	him/her him/her	sing/singing. dance/dancing.

1. मैंने हवाई जहाज को उड़ते/उड़ते हुए देखा। I saw the plane take off.
2. मैंने उसे सड़क पार करते/करते हुए देखा। I saw him cross/crossing the road.

EXERCISE 2

Transalte into English.

1. मैंने उसे थरथराते देखा।
2. उसने मुझे खेलते हुए देखा।
3. मैंने मोहन को गाड़ी चलाते देखा।
4. उसने मुझे भोजन बनाते हुए देखा।

5. राम ने ट्रेन को खुलते देखा।
6. मोहन ने मुझे टहलते पाया।
7. श्याम ने राधा को नाचते हुए पाया।
8. करीम ने रहीम को तैरते हुए पाया।

Rule III अब इन वाक्यों को देखें—

1. उसने धक्का **देकर** फाटक खोला।
2. उसने **रँगकर** बाल काला किया।

ऐसे वाक्यों के **धातु + कर** से कार्य करने की विधि का बोध होता है और इसके बाद आनेवाले **संज्ञा + विशेषण** से परिणाम का भाव व्यक्त होता है। इनकी बनावट होती है—

कर्ता + धातु + कर + उपवाक्य

इनका अनुवाद होता है—

Subject	*+ verb*	*+ noun*	*+ adjective.*
He	pushed	the gate	open.
He	dyed	the hair	black.

EXERCISE 3

Translate into English.

1. उसने पॉलिश कर जूते चमकाये।
2. उसने कमीज धोकर उजली की।
3. बिल्ली ने चाटकर तश्तरी साफ की।
4. उसने कपड़ा धोकर साफ किया।
5. उसने रँगकर दरवाजा हरा किया।
6. उसने रँगकर गाड़ी पीली की।

Rule IV अब इन वाक्यों को लें—

1. वह नाचते-नाचते आई।
2. वह नाचते हुए आई।
3. वह दौड़ते-दौड़ते गया।
4. वह दौड़ते हुए गया।

ऐसे वाक्यों के **धातु + ते + धातु + ते** या **धातु + ते हुए** से कार्य करने की रीति (manner) का बोध होता है। इनकी बनावट होती है—

कर्ता + धातु + ते + धातु + ते + क्रिया
कर्ता + धातु + ते हुए + क्रिया

इनका अनुवाद होता है—

Subject	*+ verb*	*+ verb + ing [present participle]*
She	came	dancing.
He	went	running.

EXERCISE 4

Translate into English.

1. वह हँसते-हँसते आई।
2. वह हँसते हुए गई।
3. पक्षी गाते-गाते उड़े।
4. पक्षी गाते हुए उड़े।
5. उसने हँसते हुए उत्तर दिया।
6. वे दौड़ते-दौड़ते आए।
7. उसने मुस्काते हुए पूछा।
8. उसने हँसते हुए जवाब दिया।
9. वह चिल्लाते हुए आया।
10. उसने रोते-रोते कहा।

Rule V A अब इन वाक्यों को लें—

1. वह ध्यान से सुन रहा है।
2. वह ध्यानपूर्वक सुन रहा है।
3. वह साफ-साफ लिखता है।
4. वह धीरे-धीरे चलता है।

ऐसे वाक्यों से कार्य करने की रीति (manner) का बोध होता है, अर्थात यह बोध होता है कि कार्य कैसे होता है। इनकी बनावट होती है—

कर्ता + संज्ञा + से + क्रिया
कर्ता + संज्ञा + पूर्वक + क्रिया
कर्ता + क्रिया + विशेषण

इनका अनुवाद होता है—

Subject	*+ verb*	*+ adverb of manner*
He	is listening	attentively.
He	writes	clearly.
He	walks	slowly.

1. उसने साहस से काम लिया। He acted boldly.
2. मैंने नम्रतापूर्वक उत्तर दिया। I replied politely.
3. वह अच्छी तरह खेल रहा है। He is playing well.
4. वह तेज दौड़ रही है। She is running fast.
5. वह कठिन परिश्रम कर रहा है। He is working hard.

ध्यान दें—

Rule V A (a) अधिकांश adverbs of manner की रचना इस प्रकार होती है—

Adjective + ly; जैसे, happily, gladly, easily, wisely

Rule V A (b) कुछ adjectives का प्रयोग adverb of manner की तरह होता है और इनसे कार्य करने की विधि/रीति का बोध इस प्रकार होता है—

1. वह तेज दौड़ता है। He runs fast.
2. वह कठिन परिश्रम करता है। He works hard.
3. अपना सिर ऊँचा रखो। Hold your head high.

4. आराम से खड़े रहो। Stand easy.
5. स्टेशन सीधे जाओ। Go direct to the station.
6. जल्दी करो। Hurry up.
7. ठीक सात बजे आओ। Come at 7 o'clock sharp.
8. मुँह पूरा खोलो। Open your mouth wide.
9. ट्रेन देर से आई। The train arrived late.
10. उसने देर से शादी की। He married late in life.
11. इसे कसकर पकड़ो। Hold it tight.
12. जल्दी आओ। Come quickly.

EXERCISE 5

Translate into English.

1. वह जोर से बोल रहा है।
2. वह खुशी से गा रही है।
3. वे आसानी से कार्य कर सकते हैं।
4. वह बुद्धिमानी से बरताव करता है।
5. मैंने साहसपूर्वक कार्य किया।
6. वह धीरे-धीरे दौड़ रही है।
7. उसने मुझसे साफ-साफ कहा।
8. उसने गुप्तरूप से कार्य किया।

Rule V B अब इन वाक्यों को देखें—

1. उसने मुस्कुराकर कहा।
2. मैंने जानबूझ कर कहा।

ऐसे वाक्यों के **धातु + कर** से कार्य होने की रीति (manner) का भाव व्यक्त होता है। इनकी बनावट होती है—

कर्ता + धातु + कर + क्रिया

इनका अनुवाद होता है—

Subject *Subject*	*+ verb* *+ verb*	*+ adverb of manner* *+ with + noun*
I He	said said	with a smile. deliberately.

Rule VI अब इन वाक्यों को लें—

1. मैं वैसा ही करूँगा जैसा तुम कहते हो।
2. वैसा ही करो जैसा तुम्हें पसंद हो।

ऐसे वाक्यों के दो भाग होते हैं—पहले भाग में **वैसा/वैसा** ही आता है और दूसरे भाग में **जैसा**। इस प्रकार के **जैसा** से कार्य करने की रीति/ढंग का बोध होता है।

इनकी बनावट होती है—

प्रधान उपवाक्य [वैसा/वैसा ही] + जैसा + आश्रित उपवाक्य

इनका अनुवाद होता है—

Principal clause	*+ as*	*+ subordinate clause*
I will do	as	you tell me.
Do	as	you like.

ध्यान दें—

ऐसे वाक्यों के **वैसा/वैसा ही** का अनुवाद नहीं होता और **जैसा** का अनुवाद होता है—as, as you tell me/as you like, as you please.

EXERCISE 6

Translate into English.

1. मैं वैसा ही लिखूँगा जैसा आप निर्देश देंगे।
2. वह वैसा ही करेगा जैसा मैं कहूँगा।
3. वह वैसा ही करेगी जैसा वह चाहेगी।
4. वैसा ही करो जैसा तुझे माँ-बाप कहते हैं।

Rule VII अब इन वाक्यों पर विचार करें—

1. वह इस तरह चलता है मानो वह लँगड़ा हो।
2. वह इस प्रकार रटता है जैसे वह तोता हो।
3. ऐसा लगता है मानो वर्षा होगी।

ऐसे वाक्यों से रीति (manner) का बोध होता है। इनकी बनावट होती है—

प्रधान उपवाक्य + मानो/जैसे + क्रियाविशेषण उपवाक्य

इनका अनुवाद होता है—

Principal clause	*+ as if/as though*	*+ adverb clause*
He walks	as if/as though	he were lame.
He memorises	as if/as though	he were a parrot.
It seems	as if/as though	it would rain.

ध्यान दें—

मानो/जैसे का अनुवाद होता है—as if/as though और इनसे आरंभ होने वाले

clause होते हैं— adverb clause. यह भी देखें कि ऐसे adverb clauses में past tense और plural verb का प्रयोग होता है— as if he were/as if it would.

EXERCISE 7

Translate into English.

1. वह इस तरह बोलता है मानो ग्रामोफोन रेकॉर्ड हो।
2. वह इस प्रकार बरताव करता है जैसे मेरा मालिक हो।
3. ऐसा लगता है मानो वह अंधा हो।
4. ऐसा लगता है मानो रात समाप्त नहीं होगी।
5. वह इस तरह मेरा पीछा करता है मानो वह पालतू कुत्ता हो।
6. वह इस प्रकार खर्राटे लेता है मानो वह घोड़ा हो।

Hints: बरताव करना = to behave, पालतू कुत्ता = pet dog, खर्राटे लेना = to snore

EXERCISE 8

Match the clauses under A and B to make meaningful sentences.

A	B
She looks	as if it would rain.
She sings	as if he had seen a ghost.
The rope looked	as if he were mad.
He memorises	as if it were fish.
It looks	as though she were a nightingale.
He behaved	as if it were a snake.
He laughed	as if she were a fairy.
It tastes	as if he were a parrot.

Rule VIII अब इन वाक्यों को देखें—

1. वह मीटर के हिसाब से कपड़ा बेचता है।
2. वह दर्जन की दर से अंडे बेचती है।

ऐसे वाक्यों में **माप/तौल-सूचक संज्ञा + के हिसाब से/की दर से/के भाव से** का प्रयोग होता है और इनसे कार्य की रीति (manner) का बोध होता है। इनकी बनावट होती है—

कर्ता + संज्ञा + के हिसाब/की दर से + संज्ञा + क्रिया

इनका अनुवाद होता है—

Subject	+ verb	+ noun	+ by the + noun
He	sells	cloth	by the metre.
She	sells	eggs	by the dozen.
We	buy	petrol	by the litre.

1. मैंने घंटे की दर से/हिसाब से मजदूरी दी। I paid wages by the hour.
2. मैंने दिन की दर से/हिसाब से रिक्शा-भाड़ा दिया। I paid rickshaw fare by the day.
3. केले तौल की दर से नहीं बेचे जाते। Bananas aren't sold by weight [not, the weight].

EXERCISE 9

Translate into English.

1. मैंने महीने के हिसाब से एक कुली रखा।
2. वह लीटर की दर से पेट्रोल बेचता है।
3. मैंने दर्जन की दर से केले खरीदे।
4. मैंने माल भाड़ा तौल के हिसाब से दिया।
5. मैंने घंटे के हिसाब से टैक्सी भाड़ा दिया।
6. मैं महीने की दर से स्कूल फीस देता हूँ।

Rule IX अब इन वाक्यों को लें—

1. उसने एक मीटर कपड़ा खरीदा। 2. मुझे एक गिलास पानी चाहिए।

ऐसे वाक्यों में **माप-तौल सूचक शब्द + संज्ञा का प्रयोग होता है।**

इनका अनुवाद होता है—

Subject	+ verb	+ noun + of +	+ noun
He	bought	a metre of	cloth.
She	bought	a litre of	oil
I	want	a glass of	water.
She	wants	a cup of	tea.
I	want	a plate of	rice.
He	wants	a kg of	sugar.

EXERCISE 10

Translate into English.

1. उसने पाँच किलोग्राम कोयला खरीदा। 2. मैंने एक टन गेहूँ बेचा।

3. मुझे एक लीटर पेट्रोल चाहिए।
4. उसे पाँच मीटर कपड़ा चाहिए।
5. उसे एक कप कॉफी चाहिए।
6. मुझे एक कप दूध चाहिए।
7. उसे एक बोतल दूध चाहिए।
8. मुझे एक बोतल स्याही चाहिए।
9. उसे एक प्लेट मछली चाहिए।
10. उसे आधा प्लेट मांस चाहिए।

Note: इनके अनुवाद का भी ध्यान रखें—

1. मुझे एक टोकरी आम चाहिए।
   I want a basketful of mangoes. [not, a basket of]
2. उसे एक चम्मच/चम्मचभर चीनी चाहिए।
   He wants a spoonful of sugar. [not, spoon of]
3. मैंने एक गाड़ी चावल खरीदा।
   I bought a cartload or rice [not, a cart of]
4. उसे एक मुट्ठी/मुट्ठीभर चावल चाहिए।
   He wants a handful of rice [not, a hand of]

Rule X अब इन वाक्यों को देखें—

1. इस बच्चे का वजन/की तौल नौ पाउंड है।
2. इस बक्से का वजन/की तौल एक टन है।

ऐसे वाक्यों से किसी व्यक्ति/वस्तु का **वजन/की तौल** (weight) का बोध होता है।

इनका अनुवाद इस प्रकार होता है—

Subject *Subject*	*+ verb [wight]* *+ am/is/are*	*+ noun [weight]* *+ noun [weight]*
This body	is	nine pounds.
This baby	weighs	nine pounds.
This bag	weighs	one quintal.
This bag	is	one quintal.
I	am	ninety kilograms.

Rule X अब इन वाक्यों को लें—

1. वह पाँच फुट छह इंच लंबी है।
2. यह नदी सौ किलोमीटर लंबी है।

Subject	*+ am/is/are*	*+ size/measurement*
She	is	five feet six inches.
This river	is	a hundred kilometres long.
It	is	a hundred feet high.

Note: किसी वस्तु की लंबाई-चौड़ाई (size) इस प्रकार व्यक्त की जाती है—

Subject *Subject*	*+ is/are* *+ measure*	*+ length + by + width* *+ length + by + width*
This room This hall This plank	is is measures	fifteen feet by ten feet. eighty feet by sixty feet. ten feet by three feet.

इन वाक्यों को देंखे—

1. यह मकान एक सौ फीट लम्बा और अस्सी फीट चौड़ा है।
   This house is a hundred feet by eighty feet.
2. कोठरी दस फीट लम्बी और आठ फीट चौड़ी है।
   This room is ten feet by eight feet.

Note (a): ऐसे वाक्यों में feet के बदले foot का प्रयोग हो सकता है, परंतु feet का प्रयोग अधिक प्रचलित है; जैसे,

This room is ten **foot** by eight foot.

This room is ten **feet** by eight feet.

Note (b): ऐसे वाक्यों में **is/are** के बदले **measure** का भी प्रयोग हो सकता है, परंतु **is/are** का प्रयोग अधिक लोकप्रिय है—

This room **measures** ten feet by eight feet.

This room **is** ten feet by eight feet.

Rule XII अब इन वाक्यों पर विचार करें—

1. चावल का क्या भाव है?
   चावल पाँच रुपये प्रति किलोग्राम है।
2. इस कलम की क्या कीमत है?
   यह दस रुपये की है।

ऐसे वाक्यों से किसी वस्तु के भाव (rate) कीमत/मूल्य (price) का बोध होता है। इनका अनुवाद होता है—

Subject *Subject* *The Price*	*+ is* *+ cost* *is*	*+ rate/price* *+ rate/price* *+ amount*
It It The price of this pen	is costs is	ten rupees. ten rupees. ten rupees.

इन वाक्यों के अनुवाद कों देखें—

1. आज चावल का क्या भाव है?
   चावल पाँच रुपये प्रति किलोग्राम है।
   How much is rice today?
   It is five rupees a kilogram.
2. इन कलम की कीमत क्या है?
   इसकी कीमत दस रुपये है।
   How much is this pen?
   or
   What does this pen cost?
   or
   How much does the pen cost?
   It is ten rupees.
   It costs ten rupees.

Rule XIII अब इन वाबयों को लें—

1. चावल पाँच रुपये किलोग्राग मिलता है।
   चावल पाँच रुपये प्रति किलोग्राम मिलता है।
   चावल पाँच रुपये प्रति किलोग्राम बिकता है।
2. मछली बीस रुपये किलोग्राम बिकती है।

ऐसे वाक्यों से किसी वस्तु की **दर/कीमत** का बोध होता है। इनका अनुवाद इस प्रकार होता है—

Subject *subject*	*+ verb* *+ verb + object*	*+ all + amount + a/per + weight* *+ for + amount*
Rice	sells	at five rupees a kg/per kg.
Fish	sells	at twenty rupes a kg/per kg.
I	bought apples	at ten rupees a kg/per kg.
I	bought a pen	for ten rupees.
She	bought a ring	for five hundred rupees.

Rule XIV अब इन वाक्यों को लें—

1. यहाँ से स्टेशन कितनी दूर है/कितनी दूरी पर है?
   यह पाँच किलोमीटर है।
2. यहाँ से अगला गाँव कितनी दूर है/कितनी दूरी पर है?
   यह बहुत दूर नहीं है।

ऐसे वाक्यों से दूरी (distance) का बोध होता है। इनका अनुवाद होता है—

Subject	*+ is*	*+ distance*
It	is	five kilometers.
It	is	ten kilometers.
It	is	not far from here.
It	is	far off/far away.
It	is	a short way/a long way.

इन वाक्यों के अनुवाद को देखें—

1. यहाँ से बस-पड़ाव कितनी दूर है?
   यह बस-पड़ाव एक किलोमीटर है।
   How far is it to the bus stop?
   It is just one kilometer.
2. यहाँ से तेरा गाँव कितनी दूर है?
   यह बहुत दूर नहीं है।
   How far is it to your village?
   It is not far off.

Note: दूरी (distance) का भाव इस प्रकार भी व्यक्त किया जाता है—

1. हमलोग दस किलोमीटर चले। We walked ten kilometers.
2. उसने हजारों मीलों की यात्रा की। He travelled thousands of miles.

Rule XV अब इन वाक्यों को देखें—

1. कार साठ किलोमीटर प्रति घंटे की गति से चल रही है।
2. ट्रेन अस्सी किलोमीटर प्रति घंटे की गति से चल रही है।

ऐसे वाक्यों से किसी वाहन या वस्तु की गति (speed)) की दर का बोध होता है। इनका अनुवाद होता है—

Subject	*+ verb*	*+ at*	*+ speed per hour/an hour*
The car	is running	at	sixty kilometers per hour/an hour.
The train	is running	at	eighty kilometers per hour/an hour.

Note: **km/h** का अर्थ होता है—kilometer per hour
The car is running at sixty **km/h**

mph का अर्थ होता है—mile per hour.
The train is running at sixty **mph**

EXERCISE 11

Translate into English.

1. राधा का वजन साठ किलोग्राम है।
2. मोहन का वजन अस्सी पाउंड है।
3. सीता छह फुट दो इंच लंबी है।
4. यह छड़ी तीन फुट तीन इंच लंबी है।
5. यह दीवार दस फुट ऊँची है।
6. स्टेशन यहाँ से तीन किलोमीटर है।
7. इस कमीज की कीमत पचास रुपये है।
8. मछली तीस रुपये प्रति किलोग्राम बिकती है।

□

29. प्रश्न/जिज्ञासा/अनुमान-सूचक वाक्य

यहाँ हम ऐसे वाक्यों के अनुवाद पर विचार करें जिनसे प्रश्न (question) जिज्ञासा (inquisitiveness), अनुमान (assumption) का भाव व्यक्त होता है।

Rule I A इन वाक्यों को देखें—

1. क्या वह मछली खाता है?
2. क्या वह मछली नहीं खाता है?
3. क्या वे मछली खाते हैं?
4. क्या वे मछली नहीं खाते हैं?
5. वह मछली खाता है क्या?
6. वे मछली नहीं खाते हैं क्या?

ऐसे प्रश्नों का उत्तर हाँ (yes) या नहीं (no) में दिया जा सकता है।

इनकी बनावट होती है—

क्या + कर्ता + क्रिया [धातु + ता है/ती है/ते हैं] + सामान्य वर्तमान
या
कर्ता + क्रिया + क्या

इनका अनुवाद होता है—

Do/Does	*+ subject*	*+ infinitive [without to]—present simple*
Does	he	go to the picturs every day?
Does	she	play tennis?
Doesn't	she	like ornaments?
Do	they	play tennis?
Don't	they	love their neighbours?

इन वाक्यों की बनावट और अनुवाद का ध्यान रखें—

1. क्या वह मछली खाता/खाती है? Does he/she eat fish?
2. क्या वह मछली नहीं खाता/खाती है? Doesn't he/she eat fish?
3. क्या वे मछली खाते हैं? Do they eat fish?
4. क्या वे मछली नहीं खाते हैं? Don't they eat fish?
5. वह मछली नहीं खाता है क्या? Doesn't he eat fish?

ध्यान दें—

Rule I A (a) हिन्दी के ऐसे वाक्यों में **क्या** वाक्य के आरंभ में रहता है या अंत में, बीच में नहीं। ऐसे **क्या** का अनुवाद होता है—**do/does;** what नहीं। अँगरेजी के प्रश्नवाचक वाक्य (interrogative sentences) **do/does** से तब आरंभ होते हैं जब क्रिया present simple tense में रहती है।

Rule I A (b) अँगरेजी में do/does के बाद infinitive [to verb] तो आता है, पर इसका चिह्न (to) सदा छिपा रहता है—

does to eat = does eat, do to eat = do eat

Rule I A (c) जब हिन्दी वाक्यों में **नहीं** आता है, तब इसका अनुवाद होता है, **not**; no नहीं और ऐसे **not** का प्रयोग **do/does** के बाद होता है; subject के बाद नहीं; जैसे,

1. Doesn't he eat fish?
2. Don't they eat fish?

इन्हें इस प्रकार न लिखें—

1. Does he not eat fish?
2. Do they not eat fish?

EXERCISE 1

Translate into English.

1. क्या वह तुमको जानती है?
2. क्या वह तेरी मदद करता है?
3. क्या वे आपको नहीं जानते हैं?
4. क्या वह अँगरेजी नहीं जानती है?
5. क्या आप दूध पसन्द करते हैं?
6. क्या वह कार नहीं चलाती है?
7. क्या वह सवेरे नहीं उठता है?
8. क्या वे सुबह में नहीं टहलते हैं?
9. क्या वे कहानी लिखते हैं?
10. क्या वह गीत नहीं गाता है?

EXERCISE 2

Correct these translations.

1. क्या बच्चा चिल्लाता है? — Does the child cries?
2. क्या वह मांस नहीं खाता है? — Doesn't he eats meat?
3. क्या वे मछली बेचते हैं? — Docs they sell fish?
4. क्या वह अँगरेजी नहीं बोलता है? — Docs he speaks English?
5. क्या वह कठिन परिश्रम करती है? — Does she works hard?

Rule I B अब इन वाक्यों को लें—

1. क्या उसने मछली खाई?
2. क्या उसने मछली नहीं खाई?

ऐसे प्रश्नों का भी उत्तर yes या no में दिया जा सकता है और इनकी बनावट होती है—

क्या + कर्ता + क्रिया [धातु + आ/इ/ए]—सामान्य भूत

इनका अनुवाद होता है—

Did	*+ subject*	*+ infinitive [without to] past simple*
Did	she	reach on time?
Didn't	he	eat anything?

1. क्या उसने मछली खाई? — Did he/she eat fish?
2. क्या उसने मछली नहीं खाई? — Didn't he/she eat fish?
3. क्या उसने पत्र लिखा? — Did he write a letter?
4. क्या उसने पत्र नहीं लिखा? — Didn't he write a letter?

ध्यान दें—

Rule I B (a) ऐसे **क्या** का अनुवाद होता है—did; what नहीं। अँगरेजी के प्रश्नवाचक वाक्य did से तब आरंभ होते हैं जब क्रिया past simple tense में रहती है।

Rule I B (b) हिन्दी में **नहीं** का अनुवाद not होता है और वह did के बाद आता है, subject के बाद नहीं; जैसे,

1. Didn't he eat fish?
2. Didn't you steal my pen?

EXERCISE 3

Translate into English.

1. क्या उसने परीक्षा दी?
2. क्या उसने परीक्षा नहीं दी?
3. क्या वह समय पर पहुँची?
4. क्या वह समय पर नहीं लौटी?
5. क्या उसने पुलिस बुलाई?
6. क्या उसने पुलिस नहीं बुलाई?
7. क्या तुमने पत्र भेजा?
8. क्या तुमने पत्र नहीं भेजा?
9. क्या उसने इनाम पाया?
10. क्या उसने इनाम नहीं पाया?
11. क्या आपने लॉटरी जीती?
12. क्या आपने लॉटरी नहीं जीती?

EXERCISE 4

Correct these translations.

1. क्या उसने मैच जीता? — Did he won the match?
2. क्या तुमने परीक्षा नहीं पास की? — Didn't you passed the examination?
3. क्या आपने पुलिस को सूचना नहीं दी? — Didn't you informed the police?
4. क्या सीता ने समाचार सुना? — Did Sita heard the news?
5. क्या उसने तेरी मदद नहीं की? — Didn't he helped you?

Rule II A अब इन वाक्यों को लें—

1. क्या वह खेल रहा है?
2. क्या वे खेल रहे हैं?
3. क्या वह खेल रहा था?
4. क्या वे खेल रहे थे?

ऐसे वाक्यों के प्रश्न का उत्तर yes/no में दिया जा सकता है और इनकी बनावट होती है—

क्या + कर्ता + क्रिया [धातु + रहा है/रही है/रहे हैं]—तात्कालिक वर्तमान
क्या + कर्ता + क्रिया [धातु + रहा था/रही थी/रहे थे]—अपूर्ण भूत

इनका अनुवाद होता है—

Am/Is/Are Was/Were	+ subject + subject	+ verb + ing [present progressive] + verb + ing [past proressive]
Is Wasn't	he she	swimming? running?

1. क्या वह खेल रहा है? Is he playing?
2. क्या वे खेल रहे हैं? Are they playing?
3. क्या वह खेल रही थी? Was she playing?
4. क्या वे खेल रहे थे? Were they playing?
5. क्या वह सिक्के गिन रही है? Is she counting the coins?

ध्यान दें—

Rule II A ऐसे **क्या** का अनुवाद is/are/was/were होता है, what नहीं। अँगरेजी के ऐसे interrogative sentences आरंभ होते हैं is/are/was/were से जब क्रिया present progressive या past progressive tense में रहती है।

Rule II A (b) जब ऐसे वाक्यों में **नहीं** आता है, तब इसका अनुवाद not होता है और ऐसे not का प्रयोग is/are आदि के बाद होता है, subject के बाद नहीं; जैसे,

1. क्या वह नहीं खेल रहा है? Isn't he playing? [not, is he not]
2. क्या वे नहीं खेल रहे हैं? Aren't they playing? [not, are they not]

EXERCISE 5

Translate into English.

1. क्या वह अँगरेजी सीख रहा है?
2. क्या वे कूद रहे हैं?
3. क्या वह कॉफी बना रही है?
4. क्या वह पेड़ पर चढ़ रहा था?
5. क्या वह कपड़े नहीं धो रही है?
6. क्या वे गाड़ी नहीं चला रहे थे?
7. क्या वे भोजन बना रहे हैं?
8. क्या वे पेड़ नहीं काट रहे थे?
9. क्या वह सूई में धागा लगा रही है?
10. क्या वह बालों को सँवार नहीं रही रही थी?
11. क्या वे पानी उछाल रहे हैं?
12. क्या वे हँसी-मजाक कर रही हैं?

Hints: सूई में धागा लगाना = to thread the needle, बाल सँवारना = to do the hair, पानी उछालना = to splash, हँसी-मजाक करना = to banter

EXERCISE 6

Correct these translations.

1. क्या वह दाँत साफ कर रहा था? Was he do his teeth?
2. क्या वे चिल्ला नहीं रहे थे? Was they not shouting?
3. क्या वह अपना पाठ तैयार कर रही है? Is she do her lessons?

4. क्या आप मुझे सुन नहीं रहे हैं? Are you not listen to me?
5. क्या वे टी॰ वी॰ देख रहे थे? Were they watch TV?

Rule II B अब इन वाक्यों को देखें—

1. क्या वह शिक्षक है?
2. क्या वह लम्बी है?
3. क्या वह किताब है?
4. क्या वे गरीब हैं?
5. क्या वह चोर था?
6. क्या वे बीमार थे?

ऐसे वाक्यों का भी उत्तर yes/no में दिया जा सकता है और इनकी बनावट होती है—

क्या + कर्ता + संज्ञा/विशेषण + है/हैं/था/थी/थे

इनका अनुवाद होता है—

Am/Is/Are/Was/Were	*+ subject*	*+ noun/adjective*
Is Were	she they	an actress? robbers?

1. क्या वह शिक्षक है? Is he a teacher?
2. क्या वह लम्बी है? Is she tall?
3. क्या वे गरीब हैं? Are they poor?
4. क्या वह चोर था? Was he a thief?
5. क्या वे बीमार थे? Were they ill?

ध्यान दें—

ऐसे प्रश्नवाचक वाक्य आरंभ होते हैं verb **to be** [is/are/was/were] से, इसलिए ऐसे वाक्यों का अनुवाद what न करें।

EXERCISE 7

Translate into English.

1. क्या यह दवात है?
2. क्या वह अंडा है?
3. क्या यह अंडा नहीं है?
4. क्या वह पहाड़ है?
5. क्या ये धनी हैं?
6. क्या वे मेहनती हैं?
7. क्या ये लाचार हैं?
8. क्या वे बहरे हैं?
9. क्या ये भिखारी हैं?
10. क्या वे विद्यार्थी हैं?

EXERCISE 8

Correct these translations.

1. क्या वह धनी है? What is he rich?
2. क्या वह डॉक्टर है? What he is a doctor?

3. क्या वह चतुर है? Does he clever?
4. क्या वह ठग था? Did he a cheat?

Rule III अब इन वाक्यों पर विचार करें—

1. क्या उसने पत्र लिखा है? 2. क्या तुमने पत्र लिखा है?
3. क्या वह पत्र लिख चुका है? 4. क्या तुम पत्र लिख चुके हो?

ऐसे वाक्यों का भी उत्तर yes/no में दिया जा सकता है और इनकी बनावट होती है—

क्या + कर्ता + क्रिया [धातु + आ है/चुका है]—आसन्न भूत

इनका अनुवाद होता है—

Has/Have	*+ subject*	*+ past participle [present perfect]*
Has Have	he they	finished the work? gone away?

1. क्या उसने पत्र लिखा है? Has he written a letter?
2. क्या तुम पत्र लिख चुके हो? Have you written a letter?

ध्यान दें कि जब हिन्दी वाक्यों में **नहीं** आता है, तब इसका अनुवाद होता है not और यह has/have के बाद आता है; जैसे,

1. क्या उसने पत्र नहीं लिखा है? Hasn't he written a letter?
2. क्या तुमने पत्र नहीं लिखा है? Haven't you written a letter?

EXERCISE 9

Translate into English.

1. क्या आप समाचार सुन चुके हैं?
2. क्या उसने किताबें खरीदी हैं?
3. क्या वह भोजन बना चुकी है?
4. क्या उसने आपकी मदद की है?
5. क्या वे पेड़ लगा चुके हैं?
6. क्या मोहन ने अपनी गाड़ी बेच दी है?
7. क्या वह पहुँच नहीं चुकी है?
8. क्या राधा वापस नहीं लौटी है?
9. क्या आप पुलिस को सूचना दे चुके हैं?
10. क्या आपने पुलिस को सूचना नहीं दी है?

EXERCISE 10

Correct these translations.

1. क्या राम ने कविताएँ लिखी हैं? Has Ram wrote poems?
2. क्या उन्होंने आपको धोखा दिया है? Have they deceive you?

3. क्या आपने कार्य आरंभ नहीं किया है? Have you begin not the work?
4. क्या वह परीक्षा दे चुकी है? Has she take her examination?
5. क्या वे गीत नहीं गा चुके हैं? Have they sing not songs?

Rule IV अब इन वाक्यों को लें—

1. क्या वह पत्र लिखेगा? 2. क्या वह पत्र लिखेगी?
3. क्या वह पत्र नहीं लिखेगा?

ऐसे वाक्यों का भी उत्तर yes/no में दिया जा सकता है और इनकी बनावट होती है—

क्रिया + कर्ता + क्रिया [धातु + एगा/एगी/ऐंगी]— सामान्य भविष्यत्

इनका अनुवाद होता है—

Shall/Will + subject + infinitive [without to]—future simple

1. क्या वह पत्र लिखेगा/लिखेगी? Will he/she write a letter?
2. क्या वह पत्र नहीं लिखेगा/लिखेगी? Won't he/she write a letter?

ध्यान दें—

Rule IV (a) अँगरेजी के ऐसे प्रश्नवाचक वाक्य shall/will से आरंभ होते हैं जब क्रिया रहती है future simple tense में।

Rule IV (b) जब हिन्दी वाक्यों में **नहीं** आता है, तब इसका अनुवाद होता है not। ऐसा not आता है shall/will के बाद और इसके मिलने से ये रूप बनते हैं—

Shall + not = Shan't. Will + not =Won't

EXERCISE 11

Translate into English.

1. क्या वह नई गाड़ी खरीदेगी? 2. क्या वह गीत गाएगा?
3. क्या वे प्रतियोगिता में भाग लेंगे? 4. क्या वे गरीबों की मदद करेंगे?
5. क्या वह समय पर नहीं लौटेगी? 6. क्या वह समय पर नहीं पहुँचेगी?
7. क्या वह कार्य समाप्त करेगी? 8. क्या वह कल कार्य आरंभ करेगा?
9. क्या वह कल कहानियाँ लिखेगी? 10. क्या वह कल टेनिस खेलेगा?

Rule V अब इन वाक्यों को देखें—

1. क्या राम तैर सकता है? 2. क्या राम को तैरना चाहिए?

ऐसे प्रश्नों का भी उत्तर yes/no हो सकता है और इनकी बनावट होती है—

क्या + कर्ता + धातु + सकना/धातु + ना + चाहिए

इनका अनुवाद होता है—

Can/Should	*+ subject*	*+ infinitive [without to]*
Can Should	he she	lift this box? marry this boy?

1. क्या राम तैर सकता है? — Can Ram swim?
2. क्या वह दौड़ सकती है? — Can she run?
3. क्या राम को तैरना चाहिए? — Should Ram swim?
4. क्या उसे दौड़ना चाहिए? — Should she run?
5. क्या तुम्हें शराब पीनी चाहिए? — Should you drink?

ध्यान दें—

Rule V (a) ऐसे वाक्यों में **क्या** का अनुवाद can/should होता है, what नहीं।

Rule V (b) जब हिन्दी वाक्यों में **नहीं** आता है, तब इसका अनुवाद not होता है और ऐसा not मिल जाता है can/should में; जैसे, can't/shouldn't.

1. क्या वह तैर नहीं सकता? — Can't he swim?
2. क्या उसे तैरना नहीं चाहिए? — Shouldn't he swim?

EXERCISE 12

Translate into English.

1. क्या वह इस वर्ष पास कर सकता है?
2. क्या उसे शराब पीनी चाहिए?
3. क्या तुम इस ताले को खोल सकते हो?
4. क्या उसे चोरी करनी चाहिए?
5. क्या आप मोहन की मदद कर सकते हैं?
6. क्या उसे झूठ बोलना चाहिए?
7. क्या आप दुश्मनों को हरा सकते है?
8. क्या उन्हें सच नहीं बोलना चाहिए?
9. क्या आप गाड़ी नहीं चला सकते हैं?
10. क्या उसे मित्रों को धोखा देना चाहिए?

Rule VI अब इन वाक्यों पर विचार करें—

1. वह क्या लिखता है?
2. वह क्या लिख रहा है?
3. उसने क्या लिखा है?
4. उसने क्या लिखा?
5. वह क्या लिखेगा?
6. वह क्या लिख सकता है?
7. उसे क्या लिखना चाहिए?
8. उसे क्या लिखना है?
9. आपका नाम क्या है?
10. उसकी उम्र क्या है?

ऐसे प्रश्नवाचक वाक्यों का उत्तर yes/no में दिया ही नहीं जा सकता। इनके उत्तर में ऐसा शब्द आता है जो वाक्य में कर्म (object) का काम करता है; जैसे,

वह क्या लिखता है? वह **पत्र/पुस्तक/कहानी** लिखता है।

ऐसे वाक्यों की बनावट होती है—

कर्ता + क्या + क्रिया

इनका अनुवाद होता है—

What	*+ auxiliary verb*	*+ subject*	*+ other words*
What	do	you	want?
What	are	you	doing?

1. वह क्या लिखता है? — What does he write?
2. वह क्या लिख रहा है? — What is he writing?
3. उसने क्या लिखा है? — What has he written?
4. वह क्या लिखेगा? — What will he write?
5. उसे क्या लिखना चाहिए? — What should he write?
6. उसे क्या लिखना है? — What has he to write?
7. आपका नाम क्या है? — What is your name?

ध्यान दें—

Rule VI (a) अँगरेजी वाक्य what से आरंभ होता है, verb से नहीं। ऐसा अँगरेजी वाक्य verb से तब आरंभ होता है, जब इसका उत्तर yes/no में दिया जा सकता है; जैसे,

1. क्या वह लिखता है? Does he write? [yes/no]
2. वह क्या लिखता है? What does he write? [letter/story]

Rule VI (b) What वाले वाक्यों में verb आता है subject के पहले; क्योंकि केवल what से ही कोई वाक्य प्रश्नवाचक नहीं बन जाता है; जैसे,

1. What does he write? [not, what he writes?]
2. What is he writing? [not, what he is writing?]
3. What has he written? [not, what he has written?]

EXERCISE 13

Translate into English.

1. आप क्या चाहते हैं?
2. वह क्या कर रहा है?
3. वह क्या देख रही है?
4. आप क्या पढ़ रहे हैं?
5. वे क्या पसंद करते हैं?
6. वह क्या कर सकता है?
7. आप कल क्या करेंगे?
8. उसे क्या पढ़ना चाहिए?
9. आपके पिताजी का नाम क्या है?
10. आपके पिताजी की उम्र क्या है?

EXERCISE 14

Correct these translations.

1. वह क्या सोच रही है?	What she is thinking about?
2. वे क्या खा रहे हैं?	What they are eating?
3. आपके मित्र का क्या नाम है?	What your friend's name is?
4. वह क्या देख रहा है?	What he is looking at?
5. उसे क्या करना चाहिए?	What he should do?

Rule VII अब इन वाक्यों को लें—

1. वह कैसी है? वह देखने में कैसी है?
2. वह कैसा है? वह देखने में कैसा है?
3. वे कैसे हैं? वे देखने में कैसे हैं?
4. यह कैसा है? यह खाने में कैसा है?

ऐसे वाक्यों के **कैसा/कैसी/कैसे** या **धातु + ने + कैसा/कैसी/कैसे** से किसी व्यक्ति/वस्तु के वर्णन (description) के संबंध में प्रश्न किया जाता है—देखने में, सुनने में, खाने में।

इनकी बनावट होती है–

कर्ता + कैसा/कैसी या कैसे/धातु + ने + कैसा/कैसी/कैसे + है/हैं

इनका अनुवाद होता है—

What + do/does + subject + infinitive [without to] + like

1. यह कैसी है? वह देखने में कैसी है?	What does she look like?
2. वे कैसे हैं? वे देखने में कैसे हैं?	What do they look like?
3. यह आम कैसा है? खाने में कैसा है?	What does this mango taste like?
4. यह सुनने में कैसा है?	What does it sound like?

ध्यान दें—

Rule VII (a) जब **कैसा/कैसी/कैसे** से किसी के स्वास्थ्य के संबंध में प्रश्न किया जाता है, तब इसका अनुवाद होता है—**How......?**

1. वह आज कैसा/कैसी है?	How is he/she today?
2. आपकी माताजी अब कैसी हैं?	How is your mother now?

Rule VII (b) जब वाक्य में **क्या + भाव/दर** का प्रयोग होता है, तब **क्या** का अनुवाद **how** होता है, what नहीं; जैसे,

1. आज चावल का क्या भाव (दर) है? How much is rice today?
2. आज मछली का क्या भाव (दर) है? How much is fish today?

Note: जी चाहता है/मन होता है का अनुवाद होता है—**feel like.** जी चाहता है/मन होता है कि तेरी कलम को चूम लूँ—I feel like kissing your pen.

EXERCISE 15

Translate into English.

1. यह शहर कैसा है?
2. यह तसवीर देखने में कैसी है?
3. यह मंदिर कैसा है?
4. यह आम खाने में कैसा है?
5. ये फूल कैसे हैं?
6. ये लड़कियाँ देखने में कैसी हैं?
7. ये दृश्य कैसे हैं?
8. ये गीत सुनने में कैसे हैं?

Rule VIII अब इन वाक्यों को लें—

1. उसने कितना दूध खरीदा?
2. उसने कितनी मछली खरीदी?
3. उसने कितनी कलमें खरीदी?
4. उसने कितने आम खाए?

ऐसे वाक्यों से संख्या (number) या मात्रा (quantity) के संबंध में प्रश्न किया जाता है। इनकी बनावट होती है—

कितना/कितनी + संज्ञा [मात्रा-सूचक]
कितनी/कितने + संज्ञा [संख्या-सूचक]

इनका अनुवाद होता है—

How much *How many*	*+ noun [quantity]* *+ noun [number]*	*+ other words* *+ other words*
How much How many	fish mangoes	did he eat? did he eat?

1. उसने कितना दूध खरीदा? How much milk did he buy?
2. उसने कितनी कलमें खरीदीं? How many pens did he buy?

EXERCISE 16

Translate into English.

1. उसने कितनी किताबें पढ़ी हैं?
2. आपने कितना सोना खरीदा?
3. उसने कितने अंडे बेचे हैं?
4. मोहन के कितनी जमीन है?
5. मोहन के पास कितना धन है?
6. सोहन के कितने कुत्ते हैं?
7. राधा के पास कितनी चाँदी है?
8. करीम ने कितना गेहूँ खरीदा?
9. आपने कितना दूध बेचा?
10. रहीम के कितने मित्र हैं?

EXERCISE 17

Correct these translations.

1. आपने कितनी रोटियाँ खाईं? How many bread did you eat?
2. शैलेन्द्र के कितनी बहनें हैं? How much sisters have Shailendra?
3. उषा के पास कितने गहने हैं? How much ornaments have Usha?

4. उमा ने कितनी कॉफी खरीदी? How many coffee did Uma buy?

Rule IX अब इन वाक्यों को देखें—

1. यह कितना लम्बा है?
2. यह कितना ऊँचा है?
3. यह कितना चौड़ा है?
4. यह कितना गहरा है?

ऐसे वाक्यों से किसी व्यक्ति/वस्तु के गुण के संबंध में प्रश्न किया जाता है और इनकी बनावट होती है—

कर्ता + कितना/कितनी/कितने + विशेषण + क्रिया

इनका अनुवाद होता है—

How	*+ adjective*	*+ verb*	*+ subject [noun/pronoun]*
How How	high deep	is is	it? it?

1. वह कितना लम्बा है? How tall is he?
2. वह कितना चौड़ा है? How wide is it?

Note: इनके अनुवाद का भी ध्यान रखें—

कितना पुराना—how old? कितना दूर—how far? कितनी देर तक (कब तक)—how long? कितनी उम्र—how old? कितना ऊँचा—how high? कितना गहरा—how deep? कितना तेज—how fast? कितना मोटा—how fat?

EXERCISE 18

Translate into English.

1. यह तालाब कितना गहरा है?
2. यह सड़क कितनी चौड़ी है?
3. यह मस्जिद कितनी पुरानी है?
4. इस लड़के की उम्र कितनी है?
5. यह पहाड़ी कितनी ऊँची है?
6. यह पेड़ कितना लम्बा है?
7. यह लड़की कितनी लम्बी है?
8. आसमान कितना ऊँचा है?
9. ये लड़के कितने धनी हैं?
10. ये लड़कियाँ कितनी गरीब हैं?

Rule X अब इन वाक्यों पर विचार करें—

1. वह कैसे आया?
2. वह कहाँ है?
3. वह कब आएगा?
4. वह क्यों आया?

ऐसे वाक्यों की बनावट होती है—

कर्ता + प्रश्नवाचक शब्द + क्रिया

इनका अनुवाद होता है—

Interrogative word	*+ verb*	*+ subject*	*+ other words*
Where	is	she?	—
Why	is	she	sad?

1. वह कौन है? — Who is he?
2. वह कहाँ है? — Where is he?
3. वह कब आएगा? — When will he come?
4. वह क्यों आया? — Why did he come?
5. वह कैसे आया? — How did he come?

Note: इन अनुवादों का भी ध्यान रखें—

कौन? [आदमी के लिए]—who? कौन + संज्ञा, कौन-सा/सी/से + संज्ञा, कौन-कौन + संज्ञा? = what + noun? और कौन? = who else? और क्या? = what else? और कैसे = how else? और कहाँ? = where else? कहाँ से = where......from? किसका + संज्ञा? = whose + noun? किसको/किससे? = who/whom? [निर्जीव वस्तु के लिए] = which ।

इन वाक्यों को देखें—

1. वहाँ कौन है? — Who is there?
2. तुम कौन/कौन-सा उपहार लाए हो? — What presents have you brought?
3. तुम कौन-कौन उपहार लाए हो? — What presents have you brought?
4. मुझे और कौन मदद करेगा? — Who else will help me?
5. तुम्हें और क्या चाहिए? — What else do you want?
6. मैं और कहाँ जाऊँ? — Where else am I to go?
7. वह कहाँ से आ रहा है? — Where is he coming from?
8. यह किसकी किताब है? — Whose book is this?
9. आप किसको चाहते हैं? — Who (whom) do you want?
10. आप किससे बात कर रहे थे? — Who were you talking to?

आजकल कर्म कारक (objective case) में भी whom के बदले who का ही प्रयोग होता है, यद्यपि व्याकरण की दृष्टि से whom का ही प्रयोग होना चाहिए।

EXERCISE 19

Translate into English.

1. आप क्यों चुप हैं?
2. वह आज खुश क्यों हैं?
3. वह कब लौटेगी?
4. वह कब पहुँचेगा?
5. वह कहाँ रहता है?
6. वे कहाँ पढ़ते हैं?
7. आप चाय कैसे बनाते हैं?
8. वे कार्य कैसे करते हैं?

Rule XI अब इन वाक्यों पर विचार करें—

1. आप मछली खाते हैं न?
2. आप मछली नहीं खाते हैं न?
3. खिड़की बन्द कर दो न?
4. एक कप चाय लाओ न?
5. अब आप अच्छे तो हैं?
6. अब वह अच्छी तो है न?

ऐसे वाक्यों में **क्या, क्यों** आदि प्रश्नवाचक शब्द नहीं आते। प्रश्न करने के लिए **न/तो या तो...न** का प्रयोग होता है और वाक्य के अंत में प्रश्नवाचक चिह्न आता है। इस प्रकार के वाक्यों से प्रश्न (question), आशा (expectation), अनुमान (assumption) तथा सहमति (agreement) का भाव एक साथ प्रकट होता है। क्योंकि प्रश्नकर्ता उत्तर में हाँ (yes) की आशा करता है। इसलिए ऐसा वाक्य आधा प्रश्नवाचक (interrogative) और आधा निश्चयवाचक (assertive) या आज्ञावाचक (imperative) होता है।

इनकी बनावट होती है—

विधानवाचक वाक्य [स्वीकारात्मक] + न/तो/तो...न
विधानवाचक वाक्य [नकारात्मक] + न/तो/तो...न
आज्ञार्थक वाक्य + न/तो/तो...न

इनका अनुवाद होता है—

(i) Assertive [affirmative] +	,	+ *question-tag [negative]*
(ii) Assertive [negative] +	,	+ *question-tag [affirmative]*
(iii) Imperative +	,	+ *will you*
You eat fish	,	don't you?
You don't eat fish	,	do you?
Bring a cup of tea	,	will you?
I am tired now	,	aren't I?

1. आप अब अच्छे तो हैं? — You are well now, aren't you?
2. वह अब अच्छी तो है न? — She is well now, isn't she?
3. खिड़की बन्द कर दो न? — Close the window, will you?

ऐसे वाक्यों का अनुवाद दूसरे प्रकार से भी हो सकता है और तब प्रश्नवाचक का अनुवाद assertive होता है—

Assertive + parenthetical clause

1. आप मछली खाते हैं न? — You eat fish, I suppose.
2. अब आप अच्छे तो हैं? — You are well now, I hope.

ध्यान दें—

Rule XI (a) न/तो का अनुवाद नहीं होता।

Rule XI (b) Question-tags और parenthetical clause का प्रयोग comma के बाद होता है।

Rule XI (c) Question-tags इस प्रकार बनाए जाते हैं—

(i) Affirmative sentences के साथ negative question-tag आता है और negative sentences के साथ affirmative question-tag आता है।

(ii) Question-tag का subject सदा pronoun होता है, noun नहीं।

(iii) Question-tag सदा auxiliary verb से आरंभ होता है।

(iv) Imperative के बाद question-tag का रूप होता है *will you*?

(v) I am के बाद question-tag का रूप होता है *aren't*?

(vi) आज्ञासूचक let के साथ question-tag आता है—will you?, पर प्रस्ताव-सूचक let के साथ आता है—shall we?

1. Let her finish the work, *will* you?
2. Let us finish the work, *shall* we?

(vii) आदतसूचक used to के साथ आता है usedn't या didn't, पर didn't का प्रयोग अधिक प्रचलित है, जैसे,

1. He used to play football at school, *usedn't* he?
2. He used to play football at school, *didn't* he?

Rule XI (d) ऐसे वाक्यों में parenthetical clause इस प्रकार बनाया जाता है—

I hope/believe/suppose/am afraid.

इन नियमों के आधार पर कुछ और वाक्यों का अनुवाद करें—

1. राम धनी है न?	Ram is rich, isn't he? Ram is rich, I believe.
2. राम धनी नहीं है न?	Ram is not rich, is he? Ram is not rich, I believe.
3. सीता कल लौटेगी न?	Sita will return tomorrow, won't she? Sita will return tomorrow, I suppose.
4. सीता कल नहीं लौटेगी न?	Sita will not return tomorrow, will she? Sita will not ruturn tomorrow, I suppose.
5. मोहन तेरी मदद कर सकता है?	Mohan cap help you, can't he? Mohan can help you, I hope.

EXERCISE 20

Translate into English.

1. आप सुबह टहलते तो हैं न?
2. आप मन लगाकर पढ़ते तो हैं न?

3. राधा के पुत्र तो हैं?
4. सीता के भाई तो हैं?
5. मोहन को गाड़ी तो है न?
6. सोहन ने कार्य आरंभ किया है न?
7. रहीम ने आपकी मदद की न?
8. करीम ने परीक्षा दी न?
9. उषा सुन्दर है न?
10. रेखा लम्बी है न?
11. बच्चे स्वस्थ तो हैं?
12. लोग सुखी तो हैं?

Rule XI अब इन वाक्यों को लें—

1. क्या आप जानते हैं कि वह कहाँ रहता है?
2. क्या आप जानते हैं कि वह कब लौटेगा?
3. क्या आप जानते हैं कि वह क्यों उदास है?

ऐसे वाक्यों में दो-दो प्रश्नवाचक वाक्य रहते हैं और इनकी बनावट होती है—

प्रश्नवाचक + कि + प्रश्नवाचक [प्रश्नवाचक शब्द के साथ]

इनका अनुवाद होता है—

Interrogative	*+ assertive [with a question-tag]*
Can you tell me Do you know	why she is happy? how he saved himself?

1. क्या आप जानते हैं कि वह कहाँ रहता है?
   Do you know where he lives?
2. क्या आप जानते हैं कि वह कब लौटेगा?
   Do you know when he will return?
3. क्या आप जानते हैं कि वह क्यों उदास है?
   Do you know why he is sad?

ध्यान दें—

Rule XII (a) ऐसे वाक्यों के **कि** का अनुवाद होता है ही नहीं और इसलिए that का प्रयोग नहीं होता। इस नियम का ध्यान रखकर अनुवाद इस प्रकार न करें—

Do you know **that** where he **lives/that** when he will return?

Rule XII (b) पहला वाक्य तो Interrogative होता है। इसलिए वाक्य में verb पहले आता है और verb के बाद subject, पर दूसरा वाक्य assertive होता है। इसलिए वाक्य में पहले subject आता है और subject के बाद verb; जैसे,

1. Do you know where he lives? [not, where does he live?]
2. Do you know when he will return? [not, when will he return?]

Rule XIII अब इन वाक्यों को देखें—

1. क्या आप जानते हैं कि वह गरीब है?
2. क्या आप जानते हैं कि वह ईमानदार है?

ऐसे वाक्यों की बनावट होती है—

प्रश्नवाचक + कि + प्रश्नवाचक [प्रश्नवाचक शब्द के बिना]

इनका अनुवाद होता है—

Interrogative	*+ that*	*+ assertive*
Do you know Don't you know	that that	he is rich? the earth is round?

1. क्या आप जानते हैं कि वह गरीब है? Do you know that he is poor?
2. क्या आप जानते हैं कि वह ईमानदार है? Do you know that he is honest?

ध्यान दें—

Rule XIII (a) ऐसे वाक्यों में **कि** का अनुवाद **that** होता है, पर that के बाद आनेवाला वाक्य assertive होता है, interrogative नहीं।

इसलिए अनुवाद इस प्रकार न करें—

Do you know that is he poor/honest?

EXERCISE 21

Translate into English.

1. क्या आप जानते हैं कि पृथ्वी गोल है?
2. क्या तुम नहीं जानते कि चीनी मीठी होती है?
3. क्या बच्चे नहीं जानते कि आग जलाती है?
4. क्या आप नहीं जानते कि शराब पीना बुरा है?
5. क्या लोग नहीं जानते कि झूठ बोलना पाप है?
6. क्या लोग नहीं जानते कि चोरी करना अपराध है?

Rule XIV अब इन वाक्यों पर विचार करें—

1. मुझे समय कहाँ? 2. उसे धन कहाँ? 3. ईश्वर कहाँ नहीं है?

ऐसे प्रश्नवाचक वाक्यों में **कहाँ/कहाँ नहीं** आता है, पर इससे प्रश्न का बोध नहीं होता। ऐसे **कहाँ** से **नहीं** का बोध होता है और **कहाँ नहीं** से **सब जगह** का। इनकी बनावट होती है—

प्रश्नवाचक वाक्य + कहाँ/कहाँ नहीं

इनका अनुवाद होता है—

Assertive sentence

1. मुझे समय कहाँ? — I have no time.
2. उसे धन कहाँ? — He has no wealth.
3. ईश्वर कहाँ नहीं है? — God is omnipresent

EXERCISE 22

Translate into English.

1. उसे नींद कहाँ?
2. मुझे आराम कहाँ?
3. उसे भूख कहाँ?
4. उन्हें इज्जत कहाँ?
5. उसे चिंता कहाँ?
6. मुझे फुर्सत कहाँ?
7. गरीबी कहाँ नहीं है?
8. भ्रष्टाचार कहाँ नहीं है?
9. पक्षपात कहाँ नहीं है?

Hints: फुर्सत = leisure, भ्रष्टाचार = corruption, पक्षपात = favouritism

EXERCISE 23

Put a tick (✓) by the correct words.

1. I am dutiful, amn't?/aren't I?
2. What he want/does he want?
3. He always tells lies, isn't it?/doesn't he?
4. How much/many butter he bought?/did he buy?
5. Can you tell me why is she/she is sad?
6. What are/are you writing a letter?
7. How/what does she look like?
8. Let us eat something, shall we/will we?
9. Let them play here, will you/shall we?
10. Please make tea for me, shall you/will you?

□

30. तुलना-सूचक वाक्य

यहाँ ऐसे वाक्यों के अनुवाद पर विचार करें जिनसे तुलना (comparison) का भाव व्यक्त होता है।

Rule I इन वाक्यों पर विचार करें—

1. सीता उतनी लम्बी है जितनी राधा।
2. मोहन उतना बहादुर है जितना शेर।
3. वे उतने साहसी हैं जितने बाघ।
4. वह उतनी सुन्दर है जितना उसकी माँ।

ऐसे वाक्यों से यह बोध होता है कि दो व्यक्तियों या वस्तुओं के बीच गुण की समानता (equality) है। इनकी बनावट होती है—

कर्ता + उतना/उतनी/उतने + विशेषण + क्रिया +
जितना/जितनी/जितने + संज्ञा/सर्वनाम

इनका अनुवाद होता है—

Subject	*+ verb*	*+ as*	*+ adjective*	*+ as*	*+ noun/pronoun*
Sita She	is is	as as	tall beautiful	as as	Radha. her mother.

1. सीता उतनी लम्बी है जितनी राधा। Sita is as tall as Radha.
2. मोहन उतना बहादुर है जितना शेर। Mohan is as brave as a lion.
3. वे उतने साहसी हैं जितने बाघ। They are as bold as tiger.
4. वह उतनी सुन्दर है जितना उसकी माँ। She is as beautiful as her mother.

EXERCISE 1

Translate into English.

1. वह उतना काला है जितना कोयला।
2. वह उतनी व्यस्त है जितनी मधुमक्खी।
3. वह उतनी धूर्त है जितनी लोमड़ी।
4. यह उतनी चमकदार है जितनी चाँदी।
5. वह उतना चमकता है जितना सोना।
6. वह उतना मूर्ख है जितना गदहा।
7. यह उतनी निश्चित है जितनी मृत्यु।
8. यह उतनी उजली है जितनी बर्फ।

9. यह उतना अटल है जितना चट्टान।
10. यह उतनी सूखी है जितनी धूल।
11. यह उतना हल्का है जितना पंख।
12. वह उतना लोभी है जितना भेड़िया।
13. वह उतना सुशील है जितना मेमना।
14. वह उतना कड़ा है जितना लोहा।

Hints: निश्चित = sure, मूर्ख = stupid, अटल = firm, धूल = dust, हल्का = light, पंख = feather, लोभी = greedy, भेड़िया = wolf, मेमना = lamb

Rule II अब इन वाक्यों को लें—

1. सीता उतनी लम्बी नहीं है जितनी राधा।
2. मोहन उतना मोटा नहीं है जितना सोहन।

ऐसे वाक्यों से यह बोध होता है कि दो व्यक्तियों या वस्तुओं के बीच गुण की असमानता (inequality) है। इनकी बनावट होती है—

कर्ता + उतना/उतनी/उतने + विशेषण + नहीं
+ क्रिया + जितना/जितनी/जितने + संज्ञा/सर्वनाम

इनका अनुवाद होता है—

(i) Subject *(ii) Subject*	*+ verb* *+ verb*	*+ not* *+ not*	*+ as* *+ so*	*+ adjective* *+ adjective*	*+ as* *+ as*	*+ noun/pronoun* *+ noun/pronoun*
Ram Ram	is is	not not	as so	rich rich	as as	Mohan. Mohan.

1. सीता उतनी लम्बी नहीं है जितनी राधा। Sita isn't as tall as Radha.
   Sita isn't so tall as Radha.
2. मोहन उतना मोटा नहीं है जितना सोहन। Mohan isn't as fat as Sohan.
   Mohan isn't so fat as Sohan.

Note: आजकल बातचीत में **not all that + adjective** का प्रयोग धड़ल्ले से हो रहा है, जैसे,

1. यह उतना महँगा नहीं है। It is not all that dear.
2. यह उतना ऊँचा नहीं है। It is not all that light.

पर तुलना करने के लिए केवल **not so + adjective** का प्रयोग होता है।

EXERCISE 2

Translate into English.

1. यह उतना मीठा नहीं है जितना मधु।

2. यह उतनी तेज है जितनी बिजली।
3. यह उतनी गर्म नहीं है जितनी आग।
4. यह उतना चिकना नहीं है जितना मक्खन।
5. वह उतना अभिमानी नहीं है जितना मोर।
6. वह उतना प्रसन्न नहीं है जितना मोहन।
7. यह उतनी हरी है जितनी घास।
8. वह उतना साहसी नहीं है जितना शेर।
9. यह उतना भुरभुरा नहीं है जितना शीशा।
10. यह उतना लाल नहीं है जितना खून।

Hints: तेज = swift, बिजली = lightning, चिकना = soft, भुरभुरा = brittle, खून = blood

Rule III A अब इन वाक्यों को लें—

1. मोहन के उतनी कलमें हैं जितनी सोहन के।
2. सीता के उतने पुत्र हैं जितने राधा के।

ऐसे वाक्यों से संख्या (number) की समानता का बोध होता है। उनकी बनावट होती है—

कर्ता + उतनी/उतने + बहुवचन संज्ञा + क्रिया + जितनी/जितने + संज्ञा/सर्वनाम

इनका अनुवाद होता है—

Subject	*+ verb*	*+ as many*	*+ plural noun*	*+ as*	*+ noun/pronoun*
Mohan	has	as many	pens	as	Sohan

1. मोहन के उतनी कलमें हैं जितनी सोहन के।
   Mohan has as many pens as Sohan.
2. सीता के उतने पुत्र हैं जितने राधा के।
   Sita has as many sons as Radha.

Rule III B अब इन वाक्यों को लें—

1. मोहन के उतना दूध है जितना सोहन के।
2. सीता के उतनी चीनी है जितनी राधा के।

ऐसे वाक्यों से मात्रा (quantity) की तुलना की जाती है और मात्रा की समानता का भाव व्यक्त होता है। इनकी बनावट होती है—

कर्ता + उतना/उतनी + एकवचन/पदार्थवाचक/भाववाचक संज्ञा + क्रिया + उतना/उतनी + संज्ञा/सर्वनाम

इनका अनुवाद होता है—

Subject	*+ verb*	*+ as much*	*+ uncountable noun*	*+ as*	*+ noun/pronoun*
Mohan	has	as much	milk	as	Sohan.

1. सीता के उतनी चीनी है जितनी राधा के।
   Sita has as much sugar as Radha.
2. करीम के उतना सोना है जितना रहीम के।
   Karım has as much gold as Rahim.

EXERCISE 3

Translate into English.

1. राधा के उतने दाँत हैं जितने सीता के।
2. राधा के उतना चावल है जितना सीता के।
3. मोहन के उतनी ऊँगलियाँ हैं जितनी सोहन के।
4. मोहन के उतनी चाँदी है जितनी सोहन के।
5. करीम के उतनी गायें हैं जितनी करीम के।
6. करीम के उतना चूना है जितना रहीम के।
7. शीला के उतनी गाड़ियाँ हैं जितनी लीला के।
8. शीला के उतना सीमेंट है जितना लीला के।

EXERCISE 4

Correct these translations.

1. उषा के उतने गहने हैं जितने उमा के।
   Usha have as much ornaments as Uma.
2. मंजू के उतना गेहूँ है जितना रेखा के।
   Manju has as many wheat as Rekha.
3. शैलेन्द्र के उतनी जमीन है जितनी नरेन्द्र के।
   Shailendra has as many land as Narendra.
4. शशि के उतनी कमीजें हैं जितनी रवि के।
   Shashi have as much shirts as Ravi.

Rule IV A अब इन वाक्यों को देखें—

1. राम उतना तेज दौड़ता है जितना श्याम।
2. मोहन उतना कठिन परिश्रम करता है जितना सोहन।

ऐसे वाक्यों से दो व्यक्तियों के कार्यों के बीच समानता का बोध होता है। इनकी बनावट होती है—

कर्ता + उतना + क्रियाविशेषण + क्रिया + जितना + संज्ञा/सर्वनाम

इनका अनुवाद होता है—

Subject	*+ verb*	*+ as*	*+ adverb*	*+ as*	*+ noun/pronoun*
Ram	runs	as	fast	as	Shyam.

1. राम उतना तेज दौड़ता है जितना श्याम। Ram runs as fast as Shyam.
2. मोहन उतना कठिन परिश्रम करता है जितना सोहन। Mohan works as hard as Sohan

Rule IV B अब इन वाक्यों को लें—

1. राम उतना तेज नहीं दौड़ता है जितना श्याम।
2. मोहन उतना कठिन परिश्रम नहीं करता है जितना सोहन।

ऐसे वाक्यों से दो व्यक्तियों के कार्यों के बीच असमानता का बोध होता है। इनकी बनावट होती है—

कर्ता + उतना + क्रियाविशेषण + नहीं + क्रिया + जितना + संज्ञा/सर्वनाम

इनका अनुवाद होता है—

Subject *Subject*	*+ verb* *+ verb*	*+ not* *+ not*	*+ as* *+ as*	*+ adverb* *+ adverb*	*+ as* *+ as*	*+ noun/pronoun* *+ noun/pronoun*
Ram	doesn't	run	as/so	fast	as	Shyam.

1. राम उतना तेज नहीं दौड़ता है जितना श्याम।
   Ram doesn't run as/so fast as Shyam.
2. मोहन उतना कठिन परिश्रम नहीं करता है जितना सोहन।
   Mohan doesn't work as/so hard as Sohan

EXERCISE 5

Translate into English.

1. लीला उतनी अच्छी नहीं खेलती जितनी शीला।
2. रमेश उतना अच्छा नहीं गाता जितना सुरेश।
3. उमा उतना अच्छा भोजन बनाती है जितना उषा।

4. रेखा उतनी मीठी गाती है जितनी मंजू।
5. नीतू उतनी धीरे चलती है जितनी रंजू।
6. विजय उतने ध्यान से सुनता है जितना संजय।
7. अरुण उतनी शांति से कार्य करता है जितनी बरुण।
8. जितेन्द्र उतने जोर से नहीं बोलता है जितना शैलेन्द्र।

Rule IV B अब इन वाक्यों को लें—

1. सीता अपनी माँ के समान सुन्दर है।
2. वह अपने पिता के समान देशभक्त है।
3. मोहन उसके समान लम्बा है।
4. वह उसके जैसा लम्बा है।

ऐसे वाक्यों के **के समान/के जैसा** से यह बोध होता है कि दो व्यक्तियों या वस्तुओं के बीच गुण की समानता है। इनकी बनावट होती है—

कर्ता + संज्ञा/सर्वनाम + के समान + के जैसा + विशेषण/संज्ञा

इनका अनुवाद होता है—

Subject *Subject*	*+ verb* *+ verb*	*+ adjective/noun* *+ adjective/noun*	*+ like* *+ just like*	*+ noun/pronoun [object]* *+ noun/pronoun [object]*
Sita He	is is	beautiful a patriot	like just like	her mother. his father.

1. सीता अपनी माँ के समान सुन्दर है।
   Sita is beautiful like her mother.
   Sita is beautiful just like her mother,
2. वह अपने पिता के समान देशभक्त है।
   He is a patriot like (just like) his father.
3. यह घर महल के जैसा है। This house is like a palace.

ध्यान दें—

Rule V (a) कुछ वाक्यों में **संज्ञा + के समान** का अनुवाद इस प्रकार भी हो सकता है—

noun + of + noun

1. वह महल के समान मकान में रहता है।
   He lives in a palace of a house.
2. मेरी पत्नी जो देवदूत के समान है सब जगह आदर पाती है।
   My angel of a wife is respected everywhere.

ऐसे of से तुलना (समानता) का भाव व्यक्त होता है।

Rule V (b) कुछ वाक्यों में **समान/एकसमान + क्रिया** आता है। इसका अनुवाद होता है।

verb + alike

1. वे देखने में समान/एकसमान लगते हैं। They look alike.
2. वे एकसमान सोचते हैं। They think alike.

EXERCISE 6

Translate into English.

1. यह कोयले के समान काला है।
2. वह छड़ी के जैसी पतली है।
3. शैलेन्द्र पिता के समान.दयालु है।
4. रेखा अपनी माँ के जैसी सुशील है।
5. वह सोना के समान पीला है।
6. यह चाँदी जैसी उजली है।
7. वह गंगा के समान पवित्र है।
8. वह गदहा जैसा मूर्ख है।
9. वह बन्दर के समान कुरूप है।
10. वह लोमड़ी जैसी धूर्त है।

Hints: पवित्र = sacred, कुरूप = ugly, धूर्त = clever/cunning

Rule VI A अब इन वाक्यों पर विचार करें—

1. वह बाघ-सा लगता है।
2. वह लड़का-सा लगता है।

ऐसे वाक्यों से यह बोध होता है कि दो व्यक्तियों या वस्तुओं के बीच गुण की मात्रा प्रायः समान है। इनकी बनावट होती है—

कर्ता + संज्ञा + सा/सी/से + क्रिया

इनका अनुवाद होता है—

Subject + verb + like + noun
Subject + verb + noun + ish

1. वह बाघ-सा लगता है। He looks like a tiger.
   He looks tigerish.
2. वह लड़का-सा लगता है। She looks like a boy.
3. वह लड़की-सी लगती है। He looks like a girl.
4. वह बच्चा-सा लगता है। He looks childlike.

EXERCISE 7

Translate into English.

1. वह भालू-सा लगता है।
2. वह बिल्ली-सी लगती है।
3. वे गदहे-से लगते हैं।
4. वह कोयल-सी लगती है।

5. वह फूल-सा लगता है। 6. यह चीनी-सी लगती है।
7. वह भेड़-सी लगती है। 8. वह लड़का-सा लगता है।

Hints: भेड़-सा = sheeplike

Rule VI B अब इन वाक्यों को लें—

1. यह फूल लाल-सा है। 2. यह साड़ी हरी-सी है।

ऐसे वाक्यों के विशेषणों (विशेषण + सा/सी/से) से यह बोध होता है कि गुण की मात्रा उतनी नहीं है जितनी स्वाभाविक रूप से होनी चाहिए।

इनकी बनावट होती है—

कर्ता + विशेषण + सा/सी/से + क्रिया

इनका अनुवाद होता है—

Subject	*+ verb*	*+ adjective + ish*
This flower	is	reddish.
This sari	is	greenish.
She	looks	oldish.

ध्यान दें—

किया से बने हुए विशेषण + सा/सी/से का अनुवाद past participle के द्वारा होता है, adjective + ish के द्वारा नहीं; जैसे,

1. वह घबड़ाया-सा लगता है। He looks puzzled.
2. यह मुर्झाया-सा लगता है। It looks faded.

EXERCISE 8

Translate into English.

1. वह लम्बी-सी है। 2. यह नीला-सा है।
3. ये फूल पीले-से हैं। 4. यह उजला-सा है।
5. यह बड़ा-सा है। 6. वह जवान-सी है।

Hints: longish, bluish, yellowish, whitish, oldish, youngish

Rule VII A अब इन वाक्यों को लें—

1. यह वही कलम है जो राम की है। 2. यह वही कोट है जो तुम्हारा है।

ऐसे वाक्यों से भी तुलना का बोध होता है और इनकी बनावट होती है—

यह + वही + संज्ञा + क्रिया + जो [सर्वनाम-कर्ता] +
संज्ञा + का/की/के + क्रिया
यह + वही + संज्ञा + क्रिया + जो [सर्वनाम-कर्ता] +
सार्वनामिक विशेषण + क्रिया

इनका अनुवाद होता है—

Subject *Subject*	*+ verb* *+ verb*	*+ the same* *+ the same*	*+ noun* *+ noun*	*+ as* *+ as*	*+ noun + 's* *+ possessive pronoun*
This This	is is	the same the same	pen coat	as as	Ram's. yours.

1. यह वही कलम है जो राम की है। This is the same pen as Ram's.
2. यह वही कोट है जो तुम्हारा है। This is the same coat as yours.
3. ये वही खिलौने हैं जो मेरे हैं। These are the same toys as mine.

Rule VII B अब इन वाक्यों को देखें—

1. यह वही चाय है जो मैंने कल खरीदी।
2. यह वही कैमरा है जो वह सुबह में लाया था।

ऐसे वाक्यों से भी तुलना का भाव प्रकट होता है और इनकी बनावट होती है—

यही/वही + संज्ञा + क्रिया + जो [कर्म] + कर्ता [संज्ञा/सर्वनाम] + क्रिया

इनका अनुवाद होता है—

Subject *Subject*	*+ verb* *+ verb*	*+ the same* *+ the same*	*+ noun* *+ noun*	*+ as* *+ that*	*subject* *subject*	*+ verb* *+ verb*	*+ other words* *+ other words*
This This	is is	the same the same	tea tea	as that	I I	bought bought	yesterday. yesterday.

1. यह वही चाय है जो मैंने कल खरीदी।
   This is the same tea as I bought yesterday.
   This is the same tea that I bought yesterday.
2. यह वही कैमरा है जो वह सुबह लाया था।
   This is the same camera as he brought in the morning.
   This is the same camera that he brought in the morning.

ऐसे वाक्यों का अनुवाद इस प्रकार भी होता है—

Subject	*+ verb*	*+ the same*	*+ noun*	*subject*	*+ verb*	*+ other words*
This	is	the same	tea	I	brought	yesterday.
This	is	the same	camera	he	brought	in the morning.

ध्यान दें—

Rule VII B (a) जब जो का प्रयोग कर्म (object) की तरह होता है, तब इसका अनुवाद as/that होता है और ऐसे as/that का लोप भी हो सकता है।

Rule VII B (b) The same के बाद सदा as आता है जब इसके बाद verb छिपा नहीं रहता—

The same as Ram's/yours.

Rule VII B (c) The same के बाद as या that आता है जब verb छिपा नहीं रहता—

The same as/that I bought.

Rule VII B (d) The same as से समानता (resemblance) का बोध होता है, पर the same that से बिल्कुल एक (identity) का भाव व्यक्त होता है—

1. This is the same tea as I bought yesterday. [दोनों में समानता है]
2. This is the same tea that I bought yesterday. [दोनों बिल्कुल एक है]

EXERCISE 9

Translate into English.

1. यह वही किताब है जो मोहन की है।
2. ये वही खिलौने हैं जो तुम्हारे हैं।
3. वह वही बॉक्स है जो शीला का है।
4. ये वही गुड़िया हैं जो उसके हैं।
5. यह वही घड़ी है जो लीला की है।
6. ये वही गाड़ियाँ हैं जो मेरी हैं।
7. यह वही कोट है जो संजय का है।
8. ये वही कमीजें हैं जो उनकी हैं।

EXERCISE 10

Translate into English.

1. यह वही लड़का है जो यहाँ रोज आता है।
2. ये वही बच्चे हैं जो यहाँ रोज खेलते हैं।
3. यह वही भोजन है जो मैंने कल खाया था।
4. यह वही किताब है जो मैंने कल पढ़ी थी।
5. ये वही लड़कियाँ हैं जो मैंने गत सप्ताह देखी थी।

6. ये वे ही कलमें हैं जो उसने गत महीने खरीदी थी।
7. यह वही गाड़ी है जो उसने गत वर्ष खरीदी थी।

Rule VIII अब इन वाक्यों को लें—

1. जिस प्रकार (जैसे) आदमी सुख-दुख का अनुभव करता है उसी प्रकार (वैसे ही) पेड़-पौधे भी सुख-दुख का अनुभव करते हैं।
2. जिस प्रकार (जैसे) आपके लिए मुझसे सहमत होना असंभव है उसी प्रकार (वैसे ही) मेरे लिए भी आपसे सहमत होना असंभव है।

ऐसे वाक्यों से भी तुलना का बोध होता है और समानता का भाव व्यक्त होता है। इनकी बनावट होती है—

जिस प्रकार + उपवाक्य + उसी प्रकार + उपवाक्य
जैसे + उपवाक्य + वैसे ही + उपवाक्य

इनका अनुवाद होता है—

Just as	*+ clause*	*+ in the same way*	*+ clause*
Just as	man feels pain and pleasure,	in the same way	plants and trees too feel pain and pleasure.

1. जिस प्रकार (जैसे) आपके लिए मुझसे सहमत होना असंभव है उसी प्रकार (वैसे ही) मेरे लिए आपसे सहमत होना असंभव है।
   Just as it is impossible for you to agree with me, in the same way it is impossible for me to agree with you.
2. जिस प्रकार (जैसे) पक्षी आकाश में उड़ते हैं उसी प्रकार आदमी आज हवा में उड़ता है।
   Just as birds fly in the sky, in the same way man today flies in the air.

EXERCISE 11

Translate into English.

1. जिस प्रकार स्वस्थ के लिए भोजन आवश्यक है उसी प्रकार मन के लिए पुस्तकें आवश्यक हैं।
2. जैसे आदमी के लिए प्यार आवश्यक है वैसे ही पशु-पक्षी के लिए प्यार आवश्यक है।
3. जिस प्रकार मनुष्य अपने बच्चों को प्यार करता है उसी प्रकार पशु अपने बच्चों को प्यार करता है।
4. जैसे बच्चे सुन्दर लगते हैं वैसे ही फूल सुन्दर लगते हैं।
5. जिस प्रकार रेडियो एक मशीन है उसी प्रकार हमारा शरीर भी एक मशीन है।

Rule IX A अब इन वाक्यों पर विचार करें—

1. राधा सीता से अधिक लम्बी है।
2. राधा सीता की अपेक्षा अधिक लम्बी है।
3. राधा सीता की तुलना में अधिक लम्बी है।
4. राधा सीता से अधिक सुन्दर है।

ऐसे वाक्यों से यह बोध होता है कि एक व्यवित/वस्तु में दूसरे से गुण/अवगुण की मात्रा अधिक है, इसलिए इनसे असमानता का भाव प्रकट होता है। इनकी बनावट होती है—

कर्ता + संज्ञा/सर्वनाम + से अधिक/की अपेक्षा/की तुलना में + विशेषण + क्रिया

इनका अनुवाद होता है—

Subject *Subject*	*+ verb* *+ verb*	*+ adjective + er* *+ more + adjective*	*+ than* *+ than*	*+ noun/pronoun* *+ noun/pronoun*
Radha	is	taller	than	Sita.
Radha	is	more beautiful	than	Sita.

1. मोहन सोहन से अधिक/की अपेक्षा अधिक धनी है।
   Mohan is richer than Sohan.
2. यह किताब उससे अधिक/उसकी तुलना में अधिक उपयोगी है।
   This book is more useful than that.

ध्यान दें—

Rule IX A (a) ऐसे वाक्यों में प्रयुक्त **की अपेक्षा/की तुलना** में का अनुवाद in comparison with नहीं होता। क्यों? इसलिए कि comparative degree adjective + er/more + adjective) से ही तुलना का भाव व्यक्त हो जाता है। इसलिए अनुवाद इस प्रकार न करें—

राम मोहन की तुलना में अधिक धनी है।
Ram is rich in comparison with Mohan.

Rule IX A (b) **से अधिक** का अनुवाद more + adjective + er नहीं होता। इसलिए अनुवाद इस प्रकार न करें—

1. Radha is more taller than Sita.
2. Mohan is more richer than Sohan.

Rule IX A (c) छोटे-छोटे adjectives की comparative degree इस प्रकार बनाई जाती है—**adjective + er.**

लम्बे-लम्बे adjectives की comparative degree इस प्रकार बनाई जाती है—**more + adjective.**

Rule IX A (d) ऐसे से का अनुवाद होता है—**than.**

Rule IX A (e) ऐसे कुछ वाक्यों में **से बहुत अधिक/से कहीं अधिक + विशेषण** का प्रयोग होता है। इनका अनुवाद होता है—

(i) much/far + comparative degree
(ii) comparative + by far
(iii) comparative + still
(iv) still + comparative

1. राधा सीता से बहुत अधिक/से कहीं अधिक लम्बी है।
   Radha is much taller than Sita.
   Radha is taller still/is still taller.
2. यह किताब उससे कहीं अधिक अच्छी है।
   This book is far better than that.
   This book is better by far.
   This book is still better.
   This book is better still.

Rule IX A (f) **से अधिक अच्छा** का अनुवाद better than होता है और preferable to भी; जैसे,

1. यह किताब उससे अधिक अच्छी है। This book is better than that.
   This book is preferable to that.
2. मछली मांस से अधिक अच्छी है। Fish is preferable to meat.

Rule IX A (g) कुछ वाक्यों में **और भी अधिक + विशेषण** का प्रयोग होता है। इनका अनुवाद होता है—

still + comprative/all the + comparative; जैसे,

उसकी कलम मेरी कलम से अच्छी है, पर तुम्हारी कलम और भी अधिक अच्छी है—

His/her pen is better than mine but yours is still better.

EXERCISE 12

Translate into English.

1. मोहन सोहन से अधिक मोटा है।
2. राधा सीता से अधिक तेज है
3. रहीम करीम से अधिक धनी है।
4. रेखा मंजू से अधिक बुद्धिमती है।
5. यह सड़क उसकी तुलना में अधिक चौड़ी है।
6. यह प्रश्न उससे अधिक अधिक महत्त्वपूर्ण है।
7. यह पुस्तक उसकी अपेक्षा अधिक अच्छी है।
8. यह पुस्तक उससे अधिक उपयोगी है।
9. यह कलम उससे कहीं अधिक सस्ती है।
10. दही दूध से कहीं अधिक अच्छा है।

EXERCISE 13

Correct these translations.

1. यह प्रश्न उससे अधिक आसान है।
   This question is more easier than that.
2. यह कलम और भी अधिक सस्ती है।
   This pen is more cheaper than that.
3. कॉफी चाय से अधिक अच्छी है।
   Coffee is preferable than tea.
4. मधु चीनी से अधिक अच्छी है।
   Honey is more better to sugar.

Rule IX B अब इन वाक्यों को लें—

1. राधा सीता से कम लम्बी है। 2. राधा सीता से कम सुन्दर है।

ऐसे वाक्यों से भी गुण/अवगुण की असमानता का बोध होता है और इनकी बनावट होती—

कर्ता + संज्ञा/सर्वनाम + से + कम + विशेषण + क्रिया [होना]

इनका अनुवाद होता है—

Subject	*+ is/are*	*+ not as/so*	*+ adjective*	*+ as*	*+ noun/pronoun*
Radha	is	not as/so	tall	as	Sita.
Radha	is	not as/so	beautiful	as	Sita.

1. राधा सरिता से कम लम्बी है। Radha is less tall than Sita.
   Radha is not as/so tall as Sita.
2. राधा सीता से कम सुन्दर है। Radha is less beautiful than Sita.
   Radha is not as/so beautiful as Sita.

ध्यान दें—

Rule IX B (a) आजकल less + adjective का प्रयोग प्रायः नहीं होता और खासकर छोटे-छोटे adjectives के पहले less का प्रयोग विरले ही मिलता है। अब less + adjective के बदले **not as/so + adjective** का प्रयोग अधिक प्रचलित है। इसलिए less का प्रयोग नहीं करें तो अच्छा।

EXERCISE 14

Translate into English.

1. सीता राधा से कम धनी है।
2. मोहन सोहन से कम अच्छा है।
3. लता शीला से कम मोटी है।
4. यह सड़क उससे कम लम्बी है।
5. यह नदी उसकी अपेक्षा कम गहरी है।
6. यह कमरा उससे कम चौड़ा है।
7. यह कमीज उसकी तुलना में कम लाल है।
8. यह फल उससे कम मीठा है।
9. यह प्रश्न उससे कम आसान है।
10. यह आदमी उससे कम महत्त्वपूर्ण है।

EXERCISE 15

Correct these translations.

1. यह कमीज उससे कम काली है। This shirt is not as blacker as that.
2. यह घर उसकी अपेक्षा कम मजबूत है। This house is not so stronger than that.
3. यह लड़का उससे कम तेज है। This boy is not as intelligent than that.

Rule X अब इन वाक्यों को देखें—

1. राम इन लड़कों में अधिक अच्छा है,
2. यह इन दो कलमों में अधिक लाल है।

ऐसे वाक्यों से भी गुण की असमानता का बोध होता है और इनकी बनावट होती है—

कर्ता + [संज्ञा/सर्वनाम] + दो + संज्ञा + में + अधिक + विशेषण + क्रिया

इनका अनुवाद होता है—

Subject	*+ verb*	*+ the*	*+ comparative*	*+ of*	*+ the two*	*+ noun*
Ram	is	the	better	of	the two	boys.
This	is	the	redder	of	the two	pens.

1. राधा इन दो लड़कियों में अधिक लम्बी है।
   Radha is the taller of the two girls.
2. वह इन दो लड़कों में अधिक मोटा है।
   He is the fatter of the two boys.

EXERCISE 16

Translate into English.

1. यह इन दो कलमों में अधिक सस्ती है।
2. मोहन इन लड़कों में अधिक बुद्धिमान है।
3. सोहन इन दो बच्चो में अधिक धनी है।
4. यह इन दो किताबों में अधिक अच्छी है।
5. यह इन दो सड़कों में अधिक चौड़ी है।

Rule XI A अब इन वाक्यों को लें—

1. यहाँ पेंसिल से अधिक कलमें हैं।
2. यहाँ दूध से अधिक पानी है।

ऐसे वाक्यों से संख्या (number) या मात्रा (quantity) की असमानता का बोध होता है और इनकी बनावट होती है—

......बहुवचन संज्ञा + से + अधिक + बहुवचन संज्ञा......
पदार्थवाचक संज्ञा + से + अधिक + पदार्थवाचक संज्ञा......

इनका अनुवाद होता है—

(i) Other words *(ii) Other words*	*+ more* *+ more*	*+ plural noun* *+ material noun*	*+ than* *+ than*	*+ plural noun* *+ material noun*
There are There is	more more	pens water	than than	pencils here. milk here.

1. यहाँ मर्दों से अधिक/की अपेक्षा अधिक औरतें हैं।
   There are more women than men here.
2. उसे सोने से अधिक/की अपेक्षा चाँदी अधिक है।
   He has more silver than gold.

Rule XI B अब इन वाक्यों को देखें—

1. यहाँ पेंसिलों से कम कलमें हैं। 2. यहाँ पानी से कम दूध है।

ऐसे वाक्यों से भी संख्या/मात्रा की असमानता का बोध होता है और इनकी बनावट होती है—

......बहुवचन संज्ञा + से + कम + बहुवचन संज्ञा......
......पदार्थवाचक संज्ञा + से + कम + पदार्थवाचक संज्ञा......

इनका अनुवाद होता है—

(i) Other words *(ii) Other words*	*+ fewer* *+ less*	*+ plural noun* *+ material noun*	*+ than* *+ than*	*+ plural noun* *+ material noun*
There are There is	fewer less	pens milk	than than	pencils here. milk here.

1. यहाँ बच्चों से कम औरतें हैं। There are fewer women than children.
2. उसे चाँदी से कम सोना है। He has less gold than silver.
3. मुझे मछली से कम मांस है। I have less meat than fish.

ध्यान दें—

Rule XI B (a) **अधिक** का प्रयोग संख्या और मात्रा—दोनों के लिए होता है और इन दोनों अर्थों में **अधिक** का अनुवाद होता है—**more + noun**; जैसे,

more pens, more men, more water, more silver

Rule XI B (b) **कम** का प्रयोग संख्या और मात्रा—दोनों के लिए होता है, पर **कम + पदार्थवाचक संज्ञा** का अनुवाद होता है—**less + material noun** और **कम बहुवचन संज्ञा** का अनुवाद होता है—fewer + plural noun; जैसे,

less milk, less gold/meat, fewer pens/women

इसलिए अनुवाद इस प्रकार न करें—

1. मुझे कमीजों से कम कोट हैं। I have less coats than shirts.
2. उसे नमक से कम चीनी है। He has fewer sugar than salt.

Rule XI B (c) कुछ वाक्यों में **निश्चित संख्या + बहुवचन संज्ञा + कम** का प्रयोग होता है। इनका अनुवाद होता है—

definite numeral + plural noun + less; जैसे,

इस कार्य के लिए दो आदमी हैं। There are two persons for this work.

EXERCISE 17

Translate into English.

1. यहाँ गायों से अधिक भैंसे हैं।
2. यहाँ कुत्तों से अधिक बिल्लियाँ हैं।
3. यहाँ लड़कों से अधिक लड़कियाँ हैं।
4. यहाँ चावल से अधिक गेहूँ है।
5. यहाँ घी से अधिक तेल है।
6. यहाँ लोगों से अधिक मच्छड़ हैं।
7. यहाँ कुर्सियों से कम मेहमान हैं।
8. यहाँ सीमेंट से कम चूना है।

9. यहाँ मरीजों से कम दवाएँ हैं।
10. मोहन के चीनी से कम मधु है।

EXERCISE 18

Correct these translations.

1. उषा के बहनों से कम भाई हैं। Usha has less brothers than sisters.
2. यहाँ चूहे से कम बिल्लियाँ हैं। There are less cats than rats here.
3. यहाँ गलियों से कम सड़कें हैं। There are less roads than lanes here.
4. सोहन के गेहूँ की अपेक्षा चावल कम है। Sohan has fewer rice than wheat.

Rule IX B अब इन वाक्यों पर विचार करें—

1. दौड़ना उतना आसान नहीं है जितना टहलना।
2. दौड़ने से/की अपेक्षा टहलना आसान है।
3. सिगरेट पीने से शराब पीना अधिक हानिकारक है।
4. कहानी लिखने से उपन्यास लिखना अधिक कठिन है।

ऐसे वाक्यों से दो कार्यों (actions) की तुलना की जाती है। इनका अनुवाद होता है—

I

Gerund *Gerund*	*+ is* *+ isn't*	*+ comparative* *+ as + positive*	*+ than* *+ as*	*+ gerund* *+ gerund*
Walking	is	easier	than	running.
Cycling	is	easier	than	truck-driving.
Smoking	isn't	as injurious	as	drinking.
Pulling a chain	isn't	as dangerous	as	pulling a dog's tail.
Keeping a promise	isn't	as easy	as	making it.
Cooking	isn't	as easy	as	eating.

II

It + is *It + isn't*	*+ comparative* *+ as + positive*	*+ infinitive* *+ infinitive*	*+ than* *+ as*	*+ infinitive [without to]* *+ infinitive without to]*
It is It is	easier easier	to walk to say	than than	run. do.

It is not	as injurious	to smoke	as	drink.
It is not	as dangerous	to touch fire	as	touch a live wire.
It is not	as easy	to keep a promise	as	make it.
It is not	as easy	to cook	as	eat.

ध्यान दें—

Rule IX B (a) than के बाद आनेवाले infinitve [to + work] का to चिह्न छिपा रहता है—

Than run/do/drink [not **to run/to do/to drink**]

EXERCISE 19

Translate into English.

1. फिल्म बनाने से फिल्म देखना अधिक आसान है।
2. मछली तलने से चाय बनाना आसान है।
3. पढ़ने से पढ़ाना अधिक कठिन है।
4. पढ़ना उतना आसान नहीं है जितना पढ़ाना।
5. मछली पकड़ना उतना आसान नहीं है जितना मछली खाना।
6. किताब लिखना उतना आसान नहीं है जितना किताब पढ़ना।
7. झूठ बोलना उतना कठिन नहीं है जितना सच बोलना।

Rule XIII अब इन वाक्यों को देखें—

1. वह बक्सा उस बक्से से तीन गुना भारी है।
2. राधा शीला से कई गुना अच्छी है।

ऐसे वाक्यों से भी तुलना का बोध होता है और गुण की असमानता का भाव व्यक्त होता है। इनकी बनावट होती है—

कर्त्ता + संज्ञा + से + संख्यावाचक विशेषण + गुण + विशेषण + क्रिया

इनका अनुवाद होता है—

Subject	*+ verb*	*+ numeral adjective*	*+ times*	*as*	*+ adjective*	*+ as*	*+ noun/ pronoun*
This box	is	three	times	as	heavy	as	that box.
Radha	is	several	times	as	good	as	Sheela.

1. वह तुमसे सौ गुना धनी है। He is a hundred times as rich as you.
2. यह पुस्तक उससे कई गुना अच्छी है। This book is several times as good as that.

ध्यान दें—

Rule XIII (a) ऐसे वाक्यों का अनुवाद इस प्रकार नहीं होता—

Subject + verb + numeral adjective + times + comparative + than + noun/pronoun

इसलिए ये अनुवाद अनुचित हैं—

1. यह बक्सा उस बक्से से तीन गुना भारी है। This box is **three times** heavier than that that box.
2. राधा शीला से कई गुना अच्छी है। Radha is **several** times **better** **than** Sheela.

Rule XIII (b) कुछ वाक्यों में **निश्चित रकम (amount) या मात्रा (quanity) + विशेषण** का प्रयोग होता है। इनका अनुवाद होता है—

Subject + verb + amount/quantity + comparative + than + noun

1. यह बक्सा उस बक्से से तीन किलोग्राम अधिक भारी है।
   This box is **three kilograms heavier than** that.
2. यह कमीज उस कमीज से दस रुपया अधिक महँगी है।
   This **shirt is ten rupees costlier than** that.

EXERCISE 20

Translate into English.

1. यह लड़का उससे चार गुना मोटा है।
2. मोहन सोहन से तीन गुना धनी है।
3. यह कुर्सी उससे तीन गुना भारी है।
4. राधा सीता से कई गुना सुन्दर है।
5. यह कोट उससे बीस रुपये अधिक महँगा है।
6. यह लड़का उससे पाँच किलोग्राम अधिक भारी है।

Rule XIV अब इन वाक्यों को लें—

1. राम श्याम से अधिक बहादुर और बुद्धिमान है।
2. राधा सीता से अधिक धनी और सुन्दर है।

ऐसे वाक्यों में एक से अधिक गुणों की तुलना होती है और गुण की असमानता का बोध होता है। इनकी बनावट होती है—

कर्ता + संज्ञा/सर्वनाम + से + अधिक + विशेषण + और + विशेषण + क्रिया

इनका अनुवाद होता है—

Subject	*+ verb*	*+ comparative*	*+ and*	*+ comparative.*	*+ than*	*+ noun/ pronoun*
Ram Radha	is is	braver richer	and and	wiser more beautiful	than than	Shyam. Sita.

1. रहीम करीम से अधिक बलवान और तेज है।
   Rahim is stronger and more intelligent than Karim.
2. यह पुस्तक उससे अधिक सस्ती और उपयोगी है।
   This book is cheaper and more useful than that.

ध्यान दें—

Rule XIV (a) ऐसे वाक्यों के सभी विशेषण comparative degree में रहते हैं। इसलिए अनुवाद इस प्रकार न करें—

1. Rahim is stronger and intelligent than Karim.
2. Ram is braver and wise than Shyam.

EXERCISE 21

Translate into English.

1. यह सड़क उससे अधिक लम्बी है और चौड़ी है।
2. यह लड़की उससे अधिक मोटी और लम्बी है।
3. यह किताब उससे अधिक सस्ती और उपयोगी है।
4. यह नदी उससे अधिक चौड़ी और गहरी है।
5. यह घर उससे अधिक मजबूत और सस्ता है।
6. मोहन सोहन से अधिक समझदार और सुशील है।
7. यह लड़का उससे अधिक बेवकूफ और कुरूप है।
8. राम श्याम से अधिक बुद्धिमान और परिश्रमी है।

Rule XV इब इन वाक्यों पर विचार करें—

1. वह ब्रहादुर अधिक है और और बुद्धिमान कम।
2. वे बेवकूफ अधिक हैं और बदमाश कम।

ऐसे वाक्यों में एक ही व्यक्ति के गुणों की तुलना की जाती है और इन गुणों के बीच असमानता का बोध होता है, अर्थात यह बोध होता है कि एक गुण की मात्रा अधिक है और दूसरे गुण की मात्रा कम है। इनकी बनावट होती है—

कर्ता + विशेषण + अधिक + क्रिया + और + विशेषण + कम

इनका अनुवाद होता है—

Subject	*+ verb*	*+ more*	*+ adjective*	*+ than*	*+ adjective*
He	is	more	brave	than	wise.

1. वे बेवकूफ अधिक हैं और बदमाश कम।
   They are more foolish than wicked.
2. वह अच्छा अधिक है और चालाक कम।
   He is more sober than clever.

ध्यान दें—

Rule XV (a) ऐसे वाक्यों के छोटे-छोटे adjectives की भी comparative degree इस प्रकार बनाई जाती है—

more + adjective; [adjective + er नहीं।]

इसलिए अनुवाद इस प्रकार न करें—

1. He is braver than wiser.
2. He is better than cleverer.

EXERCISE 22

Translate into English.

1. यह कमरा लम्बा अधिक है और चौड़ा कम।
2. यह लड़का धनी अधिक है और बुद्धिमान कम।
3. यह लड़की बहादुर अधिक है और धनी कम।
4. वह गरीब अधिक है ओर बेईमान कम।
5. यह कलम सस्ती अधिक है और अच्छी कम।
6. वह मोटा अधिक है और लम्बा कम।

Rule XVI अब इन वाक्यों को देखें—

1. उषा सबसे अच्छी औरत है।
2. वह वर्ग में सबसे छोटा लड़का है।
3. यह सबसे अच्छी पुस्तक है।
4. वह सबमें अधिक सुन्दर है।

ऐसे वाक्यों में दो से अधिक व्यक्तियों/वस्तुओं की तुलना की जाती है और इनसे यह बोध होता है कि एक व्यक्ति/वस्तु में गुण की मात्रा सबसे अधिक है। इनकी बनावट होती है—

कर्ता + सबसे/सबमें + विशेषण + संज्ञा + क्रिया

इनका अनुवाद होता है—

Subject	*+ verb*	*+ the*	*+ superlative*	*+ of/in/on*	*+ all/noun*
Usha	is	the	best	of	all women.
He	is	the	smallest boy	in	the class.
She	is	the	most beautiful	of	all.
He	is	the	richest man	on	the earth.

1. यह पुस्तक सबसे अधिक उपयोगी है।
   This book is the most useful of all.
2. एवरेस्ट दुनिया में सबसे ऊँची चोटी है।
   Everest is the highest peak in the world.

ध्यान दें—

Rule XVI (a) छोटे-छोटे adjectives की superlative degree इस प्रकार बनती है—

adjective + est; जैसे, tallest, smallest, wisest, bravest

लम्बे-लम्बे adjectives की superlative degree इस प्रकार बनती है—

most + adjective; जैसे, most useful, most beautiful, most important

Rule XVI (b) Superlative degree के बाद of आता है, पर देश/स्थान-सूचक शब्दों के साथ in का प्रयोग होता है; जैसे, best of all, wisest of all boys, smallest in the class.

Rule XVI (c) ऐसे कुछ वाक्यों में **से बहुत अधिक/से कहीं अधिक + विशेषण** का प्रयोग होता हे। इनका अनुवाद होता है।

(i) by far the + superlative,
(ii) much the + superlative,
(iii) the very + superlative,
(iv) far and away + superlative.

1. यह पुस्तक सभी से कहीं अधिक अच्छी है।
   This book is by far the best.
   This book is much the best.
   This book is the very best.
   This book is far and away the best.
2. मोहन सभी से बहुत अधिक महान है।
   Mohan is by far the greatest of all.
   Mohan is much the greatest of all.
   Mohan is the very greatest of all.

Rule IX B (a) ऐसे वाक्यों का अनुवाद इस प्रकार भी होता है—

(i) Subject *(ii) Subject* *(iii) Subject*	*+ verb* *+ verb* *+ verb*	*+ comparative* *+ comparative* *+ comparative*	*+ than* *+ than* *+ than*	*+ all other* *+ plural noun* *+ any other* *+ singular noun* *+ anyone/anybody/* *everybody + else*
Football Football Radha	is is is	better better taller	than than than	all other games. any other game. anyone else.

1. उषा सबसे अच्छी औरत है। Usha is better than all other women.
   Usha is better than any other woman.
   Usha is the best of all women.
2. उषा किसी से भी सबसे अच्छी है। Usha is better than anyone else.
   Usha is better than anybody else.
   Usha is better than everybody else.
   Usha is the best of all.
3. यह सबसे अधिक उपयोगी पुस्तक है।
   This is better than all other books.
   This is better than any other book.
   This is the best of all books.

ऐसे वाक्यों में superlative + of + all आता है या **comparative + than + all other/any other/anyone else/any body else/everybody else.** इसकी बनावट में तो अंतर रहता है, पर इनके अर्थ में कोई अंतर नहीं होता। इस प्रकार, ये दोनों प्रकार के वाक्य superlative degree का भाव व्यक्त करते हैं।

इसलिए अनुवाद इस प्रकार न करें—

comparative + than + all/any/anyone/anybody/every body; जैसे,

1. Usha is better **than all** women.
2. Usha is better **than anybody**.

यहाँ पहले वाक्य में all other women और दूसरे में anybody else का प्रयोग आवश्यक है।

EXERCISE 23

Translate as in the example: He is the richest of all/in the class.

1. यह सबसे सस्ती कलम है।
2. वह सबसे बुद्धिमान लड़का है।
3. यह सबसे सुन्दर गुड़िया है।
4. वह सबसे बहादुर बच्चा है।

5. वह गाँव में सबसे धनी है।
6. वह भारत में सबसे बड़ा आदमी है।
7. यह विश्व में सबसे अच्छी किताब है।
8. यह दुनिया में सबसे लम्बी नदी है।

EXERCISE 24

Translate as in the example: He is richer than all other men/any other man.

1. फुटबॉल सबसे लोकप्रिय खेल है।
2. सीता सबसे सुन्दर औरत है।
3. भारत सबसे महान देश है।
4. बिहार सबसे गरीब राज्य है।
5. यह पुस्तक सबसे अच्छी है।
6. यह कलम सबसे सस्ती है।
7. वह सबसे बुद्धिमान लड़का है।
8. वह सबसे बहादुर लड़की है।
9. यह सबसे आसान प्रश्न है।
10. यह सबसे मजबूत मकान है।

Rule XVII अब इन वाक्यों को लें—

1. उषा से अधिक अच्छी और कोई औरत नहीं हो सकती।
2. इस पुस्तक से अधिक उपयोगी और कोई दूसरी पुस्तक नहीं हो सकती।
3. इस लड़के से अधिक धनी और कोई लड़का नहीं हो सकता।

ऐसे वाक्यों में एक की तुलना बहुतों से की जाती है और यह बोध होता है कि एक में गुण की मात्रा सबसे अधिक है। इनकी बनावट होती है—

कर्ता + से + अधिक + विशेषण + और कोई + संज्ञा +
नहीं हो सकता/सकती/सकते

इनका अनुवाद होता है—

Subject	*+ can't*	*+ be + comparative*	*+ than*	*+ adjective*
A woman	can't	be better	than	Usha.
A book	can't	be more useful	than	this.
A boy	can't	be richer	than	he.

ध्यान दें—

Rule XVII (a) **और कोई** का अनुवाद नहीं होता।

Rule XVII (b) **और कोई** के बाद आनेवाला noun अँगरेजी वाक्य का subject होता है; जैसे, और कोई औरत = a woman, और कोई किताब = a book

Rule XVII (c) ऐसे वाक्यों का अनुवाद इस प्रकार भी हो सकता है—

No	*+ subject*	*+ can*	*+ be + comparative*	*+ than*	*+ noun/pronoun*
No	woman	can	be better	than	Usha.
No	book	can	be more useful	than	this.
No	boy	can	be richer	than	he.

Rule XVII (d) ऐसे वाक्यों का भावानुवाद इस प्रकार भी हो सकता है—

......the likes + of + noun/pronoun

1. उर्षा के समान/के टक्कर की औरत आपको नहीं मिल सकती।
   You can't find the likes of Usha.
2. उनके जैसे विरले ही पाये जाते हैं।
   The likes of him are rarely found.

EXERCISE 25

Translate into English.

1. इस लड़के से अधिक बुद्धिमान और कोई नहीं हो सकता।
2. इस आदमी से अधिक बहादुर और कोई नहीं हो सकता।
3. इस लड़की से अधिक तेज और कोई नहीं हो सकती।
4. इस औरत से अधिक सुन्दर ओर कोई नहीं हो सकती।
5. गाय से उगयोगी और कोई जानवर नहीं हो सकता।
6. सीता के समान औरत आपको नहीं मिल सकती।
7. इसके टक्कर की पुस्तक आपको नहीं मिल सकती।

Rule XVIII अब इन वाक्यों को लें—

1. वह सबसे अच्छा लड़का नहीं, तो कम-से-कम उनमें से एक तो अवश्य है।
2. वह महिला सबसे अधिक धनी नहीं, तो कम-से-कम उनमें से एक तो है ही।

ऐसे वाक्यों के दो भाग होते हैं और इनकी बनावट होती है—

……सबसे + विशेषण…… + उनमें से एक……

इनका अनुवाद होता है—

......one of the + superlative + plural noun	*+ if not the + superlative*
He is one of the greatest leaders,	if not the greatest.

1. वह सबसे अच्छा लड़का नहीं, तो कम-से-कम से एक तो अवश्य है।
   He is certainly one of the best boys, if not the best.
2. वह महिला सबसे धनी नहीं, तो कम से कम उनमें एक तो है ही।
   That lady is one of the richest, if not the richest.

ध्यान दें—

Rule XVIII (a) हिन्दी का दूसरा भाग अँगरेजी वाक्य में पहले आता है ओर पहला भाग बाद में। यह भी देखें कि अँगरेजी वाक्य का दूसरा भाग if से आरंभ होता है।

Rule XVIII (b) ऐसे वाक्यों के कम-से-कम का अनुवाद नहीं होता।

EXERCISE 26

Translate into English.

1. वह सबसे बहादुर लड़की नहीं, तो कम से कम उनमें से एक तो है ही।
2. वह सबसे बुद्धिमान लड़का नहीं, तो कम से कम उनमें से एक तो अवश्य है।
3. वह सबसे सुन्दर औरत नहीं, तो कम से कम उनमें से एक तो अवश्य है।
4. वह सबसे बलवान आदमी नहीं, तो कम से कम उनमें से एक तो है ही।
5. यह सबसे अधिक उपयोगी किताब नहीं, तो कम से कम उनमें से एक तो अवश्य है।

Rule XIX अब इन वाक्यों पर विचार करें—

1. मैंने जितनी पुस्तकें लिखी है उनमें सबसे अच्छी यह है।
2. उसने जितने दृश्य देखें हैं उनमें सबसे सुन्दर यह है।
3. यहाँ जितने मैच खेले गए उनमें सबसे अच्छा यह है।

ऐसे वाक्यों के दो भाग होते हैं और इनकी बनावट होती है—

......जितनी/जितने......उनमें सबसे + विशेषण......

इनका अनुवाद होता है—

(i) This is the + superlative + subject + have + ever + past participle
(ii) This is the + superlative + ever + past participle

1. मैंने जितनी पुस्तकें लिखी हैं उनमें सबसे अच्छी यह है।
   This is the best book/I have ever written.
2. उसने जितने दृश्य देखे हैं उनमें सबसे सुन्दर यह है।
   This is the most charming sight/he has ever seen.
3. यहाँ जितने मैच खेले गए हैं उनमें सबसे अच्छा यह है।
   This is the best match/ever played here.

ध्यान दें—

Rule XIX (a) हिन्दी का दूसरा भाग अँगरेजी वाक्य में पहले आता है और पहला भाग बाद में। यह भी देखें कि दूसरे भाग के पहले आनेवाला that/which छिपा रहता है; जैसे,

This is the best book [that/which] I have ever written.

Rule XIX (b) अँगरेजी वाक्य के दूसरे भाग में ever का प्रयोग होता है। ऐसे वाक्यों में ever का प्रयोग superlative degree या noun के बाद इस प्रकार नहीं करना चाहिए—

1. This is the **best ever** book. 2. This is the **best book ever**.

EXERCISE 27

Translate into English.

1. मैंने जितनी किताबें पढ़ी हैं, उनमें सबसे उपयोगी यह है।
2. मैंने जितनी लड़कियाँ देखी है, उनमें सबसे सुन्दर राधा है।
3. मैंने जितना भोजन खाया है, उनमें सबसे स्वादिष्ट यह है।
4. उसने जितने कार्य किए हैं उनमें सबसे अच्छा यह है।
5. उसने जितने लोगों को देखे हैं, उनमें सबसे दयालु मोहन है।
6. मैंने जितने लोगों को जाना है, उनमें सबसे महान राम है।
7. मैंने जितने गीत गाए हैं, उनमें सबसे मीठा यह है।

Rule XX अब इनमें वाक्यों पर विचार करें—

1. गत वर्ष की सौ डकैतियों की तुलना में इस वर्ष अस्सी डकैतियाँ हुईं।
2. हमलोग पाँच गोलों की तुलना में सात गोलों से जीत गए।

ऐसे वाक्यों में संज्ञाओं की तुलना की जाती है। इनकी बनावट होती है—

......संज्ञा + की तुलना में + संज्ञा......

इनका अनुवाद होता है—

...... against/to ......

1. गत वर्ष की सौ डकैतियों की तुलना में इस वर्ष अस्सी डकैतियाँ हुईं।
   There were eighty robberies this year **against** a hundred last year.
2. गत महीने की पचास चोरियों की तुलना में इस महीने तीस चोरियाँ हुईं।
   There were thirty burglaries this month **against** fifty last month.
3. हमलोग पाँच गोलों की तुलना में सात गोलों से जीत गए।
   We won by seven goals **to** five.

ध्यान दें—

Rule XX (a) ऐसे वाक्यों में **की तुलना** में का अनुवाद नहीं होता, क्योंकि preposition से ही तुलना का भाव व्यक्त होता है।

Rule XX (b) ऐसे वाक्यों में comparative degree (adjective + er) का प्रयोग नहीं होता, क्योंकि तुलना संज्ञाओं के बीच की जाती है, विशेषण के बीच नहीं।

Rule XXI अब इन वाक्यों को देखें—

1. ज्यों-ज्यों हम ऊपर जाते हैं त्यों-त्यों अधिक ठंढा होता जाता है।
2. जैसे-जैसे हम ऊपर जाते हैं वैसे-वैसे अधिक ठंढा होता जाता है।
3. जितनी जल्दी कार्य आरंभ करो, उतना ही अच्छा है।

ऐसे वाक्यों से गुण की समानान्तर वृद्धि या कमी (parallel increase/decrease) का बोध होता है और इनकी बनावट होती है—

ज्यों-ज्यों + उपवाक्य...... + त्यों-त्यों + उपवाक्य
जैसे-जैसे + उपवाक्य...... + वैसे-वैसे + उपवाक्य
जितना/जितनी + उपवाक्य...... उतना ही/उतनी ही + उपवाक्य

इनका अनुवाद होता है—

The + comparative + clause + the + comparative + clause

1. ज्यों-ज्यों ऊपर जाते हैं, त्यों-त्यों अधिक ठंढा होता जाता है।
   जैसे-जैसे हम ऊपर जाते हैं, वैसे-वैसे अधिक ठंढा होता जाता है।
   The higher we go, the colder it is.
2. जितनी जल्दी कार्य आरंभ करो, उतना ही अच्छा हो।
   The sooner you begin the work, the better it is.
3. तुम जितना अधिक अधिक पाते हो, उतना ही अधिक चाहते हो।
   The more you get, the more you want.

Rule XXII अब इन वाक्यों को लें—

1. रोगी खराब होता जा रहा है।
2. रोगी अच्छा होता जा रहा है।
3. वह खराब होती चली गयी।
4. वे अच्छे होते चले गये।

ऐसे वाक्यों से गुण की क्रमिक वृद्धि (gradual increase) का बोध होता है और इनकी बनावट होती है—

कर्ता + विशेषण + होता/होती/होते + सहायक क्रिया 'जाना'

इनका अनुवाद होता है—

Subject	*+ verb [get/ grow/turn]*	*+ comparative*	*+ and*	*+ comperative*
The patient The patient	is getting is getting	worse better	and and	worse. better.

1. वह खराब होती चली गई। She grew worse and worse.
2. आकृति छोटी होती चली गई। The image grew smaller and smaller.
3. आसमान लाल होता चला गया। The sky turned redder and redder.
4. वे कमजोर होते जा रहे हैं। They are geting weaker and weaker.

EXERCISE 28

Translate into English.

1. वह अच्छा होता जा रहा है।
2. वह मजबूत होता जा रहा है।
3. सूर्य प्रकाशवान होता जा रहा है।
4. यह कपड़ा उजला होता जा रहा है।
5. यह लड़की अभिमानी होती जा रही है।
6. वह लड़की बुद्धिमानी होती जा रही है।
7. ज्यों-ज्यों मैं अधिक सोचता हूँ त्यों-त्यों अधिक उलझता जाता हूँ।
8. हम इस किताब की प्रशंसा जितनी करें, उतनी ही कम है।

Hints: उलझना = confused, प्रशंसा = to praise, कम = less

EXERCISE 29

Match the clauses under A and B to make meaningful sentences.

A	**B**
I have as many	silver as he has.
This is the better	than than.
She is taller	of all.
He is as clever	as rock.
She has as much	dolls as he has.
This pen is cheaper	of the two.
This route is the shortest	than all other girls.
He is as firm	as a fox.

□

31. पसन्द/नापसन्द-सूचक वाक्य

यहाँ ऐसे वाक्यों के अनुवाद पर विचार करें जिनसे पसन्द (choice preference) का भाव व्यक्त होता है।

Rule I इन वाक्यों को लें—

1. वह मछली पसन्द करता है। 2. उसको मछली अच्छी लगती है।
3. वह दूध पसन्द करती है। 4. उसको दूध अच्छा लगता है।

ऐसे वाक्यों से किसी व्यक्ति की पसन्द का बोध होता है और इनकी बनावट होती है—

कर्ता + कर्म + क्रिया [पसन्द करना]
संज्ञा/सर्वनाम + को + संज्ञा [कर्त्ता] + क्रिया [अच्छा लगना]

इनका अनुवाद होता है—

(i) Subject	*+ verb {like}*	—	*+ object*
(ii) Subject	*+ verb [have]*	*+ a liking for/ a weakness for*	*+ object*
(iii) Subject	*+ verb [have]*	*+ a taste for*	*+ object*
(iv) Subject	*+ verb [is/are]*	*+ fond of*	*+ object*
He	likes	—	fish.
He	has	a liking for	fish.
He	is	fond of	fish.
I	have	a weakness for	gaudy colours.
I	have	a taste for	music.

1. वह दूध पसन्द करती है। उसको दूध अच्छा लगता है।
   She likes milk. She has a liking for milk.
   She has a taste for milk. She is fond of milk.
   She has a weakness for milk.
2. मुझे इस प्रकार की पोशाक अच्छी लगती है।
   I like this kind of dress.
   I have a weakness for this kind of dress.
   I have a liking for this kind of dress.
   I have a taste for this kind of dress.
   I am fond of this kind of dress.

ध्यान दें—

Rule I (a) ऐसे वाक्यों की बनावट इस प्रकार की भी होती है—

......संज्ञा + का + शौक है
......धातु + ने + का + शौक है

इनका अनुवाद होता है—

Subject	*+ verb [be]*	*+ fond of*	*+ noun/verb + ing*
He	is	fond of	coffee.
he	is	fond of	hunting.

1. उसे संगीत का शौक है। He is fond of music.
2. मुझे नयापन का शौक है। I am fond of novelty.
3. उन्हें आधुनिकता का शौक है। They are fond of modernity.
4. उसे टेनिस खेलने का शौक है। He is fond of playing tennis.
5. उसे जुआ खेलने का शौक है। He is fond of gambling.

Rule II पसन्द करने का भाव इस प्रकार भी व्यक्त किया जा सकता है—

Subject	*+ verb [shouldn't mind]*	*+ noun*
I	shouldn't mind	a glass of milk.

1. मैं एक कप चाय पसन्द करूँगा। I shouldn't mind a cup of tea.
2. मैं थोड़ा और पसन्द करूँगा। I shouldn't mind a little more.

EXERCISE 1

Translate into English.

1. उषा को गहने पसन्द हैं।
2. इन लड़कों को गाने का शौक है।
3. मुझे इस प्रकार के गीत अच्छे लगते हैं।
4. इन लोगों को भ्रमण का शौक है।
5. उसे जासूसी उपन्यास पसन्द है।
6. मुझे सूट पहनने का शौक है।
7. मुझे इस प्रकार का रंग अच्छा लगता है।
8. उसे शिकार करने का शौक है।
9. उसे इस प्रकार की मिठाइयाँ पसन्द हैं।
10. उसे स्नानघर में गाने का शौक है।

Hints: जासूसी उपन्यास = detective novel, शिकार = hunting, स्नानघर = bathroom

Rule II अब इन वाक्यों को लें—

1. यह भोजन मुझे पसन्द है।
2. यह भोजन मेरी पसन्द का है।
3. यह भोजन मेरी पसन्द के योग्य है।
4. यह भोजन मेरे मन के लायक है।

ऐसे वाक्यों से भी पसन्द का भाव व्यक्त होता है और इनकी बनावट होती है—

कर्ता + कर्म + पसन्द [संज्ञा] + है
कर्ता + सम्बन्ध कारक + पसन्द + का है/की है/के हैं
कर्ता + सम्बन्ध कारक + पसन्द + के योग्य/के लायक + है/हैं

इनका अनुवाद होता है—

Subject	*+ verb [be]*	*+ to*	*+ possessive adjective*	*+ liking/taste*
This food	is	to	my	taste.
This shirt	is	to	his	liking.

1. यह भोजन मुझे पसन्द है। यह भोजन मेरी पसन्द का है।
   यह भोजन मेरी पसन्द के योग्य/के लायक है।
   This food is to my liking/to my taste.
2. यह साड़ी उसे पसन्द है। यह साड़ी उसकी पसन्द की है।
   यह साड़ी उसकी पसन्द के योग्य/के लायक है।
   This sari is to her liking/to her taste.

ध्यान दें—

Rule II A (a) ऐसे वाक्यों के **सम्बन्ध कारक + पसन्द का है/की है/के है** का अनुवाद इस प्रकार भी हो सकता है—**Noun + is + choice**; जैसे,

1. यह साड़ी उसकी पसन्द की है। This sari is of her choice.
2. ये खिलौने मेरी पसन्द के हैं। These toys are of my choice.
3. यह किताब मोहन की पसन्द की है। This book is of Mohan's choice.

Rule II A (b) ऐसे वाक्यों के **सबसे अधिक पसन्द + का/की/के + संज्ञा का** अनुवाद होता है—**choicest + noun**; जैसे,

1. यह मेरा सबसे अधिक पसन्द का भोजन है। This is my choicest dish.
2. यह उसकी सबसे अधिक पसन्द की साड़ी है। This is her choicest sari.

EXERCISE 2

Translate into English.

1. यह पोशाक मेरी पसन्द का है।
2. यह किताब मेरी पसन्द की है।

3. यह योजना मेरी पसन्द की है।
4. यह कार्यक्रम मेरे मन के लायक है
5. यह फिल्म मेरी पसन्द के योग्य है।
6. यह तसवीर मेरे मन के लायक है।
7. यह प्रतियोगिता मेरी पसन्द की है।
8. यह गहना मेरी पसन्द का है।
9. यह पोशाक मेरी सबसे अधिक पसन्द का है।
10. यह गहना मेरी सबसे अधिक पसन्द का है।
11. यह रंग मेरी सबसे अधिक पसन्द का है।
12. यह किताब मेरी सबसे अधिक पसन्द की है।

Rule II B अब इन वाक्यों को देखें—

1. उसकी पसन्द बहुत अच्छी है।
2. मेरी कोई पसन्द नहीं है।

ऐसे वाक्यों की बनावट होती है—

......पसन्द [कर्ता] + क्रिया

इनका अनुवाद होता है—

......Subject [taste/choice] + verb + other words

1. उसकी पसन्द बहुत अच्छी है। His choice/taste is fine.
2. इस बात में मेरी कोई पसन्द नहीं है। I have no choice in the matter.
3. उसकी पोशाक की पसन्द उत्तम है। Her taste in dress is excellent.

EXERCISE 3

Translate into English.

1. उसकी रंग की पसन्द अच्छी है।
2. उसकी भोजन की पसन्द उत्तम है।
3. मेरी गहनों की पसन्द अच्छी है।
4. मेरी पसन्द बहुत अच्छी है।
5. उसकी पसन्द बहुत अच्छी नहीं है।
6. इस मामले में इसकी कोई पसन्द नहीं है।

Rule II C नापसन्द-सूचक इन वाक्यों के अनुवाद को देखें—

1. मैं इसे बिल्कुल पसन्द नहीं करता। I don't like it at all.
I just don't like it.
I have an aversion to it.
I am allergic to it.
I can't stand it.

2. मुझे यह लड़का बिल्कुल पसन्द नहीं। I can't stand this boy.
I can't abide this boy

3. मुझे बेहूदी बातें पसन्द नहीं। I can stand no nonsense.

4. मुझे यह शादी/योजना पसन्द नहीं। I don't approve of this marriage/ project.

Rule III अब इन वाक्यों को लें—

1. मैं मांस से अधिक मछली पसन्द करता हूँ।
2. मैं राधा से अधिक सीता को पसन्द करता हूँ।

ऐसे वाक्यों से दो व्यक्तियों/वस्तुओं में से एक को अधिक पसन्द करने का भाव व्यक्त होता है। इनकी बनावट होती है—

कर्ता + संज्ञा + से + अधिक + संज्ञा + क्रिया [पसन्द करना]

इनका अनुवाद होता है—

Subject	*+ verb [prefer]*	*+ noun*	*+ to*	*+ noun*
I	prefer	fish	to	meat.
I	prefer	Sita	to	Radha.

1. वह चाय से अधिक कॉफी पसन्द करता है। He prefers coffee to tea.
2. वह दिल्ली से अधिक मुंबई पसंद करती है। She prefers Mumbai. to Delhi.

ध्यान दें—

Rule III (a) हिन्दी के **संज्ञा + से** अँगरेजी में to के बाद आता है; जैसे,

मांस से अधिक मछली। fish to meat.

Rule III (b) अँगरेजी में perfer के बाद to आता है, than नहीं। ऐसे to का अर्थ होता है—**से अधिक**; जैसे,

मांस से अधिक—to meat. [than meat नहीं]

EXERCISE 4

Translate into English.

1. मैं गद्य से अधिक पद्य पसन्द करता हूँ।
2. वह गद्य से अधिक पद्य पसन्द करता है।
3. वह दूध से अधिक दही पसन्द करती है।
4. वह धोती से अधिक सूट पसन्द करता है।
5. वह लंदन से अधिक दिल्ली को पसन्द करता है।
6. वह फुटबॉल से अधिक क्रिकेट पसन्द करता है।
7. मैं रेडियो से अधिक टी०वी० पसन्द करता हूँ।
8. वह स्कूटर से अधिक कार पसन्द करता है।

9. मैं बेईमानी से अधिक ईमानदारी पसन्द करता हूँ।

10. हमलोग रात से अधिक दिन पसन्द करते हैं।

Rule IV अब इन वाक्यों को देखें—

1. मैं तैरने से अधिक टहलना पसन्द करता हूँ।
2. वह भीख माँगने से अधिक मरना पसन्द करेगा।

ऐसे वाक्यों से दो कार्यों में से एक को अधिक पसन्द करने का बोध होता है। इनकी बनावट होती है—

कर्ता + धातु + ने + से + अधिक + धातु + ना + क्रिया [पसन्द करना]

इनका अनुवाद होता है—

(i) Subject + prefer + verb + ing + to verb + ing.
(ii) Subject + prefer + infinitive + rather than + infinitive [without to]
(iii) Subject + had better + infinitive + [without to] + than + + infinitive [without to]
(iv) Subject + had/would rather + infinitive [without to] + than + [without to]
(v) Subject + had sooner + infinitive [without to] + than + infinitive [without to]
(vi) Subject + would sooner + infinitive [without to] + than + infinitive [without to]
(vii) Subject + had as soon + infinitive [without to] + as infinitive [without to]

1. मैं तैरने से अधिक टहलना पसन्द करता हूँ।
   I prefer walking to swimming.
   I prefer to walk rather than swim.
2. वह भीख माँगने से अधिक मरना पसन्द करेगा।
   He would prefer dying to begging.
   He would prefer to die rather than beg.
   He had better die than beg.
   He had rather die than beg.
   He had sooner die than beg.
   He would sooner die than beg.
   He would as soon die as beg.

ध्यान दें—

दो कार्यों में से एक को अधिक पसन्द करने का भाव कई प्रकार से व्यक्त किया जा सकता है। यह भी देखें कि infinitive का चिह्न (to) किस प्रकार छिप जाता है।

EXERCISE 5

Translate into English in as many ways as you can.

1. मैं बोलने से अधिक सुनना पसन्द करता हूँ।
2. वह खाने से अधिक खिलाना पसन्द करती है।
3. वह टहलने से अधिक सोना पसन्द करता है।
4. वह लिखने से अधिक पढ़ना पसन्द करता है।
5. वह पढ़ने से अधिक खेलना पसन्द करता है।
6. वह कहने से अधिक करना पसन्द करता है।
7. मैं खुशामद करने से अधिक इस्तीफा देना पसन्द करूँगा।
8. मैं घूस लेने से अधिक भूखा रहना पसन्द करूँगा।

Hints: खुशामद करना = to flatter, इस्तीफा देना = to resign, घूस लेना = to take bribe, भूखा रहना = to starve

EXERCISE 6

Choose the correct words.

1. I prefer to read than/rather than write.
2. He had better to stay/stay indoors than go/to go out.
3. I would as soon resign as/than flatter people.
4. He has a liking of/for fine clothes.
5. She has a taste in/for music.
6. He prefers milk to/than meat.
7. She is fond of go/going for a ride.

□

32. अवस्था-सूचक वाक्य

यहाँ ऐसे वाक्यों के अनुवाद पर विचार करें जिनसे किसी व्यक्ति/वस्तु की अवस्था (state/condition) का बोध होता है।

Rule I इन वाक्यों को लें—

1. वह मंत्री हो गया।
2. वह पागल हो गया।
3. आम लाल हो गये।
4. दूध खट्टा हो गया।
5. टेलीफोन बंद हो गया।
6. अँधेरा हो रहा है।

ऐसे वाक्यों से यह बोध हो रहा है कि कोई वस्तु या व्यक्ति एक अवस्था (state/condition) से दूसरी अवस्था में जाता है। इस प्रकार ऐसे वाक्यों से अवस्था में परिवर्तन (change) या विकास (development) का भाव व्यक्त होता है। इनकी बनावट होती है—

कर्ता + संज्ञा/विशेषण + क्रिया [होना/हो जाना]

इनका अनुवाद होता है—

Subject	*+ verb*	*+ noun/adjective*
He	became	a minister.
He	went	mad.
Mangoes	turned	red.
Milk	turned	sour.
The telephone	went	dead.
It	is getting	dark.

ध्यान दें—

Rule I (a) ऐसे वाक्यों में इन verbs का प्रयोग होता है—

come, become, get, grow, go, fall, turn

EXERCISE 1

Translate into English.

1. वह बदमाश हो गया।
2. वह रानी बन गई।
3. आम पीले हो गए।
4. मछली खराब हो गई।
5. देर हो रही है।
6. उसके बाल उजले हो गए।
7. वह मुख्यमंत्री हो गया।
8. वह नायक बन गया।
9. वह नायिका बन गई।
10. वह क्रोधित हो गया।

Rule II अब इन वाक्यों को देखें—

1. मैंने चोर को भागते हुए देखा। 2. मैंने उसे नाचते हुए देखा।

ऐसे वाक्यों से कार्य होने की अवस्था का बोध होता है। इनकी बनावट होती है—

कर्ता + कर्म + धातु + ते हुए + क्रिया

इनका अनुवाद होता है—

Subject *Subject*	*+ verb* *+ verb*	*+ object [noun/pronoun]* *+ object [noun/pronoun]*	*+ verb + ing* *+ infinitive [without to]*
I I I I	saw saw saw saw	the thief the thief her her	running away. run away. dancing. dance.

ध्यान दें—

Rule II (a) ऐसे वाक्यों के verb + ing [present participle] से यह बोध होता है कि कार्य अपूर्ण अवस्था (incomplete state) में है, अर्थात कार्य अभी अधूरा है।

पर infinitive [without to] से पूर्ण अवस्था (complete state) का भाव व्यक्त होता है, अर्थात यह बोध होता है कि कार्य पूरा हो चुका है।

EXERCISE 2

Translate as in the example: I saw him run/running away.

1. मैंने उसे टहलते हुए पाया। 2. उसने मुझे गाते हुए देखा।
3. मैंने आम को गिरते हुए देखा। 4. उसने मुझे थरथराते हुए देखा।
5. उसने घर को हिलते हुए पाया। 6. मैंने हवाई जहाज को उड़ते हुए देखा।
7. मैंने सूर्य को उगते हुए देखा। 8. हमलोगों ने सूर्य को डूबते हुए देखा।

Hints: थरथराते हुए = tremble, हिलते हुए = shake

Rule II B अब इन वाक्यों को देखें—

1. बसंत आ गया है/चुका है। 2. वह मुंबई जा चुका है।
3. घंटी बज गई है/चुकी है। 4. बर्फ पिघल गई है/चुकी है।
5. मेरा बैग गुम हो गया है/चुका है।

ऐसे वाक्यों से यह बोध होता है कि कार्य पूर्णरूप से बहुत पहले हो चुका है, अभी-अभी नहीं। इनकी बनावट होती है—

कर्ता + धातु + गया है/गई है/गए हैं/चुका है/चुकी है/चुके हैं [आसन्न भूत]

इनका अनुवाद होता है—

Subject	*+ object [noun/pronoun]* *+ object [noun/pronoun]*	*+ verb + ing* *+ infinitive [without to]*
Spring	is	come.
He	is	gone to Mumbai.
The bell	is	gone.
The snow	is	melted.
My bag	is	gone/lost.
The tree	is	fallen.

ध्यान दें—

Rule III (a) ऐसे वाक्यों का अनुवाद present perfect के द्वारा इस प्रकार करना उचित नहीं है—

1. Spring has come.
2. The bell/bag has gone.

Rule III (b) ऐसे वाक्यों में is/are + past participle का प्रयोग इन क्रियाओं के साथ होता है—

come, go, rise, fall, melt, lose

EXERCISE 3

Translate into English.

1. डाक पहुँच चुकी है/आ गई है।
2. पेड़ गिर चुका है।
3. सूरज उग गया है/चुका है।
4. वह जा चुकी है।
5. मेरी किताबें गायब हो चुकी है।
6. जाड़ा आ गया है।

Rule IV अब इन वाक्यों को लें—

1. मैंने बक्स को खाली पाया।
2. मैंने बस को भरा पाया।
3. उसने कहानी को मनोरंजक पाया।
4. उसने मुझे थका हुआ पाया।

ऐसे वाक्यों से कर्म (object) की अवस्था का बोध होता है। इनकी बनावट होती है—

कर्त्ता + कर्म + विशेषण + क्रिया

इनका अनुवाद होता है—

Subject	*+ verb*	*+ object*	*+ adjective/participle*
I	found	the box	empty.
I	found	the bus	crowded.
He	found	the story	interesting.
He	found	me	tired.

EXERCISE 4

Translate into English.

1. मैंने घर को खाली पाया।
2. उसने सिनेमा-गृह को भरा पाया।
3. हमलोगों ने इस किताब को समझना आसान पाया।
4. उसने सवाल को कठिन पाया।
5. मैंने फूलों को मुर्झाया हुआ पाया।
6. मैंने पेड़ों को गिरा हुआ पाया।
7. उसने मुझे बहुत दुःखी पाया।
8. हमलोगों ने स्कूल को सजा हुआ पाया।
9. उसने प्यालियों को टूटा हुआ पायां।
10. हमलोगों ने सड़कों को वीरान पाया।

Hints: खाली = vacant, भरा = full, मुर्झाया हुआ = faded, गिरा हुआ = fallen, सजा हुआ = decorated, वीरान = deserted

Rule V अब इन वाक्यों पर विचार करें—

1. पंखा चल रहा है।
2. नल चल रहा है।

ऐसे वाक्यों से यह बोध होता है कि कार्य अभी हो रहा है या चल रहा है। इनकी बनावट होती है—

कर्ता + धातु + रहा है/रही है/रहे हैं [तात्कालिक वर्तमान]

इनका अनुवाद होता है—

I

(i) Subject *(ii) Subject* *(iii) Subject*	*+ is/are* *+ is/are* *+ is/are*	*+ on* *+ on + noun* *+ in + noun*
The fan	is	on.
The tap	is	on.
He	is	on leave/duty.
The college	is	in session.
The negotiation	is	in progress.
The election	is	in full swing.

II

Subject	*+ is/are*	*+ verb + ing*
Water The wind	is is	running. blowing.

1. पत्ते गिर रहे हैं। Leaves are falling.
2. ट्रेन चल रही है। The train is moving.
3. रेडियो बज रहा है। The radio is on.
4. खेल चल रहा है। The show is on.
5. 'बैशाली' में क्या चल रहा है? What's on at Vaishali?
6. असेम्बली चल रही है। The assembly is in session.
7. वह छुट्टी पर है। He is on leave.
8. वह कार्य पर है। He is on duty.
9. वह कार्य पर नहीं है। He is not on duty.
10. वोटों की गिनती जोर से चल रही है। The counting of votes is in full swing.

EXERCISE 5

Translate into English.

1. रेडियो चल रहा है।
2. फिल्म चल रही है।
3. बस चल रही है।
4. टी॰ वी॰ चल रहा है।
5. बातचीत चल रही है।
6. हवाई जहाज उड़ रहा है।
7. सूर्य उग रहा है।
8. सूर्य डूब रहा है।

Rule VI अब इन वाक्यों को लें—

1. वह कष्ट में है।
2. वह घर पर है।

ऐसे वाक्यों से यह बोध होता है कि कोई व्यक्ति या वस्तु स्थिर अवस्था (static state) में है। इनकी बनावट होती है—

Subject	*+ verb [is/are]*	*+ preposition [in/on/at/under /near]*	*+ noun*
He He She	is is is	in at in	trouble. home. the kitchen.

EXERCISE 6

Translate into English.

1. वह खुश मुद्रा में है।
2. वह एक दूकान पर है।
3. वे अभी स्कूल में हैं।
4. वे सड़क पर हैं।
5. वे गलियों में हैं।
6. वे अभी दफ्तर में हैं।
7. वह परीक्षा-भवन में है।
8. वे अभी ट्रेन में हैं।
9. वह अभी बिछावन पर है।
10. वह पुष्प शय्या पर है।

Hints: खुश मुद्रा = happy mood, पुष्पशय्या = flowerbed

EXERCISE 7

Match the clauses under A and B to make meaningful sentences.

A	B
The bell	has gone home.
Leaves	is lost.
The fan	got angry.
I found the gate	rather dull.
The bag	is on.
The teacher	turned yellow.
The boy	closed.
I found the story	is gone.

□

33. जोरदार कथन-सूचक वाक्य

यहाँ हम ऐसे वाक्यों के अनुवाद पर विचार करें जिनसे जोरदार कथन (emphatic statement) का भाव व्यक्त होता है।

Rule I A इन वाक्यों को देखें—

1. मैं ही तो हूँ।
2. वे ही तो हैं।
3. राम ही तो है।
4. वह उषा ही तो है।

ऐसे वाक्यों में **संज्ञा/सर्वनाम + ही तो** आता है और कथन को जोरदार (emphatic) बनाता है। इनकी बनावट होती है—

संज्ञा/सर्वनाम + ही तो + क्रिया [होना]

इनका अनुवाद होता है—

It is	*+ noun/pronoun [singular or plural]*
It is It is It is	I/me/we. they/them. Ram/Usha/boys.

1. ये वही तो है। It is he/him.
2. मै ही तो हूँ। It is I/me.
3. हम ही तो हैं। It is we.

Rule I B अब इन वाक्यों को लें—

1. मैंने ही तो यह किताब लिखी है।
2. तुमने ही तो उसे गाली दी है।
3. राम ने ही तो यह कुर्सी तोड़ी है।
4. शिक्षा ही तो हमें अच्छा बनाती है।

ऐसे वाक्यों में **संज्ञा/सर्वनाम + ही तो** के बाद एक वाक्य आता है और इनसे जोरदार कथन का बोध होता है। इनकी बनावट होती है—

संज्ञा/सर्वनाम + ही तो + वाक्य [कर्त्ता + क्रिया]

इनका अनुवाद होता है—

It is/was	*+ noun/pronoun*	*+ who/that [subject]*	*+ clause*
It is	I	who	have written this book.
It is	you	who	have abused him
It is	Ram	who	has broken this chair.
It is	education	that	makes us good.

ध्यान दें—

Rule I B (a) It is के बाद singular या plural noun/pronoun आता है। ऐसे वाक्यों में plural noun/pronoun रहने पर भी it are/were का प्रयोग नहीं हो सकता।

Rule I B (b) It is के बाद pronoun आता है वह कर्ता या कर्म कारक के रूप में रहता है; जैसे, It is I, It is me, It is he, It is him

पर जब ऐसे वाक्यों के बाद who/that + clause आता है, तब pronoun का रूप सदा कर्ता कारक में रहता है; जैसे,

It is I who, It is he/she who, It is they who

ऐसे वाक्यों में कर्म कारक का प्रयोग नहीं हो सकता। इसलिए अनुवाद इस प्रकार न करें—

1. It is me who have written this book.
2. It is him who has helped me.

EXERCISE 1

Translate into English.

1. तुमने ही तो मेरी घड़ी चुराई है।
2. इन लड़कों ने ही तो लड़कियों को चिढ़ाया है।
3. इस किताब ने ही तो मुझे अँगरेजी सिखाई है।
4. इन मुसाफिरों ने ही तो जंजीर खींची है।
5. इन समाचार-पत्रों ने ही तो यह समाचार छापा है।
6. इस डाक्टर ने ही तो मुझे यह दवा दी है।
7. इन नेताओं ने ही तो देश को बरबाद किया है।
8. परिश्रम ही तो सफलता की कुंजी है।

Hints: चिढ़ाना = to tease, मुसाफिर = passengers, खींचना = to pull, बरबाद करना = to ruin, सफलता की कुंजी = key to success

Rule II अब इन वाक्यों पर विचार करें—

1. वह अँगरेजी जानता तो है।
2. मैं पढ़ता ही तो हूँ।
3. वह मुझसे मिला तो था।
4. मैंने उसे लिखा तो था।

ऐसे वाक्यों में **क्रिया + तो/ही तो** आता है और जोरदार कथन का बोध होता है। इस प्रकार के वाक्यों में सामान्य वर्तमान (present simple) या सामान्य भूत (past simple) की क्रिया का प्रयोग होता है।

इनकी बनावट होती है—

कर्ता + अन्य शब्द + क्रिया + तो/ही तो + हूँ/है/हैं/था/थी/थे सामान्य वर्तमान/सामान्य भूत

इनका अनुवाद होता है—

Subject	*+ do/does/did*	*+ infinitive [without to] + other words*
He	does	know English.
I	do	read novels.
He	did	see me.
I	did	write to him.

1. मैंने परीक्षा तो दी थी। I did take the examination.
2. वह टेनिस खेलती तो है। She does play tennis.

ध्यान दें—

Rule II A (a) ऐसे वाक्यों में present simple या past simple tense का प्रयोग होता है। अन्य tenses में do/does/did का प्रयोग नहीं होता।

Rule II A (b) ऐसे वाक्य सदा स्वीकारात्मक (affirmative) होते हैं। जब ये वाक्य नकारात्मक negative बन जाते हैं, तब कथन जोरदार नहीं रह पाता।

Rule II B अब इन वाक्यों को लें—

1. मैं जाऊँगा ही। 2. वह मदद करेगा ही।

ऐसे वाक्यों में भविष्यत काल की **क्रिया + ही** का प्रयोग होता है और इनसे जोरदार कथन का बोध होता है।

इनकी बनावट होती है—

कर्ता + क्रिया [भविष्यत काल] + ही

इनका अनुवाद होता है—

Subject	*+ shall/will*	*+ certainly/surely*	*+ infinitive [without to]*
He	will	certainly	go.
I	shall	surely	help.

ध्यान दें—

Rule II B (a) Present simple और past simple को छोड़कर अन्य tenses में **ही** का अनुवाद certainly/surely होता है; जैसे,

He is certainly playing well. He will certainly play well.

EXERCISE 2

Translate into English.

1. मैं मछली खाता तो हूँ।
2. वह यहाँ आई तो थी।
3. वह पढ़ता ही तो है।
4. वह दूध पसंद करता तो है।
5. वह आज लौटेगी ही।
6. मैं आज प्रस्थान करूँगा ही।
7. वह मुझे जानता तो है।
8. वह मुझे पसंद करती तो है।
9. तुमने मुझसे कहा तो था।
10. उसने मुझे धोखा दिया तो था।
11. वह झूठ बोला तो था।
12. मैं सच कहता तो हूँ।

Rule III अब इन वाक्यों को देखें—

1. शीला ने ही गाया।
2. शीला ने मछली ही खाई।
3. एक ही व्यक्ति मरा।
4. वह कल ही तो आया।

ऐसे वाक्यों में **संज्ञा/सर्वनाम/विशेषण/क्रियाविशेषण + ही** आता है और वाक्य को जोरदार बनाता है, क्योंकि ऐसे ही का अर्थ होता है—**सिर्फ/केवल**। कभी-कभी **सिर्फ/केवल + ही** का भी प्रयोग होता है; जैसे,

1. सिर्फ/केवल शीला ने ही गाया।
2. सिर्फ/केवल एक ही व्यक्ति मरा।

इस प्रकार के वाक्यों का अनुवाद होता है—

Only + noun/pronoun/adjective/adverb

1. शीला ने ही गाया। Only Sheela sang.
2. शीला ने मछली ही खाई। Sheela ate only fish.
3. एक ही व्यक्ति मरा। Only one person died.
4. वह कल ही तो आया। He came only yesterday.
5. यह मनुष्य में ही पाया जाता है। It is found only in humans.

EXERCISE 3

Translate into English.

1. राधा ही समय पर पहुँची।
2. केवल सीता को इनाम मिला।
3. केवल मोहन ने लॉटरी जीती।
4. पाँच ही व्यक्ति मारे गए।
5. मैं आज ही तो लौटा हूँ।
6. सिर्फ सोहन यह सवाल बना सकता है।
7. मैंने उसे केवल एक आम दिया।
8. राम के केवल एक दोस्त है।
9. जातीयता भारत में ही पाई जाती है।
10. राधा ने सिर्फ कलेजी खाई।
11. सीता ने केवल एक गीत गाया।
12. केवल सीता ने गीत गाए।

Hints: जातीयता = casteism, कलेजी = liver

Rule IV अब इन वाक्यों को लें—

1. वह हँसता रहता है।
2. वह हँसता रहा।
3. वह गाती रहती है।
4. वह गाती रही।
5. वह बोलता जाता है।
6. वह बोलता गया।

ऐसे वाक्यों से कार्य के जारी रहने का भाव जोरदार तरीके से व्यक्त किया जाता है। इनकी बनावट होती है—

कर्ता + प्रधान क्रिया + सहायक क्रिया [रहना/जाना]

इनका अनुवाद होता है—

Subject	*+ go on/keep on*	*+ verb + ing*
He	goes on	laughing.
He	keeps on	laughing.
He	went on/kept on	speaking.

1. वह गाती रहती है। She goes on/keeps on singing.
2. वह खाता गया। He went on/kept on eating.

EXERCISE 4

Translate into English.

1. वह बोलता जाता है।
2. मैं सुनता जाता हूँ।
3. वह सुनती रही।
4. वे लोग देखते रहे।
5. मैं घर की निगरानी करता रहा।
6. मैं उसकी प्रतीक्षा करता रहा।
7. वह खडा रहता है।
8. वह तैरती रहती है।

Hints: निगरानी करना = to watch, प्रतीक्षा करना = to wait

Rule V अब इन वाक्यों को देखें—

1. वह हँसने लगती है।
2. वह रोने लगता है।
3. वर्षा होने लगी।
4. लोग भागने लगे।

ऐसे वाक्यों से कार्य आरंभ होने का बोध होता है।

कर्ता + प्रधान क्रिया + सहायक क्रिया [लगना]

इनका अनुवाद होता है—

(i) Subject (ii) Subject	+ begin + start	+ to + verb + verb + ing
She She It It	begins starts began started	to laugh. laughing. to rain. raining.

EXERCISE 5

Translate into English.

1. वह मुस्कुराने लगती है।
2. मैं ध्यान से सुनने लगता हूँ।
3. वह चाय बनाने लगती है।
4. मैं टी॰वी॰ देखने लगता हूँ।
5. वह शिकायत करने लगा।
6. वह भनभनाने लगी।
7. वह कपड़े धोने लगी।
8. वे खेत पटाने लगे।
9. वह खेत जोतने लगता है।
10. वह जूते में पॉलिश करने लगता है।

Hints: देखने = to watch, भनभनाना = to murmur

Rule VI अब इन वाक्यों पर विचार करें—

1. वह हँसता ही रहता है।
2. वे लड़ते ही रहे।
3. वह लिखती ही रहती है।
4. वे खेलते ही रहे।

ऐसे वाक्यों से यह बोध होता है कि वाक्य का कर्ता एक कार्य के अतिरिक्त और कोई दूसरा कार्य नहीं करता।

इनकी बनावट होती है—

कर्ता + प्रधान क्रिया + ही + सहायक क्रिया [रहना]

इनका अनुवाद होता है—

Subject	*+ do nothing but*	*+ infinitive [without to]*
He They She They	does nothing but did nothing but does nothing but did nothing but	laugh. fight. write. play.

EXERCISE 5

Translate into English.

1. वह पढ़ता ही रहता है।
2. वह स्वेटर बुनती ही रहती है
3. वे मछली पकड़ते ही रहते हैं।
4. वे शतरंज खेलते ही रहते हैं।
5. वह झगड़ता ही रहता है।
6. वे रेडियो सुनते ही रहते हैं।
7. वह बोलती ही रही।
8. मैं दृश्य को देखता ही रहा।

Hints: शतरंज = chess, दृश्य = sight

Rule VII अब इन वाक्यों को लें—

1. वह जाने को है।
2. वह जाने ही को है।
3. वह जाने-जाने को है।
4. वह जाने ही पर है।
5. वह जाने ही वाला है।
6. घंटी बजने ही वाली है।

ऐसे वाक्यों से यह बोध होता है कि कार्य भूतकाल में होने को था निकट भविष्य में होने जा रहा है।

इनकी बनावट होती है—

कर्त्ता + धातु + ने + को + क्रिया [है/हैं/था/थी/थे]
कर्त्ता + धातु + ने + ही + को + क्रिया [है/था/थी/थे]
कर्त्ता + धातु + ने + धातु + ने + को + क्रिया [है/था/थी/थे]
कर्त्ता + धातु + ने + ही + पर + क्रिया [है/था/थी/थे]
कर्त्ता + धातु + ने + वाला/वाली/वाले + क्रिया [है/था/थी/थे]

इनका अनुवाद होता है—

Subject	*+ verb [be]*	*+ about*	*+ infinitive*
He The bell	is is	about about	to go. to ring.

1. वह मरने-मरने को थी। She was about to die.
2. वह प्रस्थान करने ही को है। He is about to depart.

ध्यान दें—

Rule VII (a) ऐसे वाक्यों में **वाला** के बदले **चाहना** भी प्रयोग होता है; जैसे,

1. ट्रेन आना ही चाहती है। The train is about to arrive.
2. घंटी बजना ही चाहती है। The bell is about to ring.

EXERCISE 7

Translate into English.

1. यह बच्चा सोने को है।
2. वह अब उठने को है।

3. वह अब आने ही को है।
4. वह अब लौटने ही को है।
5. ट्रेन खुलने-खुलने को है।
6. वह अब जाने-जाने को है।
7. दूसरी घंटी शुरू होने ही वाली है।
8. सूर्य उगने-उगने को है।
9. वह अब पहुँचने ही वाला है।
10. वह गाड़ी बेचने ही को है।

Rule VIII अब इन वाक्यों पर विचार करें—

1. मैं बालू ही बालू देखता हूँ।
2. मैं पानी ही पानी पाता हूँ।

ऐसे वाक्यों में संज्ञा + ही + संज्ञा का प्रयोग होता है और वाक्य बहुत जोरदार बन जाता है। इनकी बनावट होती है।

संज्ञा + ही + संज्ञा

इनका अनुवाद होता है—

Subject	*+ verb* *+ is*	*+ nothing but* *+ nothing but*	*+ noun* *+ noun*
I I There	see find is	nothing but nothing but nothing but	sand. water. trees.

1. यहाँ घास ही घास है। There is nothing but grass here.
2. यहाँ फूल ही फूल है। There is nothing but flowers here.

ध्यान दें—

Rule VIII (a) ऐसे वाक्यों में वाक्य की क्रिया nothing के अनुसार singular होती है, but के बाद आनेवाले plural noun के अनुसार नहीं।

1. यहाँ फूल ही फूल हैं। There is nothing but flowers here.
2. यहाँ पेड़ ही पेड़ हैं। There is nothing but trees here.

EXERCISE 8

Translate into English.

1. यहाँ कीचड़ ही कीचड़ है।
2. यहाँ गरीबी ही गरीबी है।
3. जीवन में दुःख ही दुःख है।
4. मैं यहाँ धन ही धन देखता हूँ।
5. यहाँ दूध ही दूध है।
6. यहाँ पशु ही पशु है।
7. यहाँ छाता ही छाता है।
8. यहाँ नाव ही नाव है।
9. यहाँ बच्चे ही बच्चे हैं।
10. यहाँ अंधकार ही अंधकार है।
11. यहाँ जहाज ही जहाज है।
12. यहाँ औरतें ही औरतें हैं।
13. यहाँ डॉक्टर ही डॉक्टर है।
14. यहाँ नेता ही नेता है।

Rule IX अब इन वाक्यों पर विचार करें—

1. मैं घर से निकला ही था कि वर्षा होने लगी।
2. वह स्टेशन पहुँचा ही था कि गाड़ी खुल गई।

ऐसे वाक्यों के दो भाग होते हैं। पहले भाग में **क्रिया + ही** का प्रयोग होता है और दूसरे भाग में **कि + उपवाक्य** आता है। ऐसे वाक्यों से कार्य होने के समय को जोरदार बनाया जाता है। इनकी बनावट होती है—

प्रधान उपवाक्य [क्रिया + ही] + कि + आश्रित उपवाक्य

इनका अनुवाद होता है—

As/Just as + subordinate clause + principal clause
As soon + principal clause + as + subordinate clause
No sooner + principal clause + than + subordinate clause
Hardly + principal clause + when/before + subordinate clause
Scarcely + principal clause + when/before + subordinate cluase

मैं घर से निकला ही था कि वर्षा होने लगी—

As/just as I left home, it began to rain.

As soon as I left home, it began to rain.

No sooner did I leave home than it began to rain.

ध्यान दें—

Rule IX (a) कुछ वाक्यों में **ही** का **भी** हो जाता है; जैसे—तब + ही = तभी। ऐसे **तभी** का अनुवाद होता है—

Just then [समय] Only then [शर्त]; जैसे,

1. तभी मैंने एक बाघ देखा। Just then I saw a tiger.
2. तभी वह आ धमका। Just then he arrived.
3. तभी तुम सफलता पा सकते हो। Only then can you get success.
4. तभी मैं तेरी मदद कर सकता हूँ। Only then can I help you.

Rule IX (b) कुछ वाक्यों में समय/स्थान/क्रम/शर्त आदि भाव सूचित करनेवाले अव्यय या क्रियाविशेषण का प्रयोग होता है और इनकी सहायता से वाक्य जोरदार (emphatic) बन जाते हैं। इनकी बनावट होती है—

समय/स्थान/क्रम/शर्त सूचक अव्यय/क्रियाविशेषण + कर्त्ता + क्रिया

इनका अनुवाद होता है—

Adverb/Conjunction + verb + subject + other words

1. तब युद्ध आया। Then came the war.
2. बाहर आ गया वह। Out came he.
3. भीतर घुस गया चोर। In came the thief.
4. उसके बाद वह आई। Next came she.
5. कुछ भी मैंने नहीं जाना। Little did I know.
6. किसी भी हालत में वह पास नहीं कर सकता। In no case can he pass.
7. किसी भी दूसरी तरह से आप मेरी मदद नहीं कर सकते। In no other way can you help me.
8. पहले कभी भी ऐसा दृश्य मैंने नहीं देखा। Never before did I see such a sight.
9. कहीं भी वह न मिला। Nowhere was he found.
10. शायद ही वह गैरहाजिर रहता है। Rarely/Seldom is he absent.
11. मैंने प्रस्थान किया ही था कि वर्षा होने लगी। ज्योंही मैंने प्रस्थान किया कि वर्षा होने लगी। No sooner had I started than it began to rain.
    Hardly (Scarcely) had I started when it began to rain.
12. पुलिस पहुँची ही थी कि चोर भाग गए। ज्योंही पुलिस पहुँची त्योंही चोर भाग गए। No sooner had the police reached than the thieves fled away.
    Hardly (Scarcely) had the police reached when the thieves fled away.

Rule IX (c) कुछ जोरदार शब्दों का अनुवाद इस प्रकार होता है—

1. और क्या है? = What else?
2. और कौन? = Who else?
3. और क्या नहीं? = And what not?
4. और कहाँ? = Where else?
5. और कैसे? = How else?
6. कोई दूसरा = Some body else.
7. कोई दूसरा नहीं = None else.
8. कहीं और नहीं = Nowhere else.
9. जो कुछ भी Whatever.
10. जब जब/जब कभी = Whenever.
11. जहाँ जहाँ/जहाँ कहीं = Wherever.
12. कहीं न कहीं = Somewhere or other.
13. कभी-न-कभी = Some day or other.
14. किसी-न-किसी तरह = Somehow or other.
15. कोई-न-कोई = Someone or other.

EXERCISE 9

Translate into English in as many ways as you can.

1. मैं घर से निकला ही था कि एक भिखारी पहुँचा।
2. मैं बिछावन पर गया ही था कि बिजली गुल हो गई।
3. मैं सोया ही था कि मैंने एक सपना देखा।
4. वह स्टेशन पहुँचा ही था कि गाड़ी खुल गई।
5. वह अस्पताल पहुँचा ही था कि वह मर गया।
6. उसने खाना खाया ही था कि एक मेहमान पहुँच गया।
7. तुम और क्या चाहते हो?

8. और कौन मेरी मदद करेगा?
9. मैं और कहाँ जाऊँ?
10. यह कार्य मैं और कैसे करूँ?

Rule X अब इन वाक्यों को लें—

1. राम भी मुंबई गया
2. वह भी मौजूद था।
3. मछली भी खरीदी गई।
4. मैंने भी गाना गया।

ऐसे वाक्यों में संज्ञा/सर्वनाम + भी का प्रयोग होता है। इस प्रकार के **भी** का अर्थ होता है—के अलावा/के अतिरिक्त (in addition to).

इनकी बनावट होती है—

संज्ञा/सर्वनाम + भी + क्रिया

इनका अनुवाद होता है—

Noun/Pronoun	*+ comma*	*+ too*	*+ comma*	*+ verb*
Ram	,	too	,	went to Mumbai.
He	,	too	,	was present.
Fish	,	too	,	was bought.
I	,	too	,	sang a song.

ध्यान दें—

Rule X (a) ऐसे वाक्यों में too के बदले also का भी प्रयोग हो सकता है, पर आधुनिक अंगरेजी में also की अपेक्षा too अधिक प्रचलित है।

EXERCISE 10

Translate into English.

1. वह बच्चा भी स्कूल गया।
2. मेरी पत्नी भी मौजूद थी।
3. उसने मिठाइयाँ भी खरीदी।
4. राधा ने भी गीत गाए।
5. मैंने भी कपड़े धोए।
6. मैंने प्लेट भी धोए।
7. मैंने भी कपड़े धोए।
8. वह भी पत्नी के साथ लंदन गया।
9. मोहन ने भी परीक्षा दी।
10. हमलोगों ने अंडे भी खाए।

Rule XI अब इन वाक्यों को देखें—

1. मेरे मित्रों ने भी मेरी मदद नहीं की
2. वह मुझसे बोला भी नहीं।
3. भिखारी के भी दिल होता है।
4. वह खड़ा भी नहीं हो सकता।

ऐसे वाक्यों में **संज्ञा/सर्वनाम/क्रिया + भी** का प्रयोग होता है। ऐसे **भी** से यह बोध होता है कि जो है और जो होना चाहिए उनमें अंतर है। इनकी बनावट होती है—

संज्ञा/सर्वनाम/क्रिया + भी

इनका अनुवाद होता है—

even/not even + noun/pronoun/verb

1. मेरे मित्रों ने भी मेरी मदद नहीं की। Even my friends didn't help me.
2. वह मुझसे बोला भी नहीं। He didn't even speak to me.
3. भिखारी के भी दिल होता है। Even a beggar has a heart.
4. वह खड़ा भी नहीं हो सकता। He can't even stand.

ध्यान दें—

Rule XI (a) ऐसे वाक्यों में even/not even उस शब्द के पहले आता है जिसपर बल दिया जाता है। इसलिए अनुपयुक्त शब्द के पहले even/not even का प्रयोग कर वाक्य के अर्थ को इस प्रकार नहीं बदलें—

1. पिता ने भी मदद नहीं की। Father didn't even help.
2. वह पानी भी नहीं पी सकती। Even she can't take water.

EXERCISE 11

Translate into English.

1. वह बोल भी नहीं सकती।
2. वह पानी भी नहीं पी सकती।
3. वह पति को भी नहीं पहचान सकती।
4. पिता ने भी उसकी मदद नहीं की।
5. बड़े लोग भी गलती करते हैं।
6. बड़े अफसर भी घूस लेते हैं।
7. इसे एक बच्चा भी जानता है।
8. इस बक्स को एक बच्चा भी उठा सकता है।
9. शिक्षक भी हड़ताल करते हैं।
10. उसने एक शब्द भी नहीं समझा।
11. अमीर भी दुःखी रहते हैं।
12. रेडियो भी गलत समाचार प्रसारित करता है।

Hints: पहचानना = to recognise, हड़ताल करना = to go on strike, समझना = to understand, प्रसारित करना = to broadcast

Rule XII अब इन वाक्यों को लें—

1. उमा गाती है और मंजू भी।
2. उषा खेलती है और रेखा भी।
3. मोहन नेता है और सोहन भी।
4. पिता कंजूस है और पुत्र भी।
5. माँ सुन्दर है और पुत्री भी।
6. वह तेज है और मैं भी।

ऐसे वाक्यों के दो भाग होते हैं। ये और के द्वारा जुड़े रहते हैं। इस प्रकार के वाक्य स्वीकारात्मक (affirmative) होते हैं और इनके दोनों भागों में एक ही प्रकार के शब्द

(क्रिया/विशेषण/संज्ञा) आते हैं। ऐसे वाक्यों में संज्ञा/सर्वनाम + भी का प्रयोग होता है और भी के बाद क्रिया/विशेषण/संज्ञा ये सभी शब्द छिपे रहते हैं; जैसे,

1. उमा गाती है और मंजू भी (गाती है)।
2. मोहन नेता है और सोहन भी (नेता है)।

इनकी बनावट होती है—

स्वीकारात्मक वाक्य + और + स्वीकारात्मक वाक्य + भी

इनका अनुवाद होता है—

Affirmative sentence	*+ and so*	*+ auxiliary verb*	*+ subject*
Uma sings	and so	does	Manju.
Mohan is a leader	and so	is	Sohan.
The mother is beautiful	and so	is	the daughter.

1. उषा खेलती है और रेखा भी। Usha is playing and so is Rekha.
2. पिता कंजूस है और पुत्र भी। The father is a miser and so is the son.
3. वह तेज है और मैं भी। He is intelligent and so am I.

EXERCISE 12

Translate into English.

1. मोहन खेलता है और सोहन भी।
2. मैंने सुना और उसने भी।
3. वह परिश्रमी है और उसका पुत्र भी।
4. राधा ईमानदार है और सीता भी।
5. वह एम॰ एल॰ ए॰ है और मैं भी।
6. शैलेन्द्र बुद्धिमान है और संजय भी।
7. मैंने मछली खरीदी और उसने भी।
8. मैं मुम्बई गई और वह भी।
9. मैं गा रहा हूँ और वह भी।
10. वह तैर रही है और मैं भी।
11. उसने यह किताब पढ़ी और मैंने भी।
12. मैंने एक कार खरीदी और उसने भी।

Rule XIII अब इन वाक्यों पर विचार करें—

1. उमा नहीं गाती है और मंजू भी नहीं।
2. मोहन नेता नहीं है और सोहन भी नहीं।
3. माँ सुन्दर नहीं है और पुत्री भी नहीं।

ऐसे वाक्यों के दो भाग होते हैं तथा ये और के द्वारा जुड़े रहते हैं। इस प्रकार के वाक्य नकारात्मक (negative) होते हैं और इनके दोनों भागों में एक ही प्रकार के शब्द (क्रिया/विशेषण/संज्ञा) आते हैं। ऐसे वाक्यों में संज्ञा/सर्वनाम + भी नहीं का प्रयोग

होता है और भी नहीं के बाद क्रिया/विशेषण/संज्ञा—ये सभी शब्द दिए रहते हैं; जैसे,

1. उमा नहीं गाती है और मंजू भी नहीं (गाती है)।
2. मोहन नेता नहीं है और सोहन भी नहीं (नेता हैं)।
3. माँ सुन्दर नहीं है और पुत्री भी नहीं (सुन्दर है)।

इनकी बनावट होती है—

नकारात्मक वाक्य + और + नकारात्मक वाक्य + भी नहीं

इनका अनुवाद होता है—

I

Negative sentence	*+ and*	*+ negative sentence*	*+ either*
Uma doesn't sing	and	Manju doesn't sing	either.
Mohan isn't a leader	and	Sohan isn't a leader	either.
The mother isn't beautiful	and	the daughter isn't beautiful	either.

II

Negative sentence	*+ and*	*+ neither*	*+ aux. verb*	*+ noun/pronoun*
Uma doesn't sing	and	neither	does	Manju.
Mohan isn't a leader	and	neither	is	Sohan.
The mother isn't beautiful	and	neither	is	the daugther.

1. उषा नहीं नाचती और रेखा भी नहीं।
   Usha doesn't dance and Rekha doesn't dance either.
   Usha doesn't dance and neither does Rekha.
2. राम धनी नहीं है और श्याम भी नहीं।
   Ram isn't rich and Shyam isn't rich either.
   Ram isn't rich and neither is Shyam.

EXERCISE 13

Translate into English in as many ways as you can.

1. मोहन बुद्धिमान नहीं है और सोहन भी नहीं।
2. रहीम बहादुर नहीं है और करीम भी नहीं।
3. रजिया ईमानदार नहीं है और रधिया भी नहीं।

4. शैलेन्द्र शराब नहीं पीता और नरेन्द्र भी नहीं।
5. लीला देर से नहीं पहुँची और शीला भी नहीं।
6. उषा नहीं तैर रही है और उमा भी नहीं।
7. उसने हवाई जहाज से यात्रा नहीं की है और मैंने भी नहीं।
8. मैंने लाल क़िला नहीं देखा है और तुमने भी नहीं।
9. रेखा नायिका नहीं है और मंजू भी नहीं।
10. वह अभिनेता नहीं है और मैं भी नहीं।

Rule XIV अब इन वाक्यों को लें—

1. वह नहीं आई और आएगी भी नहीं।
2. वह नहीं आई और न आएगी ही।

ऐसे वाक्यों के दो भाग होते हैं और ये दोनों ही नकारात्मक (negative) होते हैं तथा ये और के द्वारा जुड़े रहते हैं। इनकी बनावट होती है—

नकारात्मक वाक्य + और + नकारात्मक वाक्य [भी नहीं]
नकारात्मक वाक्य + और न + स्वीकारात्मक वाक्य [ही]

इनका अनुवाद होता है—

Negative sentence	*+ nor*	*+ auxilary verb*	*+ subject*
She didn't come	nor	will	she.
He didn't help	nor	can	he.

1. उसने पत्र नहीं लिखा और लिखेगा भी नहीं।
   उसने पत्र नहीं लिखा और न लिखेगा ही।
   He didn't write a letter nor will he.
2. मैंने गाड़ी नहीं खरीदी और खरीद भी नहीं सकता।
   मैंने गाड़ी नहीं खरीदी ओर न खरीद ही सकता हूँ।
   I didn't buy a car nor can I.

ध्यान दें—

Rule XIV (a) जब ऐसे वाक्यों में संज्ञा या विशेषण आता है, तब अनुवाद में subject के बाद be का प्रयोग होता है; जैसे,

1. वह नेता नहीं है और होगा भी नहीं।
   He is not a leader nor will **he be.**
2. वह बेईमान नहीं है और हो भी नहीं सकता।
   He is not dishonest nor can **he be.**

EXERCISE 14

Translate into English.

1. उसने खाना नहीं खाया और खाएगा भी नहीं।
2. वह समय पर नहीं लौटी और लौटेगी भी नहीं।
3. वह कठिन परिश्रम नहीं करता है और करेगा भी नहीं।
4. उसने मेरी आज्ञा नहीं मानी और मानेगी भी नहीं।
5. वह अँगरेजी नहीं जानती है और न जान ही सकती है।
6. वह झूठ नहीं बोलता है और न बोल ही सकता है।
7. वह परिश्रमी नहीं है और न हो सकता है।
8. वह मंत्री नहीं है और होगा भी नहीं।
9. वह आज्ञाकारी नहीं है और होगा भी नहीं।
10. वह कलाकार नहीं है और न हो ही सकता है।
11. उसने मुझे धोखा नहीं दिया और देगा भी नहीं।
12. उसने परीक्षा पास नहीं की और न कर ही सकता है।

Rule XV अब इन वाक्यों पर विचार करें—

1. मोहन न केवल पढ़ता है बल्कि समझता भी है।
2. मोहन न केवल सुन्दर है बल्कि तेज भी है।
3. मोहन न केवल छात्र है बल्कि नेता भी है।

ऐसे वाक्यों के दो भाग होते हैं। पहले भाग में **न सिर्फ/न केवल + क्रिया/विशेषण/संज्ञा** का प्रयोग होता है और दूसरे भाग में **बल्कि/वरन + क्रिया/विशेषण/संज्ञा** आता है। इस प्रकार के वाक्यों में दूसरे भाग पर अधिक जोर डाला जाता है, अर्थात ऐसी **क्रिया/विशेषण/संज्ञा** को अधिक जोरदार (emphatic) बनाया जाता है। इनकी बनावट होती है—

न केवल/न सिर्फ + क्रिया/विशेषण/संज्ञा + बल्कि/वरन् + क्रिया/विशेषण/संज्ञा

इनका अनुवाद होता है—

....not only + verb/adjective/noun	*+ but also*	*+ verb/adjective/noun*
Mohan not only reads	but also	understands.
Mohan is not only beautiful	but also	intelligent.
Mohan is not only a student	but also	a leader.

इनका अनुवाद इस प्रकार भी हो सकता है—

(i) Sentence [with not only + verb/adjective/noun]
(ii) Sentence [with verb/adjective/noun + as well]

1. मोहन न केवल सुन्दर है, बल्कि तेज भी है।
   Mohan is not only beautiful, he is intelligent as well.
2. मोहन न केवल छात्र है, बल्कि नेता भी है।
   Mohan is not only a student, he is a leader as well.

ध्यान दें—

Rule XV (a) ऐसे वाक्यों में **not only.....but also** या **as well** के साथ उपयुक्त शब्दों का प्रयोग होता है, अर्थात दोनों ओर एक ही प्रकार के शब्द का प्रयोग होता है। इसलिए अनमेल या बेमेल शब्दों का प्रयोग इस प्रकार न करें

1. Not only Mohan is a student but also a leader.
2. Not only Mohan reads but also plays.

Rule XV (b). कुछ वाक्यों में केवल **बल्कि/वरन** का प्रयोग होता है और न **केवल/न सिर्फ** नहीं आता। ऐसे **बल्कि/वरन** का अर्थ होता है—**के विपरीत**। इस प्रकार के **बल्कि** का अर्थ होता है—On the contrary; जैसे,

1. उसने मेरा नुकसान नहीं किया, **बल्कि/वरन** मेरी मदद की।
   He didn't harm me; on the contrary, he helped me.
2. उसने मेरी मदद नहीं की, **बल्कि/वरन** मेरा नुकसान किया।
   He didn't help me, on the contrary, he harmed me.

Rule XV (c). कुछ वाक्यों में **सिर्फ/केवल + संज्ञा/सर्वनाम/क्रिया/विशेषण** आता है। इनका अनुवाद होता है—only; जैसे,

1. केवल मोहन पढ़ता है। OnlyMohan reads.
2. मोहन केवल पढ़ता है। Mohan only reads.
3. मोहन केवल सुन्दर है। Mohan is only beautiful.

EXERCISE 15

Translate into English.

1. वह न केवल पढ़ता है बल्कि लिखता भी है।
2. वह न केवल आई बल्कि मिठाइयाँ भी लाई।
3. उसने न केवल मेरा आदर किया वरन मेरी मदद भी की।
4. उसने न केवल मुझे भोजन दिया बल्कि कपड़े भी।
5. यह पुस्तक न केवल समझने में आसान है बल्कि सस्ती भी।
6. यह पुस्तक न केवल उपयोगी है वरन मनोरंजक भी।
7. यह लड़की न केवल लंबी है वरन मोटी भी।
8. यह घर न केवल सुन्दर है बल्कि मजबूत भी।
9. दूध न केवल भोजन है वरन दवा भी।
10. गाय न केवल एक जानवर है बल्कि हमारी माता भी।

Rule XVI अब इन वाक्यों को लें—

1. खेत का खेत बह गया।
2. गाँव का गाँव जल गया।

ऐसे वाक्यों में **संज्ञा + का + संज्ञा** के प्रयोग से वाक्य जोरदार बन जाते है। इनकी बनावट होती है—

संज्ञा + का + संज्ञा + क्रिया

इनका अनुवाद होता है—

Noun + after + noun	*+ verb*
Field after field Village after village	was washed away. was burnt down.

ध्यान दें—

Rule XVI (a) ऐसे वाक्यों में दोनों ही nouns singular रहते हैं और इनके साथ article का प्रयोग नहीं होता। इस प्रकार के दोनों nouns मिलकर वाक्य में कर्ता का काम करते हैं।

Rule XVII अब इन वाक्यों पर विचार करें—

1. दिन पर दिन बीतता गया। 2. दुःख पर दुःख आता रहा।

ऐसे वाक्यों में संज्ञा + पर + संज्ञा का प्रयोग होता है।

इनकी बनावट होती है—

संज्ञा + पर + संज्ञा + क्रिया

इनका अनुवाद होता है—

Noun + after + noun	*+ verb*
Day after day Sorrow after sorrow	rolled on. continued.

ध्यान दें—

Rule XVII (a) ऐसे वाक्यों में दोनों ही nouns singular रहते हैं ये और दोनों मिलकर वाक्य में कर्ता का काम करते हैं।

EXERCISE 16

Translate into English.

1. जंगल का जंगल कट गया। 2. पेड़ का पेड़ गिर गया।
3. घर का घर जल गया। 4. शहर का शहर बरबाद हो गया।
5. देश का देश गरीब बन गया। 6. घंटे पर घंटा बीत गया।

7. वर्ष का वर्ष बीत गया।
8. उसे ठोकर पर ठोकर मिलती रही।
9. उसे अपमान पर अपमान मिलता रहा।
10. उसे इनाम पर इनाम मिलता रहा।

Hints: ठोकर = kick, अपमान = insult, इनाम = reward, मिलना = to receive/get

Rule XVIII अब इन वाक्यों को देखें—

1. यह दवाओं की दवा है।
2. वह राजाओं का राजा है।

ऐसे वाक्यों में **बहुवचन संज्ञा + एकवचन संज्ञा** का प्रयोग होता है और वाक्य बहुत जोरदार बन जाते हैं। इनकी बनावट होती है—

बहुवचन + संज्ञा + का/की + एकवचन संज्ञा + क्रिया

इनका अनुवाद होता है—

Subject	*+ verb*	*+ singular noun*	*+ of*	*+ plural noun*
This	is	the medicine	of	medicines.
He	is	the king	of	kings.

EXERCISE 17

Translate into English.

1. ईश्वर राजाओं का राजा है।
2. वह कवियों का कवि है।
3. वह नौकरों का नौकर है।
4. वह नेताओं का नेता है।
5. वह शिक्षकों का शिक्षक था।
6. यह त्योहारों का त्योहार है।

Rule XIX अब इन वाक्यों को देखें—

1. यह भोजन का भोजन है और दवा की दवा।
2. यह मनोरंजन का मनोरंजन है और उपदेश का उपदेश।

ऐसे वाक्यों में **दो बार संज्ञा + का/की + संज्ञा** का प्रयोग होता है और ये दोनों **और/तथा** से जुटे रहते हैं। इनकी बनावट होती है—

संज्ञा + का/की + संज्ञा + और/तथा + संज्ञा + का/की + संज्ञा

इनका अनुवाद होता है—

Subject	*+ verb*	*+ both*	*+ noun*	*+ and*	*+ noun*
It	is	both	a food	and	a medicine.
It	is	both	an entertainment	and	an instruction

ऐसे वाक्यों में it is के बदले it serves का भी प्रयोग होता है; जैसे,

1. It serves both as a food and a medicine.
2. It serves both as an entertainment and an instruction.

EXERCISE 18

Translate into English.

1. यह किताब की किताब है और दोस्त का दोस्त।
2. यह नौकर का नौकर है और मैनेजर का मैनेजर।
3. वह पिता का पिता है और शिक्षक का शिक्षक।
4. यह धोती की धोती है और साड़ी की साड़ी।
5. यह रिक्शा का रिक्शा है और घर का घर।
6. यह क्लब का क्लब है और पुस्तकालय का पुस्तकालय।
7. यह कलम की कलम है और पेंसिल की पेंसिल।

Rule XX अब इन वाक्यों को लें—

1. घर-घर में खुशी है।
2. अंग-अंग में दर्द है।
3. वह कदम-कदम पर हाँफता है।
4. वह डेग-डेग पर बाधा डालता है।

ऐसे वाक्यों में **संज्ञा + संज्ञा + में/पर** का प्रयोग होता है और इनके बीच hyphen आता है। इस प्रकार के वाक्यों से स्थान को जोरदार बनाया जाता है। इनकी बनावट होती है—

संज्ञा + संज्ञा + में/पर + कर्ता + क्रिया
कर्ता + संज्ञा + संज्ञा + में/पर + क्रिया

इनका अनुवाद होता है—

Subject + verb	*+ in/at*	*+ each and every*	*+ noun*
There is happiness	in	each and every	home.
There is pain	in	each and every	limb.
He pants	at	each and every	step.

EXERCISE 19

Translate into English.

1. वह डेग-डेग पर बाधा डालता है।
2. कण-कण में भगवान हैं।
3. वह मुझे कदम-कदम पर रोकती है।
4. गाँव-गाँव में गरीबी है।
5. पत्ती-पत्ती में हरापन है।
6. गली-गली में बसन्त है।

7. घर-घर में चिंता है। 8. देश-देश में गरीबी है।
9. पंक्ति-पंक्ति में गलती है। 10. पेड़-पेड़ पर बंदर हैं।

Rule XXI अब इन वाक्यों को लें—

1. गली-गली गंदी है। 2. गाँव-गाँव उदास लगता है।

ऐसे वाक्यों में **संज्ञा + संज्ञा** का प्रयोग होता है और इनके बीच hyphen आता है। ऐसे वाक्यों में कर्ता को जोरदार बनाया जाता है, क्योंकि **संज्ञा + संज्ञा** वाक्य में कर्ता की तरह प्रयुक्त होता है। इनकी बनावट होती है—

संज्ञा + संज्ञा + अन्य शब्द + क्रिया

इनका अनुवाद होता है—

Each and every	*+ noun*	*+ verb*	*+ other words*
Each and every	lane	is	dirty.
Each and every	village	looks	sad.

ध्यान दें—

Rule XXI (a) ऐसे वाक्यों में **संज्ञा + संज्ञा** के बाद **में/पर** नहीं आता। इसलिए अनुवाद में in/at का प्रयोग नहीं होता।

EXERCISE 20

Translate into English.

1. एक-एक बूँद खून अमूल्य है। 2. घर-घर दुःखी है।
3. अंग-अंग कमजोर है। 4. कण-कण महत्त्वपूर्ण है।
5. गाँव-गाँव तरक्की कर रहा है। 6. गली-गली साफ की जा रही है।
7. बच्चा बच्चा भूखा है। 8. खेत-खेत सूखा है।

Rule XXII अब इन वाक्यों को लें—

1. शत्रु तो शत्रु, मित्रों ने भी मेरी मदद नहीं की।
2. शत्रु का क्या कहना, मित्रों ने भी मेरी मदद नहीं की।
3. शत्रु को कौन कहे, मित्रों ने भी मेरी मदद नहीं की।
4. मदद करने का क्या कहना, वह मुझसे बोला भी नहीं।
5. मदद करने को कौन कहे, वह मुझसे बोला भी नहीं।
6. मदद करना तो दूर रहा, वह मुझसे बोला भी नहीं।

ऐसे वाक्यों में संज्ञा/क्रिया को जोरदार बनाया जाता है। इनकी बनावट होती है—

संज्ञा + तो + संज्ञा + वाक्य
संज्ञा + का क्या कहना + वाक्य
संज्ञा + को कौन कहे + वाक्य
क्रिया + का क्या कहना + वाक्य
क्रिया + को कौन कहे + वाक्य
क्रिया + तो दूर रहा + वाक्य

इनका अनुवाद होता है—

Not to speak of *Let alone*	*+ noun/verb + ing* *+ noun/verb + ing*	*+ sentence* *+ sentence*
Not to speak of	enemies,	even friends didn't help me.
Not to speak of	helping me,	he didn't even speak to me.
Let alone	enemies,	even friends didn't help me.

इनका अनुवाद इस प्रकार भी होता है—

Sentence	*+ much less/much more* *+ other words.*
Even friends didn't help me	much less enemies.
He didn't even speak to me	much more help me.

1. कोट तो कोट उसे एक कमीज भी नहीं है। Not to speak of a coat, he doesn't have even a shirt.
Let alone a coat, he doesn't have even a shirt.
He doesn't have even a shirt, much less a coat.

2. गहना तो गहना उसे साधारण चूड़ियाँ भी नहीं है।
गहने का क्या कहना, उसे साधारण चूड़ियाँ भी नहीं हैं।
गहना तो दूर रहा, उसे साधारण चूड़ियाँ भी नहीं हैं।
Not to speak of ornaments, she doesn't have even common bangles.
Let alone ornaments, she doesn't have even common bangles.
She doesn't have common bangles, much less ornaments.

3. दोस्तों को कौन कहे मैं तो शत्रु की भी मदद करता हूँ।
   I help even enemies, much more friends.

ध्यान दें—

Rule XXII (a) अनुवाद में **not to speak of** के बदले **what to speak of** या **what to say** का प्रयोग नहीं होता।

EXERCISE 21

Translate into English.

1. कार्यकर्ता तो कार्यकर्ता, बड़े नेता भी बेईमान हैं।
2. सिपाहियों का क्या कहना, बड़े अफसर भी घूस लेते हैं।
3. छात्रों को कौन कहे, उनके अभिभावक भी परीक्षा भवन में चोरी करते हैं।
4. मद्रासियों का क्या कहना, बिहारी भी हिन्दी नहीं बोलते हैं।
5. समाचारपत्र तो समाचारपत्र, रेडियो भी गलत खबर प्रसारित करता है।
6. आदमी को कौन कहे, मैं तो जानवरों को भी प्यार करता हूँ।
7. मनुष्य का क्या कहना, पेड़-पौधे भी सुख-दुख अनुभव करते हैं।
8. मक्खन-रोटी तो दूर रहा, उसे सूखी रोटी भी नहीं मिलती।
9. मित्र तो मित्र, मैं शत्रु से भी बदला नहीं लेता।
10. सूट तो सूट, उसे एक साधारण कमीज भी नहीं है।

Hints: कार्यकर्ता = worker, अभिभावक = guardian, सुख-दुख का अनुभव करना = to feel pain and pleausre, बदला लेना = to take revenge, साधारण = ordinary

Rule XXIII अब इन वाक्यों को लें—

1. क्या शिक्षक, क्या छात्र सबके सब मौजूद थे।
2. क्या गरीब, क्या अमीर सबको मरना है।
3. क्या तेल, क्या घी सब कुछ महँगा है।

ऐसे वाक्यों में **क्या + संज्ञा + क्या + संज्ञा** का प्रयोग है और इससे संज्ञा की संख्या (number) या मात्रा (quantity) को जोरदार बनाया जाता है। इनकी बनावट होती है—

क्या + संज्ञा, क्या + संज्ञा + सब/सब कुछ + क्रिया

इनका अनुवाद होता है—

Whether	*+ noun*	*+ or*	*+ noun*	*+ all* *everything*	*+ verb*
Whether Whether	teachers oil	or or	students ghee	all everything	were present. is dear.

EXERCISE 22

Translate into English.

1. क्या कार्यकर्ता क्या नेता सब बेईमान हैं।
2. क्या बूढ़े क्या बच्चे सब वहाँ मौजूद थे।
3. क्या दूध क्या पानी सब कुछ अशुद्ध है।
4. क्या गरीब क्या अमीर सब दुखी है।
5. क्या मर्द क्या औरत सब इस फिल्म को पसन्द करते हैं।
6. क्या बिहार क्या बंगाल सब जगह तेल की कमी है।
7. क्या डाक्टर क्या मरीज सबको मरना है।
8. क्या मछली क्या माँस सब कुछ महँगा है।
9. क्या बस क्या ट्रेन सब जगह भीड़ है।
10. क्या शिक्षक क्या छात्र इस पुस्तक की सब प्रशंसा करते हैं।

Hints: अशुद्ध = impure, कमी = shortage, भीड़ = rush

Rule XIV अब इन वाक्यों को देखें—

1. वह कभी हँसता है, कभी रोता है।
2. वह कभी गाती है, कभी हँसती है।

ऐसे वाक्यों में **कभी + क्रिया + कभी + क्रिया** का प्रयोग होता है और इससे क्रिया को जोरदार बनाया जाता है। इनकी बनावट होती है—

कर्ता + कभी + क्रिया + कभी + क्रिया

इनका अनुवाद होता है—

Now	*+ subject*	*+ verb*	*+ now*	*+ subject*	*+ verb*
Now Now	he she	laughs sings	now now	he she	cries. laughs.

EXERCISE 23

Translate into English.

1. वह कभी उठता है, कभी बैठता है।
2. वह कभी सोता है, कभी उठता है।
3. वह कभी हँसता है, कभी रोता है।
4. वह कभी पढ़ता है, कभी लिखता है।
5. वह कभी दौड़ती है, कभी कूदती है।
6. वह कभी हँसती है, कभी मुस्कुराती है।
7. वह कभी बेचता है, कभी खरीदता है।

Rule XXV अब इन वाक्यों पर विचार करें—

1. मैं स्वयं/खुद/आप ही चाय बनाऊँगा।
2. वह स्वयं/खुद/आप ही भोजन बनाती है।

ऐसे वाक्यों में संज्ञा/सर्वनाम + स्वयं/खुद/आप ही का प्रयोग होता है और इनसे यह बोध होता है कि कर्ता स्वयं/खुद/आप ही कार्य करता है, कोई दूसरा नहीं। इस प्रकार इस विधि से कर्ता को जोरदार (emphatic) बनाया जाता है। इनकी बनावट होती है—

कर्ता + स्वयं/खुद/आप ही + अन्य शब्द + क्रिया

इनका अनुवाद होता है—

I

Subject	*+ pronoun + self/selves*	*+ verb*	*+ other words*
I She	my self herself	will make cooks	tea. food.

II

Subject	*+ verb*	*+ other words*	*+ pronoun + self/selves*
I She	will make cooks	tea food	myself. herself.

ध्यान दें—

Rule XXV (a) ऐसे pronoun + self/selves को emphatic या emphasizing pronoun कहा जाता है।

Rule XXV (b) कुछ वाक्यों में **स्वयं/खुद/आप ही** का अर्थ होता है— स्वतः/अपने-आप। इसका अनुवाद होता है—

Subject + verb + of + pronoun + self/selves या automatically; जैसे,

1. यह फाटक खुद ही/आप ही बंद हो जाता है।
   This gate closes of itself.
2. वह इंजन खुद ही/आप ही चलने लगी।
   That engine started of itself.

EXERCISE 24

Translate into English.

1. मैं स्वयं कपड़े साफ करता हूँ।
2. उसने खुद फाटक खोला।

3. वह आप ही कमरे साफ करती है।
4. मैं स्वयं जूतों में पॉलिश करता हूँ।
5. वे स्वयं चाय बनाते हैं।
6. वह खुद पत्र टंकित करती है।
7. उन्होंने स्वयं निमंत्रण पत्र बाँटे।
8. उस महिला ने खुद प्रदर्शन का नेतृत्व किया।
9. मैं आप ही बच्चों को पढ़ाता हूँ।
10. प्रधानाध्यापक ने स्वयं झंडा फहराया।
11. पत्नी ने खुद ही गाड़ी चलाई।
12. प्रधानमंत्री ने खुद ही मेरा स्वागत किया।

Hints: प्रदर्शन = demonstration, नेतृत्व करना = to lead, झंडा फहराना = to hoist a flag, गाड़ी चलाना = to drive a car

EXERCISE 25

Choose the carrect words.

1. It is I/me who saved the child.
2. It is you who has/have broken this cup.
3. It is/are they who is/are really guilty.
4. I did speak/spoke the turth.
5. She does deceives/deceive everyday.
6. He died only yesterday/only died yesterday.
7. There is/are nothing but leaves here.
8. Rarely he is/is he punctual.
9. In no case I can/can I help you.
10. No where she was/was she seen.
11. Not to speak of/what to speak of a coat, he doesn't have even a shirt.
12. He helps even enemies, much more/much less friends.

□

34. सुख/दुःख-सूचक वाक्य
आश्चर्य-सूचक वाक्य
घृणा/नापसन्द-सूचक वाक्य

यहाँ ऐसे वाक्यों के अनुवाद पर विचार करें जिनसे सुख (joy/happiness), दुःख (sorrow), घृणा (hatred, dislike) और आश्चर्य (surprise) का भाव व्यक्त होता है।

Rule I इन वाक्यों को देखें—

1. कैसा सुन्दर!
2. कितना सुन्दर!
3. कैसा मधुर!
4. कितना मधुर!

ऐसे वाक्यों में **कैसा/कैसी/कैसे/कितना/कितनी/कितने + विशेषण** का प्रयोग होता है और इनसे आश्चर्य (surprise) का भाव व्यक्त होता है। इनकी बनावट होती है—

कैसा/कैसी/कैसे/कितना/कितनी/कितने + विशेषण

इनका अनुवाद होता है—

How	*+ adjective*
How How	beautiful! sweet!

1. कितनी गन्दी! How dirty!
2. कितना करुण! How pathetic!
3. कितना नटखट! How naughty!
4. कितना अच्छा! How nice!

EXERCISE 1

Translate into English.

1. कितना चतुर!
2. कितना भयानक!
3. कैसा बुद्धिमान!
4. कितना करुण!
5. कितना तेज!
6. कैसा मनोरंजक!
7. कितना बहादुर!
8. कितना साहसी!
9. कैसा मनमोहक!
10. कितना आकर्षक!
11. कितना साफ!
12. कितना चमकीला!

Hints: करुण = pathetic, मनमोहक = charming, आकर्षक = attractive

Rule II अब इन वाक्यों को लें—

1. कैसा प्रेम/प्यार!
2. कैसा सपना

ऐसे वाक्यों में **कैसा/कैसी/कैसे + संज्ञा** का प्रयोग होता है और इनसे आश्चर्य का भाव व्यक्त होता है। इनकी बनावट होती है—

कैसा + संज्ञा

इनका अनुवाद होता है—

What	*+ noun*
What What	a love! a dream!

1. कैसी जगह! What a place!
2. कैसी सूझ! What an idea!
3. कैसा धोखा! What a betrayal!
4. कैसा आदर्श! How ideal!

ध्यान दें—

Rule II (a) **कैसा + संज्ञा** का अनुवाद होता है—what + noun परंतु **कैसा + विशेषण** का अनुवाद होता है how + adjective.

Rule II (b) कभी-कभी आश्चर्य का भाव **शब्द + विस्मयादिबोधक चिह्न** (note of exclamation) से भी व्यक्त होता है; जैसे,

1. क्या!—What!
2. हत्या!—Murder!
3. आग!—fire!
4. सीता!—Sita!
5. उषा!—Usha!
6. तुम!—you!

इस प्रकार, इनका अनुवाद केवल note of exclamation के प्रयोग से ही हो जाता है।

Rule II (c) आश्चर्य का भाव इन शब्दों से भी व्यक्त होता है—

1. बहुत अच्छा!—Marvellous!
2. सुन्दर!—Beautiful!
3. बहुत खूब!—Excellent!
4. आश्चर्यजनक!—Wonderful!

EXERCISE 2

Translate into English.

1. कैसा दृश्य!
2. कैसा आदमी!
3. कैसा दोस्त!
4. कैसा पतन!
5. कैसा मकान!
6. कैसा स्कूल!
7. कैसी किताब!
8. कैसी औरत!
9. कैसा बच्चा!
10. कैसा डॉक्टर!
11. कैसा शिक्षक!
12. कैसा लेखक!
13. डकैती!
14. भूकम्प!
14. बलात्कार!

Hints: पतन = fall, बलात्कार = rape

Rule III अब इन वाक्यों पर विचार करें—

1. वह कितना/कैसा तेज है!
2. वह कैसी/कितनी भोली-भाली है!

ऐसे वाक्यों में **कैसा/कैसी/कैसे/कितना/कितनी/कितने + विशेषण** के प्रयोग से आश्चर्य का भाव व्यक्त होता है। इनकी बनावट होती है—

कर्ता + कैसा/कैसी/कैसे/कितना/कितनी/कितने + विशेषण + क्रिया

इनका अनुवाद होता है—

How	*+ adjective*	*+ subject*	*+ verb*
How	intelligent	he	is!
How	simple	she	is!

इनका अनुवाद इस प्रकार भी होता है—

What	*+ adjective*	*+ noun*	*+ subject*	*+ verb*
What	an intelligent	boy	he	is!
What	a simple	girl	she	is!

1. वह कितना अजीब आदमी है!— How peculiar the man is!
   What a peculiar man he is!
2. रात कैसी काली है!— How dark the night is!
   What a dark night it is!

EXERCISE 3

Translate into English.

1. उसके बाल कितने लम्बे हैं!
2. वह कैसी सुन्दर है!
3. उसके दाँत कितने उजले हैं!
4. वह कितनी सुशील है!
5. यह घर कैसा आरामदायक है!
6. वह लड़का कैसा धूर्त है!
7. वह कितना साहसी है!
8. सोना कितना महँगा है!
9. वे कैसे लोभी हैं!
10. यह किताब कितनी अच्छी है!
11. यह कितना कड़ा है!
12. वह कितना कठोर है!

Hints: आरामदायक = comfortable, धूर्त = cunning, लोभी = greedy

Rule IV अब इन वाक्यों को लें—

1. वह कितने ध्यान से सुनता है!
2. वह कितनी खुशी से गाती है!

ऐसे वाक्यों में **कितना/कितनी/कितने + क्रियाविशेषण** [संज्ञा + से/पूर्वक] आता है और इनसे आश्चर्य का भाव व्यक्त होता है। इनकी बनावट होती है—

कर्ता + कितना/कितनी/कितने + क्रियाविशेषण + क्रिया

इनका अनुवाद होता है—

How	*+ adverb of manner*	*+ subject*	*+ verb*
How How	attentively happily	he She	listens! sings!

1. वह कितनी सावधानी से गाड़ी चलाता है! How carefully he drives!
2. वह कितना कठिन परिश्रम करता है! How hard he works!
3. वह कितना तेज दौड़ रही है! How fast she is running!

EXERCISE 4

Translate into English.

1. वह कितना मीठा गाता है!
2. वह कितना तेज बोलता है!
3. वह कितना साफ लिखती है!
4. वह कितना अच्छा खेलता है!
5. वह कितना बुरा खेलता है!
6. वह कितनी शांति से रहता है!
7. वह कितना चुपचाप काम करता है!
8. वह कितने प्रेम से पढ़ता है!
9. वह कितने जोर से पुकारती है!
10. वह कितना धीरे दौड़ता है!

Hints: मीठा = sweetly, साफ = clearly, अच्छा = well, बुरा = badly, शांति से = peacefully, चुपचाप = quietly, प्रेम से = affectionately, जोर से = loudly

Rule V अब इन वाक्यों को लें—

1. कितनी होशियारी से आपने मुझे बचाया।
2. कितनी दयापूर्वक आपने मेरी मदद की।

ऐसे वाक्यों में **कितना/कितने/कितनी + क्रियाविशेषण** आता है और इनसे आश्चर्य का भाव व्यक्त होता है। इनकी बनावट होती है—

कितना + कितनी/कितने + क्रियाविशेषण + कर्त्ता + कर्म + क्रिया

इनका अनुवाद होता है—

How	*+ adjective*	*+ of*	*+ object*	*+ infinitive + other words*
How How How	clever kind foolish	of of of	you you him	to cheat me! to help me! to throw stones!

1. कितनी बेवकूफी से उसने कुत्ते की पूँछ खींची!
   How stupid of him to pull the dog by the tail!
2. कितनी बदमाशी से उसने पत्थर फेंके!
   How wicked of him to throw stones!

EXERCISE 5

Translate into English.

1. कितनी बुद्धिमानी से आपने काम किया!
2. कितनी बहादुरी से उसने कष्ट का सामना किया।
3. कितना साहसपूर्वक उसने शेर का सामना किया!
4. कितनी मूर्खतापूर्वक उसने मुझपर पत्थर फेंके!
5. कितनी दयापूर्वक आपने मुझे रुपया उधार दिया!

Hints: बुद्धिमानी से = wise of, बहादुरी से = brave of, साहसपूर्वक = bold of, मूर्खतापूर्वक = foolish of, दयापूर्वक = kind of

Rule VI अब इन वाक्यों को देखें—

1. ऐसा आदमी और मेरा पति! 2. मेरा पुत्र और इतना नीच!
3. ऐसा बेईमान और हमारा नेता!

ऐसे वाक्यों के दो भाग होते हैं। ये **और** के द्वारा जुड़े रहते हैं और इनसे घृणा (hatred) तथा आश्चर्य का भाव व्यक्त होता है। इनकी बनावट होती है—

संज्ञा/विशेषण + और + संज्ञा/विशेषण

इनका अनुवाद होता है—

Noun/Adjective	*+ and + noun/adjective*
Such a man So dishonest My son	and my husband! and our leader! and so mean!

1. ऐसी कुरूप और मेरी प्रेमिका! So ugly and my beloved?
2. ऐसा गरीब और मेरा प्रेमी! So poor and my lover!
3. ऐसी लड़की और मेरी प्रेमिका! Such a girl and my beloved?

ध्यान दें—

Rule VI (a) अँगरेजी वाक्यों में noun के पहले such आता है और adjective के पहले so; जैसे,

What a man! What a leader! How poor!

घृणा का भाव इन शब्दों की सहायता से भी व्यक्त होता है—

1. छिः-छिः! — Tut!
2. धिक्-धिक्! — Fie! Fie!
3. राम-रे-राम! — Pooh!
4. शर्म! — For shame/disgraceful!

EXERCISE 6

Translate into English.

1. ऐसा भिखारी और मेरा पति!
2. ऐसा लोभी और हमारा नेता!
3. ऐसा स्वार्थी और मेरा पिता!
4. मेरा भाई और इतना कायर!
5. ऐसी नीच और मेरी पत्नी!
6. ऐसा धोखेबाज और मेरा मित्र!
7. ऐसा बदमाश और मेरा पुत्र!
8. ऐसा सुस्त और हमारा कप्तान!

Rule VII अब इन वाक्यों पर विचार करें—

1. लॉटरी मिलना कितना आश्चर्यजनक!
2. तुमसे यहाँ मिलना कितना बड़ा आश्चर्य!

ऐसे वाक्यों में क्रियार्थक संज्ञा (धातु + ना, जैसे—मिलना) का प्रयोग होता है और इनकी बनावट होती है—

क्रियार्थक संज्ञा + दूसरे शब्द

इनका अनुवाद होता है—

To think of *To imagine*	*+ verb + ing [gerund]!* *+ verb + ing [gerund]!*
To think of To imagine	winning a lottery! meeting you here!

EXERCISE 7

Translate into English.

1. मित्र के बदले भूत को देखना कितना आश्चर्यजनक!
2. ट्रेन में अपनी प्रेमिका से मिलना कितना बड़ा अचरज!
3. सुनसान जंगल में एक औरत को देखना कितना बड़ा आश्चर्य!
4. अँधेरी रात में एक बच्चे को देखना कैसा आश्चर्यजनक!
5. पुआल के ढेर में एक सूई को खोजना कैसा आश्चर्यजनक!

Rule VIII अब इन वाक्यों को देखें—

1. हाय! अब वह नहीं रही।
2. आह! उसे गहरी चोट आयी।

ऐसे वाक्यों से दुःख (sorrow) का भाव व्यक्त होता है। इनके अनुवाद का ध्यान रखें—

1. हाय! अब वह नहीं रही। Alas! She is no more.
2. आह! उसे गहरी चोट आयी। Ah ! He is badly hurt.

3. ओह! अब बहुत हो गया। Oh! Enough now.
4. हे ईश्वर! O Lord! Good Lord! Good heavens!

ध्यान दें—

Rule VIII (a) दुःख का भाव इन विधियों से भी व्यक्त होता है—

1. वह रो रही है। She is crying/weeping.
2. वह आँसू बहा रही है। She is shedding tears.
3. वह आठ-आठ आँसू बहा रही है। She is repenting sorely.
   She is wailing.
4. वह जोर से रो पड़ी। She burst into tears.
5. उसकी आँखें आँसू से भर गई हैं। Her eyes are wet with tears.
6. रोते-रोते उसका चेहरा भींग गया है। Her face is wet with tears.
7. रोते-रोते उसकी आँखें लाल हो गई हैं। Her eyes are red with tears.
8. वह कराह रही है। She is groanning/moaning/pining.
9. उसे गहरा धक्का लगा है। She is grieved/shocked.
   She feels mortified.
10. वह घोर कष्ट में हैं। She is in deep anguish.

Rule IX अब इन वाक्यों को लें—

1. शाबाश! खूब खेला! 2. वाह! वाह! खूब किया!

ऐसे वाक्यों से खुशी/प्रसन्नता (joy/happiness) का भाव व्यक्त होता है। इनके अनुवाद का ध्यान रखें—

1. शाबाश! खूब खेला। Bravo! well played.
2. वाह! बाह! खूब किया। Bravo! Well done.
3. वाह! हमलोग जीत गए। Hurrah! We have won.
4. हा! हा! कैसी कहानी! Ha! Ha! What a story!
5. बहुत अच्छा/बहुत सुन्दर! Good! Beautiful! Excellent!

ध्यान दें—

Rule IX (a) हँसी-खुशी का भाव इन विधियों से भी व्यक्त होता है—

1. वह हँस पड़ी। She burst into laughter.
2. वह मन ही मन हँसी। She laughed up her sleeve.
3. वह एकाएक हँसी पड़ी। She broke into a laugh.
4. वह खूब-खूब हँसी। She laughed a hearty laugh.
5. वह ठहाका/कहकहा लगा रही थी। She was roaring with laughter.
   She rolled with laughter.
6. उसने हँसकर धन्यवाद दिया। She laughed her thanks.
7. उसने मुस्कराकर धन्यवाद दिया। She smiled her thanks.
8. वह मुस्करा रही थी। She was simling.
   A smile was playing on her lips.
9. उसके चेहरे पर मन्द मुस्कान है। There is a sweet smile on her face.

10. उसका चेहरा मुस्कराहट से भरा है। Her face is wreathed in smiles.
11. वह दबेरूप से हँस रही है। She is chuckling to herself.
12. वह आनन्द मुद्रा में है। She is in a jolly mood.
13. वह आनन्द मना रही है। She is making merry.
14. वह खुशियाँ मना रही है। She is rejoicing.
15. वह आनन्द विभोर है। She is in a state of ecstasy.
She is in raptures.
16. उसकी खुशी का ठिकाना नहीं है। She is beside herself with joy.
Her joy knows no bounds.
17. वह हँसी के कारण बोल नहीं पाती। She can't speak for laughing.
18. वह हीं-हीं/ठी/ठी कर रही है। She is giggling.
19. वे हँसी-मजाक कर रही है। They are bantering.

EXERCISE 8

Translate into English.

1. हाय! उसका सर्वनाश हो गया!
2. आह! घर में आग लग गयी है!
3. ओह! कैसी अँधरी रात!
4. हाय! कैसा करुण दृश्य!
5. शाबाश! खूब खेला!
6. हा, हा, कैसा गीत!
7. वाह, वाह, हमलोग सुरक्षित हैं!

Hints: करुण = pathetic, सुरक्षित = safe

EXERCISE 9

Put a ring around right words.

1. What/How an idea!
2. What/How secretly he works!
3. What/How nice of you!
4. What/How charming she is!
5. What/How a weather!

□

35. क्रोध-सूचक वाक्य
व्यंग्य-सूचक वाक्य
ऊब/थकान-सूचक वाक्य
प्रेम/प्यार-सूचक वाक्य

यहाँ कुछ ऐसे वाक्यों के अनुवाद पर विचार करें जिनसे क्रोध (anger), व्यंग्य (irony), ऊब (disgust), थकान (exhaustion), प्रेम/प्यार (love/affection) का भाव व्यक्त होता है।

Rule I इन वाक्यों को देखें—

1. वह क्रोध में है।
2. वह क्रोध से फट रहा है।

क्रोध कई प्रकार का होता है। क्रोध की भिन्न-भिन्न अवस्थाएँ इस प्रकार व्यक्त की जाती हैं—

1. वह क्रोध में है। He is angry. He is in a bad temper.
He is out of temper. He is filled with anger.
2. वह क्रोधित हो गया। He became angry. He got/grew angry.
He flew into a rage. He flew into a temper.
He flew into a fury. He grew furious.
3. क्रोध से उसकी आँखें चमक उठीं। His eyes flashed fire.
His anger flashed out.
4. क्रोध से उसका चेहरा लाल हो उठा। His face flamed still redder.
His face was ablaze with anger.
His face flamed with anger.
5. वह क्रोध से फट रहा है। He is bursting with anger.
6. वह क्रोध से थरथर रहा है। He is trembling with anger.
7. उसकी आँखें क्रोध से भरी हुई हैं। His eyes are full of fire.
8. उसका दिल क्रोध से भरा हुआ है। His heart is filled with anger.
9. वह क्रोध से आगबबूला हो रहा है। He is boiling over with rage.
10. वह आँखें लाल-पीली कर रहा है। He is raging and fuming.
He is frowning and growling.
11. वह तुरंत क्रोधित हो जाता है। He is touched to the quick.

Rule II अब इन वाक्यों को लें—

1. बक बक मत करो।
2. बाहर चले जाओ।
3. क्या तब तुम मर गये थे?
4. हल्ला क्यों कर रहे हो?

क्रोध का भाव व्यक्त करने के लिए imperative/interrogative sentences का भी प्रयोग होता है। इन अनुवादों का ध्यान रखें—

1. बक बक मत करो। Don't talk rot. Don't talk nonsense.
2. बाहर चले जाओ। Get out. Be off!
   अपना रास्ता नापो। Go your own way.
3. रे मूर्ख! You fool! You idiot!
   You bloody! You bloody idiot!
   You blooming idiot!
4. मेरे काम में दखल मत दो। Don't poke your nose into my affairs.
   Don't meddle in my affairs.
5. चुप रहो। Shut up. Hold your tongue.
6. अपनी राह देखो। Go your own way.
7. एक शब्द भी मत बोलो। Don't utter a word.
   Don't breathe another word.
8. अपनी चिंता करो। Mind your own business.
9. तो क्या? So what?
10. हल्ला क्यों कर रहे हो? Why are you shouting?
11. क्या पागल हो गए हो? Have you gone off your head?
12. होश में हो या नहीं? Are you in your senses?
13. तुम्हारी इतनी हिम्मत? How dare you?
14. तुम ऐसा कैसे कहते हो? How on earth do you say?
15. तुम्हारा मतलब क्या है? What the devil do you mean?
16. जरा मौका तो आने दो। You just wait.
17. तुझे मजा चखा दूँगा। I will teach you a lesson.
18. चूल्हे में जा। Go to blazes.

Rule III अब इन वाक्यों को लें—

1. अब मैं उससे तंग आ गया हूँ। 2. कितनी थकावट!

ऐसे वाक्यों से ऊब (disgust), थकान (exhaustion) का भाव व्यक्त होता है। इनके अनुवाद का ध्यान रखें—

1. अब मैं उससे तंग आ गया हूँ। I am now sick of him.
   I am now fed up with him.
   I an now tired of him.
2. ओह! बहुत हो गया। It's too much. That's too much.
   Oh, enough!
3. कितनी थकावट! I feel tired/exhausted.
   I feel drained/worn out.
   I am quite washed out.
   What a strain!

Rule IV अब इन वाक्यों को देखें—

1. बहुत अच्छे दोस्त हो तुम! 2. बहुत सुन्दर हो तुम!

ऐसे वाक्यों से व्यंग्य (irony) का भाव व्यक्त होता है। इस प्रकार के वाक्यों के अनुवाद subject और verb का स्थान अंत में रहता है और अन्य शब्दों का पहले।

बोलते समय subject पर जोर (stress) डालना होता है। इन अनुवादों का ध्यान रखें—

1. बहुत अच्छे दोस्त हो तुम! A great friend you are!
2. बहुत सुन्दर हो तुम! A beauty you are!
3. ईमानदार है वह! An honest fellow he is!
4. बहुत बुद्धि दिखाती है वह! A lot of intelligence she shows!
5. अद्‌भुत समाज है यह! A wonderful society it is!
6. ईमानदारी का आदर्श है वह! A paragon of honesty he is!
7. ज्ञान की कीर्ति स्तंभ है यह! A monument of wisdom it is!
8. गुणों का आदर्श हो तुम! A paragon of virtues you are!
9. कितना उत्कृष्ट है यह! Par excellence it is!

Rule V अब इन वाक्यों को लें—

1. उसे प्रेम/प्यार हो गया है। 2. वह प्यार कर रहा है।

ऐसे वाक्यों से प्रेम/प्यार/मुहब्बत (love) का भाव व्यक्त होता है। इनके अनुवाद का ध्यान रखें—

1. प्रिय/प्रिये/प्यारे/प्यारी। Dear.
2. प्रिये/प्यारी। Dear, Dearest, Darling, Sweetie, Honey
3. मेरे प्यारे/मेरी प्यारी। My love, My dear, My sweetest.
4. उसे प्रेम/प्यार हो गया है। He is in love. He has fallen is love.
5. वह प्यार कर रही है। She is bestowing love.
6. वह आँखें लड़ा रही है। She is ogling.
7. उसका प्रेम/प्यार चल रहा है। She is having a love-affair.
8. वह प्रेम बिह्वल है। She is love-sick.
9. वह प्रेमातुर है। She is love-lorn.
10. वह उसकी प्रेमिका है। She is his sweet heart.
11. वह उसकी पुरानी प्रेमिका है। She is an old love of his.
    She is an old flame of his.
12. प्रेम कितना कोमल होता है। How tender love is!
13. प्रेम कितना नाज़ुक होता है। How delicate love is!
14. प्रेम कितनी आसानी से टूट जाता है! How easily love breaks!
    How brittle love is!
15. यह प्रेम है या वासना? Is it love or lust?
16. यह बचकाना प्रेम/प्यार है। It is cow-love.

□

36. बधाई/शुभकामना-सूचक वाक्य धन्यवाद-सूचक वाक्य

यहाँ हम कुछ ऐसे वाक्यों के अनुवाद पर विचार करें जिनसे बधाई (congratulation), शुभकामना (good wishes) या धन्यवाद (thanks) का भाव व्यक्त होता है।

Rule I इन वाक्यों को देखें—

1. नया वर्ष आपको शुभ हो।
2. क्रिसमस के अवसर पर शुभकामनाएँ।

बधाई/शुभकामना कई प्रकार की होती है। भिन्न-भिन्न अवसरों पर दी जानेवाली बधाई/शुभकामना सूचक इन वाक्यों के अनुवाद का ध्यान रखें—

1. नया वर्ष आपको शुभ हो। A happy new year to you.
   Wish you a happy new year.
2. क्रिसमस के अवसर पर शुभकामनाएँ। A merry Christmas to you.
3. ईद मुबारक हो। Hearty Id greetings.
4. दीपावली के अवसर पर शुभकामनाएँ। Hearty Deewali greetings.
5. पुत्र/पुत्री के जन्म पर हार्दिक बधाई। Heartiest congratultions on new arrival.
6. चुनाव/परीक्षा में सफलता पर बधाई। Warmest congratulations on your success in election/ examination.
   May you rise higher and higher.
7. आपके जन्मदिन पर बधाई। Heartiest felicitation on your birthday.
   यह दिन बार-बार आए और आप गौरव के शिखर पर पहुँचें।
   Many happy returns of the day.
   May you reach the peak of glory.
8. आपकी यात्रा आनंदमय हो। Wish you a pleasant journey.
9. आपको कार्य में सफलता मिले। Wish you success in your work.
   Wish you success in your endeavour.
10. नवविवाहित दम्पति को मेरा आशीष। My blessings to the newly married couple
11. आपका दाम्पत्य जीवन सुखी और समृद्धिशाली हो। Wish you a happy and prosperous wedded life.
12. आप पर ईश्वर की असीम कृपा हो। May Heaven's choicest blessings be showered on you!

13. आपको इस सम्मान पर हार्दिक बधाई।
    Hearty congratulations on the distinction conferred on you.
14. आप दिनानुदिन उन्नति करें और जीवन के महानतम लक्ष्यों को प्राप्त करें।
    May you rise from strength to strength and achieve the noblest ends of human life.

Rule II अब इन वाक्यों को देखें—

1. पत्र के लिए बहुत धन्यवाद।
2. बधाई संदेश के लिए बहुत-बहुत धन्यवाद।

ऐसे वाक्यों से धन्यवाद (thanks) देने का भाव व्यक्त होता है। इनके अनुवाद का ध्यान रखें—

1. पत्र के लिए बहुत धन्यवाद।
   Many thanks for your letter.
2. बधाई-संदेश के लिए बहुत-बहुत धन्यवाद।
   Many-many thanks for your congratulatory message.
3. चाय पर निमंत्रण के लिए धन्यवाद।
   Many thanks for inviting me to tea.
4. आतिथ्य के लिए बहुत-बहुत धन्यवाद।
   Many-many thanks for your hospitality.
   A million thanks for your hospitality.
   Thank you so much for your hospitality.

□

37. सहमति-सूचक वाक्य
असहमति-सूचक वाक्य

यहाँ कुछ ऐसे वाक्यों के अनुवाद पर विचार करें जिनसे निमंत्रण (invitation), या कथन (statement) के साथ सहमति (agreement) या असहमति (disagreement) का भाव प्रकट किया जाता है। ऐसे वाक्यों के अनुवाद पर विचार करें।

Rule I इन वाक्यों को देखें—

1. आज मौसम अच्छा है। हाँ, है तो। हाँ, अवश्य।
   The weather is fine today. Yes, it is. So it is. Of course, it is.
2. मोहन बहुत धनी है। हाँ, है तो। हाँ, अवश्य।
   Mohan is very rich. Yes, he is. So he is. Of course, he is.
3. राधा निर्दोष है। हाँ, है तो। बिलकुल।
   Radha is innocent. Yes, she is. So she is. Of course, she is.

ध्यान दें—

Rule I (a) स्वीकारात्मक वाक्यों (affirmative sentences) से सहमति इस प्रकार व्यक्त की जाती है—

Yes *So* *Of course*	*+ pronoun [subject] + auxiliary verb* *+ pronoun [subject] + auxiliary verb* *+ pronoun [subject] + auxiliary verb*
Yes Yes So Of course	it is. he is. it has. he is/he has.

ऐसे वाक्यों का subject सदा pronoun होता है, कोई noun नहीं।

ऐसे वाक्यों में pronoun के बाद केवल auxiliary verb का प्रयोग होता है अन्य शब्दों का नहीं।

Rule II अब इन वाक्यों को लें—

1. ये अंगूर मीठे नहीं हैं। नहीं, जी नहीं।
   These grapes aren't sweet. No, they aren't.
2. राधा तेरी मदद नहीं कर सकती है। जी नहीं, बिलकुल नहीं।
   Radha can't help you. No, she can't.
3. शीला टेनिस नहीं खेलती है। जी नहीं।
   Sheela does not play tennis. No, she doesn't. Not at all.

ध्यान दें—

Rule II (a) अस्वीकारात्मक वाक्यों (negative sentences) से सहमति इस प्रकार प्रकट की जाती है—

No	*+ pronoun [subject] + auxiliary verb*
No No No	they aren't. she can't. Not at all. she doesn't. Not at all.

Rule III अब इन वाक्यों पर विचार करें—

1. राधा बहुत धनी है। नहीं, जी नहीं।
   Radha is very rich. No, she isn't.
2. शीला टेनिस खेलती है। नहीं, ओह नहीं।
   Sheela plays tennis. Oh no, she doesn't.
3. ये अंगूर मीठे हैं। नहीं, ओह नहीं।
   These grapes are sweet. Oh no, they aren't.

ध्यान दें

Rule III (a) स्वीकारात्मक वाक्यों (affirmative sentences) के साथ असहमति इस प्रकार व्यक्त की जाती है—

No *Oh no* *But*	*+ pronoun [subject] + auxiliary verb + not* *+ pronoun [subject] + auxiliary verb + not* *+ pronoun [subject] + auxiliary verb + not*
No Oh no But	she isn't. she doesn't. she doesn't.

Rule III अब इन वाक्यों को लें—

1. राधा ने तेरी मदद नहीं की। हाँ, की। अवश्य की।
   Radha didn't help you. Yes, she did. Oh yes, she did.
2. ये अंगूर मीठे नहीं है। हाँ, हैं। बिल्कुल।
   These grapes aren't sweet. Yes, they are. Oh yes, they are.

ध्यान दें—

Rule IV (a) नकारात्मक वाक्यों (negative sentences) के साथ असहमति इस प्रकार व्यक्त की जाती है—

No *Oh yes* *But*	*+ pronoun + auxiliary verb* *+ pronoun + auxiliary verb* *+ pronoun + auxiliary verb*
No Oh no But	she isn't. she doesn't. she doesn't.

EXERCISE 1

Translate into English.

1. मोहन ईमानदार है। हाँ, है तो।
2. ये आम मीठे हैं। हाँ, अवश्य।
3. लीला बहुत चालाक है। हाँ, बिलकुल।
4. वह क्रिकेट नहीं खेलता है। नहीं, जी नहीं।
5. वह अँगरेजी नहीं जानती है। नहीं, बिलकुल नहीं।
6. राधा लंबी नहीं है। नहीं, जी नहीं।
7. सीता सितार नहीं बजाती है। नहीं, जी नहीं।
8. वह अँगरेजी सीख रहा है। नहीं, जी नहीं।
9. वह स्कूल पैदल जाता है। नहीं, ओह नहीं।
10. आपने आज कुछ नहीं खाया। खाया, जी खाया।
11. ये अमरूद मीठे नहीं हैं। ओह, हैं।
12. मोहन धनी नहीं है। हाँ, है। ओह, है।
13. रमेश सबेरे नहीं उठता है। हाँ, उठता है। ओह, उठता है।

EXERCISE 12

Match the statements and responses under A and B.

A	B
The sun is bright today. Radha likes fish. Gold is yellow. He hasn't got a car. Suresh told a lie. Sita can't help you. Mohan is very tall. You can't do this sum. We shouldn't kill birds. You don't love her.	Yes, she does. So it is. No, she can't. Of course, it is. No, he isn't. No, he hasn't But he didn't. Oh no, we shouldn't Oh, but I do. Oh, but I can.

Rule V. अब इन वाक्यों पर विचार करें—

1. क्या आप यहाँ प्रतीक्षा करेंगे? हाँ, खुशी से।
   Would you wait here, please? Yes, with pleasure.
   Yes, I don't mind.
2. क्या आप एक कप चाय लेंगे? हाँ, खुशी से/धन्यवाद।
   Would you have a cup of tea, please? Yes, with pleasure.
   Thank you. Yes, I should like to.
3. क्या आप मुझे एक आम देने की कृपा करेंगे? हाँ, यह रहा।
   Would you give me a mango, please? Yes, here it is.
4. क्या आप मुझे कुछ सेव देंगे? हाँ, ये हैं।
   Would you give me a few apples, please? Yes, here they are.

ध्यान दें—

Rule V (a) किसी निमंत्रण के साथ सहमति (agreement) या स्वीकृति (consent) इस प्रकार दी जाती है—

Yes, + with pleasure
Yes, + okay (O K)
Yes, + thank you
Yes, + thank you so much/very much
Yes, + here it is
Yes, + here they are
Yes, + I don't mind
Yes, + I should like to

Rule VI अब इन वाक्यों को देखें—

1. क्या आप यहाँ प्रतीक्षा करने की कृपा करेंगे? नहीं, जी नहीं अफसोस है।
   Would you wait here, please? No, I am sorry.
2. क्या आप एक कप चाय लेंगे? जी नहीं, धन्यवाद।
   Would you mind having a cup of tea? No, thank you.
3. क्या आप आज मेरे साथ सिनेमा चलेंगे? जी नहीं, अफसोस है। फुर्सत कहाँ?
   Would you go to the pictures with me today? No, I am sorry. I have no time.

ध्यान दें—

Rule VI (a) किसी निमंत्रण के साथ असहमति (disagreement) या अस्वीकृति (refusal) का भाव इस प्रकार व्यक्त किया जाता है—

No, thank you.
No, I'm sorry. I'm very sorry. I'm awfully sorry.
No, I'm sorry, I have no time.
No, I'm sorry, I'm awfully busy.
No, I'm sorry, I can't spare.
No, I'm sorry, I can't afford to.

EXERCISE 3

Translate into English.

1. क्या आप मुझे एक कलम देने की कृपा करेंगी? हाँ, खुशी से।
2. क्या आप मुझे कुछ रुपये देने की कृपा करेंगी? हाँ, खुशी से। यह रहा।
3. क्या आप मुझे स्टेशन तक कार में लिफ्ट देंगे? हाँ, खुशी से।
4. क्या आप एक कप कॉफी लेंगे? हाँ, धन्यवाद।
5. क्या आज बाजार जाएँगे? जी नहीं, फुर्सत कहाँ?
6. क्या आप मुझे एक किताब एक दिन के लिए देंगे? नहीं, अफसोस है।

EXERCISE 4

Match the requests and replies under A and B.

A	B
Would you mind waiting here?	No, I'm sorry. I can't spare.
Would you give me some money?	Yes, with pleasure.
Would you take a little money?	Yes, here it is.
Would you come to today?	Yes, here they are.
Would you dance with me, please?	No, I'm sorry, I have no time.
Would you lend me your transistor?	No, thank you.
Would you give me a few eggs?	Yes, I don't mind.

□

38. परिचय-सूचक वाक्यों का अनुवाद शिष्टाचार-सूचक वाक्यों का अनुवाद स्वागत-सूचक वाक्यों का अनुवाद

यहाँ ऐसे वाक्यों के अनुवाद पर विचार करें जिनसे परिचय (introduction), शिष्टाचार (courtesy) और स्वागत (welcome) का भाव व्यक्त होता है।

परिचय कैसे कराएँ

परिचय कराने के लिए इस विधि का प्रयोग किया जाता है—

This	*+ is*	*+ name of the person + other words*
This	is	Mohan, my friend.
This	is	Mohan, my cousin.
This	is	Sheela, my sister.
This	is	Helen, a film star.
This	is	Dr Sinha, a famous surgeon.

इन वाक्यों के अनुवाद का ध्यान रखें—

1. पिताजी, यह राधा है, मेरी सहपाठिका।
   Father, this is Radha, my class-friend.
2. माताजी, ये श्री सिन्हा हैं, मेरे शिक्षक।
   Mother, this is Mr Sinha, my teacher.
3. सुरेश, यह डॉली है, मेरी चचेरी बहन।
   Suresh, this is Dolly, my cousin.
4. जॉन, यह दिल्ली है, भारत की राजधानी।
   John, this is Delhi, the capital of India.
5. महाशय, ये श्री सिन्हा हैं, इस पुस्तक के लेखक।
   Sir, this is Mr. Sinha, the author of this book.

शिष्टाचार कैसे दिखाएँ

किसी से मिलने पर शिष्टाचार व्यक्त करने के लिए इस विधि का प्रयोग करना चाहिए—

Hello + name + good morning/afternoon/evening
Good morning/afternoon/evening + noun
Good morning/afternoon/evening + sir/madam
Good morning/afternoon/evening + father/mother
Morning + sir/madam

इन वाक्यों का अनुवाद देखें–

1. प्रणाम, माँ — Good morning, mother.
2. नमस्ते, सुरेश — Good morning, Suresh.
3. राम-राम, भाई — Good morning, brother.
4. आदाब अर्ज, करीम — Good morning, Karim.
5. सत श्री अकाल, सिंह जी — Good morning, Mr Singh.
6. प्रणाम, पिताजी — Good afternoon, father.
7. नमस्ते, रमेश — Good evening, Ramesh.

किसी से विदा होते समय शिष्टाचार इस प्रकार किया जाता है—

Good bye + name
Good bye + father/mother
Good night + name
Bye or Bye-bye
See you.

इन वाक्यों का अनुवाद देखें–

1. प्रणाम, दादाजी — Good bye, grand-pa.
2. प्रणाम, पिताजी — Good night, father.
3. नमस्ते, राधा — Bye, Radha.
4. अच्छा, विदा — Bye, see you.
5. अच्छा, फिर मिलेंगे — Bye, see you.

स्वागत कैसे करें

किसी से मिलने के बाद उसका स्वागत इस प्रकार किया जाता है—

1. आपसे मिलकर बहुत खुशी हुई—
   I'm glad to see you [not, too glad]
   or, Glad to see you
   or, I'm glad to meet you
   or, Glad to meet you.
   or, I am so glad to meet you.
2. आपसे मिलकर मैं कितना खुश हूँ!
   How happy I'm to see you!

or, How nice to see you!
or, What a pleasure it is to meet you!

3. आपने आने की कितनी कृपा की!
How kind of you to come!
How nice of you to come!
4. आपने कितनी कृपापूर्वक मुझे याद किया!
How kind of you to remember me!
5. मैं अपनी खुशी शब्दों में व्यक्त नहीं कर सकता।
I can't express my happiness in words.
or, My happiness can't be expressed in words.
6. आपका यहाँ आना कैसे हुआ? What brings you here?
7. मैं आपकी क्या सेवा करूँ? What can I do for you?
or, How might I help you?
8. आप अब कैसे हैं? How are you now?
9. आप अच्छे तो हैं न? You are well, I hope.
or, You are well, aren't you?
or, You are feeling fine, aren't you?
10. क्या आप एक कप कॉफी लेंगे?
Would you have a cup of coffee, please?
11. तकल्लुफ न करें—Don't stand on ceremony.
or, Don't observe any formality.
12. अब आप थोड़ा आराम जरूर करें—Do have some rest now.

Note: यदि किसी से मिलने पर हिन्दी में पूछा जाता है—आप कैसे हैं?
तो इसका उत्तर होता है—*मैं ठीक हूँ, स्वस्थ हूँ।*
पर यदि किसी से मिलने पर अँगरेजी में पूछा जाता है—How do you do?
तो इसका उत्तर होता है—How do you do?

इसलिए How do you do? का कोई दूसरा उत्तर इस प्रकार न दें—
I'm all right. I'm fine.

□

39. धन्यवाद-सूचक वाक्यों का अनुवाद आभार-सूचक वाक्यों का अनुवाद क्षमा-सूचक वाक्यों का अनुवाद

यहाँ कुछ ऐसे वाक्यों के अनुवाद पर विचार करें जिनकी सहायता से धन्यवाद (thanks), आभार (gratitude) और क्षमा (apology) का भाव व्यक्त किया जाता है।

धन्यवाद कैसे दें, आभार कैसे व्यक्त करें

[पत्र, निमंत्रण या किसी कार्य के लिए]

1. पत्र के लिए धन्यवाद। Thank you for your letter.
2. पत्र के लिए बहुत, बहुत धन्यवाद। Many, many thanks for your kind letter.
   or, A million thanks for your kind letter.
3. सुन्दर पत्र के लिए बहुत-बहुत धन्यवाद। जी चाहता है आपके हाथ को चूम लूँ।
   Thank you very much for your lovely little letter. I feel like kissing your hand.
4. निमंत्रण के लिए बहुत-बहुत धन्यवाद।
   Many, many thanks for your kind invitation.
5. चाय पर निमंत्रण के लिए बहुत धन्यवाद।
   Thank you very much for inviting me to tea.
6. भोजन करने के लिए निमंत्रण के लिए बहुत-बहुत धन्यवाद।
   Many, many thanks for inviting me to lunch/dinner.
7. आतिथ्य के लिए बहुत धन्यवाद।
   Thank you very much for your hospitality.
8. विवाह के अवसर पर निमंत्रण-पत्र के लिए धन्यवाद। आप ने कितनी कृपापूर्वक मुझे याद किया है।
   Thank you for the wedding card. How kind of you to remember me!
9. आपने मेरी बहुत भलाई की है। इसके लिए बहुत धन्यवाद। आप की राय के लिए मैं आपके प्रति आभार प्रकट करता हूँ।
   Thank you very much for doing me a good turn and lending me a helping hand. I'm grateful to you for your advice.
10. सहायता के लिए धन्यवाद। मैं इस कृपा को कभी भूल नहीं सकता।
    Thank you for your help. I can't forget this act of kindness.
11. मैं आपका आभारी हूँ/कृतज्ञ हूँ। I am grateful to you.

धन्यवाद कैसे दें

[बधाई/शुभकामना के लिए]

1. नया साल मुबारक हो। A happy new year to you.
2. धन्यवाद। आपको भी। Thank you. Same to you.
3. क्रिसमस के शुभ अवसर पर मेरी शुभकामनाएँ। A merry Christmas to you.
4. धन्यवाद/आपको भी। Thanks. Same to you.
5. दीपावली के अवसर पर मेरी हार्दिक शुभ कामनाएँ। My heartiest Dipawali greetings.
6. धन्यवाद। आपको भी। Thank you. Same to you.

Note: धन्यवाद का उत्तर इस प्रकार दिया जाता है—

You needn't, Never mind, That's all right, Mention not

क्षमा कैसे माँगें—

1. मुझे दुःख है। क्षमा करें। I'm sorry. Excuse me.
2. मुझे दुःख है कि मैं नहीं आ सकता। I'm sorry. I can't come.
3. मुझे दुःख है कि मुझे समय नहीं है। I'm sorry. I have no time. *or,* I'm sorry. I'm so busy.
4. मुझे दुःख है कि मैं आपकी मदद नहीं कर सकता। I'm sorry. I can't help.
5. मुझे दुःख है कि मैं समय पर सूचना नहीं भेज सका। I'm sorry. I wasn't able to send information in time.
6. मुझे खेद है कि मैं समय पर नहीं पहुँच सका। I regret I wasn't able to reach on time.
7. क्या मैं आशा करूँ कि देर से आने के लिए मुझे माफ कर देंगे। May I hope you will please excuse my coming late?
8. नहीं आने के लिए क्षमा चाहता हूँ। Please excuse my not coming.

□

40. संवेदना-सूचक वाक्यों का अनुवाद सान्त्वना-सूचक वाक्यों का अनुवाद प्रोत्साहन-सूचक वाक्यों का अनुवाद

यहाँ कुछ ऐसे वाक्यों के अनुवाद पर विचार करें जिनसे संवेदना (condolence), सान्त्वना (consolation) और प्रोत्साहन (encouragement) का भाव व्यक्त होता है।

संवेदना-सूचक वाक्य
सान्त्वना-सूचक वाक्य
प्रोत्साहन-सूचक वाक्य

1. मैं अपनी संवेदना प्रकट करता हूँ। I offer my condolences.
2. ईश्वर आपको शक्ति दे! May God give you strength!
3. उसकी आत्मा को चिर शांति मिले! May his soul get eternal peace!
4. ईश्वर में विश्वास रखो। Have faith in God.
5. प्रकृति का यही नियम है। This is the law of nature.
6. भाग्य को कौन बदल सकता है!
   What is lotted cannot be blotted.
   or, There is no armour against fate.
7. धीरज रखिए। Have patience.
8. कली कड़वी होती है, पर फूल मधुर होता है।
   The bud may have a bitter taste,
   but sweet will be the flower.
9. असफलता सफलता के स्तंभ हैं। Failures are the pillars of success.
10. अब चिंता/फिक्र न करें। Don't worry now.
11. चिंता/फिक्र क्यों? Why worry?
12. चिंता से कोई लाभ नहीं। It's no use worrying.
13. चिंता का कोई कारण नहीं। There is no cause for worry.
14. हिम्मत न हारें। Don't lose heart.

□

41. कुछ अभिव्यक्तियों का अनुवाद

यहाँ इन अभिव्यक्तियों (expressions) के अनुवाद पर विचार करें।

1. ध्यान आकृष्ट कैसे करें

1. क्षमा करें। क्या मैं आपका नाम जान सकता हूँ?
   Excuse me, Sir. May I know your name?
2. क्षमा करें। क्या मैं आपका टेलीफोन उपयोग कर सकता हूँ?
   Excuse me, Madam. May I use your telephone?
3. क्षमा करें। क्या आप मुझे राह बता सकते हैं?
   Excuse me. Can you show me the way?
4. क्षमा करें। क्या मैं आपकी कलम का उपयोग कर सकती हूँ?
   Excuse me. Could I use your pen?

Note: बात नहीं सुनाई पड़ने पर या नहीं समझने पर ध्यान इस प्रकार आकृष्ट किया जाता है—

क्षमा करें। फिर से कहें। Pardon, Sir/Madam
or, Beg your pardon

2. समर्थन में नारा कैसे लगाएँ

up with

1. समाजवाद जिंदावाद। Up with socialism
2. लोकतंत्र जिंदावाद। Up with democracy
3. सामाजिक न्याय जिंदावाद। Up with social justice

3. विरोध में नारा कैसे लगाएँ

down with

1. पूँजीवाद मुर्दावाद। Down with capitalism
2. तानाशाही मुर्दावाद। Down with dictatorship

4. चेतावनी कैसे दें–

1. याद रखो। Mind you.
2. सावधान रहो। Take care. Beware. Be careful.
3. कुत्तों से सावधान। Beware of dogs.

4. पाकेटमारों से सावधान। Beware of pick pockets.

5. प्रशंसा कैसे करें

1. शाबाश! Bravo! Well done!
2. कमाल! Wonderful! Marvellous! Excellent!
3. कितना सुन्दर! How lovely! How nice!
4. आपने कितने साहस का काम किया! How brave of you!
5. आपने हम सबको मार्ग दिखाया है! You have shown us the way.
6. आपका कार्य प्रशंसा के योग्य है! Your work is praise-worthy.
7. आपका नाम स्वर्णाक्षरों में लिखा जाएगा! Your name will be written in gold.

□

42. कुछ संज्ञाओं का अनुवाद

हिन्दी की एक ही संज्ञा का प्रयोग कई अर्थों में होता है और इसलिए अनुवाद करने में कुछ कठिनाई होती है। कुछ ऐसी संज्ञाओं के अनुवाद पर विचार करें—

(i) बात का अनुवाद :

1. बात क्या है? What is the matter?
2. यह तो बुरी/अच्छी बात है। It is a bad/good thing.
   It is bad/good.
3. यह तो बड़ी बात है। This is a serious matter.
4. यह बात मुझे पसन्द नहीं। I don't like it.
5. यह अजीब बात है। This is strange/a strange thing.
6. यह झूठी बात है। It is false.
7. यह सच्ची बात है। This is true.
   सच्ची बात तो यह है। As a matter of fact.
8. यह बात सत्य है। It is a fact.
9. बात यह है। The fact is.
10. एक समय की बात है। Once it so happened.
11. मुझे उससे बातें हुईं। I had a talk with him.
12. मैं उससे बातें कर रहा था। I was talking to him.
13. मैंने सारी बातें उसके सामने रखी। I placed everything before him.
14. तेरी बात मेरी समझ में नहीं आती। I am not able to understand you. I don't get you.
15. क्या बात करते हो? What do you talk about?
16. यह बात मुझे नहीं सूझी। It didn't occur to me.
17. बात की बात में उसने सब कुछ कर दिया। He did everthing in the twinkling of an eye.
18. छोटी-छोटी बातों की चिंता न करो। Don't worry about trifles.
19. कड़वी बातें झगड़े में अंत होती हैं। Bitter words end in a quarrel.
20. मीठी/चिकनी-चुपडी बातें सबको खुश कर देती हैं। His honeyed words please everybody.
21. मैं आपसे दो बातें/कुछ बातें करना चाहता हूँ। I want to have a word or two with you.
22. बात मत बनाओ। Don't spin yarn.
23. यह अफसोस/दुःख की बात है। It is a matter of regret/sorrow.
24. उसने मेरी समस्याओं को बातों में उड़ा दिया। He dismissed my problems.
25. उसने मेरी बातों पर ध्यान नहीं दिया। He didn't pay heed to me.
26. मैं बात का पक्का हूँ। I am a man of word.
27. वह अपनी बातों से मुड़ गया। He went back on his word.

28. मैं उसकी बातों में आ गया। I was taken in by his words.
29. कोई बात नहीं/यह महत्त्व की बात नहीं। It is not a great matter.
30. यह हँसने की बात नहीं। It is not a laughing matter.
31. जहाँ तक उसकी बात का (संबंध) है। So far as his matter is concerned.
32. बात पक्की हो गई। The terms are settled/finalised.
33. हमलोगों में बाता-बाती हो गई। We exchanged hot words./We had words with one another.
34. बात बहुत बिगड़ गई। The matter took a serious turn.
35. लम्बी-चौड़ी बातें मत करो। Don't talk big. Don't boast.
36. मुझे लम्बी-चौड़ी बातें पसन्द नहीं। I don't like tall talks.
37. छोटा मुँह बड़ी बात। Small wits, great boast.

(ii) लाभ/फायदा का अनुवाद :

1. अफसोस करने से कोई लाभ नहीं। It is no use/no good repenting.
2. इससे बहुत लाभ है। The advantages of this are many.
3. मैंने बहुत फायदा उठाया। I earned enormous profit.
4. तुम्हें इस परिस्थिति से लाभ उठाना चाहिए। You should take advantage of this situation.
5. तुम्हें इस परिस्थिति से अनुचित लाभ नहीं उठाना चाहिए। You shouldn't take undue advantage of this situation.
6. उनका गंगा लाभ हो गया। He died. He is dead.
   He passed away. He expired.
   He breathed his last.
   It is all over with him.
   He gave up the ghost.
   He departed from the world.
   He paid the debt to nature.
   He went the way of all flesh.
   His soul left for the heavenly abode.

(iii) मिट्टी का अनुवाद :

1. यहाँ की मिट्टी उपजाऊ है। The soil of this place is fertile.
2. उसे मिट्टी से ढँक दिया गया। He was covered with earth.
3. वह मकान मिट्टी में मिल गया। That house was reduced to dust.
4. मनुष्य मिट्टी का बना है। Man is made of dust.
5. वह मूर्ति मिट्टी की बनी है। That image is made of clay.
6. वह घर मिट्टी में मिल गया। That house was reduced to dust.

(iv) रुपया-पैसा का अनुवाद :

1. मुझे दस रुपये हैं। I have ten rupees.
2. मुझे दस रुपये का एक नोट है। I have a ten-rupee note.
3. मुझे एक भी रुपया नहीं है। I have no money.

4. आजकल मेरे पास पैसे नहीं/रुपये नहीं/रुपया-पैसा नहीं। These days I am penniless. These days I am out of pocket.
5. आजकल रुपया-पैसा ही सब कुछ है। These days money is everything.
6. मेरे पास एक भी पैसा नहीं है। I have not a single pice/farthing.
7. मुझे एक रुपया भर सोना दो। Give me gold equal to one rupee (coin) in weight.

(v) बात का अनुवाद :

1. वहाँ कितनी जगह है? How much space is there?
2. इस बर्थ पर जगह नहीं है। There is no room on this berth.
3. कश्मीर एक सुन्दर जगह है। Kashmir is a lovely place.
4. मेरे कॉलेज में एक जगह खाली है। One post has fallen vacant in my college.
5. यदि मैं तुम्हारी जगह होता। Were I in your place!
6. अब सुधार की कोई जगह नहीं है। There is now no scope for improvement.

(vi) पानी का अनुवाद :

1. मुंगेर का पानी अच्छा है। The climate of Munger is good.
2. मुझे थोड़ा पानी दो। Give me a glass of water.
3. अभी पानी पड़ रहा है। It is raining now.
4. आप मेरा पानी रखें। Please save my prestige.
5. उसके चेहरे पर पानी हैं। There is lustre on his face.
6. वह पानी-पानी हो गया। He was perplexed.
7. घोड़ा पानी-पानी हो गया। The horse got exhausted.
8. वह चाकू पर पानी चढ़ा रहा है। He is sharpening a knife.
9. उसकी आशाओं पर पानी फिर गया। His hopes were dashed to pieces. His hopes ended in smoke.
10. मैं तुझे पानी पिला दूँगा। You will catch a Tartar in me. I will teach you a lesson.
11. मेरे मुँह में पानी भर आया। My mouth began to water. I was tempted.
12. चुल्लूभर पानी में डूब मरो। Shame! Shame! Fie! Fie!

(vii) काम का अनुवाद :

1. वह अपना काम ठीक से करता है। He does his duty/work well.
2. मुझे आपसे एक काम है। I have a piece of business with you.
3. यह कलम काम की चीज है। This pen is a useful thing.
4. वह एक काम की तलाश में है। He is in search of a job/employment.

5. आपका काम-काज कैसा चल रहा है। What about your business/affairs?
6. मेरा काम नहीं बन सका। I was not able to succeed.
7. वह अपना काम निकालना चाहता है। He likes to serve/attain his own end.

(viii) नाम का अनुवाद :

1. आपका नाम क्या है? What's your name?
2. आपका नाम चारों ओर फैल रहा है। Your reputation is spreading far and wide.
3. इस रकम को मेरे नाम से जमा कर दें। Please credit it to my account.
4. आपने अपना नाम कब लिखवाया? When were you admitted?
   When did you get yourself admitted?
5. आपका नाम कब कट गया? When was your name struck off?
6. वह नामी लेखक है। He is a famous/renowned/reputed author.
7. वह नामी चोर है। He is a notorious thief.
8. वह नाम का राजा है। He is a nominal king.

□

43. कुछ सर्वनामों का अनुवाद

यहाँ कुछ ऐसे सर्वनामों (pronouns) पर विचार करें जिनके अनुवाद में कठिनाई होती है—

(i) वह/वे = he/she

1. वह लड़का अच्छा है। He is a good boy.
2. मेरे पिताजी मुझे बहुत मानते हैं। वे मुझे मिठाइयाँ देते हैं।
   My father loves me much. He gives me sweets.
3. मेरी माँ दयालु है। वे सबकी मदद करती हैं।
   My mother is kind-hearted. She helps all.

(ii) आप = You/he/she.

1. आप क्या कर रहे हैं? What are you doing?
2. तुलसीदास महान कवि थे। आपने रामायण लिखी—
   Tulsi Das was a great poet. He wrote the Ramayan. [not, you wrote]
3. ये श्रीमती सिन्हा हैं। आप प्रसिद्ध गायिका हैं।
   This is Smt Sinha. She is a famous singer. [not, you are]

(iii) अपना/अपनी/अपने = my/our/your/his/their

1. यह मेरा/हमारा अपना घर है। This is my/our own house.
2. यह उसका अपना घर है। This is his/her own house.
3. यह उनका अपना घर है। This is their own house.

(iv) दोनों = both. वे दोनों = both of them, तुम दोनों = both of you, हम दोनों = both of us.

1. दोनों उपस्थित हैं। Both are present.
2. वे दोनों अनुपस्थित है। Both of them are absent.

(v) कोई = Some one/some body/so and so. कोई भी = Anyone.
दोनों में से कोई नहीं = Neither. बहुतों में से कोई नहीं = None/No-one.
दो में से कोई एक = Either. बहुतों में से कोई एक = Anyone.
कोई और = Some one-else. कोई और नहीं = None else.
सब कोई = All. कुछ = Something.
कुछ नहीं = Nothing. कुछ-न-कुछ = Some thing or the other.

इन वाक्यों को देखें—

1. उसके दो लड़के हैं। इन दोनों में से कोई तेज नहीं है।
   He has two sons. Neither of the two is intelligent.

2. उसके तीन लड़कियाँ हैं। इनमें से कोई विवाहिता नहीं है।
   He has three daughters. None of them is married.
3. कोई कहता है। So and so (Someone) says.

(vi) जो + प्राणिवाचक संज्ञा = noun + who/what.
जो + अप्राणिवाचक संज्ञा = noun + which/what.

1. जो लड़का यहाँ है वह मेरा दोस्त है।
   The boy who/that is here is my friend.
2. जो कलम यहाँ है वह मेरी है।
   The pen which/that is here is mine.

(vii) लोग/तुमलोग/हमलोग = one

लोगों को/तुमलोगों को/हम लोगों को अपना कर्त्तव्य करना चाहिए—
One should do one's duty.

(viii) एक दूसरे को/से/में/पर = each other/one another.

1. वे एक-दूसरे को प्यार करते हैं। They love each other.
2. वे एक-दूसरे पर निर्भर हैं। They depend on each other.

□

44. कुछ विशेषणों का अनुवाद

यहाँ कुछ ऐसे विशेषणों पर विचार करें जिनके अनुवाद में कठिनाई होती है—

(i) बहुत [संख्या-number] = many, many a/an, several, most, a lot of, lots of, a number of, a large number of, a great number of, a heap of, heaps of, plenty of

1. उसने बहुत किताबें खरीदीं। He bought a number of books.
2. उसने बहुत अंडे खरीदे। He bought plenty of eggs.

(ii) बहुत [मात्रा-] = much, most, a good deal of, plenty of, large amount of, a lot of, lots of, a heap of, heaps of

1. उसने बहुत दूध खरीदा। He bought plenty of milk.
2. उसने बहुत मछली खरीदी। He bought a lot of fish.
3. उसने बहुत मछली नहीं खरीदी। He didn't buy much fish.

(iii) कुछ [परिणाम/मात्रा] = some/a little

उसे कुछ चीनी चाहिए। He needs some/a little sugar.

(iv) कुछ [संख्या] = some/a few

उसे कुछ कलमें चाहिए। He needs some/a few pens.

(v) कुछ नहीं [संख्या/परिमाण] = no + noun

उसे कुछ भी चीनी नहीं है—He has no sugar

उसे कुछ भी कलमें नहीं है—He has no pens

ध्यान दें—

(a) not some का प्रयोग इस प्रकार नहीं होता है—

He hasn't some sugar.

(b) no any का प्रयोग नहीं होता है। इसलिए इस प्रकार न लिखें—

He has no any sugar/books.

(c) प्रश्नवाचक वाक्य में some या any किसी का भी प्रयोग हो सकता है, पर निवेदनसूचक प्रश्न में some का प्रयोग होता है, any का नहीं; जैसे,

Have you any/some food?—निवेदन

Could you give me some food?—निवेदन

(vi) कोई + व्यक्तिवाचक संज्ञा = a/one

कोई शर्माजी आपसे मिलने आए हैं। A/One Mr. Sharma has come to see you.

(vii) कोई एक वचन जातिवाचक संज्ञा = some

कोई आदमी से मिलने के लिए बाहर खडा है। Some one is waiting outside to see you.

मैंने इसे किसी किताब में पढ़ा है। I have read it in some book.

ध्यान दें—

ऐसे a/one/some से अनिश्चित/अपरिचित व्यक्ति या वस्तु का बोध होता है। इसलिए a/one/some का अर्थ होता है—a certain person or thing.

(viii) काफी [संख्या/मात्रा] = enough

1. उसे काफी रुपया है। He has enough money.
2. उसे काफी किताबें हैं। He has enough books.

(ix) दोनों [संख्या] = both

(x) प्रत्येक [संख्या] = each/every

(xi) दो में से एक [संख्या] = either

(xii) दो में से कोई नहीं [संख्या] = neither

1. दोनों कलमें अच्छी हैं। Both pens are good.
2. प्रत्येक लड़की को इनाम मिला। Each/every girl got a prize.
3. दो में से एक लड़के को इनाम मिला। Either boy got a prize.
4. दो में से किसी लड़के को भी इनाम नहीं मिला। Neither boy got a prize.

(xiii) मात्रा/माप-सूचक शब्द + भर + संज्ञा = Noun + hyphen + addition + noun

1. यहाँ कमरभर पानी है। There is waist-deep water here.
2. यहाँ ठेहुनाभर पानी है। There is knee-deep water here.
3. यह गजभर लम्बी छड़ी है। This is a yard-long stick.

इनके अनुवाद का भी ध्यान रखें—

चम्मचभर चीनी = a spoonful of sugar. मुट्ठीभर चावल = a handful of rice.
मुट्ठीभर लोग = a handful of men. बोराभर चावल = bagful of rice.

(xiv) गरम-गरम = fairly hot. **बहुत गरम** = rather hot.

1. मैं गरम-गरम चाय पसन्द करता हूँ। I like fairly hot tea.
2. चाय बहुत गरम है। Tea is rather hot.

Note: गरम-गरम और बहुत गरम का अर्थ करीब-करीब एक ही है। पर एक-बात ध्यान देने योग्य है। गरम-गरम एक ऐसा गुण (adjective) है जिसे हमलोग पसन्द करते हैं। बहुत गरम ऐसा गुण है जिसे हम पसन्द नहीं करते। जिस गुण को पसन्द किया जाता है उसके पहले fairly का प्रयोग होता है, पर जिस गुण को पसन्द नहीं किया जाता, उसके पहले rather का प्रयोग किया जाता है। इस बारीकी को समझ कर ही fairly और rather का प्रयोग करना चाहिए। देखिए इन वाक्यों को—

वह लम्बी है = 1. She is fiarly tall. 2. She is rather tall.

यदि यहाँ आप लम्बाई को पसन्द करते हों, तो fairly का प्रयोग करें, पर यदि आपको उस औरत की लम्बाई पसन्द नहीं हो तो आपको rather प्रयोग करना चाहिए।

(xv) विशेषण + विशेषण = adjective + adjective.

हलका-हलका बुखार = very mild fever.

चाय बहुत गरम है। Tea is rather hot.

(xvi) निश्चित संख्यावाचक विशेषण + संज्ञा = singular addition + plural noun.

1. उसे दो सौ रुपये हैं = He has two hundred rupees.
2. यहाँ पाँच हजार लोग हैं = There are five thousand men here.

(xvii) अनिश्चित संख्यावाचक विशेषण + संज्ञा = plural addition + of + plural noun.

यहाँ सैकड़ों/हजारों लोग हैं = There are hundreds/thousands of men here.

इनके अनुवाद का भी ध्यान रखें—

एक जोड़ा जूता = a pair of shoes. एक लाख लोग = a lac of men.

दर्जनों कलमें = dozens of pens. एक दर्जन कलमें = a dozen pens.

(xviii) धातु + ता/ती/ते + संज्ञा या धातु + ता हुआ/ती हुई/ते हुए + संज्ञा = present participle + noun.

चलती गाड़ी/चलती हुई गाड़ी = running train.

गरजते बादल/गरजते हुए बादल = thundering clouds.

(xix) धातु + आ हुआ/ई हुई/ए हुए + संज्ञा = past participle + noun.

टूटी हुई कुर्सी = broken chair. मुर्झाए हुए फूल = withered/faded flowers.

थका हुआ आदमी = tired person. हारी हुई सेना = defeated army.

(xx) उपयुक्त विशेषणों का अनुवाद—

बहुत का अनुवाद

1. वह बहुत सुन्दर है/परम सुन्दरी है। She is cute.
   She is a smasher.
   She is a beauty.
   She is a dolly.
   She is very/exquisitely beautiful.
   She is very charming.
2. मैं बहुत अच्छा अनुभव कर रहा हूँ। I am feeling fine.
   I am feeling A one.
3. चाय बहुत (नापसंद के लायक) गरम है। Tea is too hot.
   Tea is rather hot.
4. चाय बहुत (पसंद के लायक) गरम है। Tea is fairly hot.
5. लोहा/कोयला बहुत कम है। Iron/coal is red hot.

6. पानी बहुत ठंढा है। Water is ice cold.
7. उसे बहुत दर्द हो रहा है। He is having acute/severe/intense pain.
8. सीता और राधा में बहुत अन्तर है। There is a great/vast/tremendous difference between Radha and Sita.
9. वह बहुत गरीब है। He is very/extremely/hopelessly poor.
10. वह बहुत धनी है। He is very/immensely rich.
11. वह बहुत मुनाफा कमाता है। He earns enormous profit.
12. उनका बहुत स्वागत हुआ। He was given a warm welcome.
    He was given a red carpet welcome.
13. यहाँ बहुत पानी है। There is deep water here.
    There is a vast expanse of water here.
14. बहुत दिन हुए एक राजा था। Long, long ago there was a king.
15. आज बहुत वर्षा हुई। We had a heavy rain/a downpour today.

कम का अनुवाद

1. उसका कम स्वागत हुआ। He was given a cold welcome.
2. मुझे उसके लिए कम सम्मान है। I have scant respect for him.
3. वह कम साधन का आदमी है। He is a man of slender means.
4. रात में कम भोजन करें। Take light food at night.

कड़ा का अनुवाद

1. वह मांस कड़ा है। This meat is tough.
2. ये प्रश्न कड़े हैं। These questions are stiff.
3. वह कड़ा आदमी है। He is a strict person.
4. उसे कड़ा दंड मिला। He got a severe punishment.
5. रोटी कड़ी है। Bread is hard.
6. वह कड़े दिल का है। He has a hard heart.
   He has a heart of stone.
   He is stone-hearted.
   He has a stone heart.
7. उसने कड़ा रुख अपनाया। He adopted a stern/rigid attitude.
8. उसने कड़ी चोट की। He gave a hard blow.
9. उसने कड़ी मेहनत की। He worked hard.

मोटा का अनुवाद

1. वह मोटा आदमी है। He is a fat person.

2. वह मोटी अकल का आदमी है। He is a blunt headed man.
3. उसे मोटी तनख्वाह मिलती है। He gets a fat salary.
4. यह मोटा कपड़ा है। This is coarse cloth.
5. यह मोटा कागज है। This is thick paper.
6. यह मोटी लाठी है। This is a thick stick.
7. यह मोटी रकम है। This is a tidy/handsome amount.

पतला का अनुवाद

1. उसकी कमर पतली है। Her waist is slender..
2. उसकी हालत पतली है। Her condition is critical/precarious.
3. वह बहुत पतली है। She is very slim.
4. यह एक पतली धारा है। This is a narrow stream.
5. उसकी नींद पतली है। Her sleep is light.
6. उसकी आवाज पतली है। She has a faint voice.
7. उसे पतला दस्त हो रहा है। She is having loose motions.
8. अब एक पतली आशा है। Now there is a slender hope.
9. यह पतला सूत है। This is a fine fabric.
10. वह बहुत दुबला-पतला है। He is very lean and thin.
11. यह रोटी का पतला टुकड़ा है। This is a thin slice of bread.

ऊँचा का अनुवाद

1. वह ऊँचे पद पर है। He holds a high post.
2. यह ऊँची दीवार है। This is a high wall.
3. इस मकान की छत ऊँची है। This house has a high ceiling.
4. यह ऊँची दुकान है। This is a big shop.
5. वह उच्च शिक्षा पा रहा है। He is receiving higher education.
6. यह ऊँची जगह है। This is a raised platform.

छोटा का अनुवाद

1. वह छोटा (महत्त्वहीन) आदमी है। He is a small fry.
2. वह छोटा लड़का है। He is a small boy.
3. वह मेरा सबसे छोटा लड़का है। He is my youngest son
4. ये छोटी (महत्त्वहीन) बातें हैं। These are trifles/small things.

बड़ा का अनुवाद

1. वह बड़ा आदमी है। He is a big gun.
He is a great man.

2. यह बहुत बड़ा मकान है। This is a palace of a house.
This is a big/large house.
This is a massive building.
This is a palatial building.
3. यह बड़ी रकम है। It is a fat sum/a big amount.
4. यह बड़ी भूल है। It is a blunder.
5. वह बड़ा मूर्ख है। He is an utter fool/a big fool.
6. यह बड़ी बात है। This is a serious matter.
7. उनकी बड़ी हार हुई। They got a crushing/damn defeat.
8. यह बड़ी समस्या है। This is a big/serious/acute problem.
9. मुझे बड़ा भय है। I have a great fear.
10. मुझे बड़ी शंका है। I have a grave doubt.
11. वह मेरे बड़े भाई हैं। He is my elder brother.
12. वह मेरे सबसे बड़े भाई है। He is my eldest brother.
13. छोटा मुँह, बड़ी बात। Small wits, great boast.
14. आपको बड़ी उम्र मिले! May you have a long life!

पक्का/पका का अनुवाद

1. वह मत पक्का दोस्त है। He is my bosom friend/fast friend/close friend.
2. वह पक्का आदमी है। He is a reliable person.
3. वह बात का पक्का है। He is a man of word.
4. वह पक्का चोर है। He is a veteran thief.
5. यह पक्का समाचार है। This is an authentic news.
6. यह पक्का रंग है। This is a fast colour.
7. यह पक्का मकान है। This is a brick-built house.
8. यह पक्की सड़क है। This is a metalled road.
9. यह पक्का सबूत है। This is a positive proof.
10. यह पक्का विचार है। This is a mature consideration.
11. यह पक्की नकल है। This is a certified copy.
12. ये पक्के माल है। These are finished goods/products.
13. यह पक्की हो गई। The terms got settled.
14. यह पका बाल है। This is grey/white hair.
15. यह पक्का आम है। This is a ripe mango.

कच्चा का अनुवाद

1. यह कच्चा आम है। This is an unripe mango.
2. यह कच्चा मांस है। This is raw meat.
3. यह कच्चा पानी है। This is unboiled water.

4. यह कच्चा मकान है। This is a mud-built house.
5. यह कच्ची सड़क है। This is an unmetalled road.
6. यह कच्ची रोटी है। This is an unbaked bread.
7. यह कच्चा भात है। This is under cooked rice.
8. यह कच्ची उम्र है। This is a tender age.
9. यह कच्चा आदमी है। He is a raw hand.
He is an inexperienced man.
10. ये कच्चे माल है। These are raw materials.

मीठा का अनुवाद

1. मैंने एक मीठा सपना देखा। I had a pleasant/sweet dream.
2. मुझे मीठी नींद आई। I had a sound sleep.
3. उसे मीठा दर्द हो रहा है। He is having a mild pain.
4. उसके ओठों पर मीठी मुस्कान है। There is a sweet smile on her lips.
5. उसकी मीठी जबान सबको जीत लेती है। Her sweet tongue/silver tongue wins everbody.
6. वे मीठी यादें अभी भी ताजी हैं। Those happy memories are still fresh.
7. उसकी मीठी बातें सबको अच्छी लगती हैं। Everybody liked her sweet words.

□

45. कुछ क्रियाओं का अनुवाद

हिन्दी-उर्दू की एक ही क्रिया के लिए अँगरेजी में कई क्रियाओं का प्रयोग होता है। इनके कुछ नमूने देखें—

(i) लगना/लगाना का अनुवाद

1. उम्र के हिसाब से वह कमसिन लगती है। She doesn't look her age.
2. उम्र के हिसाब से वह सही उम्र की लगती है। She looks her age.
3. उम्र के हिसाब से वह जरा अधिक लंबी लगती है। She is too tall for her age.
4. वह लंबी लगती है [पसंद के लायक]। She is fairly tall.
5. वह जरा अधिक लंबी लगती है [नापसंद लंबाई]। She is rather tall.
6. वह लंबी लगने के लिए हाईहील के जूते पहनती है। She wears high heels to make hereself look taller.
7. वह देखने में कैसी लगती है? What does she look like?
8. वह देखने में चाँद/गुड़िया सी लगती है। She looks like the moon/like a doll.
9. वह देखने में परी-सी लगती है। She looks like a fairy.
10. वह घबराई-सी लगती है। She looks puzzled.
11. वह स्थान वीरान-सा लगता है। That place looks deserted.
12. यह बिछावन कड़ा/मुलायम लगता है। This bed feels hard/soft.
13. उसे भूख-प्यास नहीं लगती है। He doesn't feel hungry or thirsty.
14. तेरे हाथ ठंढे लगते हैं। Your hands feel cold.
15. उसे गर्मी नहीं लगती है। He doesn't feel the heat.
16. उसे गर्मी/जाड़ा लग रहा है। He feels hot/cold.
17. उसे ठंढक लग गई है। He has caught cold/a cold.
18. तुम्हें आज कैसा लग रहा है? How are you feeling today?
19. यह पोशाक तुम पर अच्छा लगता है। This dress suits you.
20. यह आम मीठा लगता है। This mango tastes sweet.
21. यह अमरूद खट्टा लगता है। This guava tastes sour.
22. मेरी गाय खूब लगती है। My cow is milking well.
23. घास लग गई है। Grass has taken root.
24. वह तुम्हारा कौन लगता है? How is he related to you?
25. वह मेरा भाई लगता है। He is my brother.
26. उस घर में आग लग गई है। That house is on fire.
    That house has caught fire.
27. इसमें कितना समय लगेगा? How much time will it take?
28. इसमें तुम्हारा क्या लगता है? How does it concern you?

29. उसे मछली अच्छी है। She likes fish.
or, She has a liking for fish.
30. सुबह की हवा शीतल लगती है। Morning air is cool.
31. तुम्हें किसकी हवा लगी है? Whose influence are you under?
32. यह किताब आपको कैसी लगी? How did you like this book?
33. वह अवसर उसे हाथ नहीं लगा। That opportunity slipped through his fingers.

लगना/लगाना के इन अर्थों का भी ध्यान रखें—

1. वर्ष या महीना लगना = to end
2. नियम का लगना = to apply a rule
3. भूख-प्यास लगना = to feel thirsty/or hungry
4. काम में लगना = to take to; to engage oneself in
5. अर्थ लगाना = To make out; to interpret
6. धूप लगाना = to sun
7. लगाम लगाना = to bridle
8. मजदूर लगाना = to engage labourers
9. कर लगाना = to levy a tax
10. आग लगना = to catch fire
11. आग लगाना = to set on fire
12. मोटरगाड़ी लगाना = to park one's car
13. किसी से मुँह लगाना = to be familiar
14. धक्का लगना = to get a shock
15. अनुमान लगाना = to guess at something
16. पेड़ लगाना = to plant a tree
17. हिसाब लगाना = to calculate
18. यह बात उसे बुरी लगी = It cut him to the quick
19. पान लगाना = to make a betel
20. अपने को कुछ या बहुत लगाना = to give oneself airs
21. दाव पर लगाना = to stake
22. आँख लगना = to doze off
23. नजर लगाना = to cast an evil eye
24. किनारे लगना = to touch shore
25. पौधे का लगना = to take root
26. करने लगना = to begin to do
27. नींद लगना = to feel sleepy/drowsy
28. पैसा/रुपया लगना = to cost money
29. ताला लगाना = to put under lock and key/to lock up
30. आदत लगना = to be addicted to something, to become used to
31. पेड़ में फल लगना = to bear fruit

32. मेला लगना = to be held (a fair is held)
33. मन नहीं लगना = not take interest in
34. मरहम लगाना = to apply ointment
35. पानी लगना = water accumulates.
36. पंख लगना = to acquire wings
37. निशाने पर लगाना = to hit the mark
38. हाथ नहीं लगना = to slip through one's fingers
39. भूत लगना = to be possessed by evil spirits.
40. इस काम में एक सप्ताह लगेगा = It will take a week.
41. भाँग लगना = to be allergic to *bhang*
42. गोली लगना = to receive bullet injuries
43. पेंसिल से दाग लगाना = to mark something with a pencil
44. धारा 144 लगाना = to impose (clamp) Section 144 on a place
45. घर में बिजली और पानी लगाना = to fit a house with electricity and water taps
46. माँग में सिन्दूर लगाना = to apply vermilion in the parting on her head
47. प्रश्नों के झड़ी लगाना = to put a volley of questions
48. बिस्तर लगाना = to make bed
49. प्राणों की बाजी लगाना = to stake one's life
50. जंग लगना = to rust
51. दाग लगना = to be stained
52. धंधे में धन लगाना = to invest money

EXERCISE 1

Translate into English.

1. वह तुम्हारा कौन लगता है? 2. वह मेरा भाई लगता है। 3. यह बात उसे बहुत लगी। 4. मुझे इसका कुछ अर्थ नहीं लगता। 5. इसमें तुम्हारा क्या लगता है? 6. उसे गोली लगी। 7. वह रुपया लगानी लगाता है। 8. यह मकान भाड़े पर लगाया गया। 9. महीना लग गया है। 10. तुमको किसकी हवा लगी है? 11. मुझे भूख लगी है।

(ii) काटना का अनुवाद

1. फसल काटना। to reap the harvest
2. गला काटना। to cut one's throat
3. दाढ़ी काटना। to have a shave
4. बाल काटना। to cut/to clip/to bob hair
5. दिन काटना। to pass one's days or life
6. साँप या कुत्ते का काटना। to bite
7. समय काटना। to kill time
8. जेब (गिरह) काटना। to pick one's pocket

9. किसी रकम से एक भाग काटना। to deduct
10. कुत्ता काटना। to be mad
11. जेल काटना। to suffer imprisonment

(iii) चलना का अनुवाद

1. आजकाल शिक्षामंत्री के यहाँ उसकी चलती है। He is in the good books of the education minister.
2. इससे काम नहीं चलेगा। It won't do.
3. यह खूब चलेगा। It will last long.
4. गाड़ी चल पडी। The train steamed off.
5. खेल चल रहा है। The play is on.
6. नाड़ी चल रही है। The pulse is running.
7. इलाज चल रहा है। The treatment is going on.
8. सिक्का चलाना। to introduce a coin
9. उसका पेट चल रहा है। His bowels are upset.
10. उसकी जबान कैंची की तरह चलती है। He has a bitter tongue.
11. शतरंज में चाल चलना। to make a move
12. यह रुपया चलेगा। It is a passable coin.
13. गोली चलाना। to open fire
14. घड़ी चलाना। to wind the watch/to set the watch in motion
15. खरी-खोटी सुनाना। to utter fire and brimstone
16. पंखा चलाना। to switch on a fan
17. मोटरगाड़ी चलाना। to drive a car
18. चाल चलना। to play tricks
19. वकालत चलना। to have a roaring practice
20. दुकान चलना। to have brisk sale
21. वह चल-फिर नहीं सकता। He cannot stir/move about
22. खेल/लड़ाई/पढ़ाई/वाद-विवाद चल रहा है। is going on
23. घड़ी/गाड़ी चलना। is running
24. मेरी घड़ी ठीक चलती है। My watch neither gains nor loses.
25. मेरी घड़ी पाँच मिनट रोज सुस्त चलती है। My watch loses five minutes a day.
26. मेरी घड़ी पाँच मिनट रोज तेज चलती है। My watch gains five minutes a day.
27. ट्रेन ठीक समय पर चल रही है। The train is running to time.

(iv) देखना का अनुवाद

1. उसने मुझे शर्मीली नजरों से देखा। She gave me a shy look. She glanced shyly at me.
2. उसने मुझे धूर्तताभरी नजरों से देखा। She gave me a sly look.

3. उसने मुझे शरारतभरी नजरों से देखा। She gave me a wicked look.
4. उसने मुझे धृष्टता/गुस्ताखीभरी नजरों से देखा। She gave me a saucy glance.
5. उसने मुझे प्यारभरी नजरों से देखा। She gave me a loving glance.
   She gave me the glad eyes.
   She gave me an inviting look.
6. उसने मुझे क्रोधभरी नजरों से देखा। She shot an angry look/glance at me.
7. उसने नफरतभरी नजरों से देखा। She gave a disdainful/scornful look.
8. हमलोगों ने पहाड़ की एक झाँकी देखी। We had a glimpse of the mountain.
9. वह मुझे खिड़की से झाँककर देख रही है। She is peeping at me through a window.
10. वह कनखी से देख रही है (आँखें लड़ा रही है)। She is ogling.
11. एक आँख से देखना। to be impartial
12. किसी चीज को देखना। to see
13. किसी की ओर देखना। to look at
14. ध्यान से देखना। to observe
15. टकटकी लगा कर देखना। to gaze/to stare at
16. अच्छा या बुरा दिखना। to look ugly/beautiful/smart
    One is ugly or beautiful to look at.
17. देखना-भालना। to look after
18. नाड़ी देखना। to feel the pulse
19. (अधिकाररूप से) देखना। to inspect/to supervise
20. (परीक्षक की हैसियत से) देखना। to look into/to examine
21. (शब्दकोश) देखना। to consult/to look up a dictionary.
22. घड़ी देखना। to tell the time
23. स्वप्न देखना। to have a dream
24. देखते ही देखते। in the twinkling of an eye/in a moment/trice; in no time

(v) देना का अनुवाद

1. परीक्षा देना। to appear at an examination/to take an exam.
2. किसी को कुछ देना। to give
3. किसी चीज को छोड़ देना। to give up/to leave
4. किसी को दुःख में छोड़ देना। to leave someone in the lurch/to desert
5. डाक में चिट्ठी छोड़ देना। to post a letter
6. नौकरी छोड़ देना। to resign a post [not from a post]
7. गाली देना। to abuse
8. शाप देना। to curse
9. धन्यवाद देना। to thank

10. बधाई देना। to congratualate/to offer congratulations
11. धीरज देना। to console/to give consolation
12. कर्ज या उधार देना। to lend/to give loan
13. किसी को पानी, भोजन, वस्त्र इत्यादि देना। to give food etc.
14. आशा देना। to hold out a hope
15. वचन देना। to give word/to make a promise
16. किसी को पानी, भोजन आदि सम्मान के साथ देना। to offer food etc.
17. पेड-पौधे में पानी देना। to water
18. जगह देना। to make room
19. महत्त्व देना। to give or attach importance
20. जबान देना। to promise/to give word (not words)
21. खबर देना। to send word or message (not words)
22. परिचय देना। to introduce oneself to somebody
23. भोजन परोस देना। to serve food
24. धोखा देना। to deceive/to play somebody false
25. पथ्य देना। to give diet
26. भाषण देना। to deliver/make a speech
27. खर्च देना। to meet the expenses
28. जिंदा कर देना। to bring one back to life
29. ताना देना। to taunt
30. धमकी देना। to hold out a threat
31. संवाद देना। to send word
32. बलि देना। to offer a sacrifice
33. चकमा देना। to give the slip
34. अंजलि देना। to make an offering
35. दवा/न्याय देना। to administer medicine/justice
36. मदद/राहत देना। to administer help/relief
37. शपथ दिलाना। to administer oath of office and secrecy.

(vi) करना का अनुवाद

1. वह क्या (कौन-सा काम) कर रहा है? What is he doing?
2. मैं उसके बिना कुछ नहीं कर सकता। I cannot do without him
3. वह मेरा कुछ नहीं कर सकता। He cannot harm me.
4. जल्दी करना। to hurry up/to make haste/to look sharp
5. देर करना। to delay/to make delay/to be late
6. किसी से बात करना। to talk to somebody
7. उसके पिता क्या करते हैं। What is his father?
8. आत्महत्या करना। to commit suicide
9. गुणगान करना। to sing the praises
10. टाल-मटोल करना। to dilly-dally
11. नाम करना। to earn a reputation
12. विश्वासघात करना। to play false/to betray

13. उपवास करना। to observe fast
14. दान करना। to make a gift
15. प्रतिज्ञा करना। to make a promise
16. पहचान करना। to identify
17. बहाना करना। to make an excuse
18. वहिष्कार करना। to boycott
19. हल्ला करना। to make a noise
20. पाखाना करना। to ease oneself/to pass stool
21. पेशाब करना। to make water/to pass urine
22. भोजन/नाश्ता करना। to have food/breakfast/lunch/dinner
23. संगीत में संगत करना। to provide an accompaniment
24. विदा करना। to bid farewell/to see sombody off/to send somebody off/to give a send off
25. भोज या स्वागत-समारोह करना। to hold a banquet
to hold a reception

Note: अब to host a lunch/dinner/reception का प्रयोग अप्रचलित (obsolete) हो गया है।

(vii) कहना का अनुवाद

1. मैंने उससे कहा। I told him. I said/spoke to him.
2. शिक्षक ने कहा कि पृथ्वी गोल है। The teacher said (not told) that the earth is round.
3. कहा जाता है। It is said. They say.
4. भला-बुरा कहना। to abuse
5. क्या कहना/कौन कहे/कहना तो (दूर रहा)। not to speak of [not what to say or what to speak of]
6. मदद देने का क्या कहना, वह मुझसे बोला भी नहीं/
मदद देने को कौन कहे, वह मुझसे बोला भी नहीं/
मदद देना तो दूर रहा, वह मुझसे बोला भी नहीं। Not to speak of helping me, he did not even talk to me.
7. कश्मीर की सुन्दरता का क्या कहना है! The beauty of Kashmir beggars description/is beyond description.
8. वह मुझे मूर्ख कहता है। He calls me (not tells me) a fool.
9. वह झूठ कहता है। He tells (not says or speaks) a lie.
10. वह सच कहता है। He speaks (not says) the truth.
11. हाँ, कहते जाओ। Yes, go on.

(viii) होना का अनुवाद

1. सब कुछ होना। to be all in all

2. कुछ नहीं होना। to be nothing
3. कुछ होना। to be important
4. कुछ का कुछ होना। to be quite or entirely different
5. चलती होना।। to be in one's good books
6. गड़बड़ होना। to be out of order/to be in disorder
7. तितर-बितर होना। to be at sixes and sevens
8. खाली हाथ होना। to be out of pocket/to be penniless
9. बाताबाती होना। to exchange hot words
10. मेरी घड़ी खराब हो गई है। My watch has gone wrong.
11. मेरी घड़ी खराब है। My watch is out of order
12. फल खराब हो गया है। Fruit has gone bad
13. दूध खराब हो गया है। Milk has gone bad/sour/turned sour.
14. दिल बाग-बाग होना। to be overjoyed/to be thrown into an ecstasy of joy
15. मतदान होना। to go to the polls
16. वह बहुत खुश/दुखी हुई। She felt very happy/sorry.
17. सूख कर काँटा होना। to be reduced to skeleton
18 लट्टू होना। to fall in love.
19. नाकों दम होना। to be fed up
20. होश में होना/आना। to come to senses

(ix) मानना का अनुवाद

1. मैं अपने बच्चों को बहुत मानता हूँ। I love my children dearly.
2. मैं उसे मानता हूँ। I like/love her/him.
3. मैं अपने शिक्षकों की आज्ञा मानता हूँ। I obey my teachers.
4. वह बड़ा माना जाता है। He is considered to be/regarded as great.
5. उसने मेरी बातें नहीं मानी। He didn't accept my advice/suggestion.
6. इसे बुरा मत मानो। Don't take it ill. Don't mind.
7. मानिए या न मानिए, यह तो सच है। Believe it or not, it is true.

(x) लेना का अनुवाद

1. बदला लेना। to take revenge
2. खबर लेना। to take somebody to task
3. शपथ लेना। to take oath
4. अनुमति लेना। to take permission
5. स्वीकृति लेना। to take/obtain consent
6. कर्ज लेना। to take loan
7. दम लेना। to take/have rest
8. ले लेना। to take away/to seize by force
9. दिल लेना। to turn one's heart

10. गोद लेना। to adopt someone
11. टोह लेना। to feel the pulse
12. करवट लेना। to change side
13. आफत मोल लेना। to invite trouble
14. काम लेना। to make use of
15. मुँह सी लेना। to hold one's lips tight/to be tight-lipped

(xi) मिलना/मिलाना का अनुवाद

1. मुझे आपका पत्र मिला। I received your letter.
2. उसे कल एक इनाम मिला। He got a prize yesterday.
3. मैं आपसे कल मिलूँगा। I will see you tomorrow.
4. उसका चेहरा तुमसे मिलता है। His face resembles yours.
5. मेरी घड़ी रेडियो से मिली हुई है। My watch is timed to the radio.
6. ये घड़ियाँ एक-दूसरे से मिली हुई हैं। These clocks are synchronised.
7. कम्पाउण्डर दवाओं को मिला रहा है। The compounder is mixing medicines.
8. हमें मिल-जुल कर काम करना चाहिए। We should work together.
9. शहरों में हमें शुद्ध हवा नहीं मिलता। We don't get pure air in town.
10. जीन खोदी गई पर वहाँ कुछ भी न मिला। Nothing was found
11. वह हिसाब मिला रहा है। He is checking up/verifying the accounts.
12. ये दोनों उत्तर एक-दूरे से मिलते हैं। Both these answers tally.
13. उसने बहुत नमक-मिर्च मिलाकर कहा। He exaggerated.
14. थोड़ा और नमक मिलाओ। Add a little more salt.
15. वे दोनों दोस्त फिर मिल गए। Both of them were friends again. Both came to terms again.
16. इसे काले पानी की सजा मिली। He was sentenced to imprisonment for life.

(xii) छोड़ना का अनुवाद

1. उसने चिट्ठी छोड़ दी। He posted the letter.
2. आप पटना के लिए घर कब छोड़ रहे हैं? to leave for
3. चोर को छोड़ दिया गया। to set at liberty
4. अँगरेजों को भारत छोड़ना पड़ा। to quit India
5. मैं अपने मित्र को कष्ट में नहीं छोड़ सकता। to desert/leave in the lurch
6. बुद्धदेव ने राज-पाट छोड़ दिया। to renounce one's kingdom
7. यह योजना अब छोड़ दी गई है। to abandon a plan
8. मेरी बस bus छूट गयी। to miss
9. कुत्ते को छोड़ दिया गया। The dog was let loose
10. जाओ, इस बार तुम्हें छोड़ देता हूँ। I excuse you this time
11. अब, छोड़िए इस बात को। Now, leave it. Don't pursue it.

12. कुत्ते को शिकार के पीछे छोड़ा गया। A dog was set on the prey.

(xiii) स्वीकार/अस्वीकार करना का अनुवाद

1. मैं आपका निमंत्रण स्वीकार करता हूँ। to accept
2. मैं तुम्हारी चुनौती स्वीकार करता हूँ। to accept
3. चोर ने अपनी गलती स्वीकार की। to confess
4. मैंने उसका निमंत्रण अस्वीकार कर दिया। to decline
5. उसने मदद करना अस्वीकार किया। to deny
6. चोर ने अपनी गलती अस्वीकार कर दी। to deny
7. उसकी छुट्टी स्वीकृत हो गई। to grant
8. सत्य को कौन स्वीकार नहीं कर सकता? to admit

(xiv) खाना का अनुवाद

1. वह भात खाता है। to eat
2. वह मार खाता है। is beaten
3. वह डाँट खाता है। gets brick bats
4. वह डाँट खाने का काम करता है। to deserve brick bats
5. वह हराम का पैसा खाता है। to live on dishonest means
6. वह कसम खाता है। to take an oath/to swear
7. वह पान खाता है। to chew betel
8. हवा खाने चले जाओगे। You will go to the dogs.
9. वह दूसरों की कमाई खाता है। He lives on the sweat of others.
10. वह भरपेट खाता है। to eat to one's fill
11. उसने खाना पीना छोड़ दिया है। to give up taking everything
12. खाना-कपड़ा जीवन की आवश्यकताएँ हैं। food and cloth
13. मेरा सिर चक्कर खाता है। I feel giddy.
14. वह बहुत खाऊ है। He is a glutton.
15. वह जाड़ा खाता है। He feels cold.
16. वह घूस खाता है। He takes bribe.
17. शेर आदमी को चट से खा जाता है। to devour
18. उसका खान-पान अच्छा है। standard or way of living
19. उसे खाने को कुछ नहीं है। nothing to eat
20. यह खाने में अच्छी नहीं। not good to eat
21. दर्जी कुछ कपड़ा खा गया है। to steal
22. लोहे को जंग खा गया है। to rust
23. खाने के लिए मत जिओ। to eat
24. हमें खाना दो, यह हमारी माँग है। give us food
25. खाने-पीने का दाम बहुत बढ़ रहा है। food stuff/articles of food
26. हमें सादा खाना पसंद है। plain food
27. मेरा सिर मत खाओ। Don't vex me

(xv) भरना का अनुवाद

1. घड़ा भरा हुआ है। The pitcher is full.
2. खाली जगहों को भरो। Fill in the blanks.
3. हॉल भरा था। The hall was full/packed.
4. नदी लबालब भरी थी। The river was full to the brim.
5. घाव भर गया है। The wound has healed up
6. मुँह में पानी भर आया। My mouth began to water.
7. उसका गला भर आया। His throat was choked.
8. मेरा दिल भर आया। I was moved.
9. वह हमेशा मेरा कान भरता है। He always poisons my ears.

(xvi) सुनना का अनुवाद

1. बहरे नहीं सुन सकते। Can't hear
2. मुझे ध्यान से सुनो। Listen to me.
3. वह किसी की नहीं सुनता। He doesn't care for anybody
4. उसने मेरी प्रार्थना नहीं सुनी। He didn't pay heed to my request.
5. उसने मेरी बात अनसुनी कर दी। He turned a deaf ear to me.
6. ऐसा सुना जाता है या सुनने में आया है। It is said.
7. सुना है कि वहाँ एक शिक्षक की जगह खाली है। I understand.
8. मैं बड़े ध्यान से सुन रहा हूँ। I am all ears.

(xvii) पीना का अनुवाद

1. मैं सात बजे चाय पीता हूँ। I have my tea at 7 o' clock.
2. वह शराब पीता है। He drinks.
3. वह सिगरेट पीता है। He smokes.
4. मैं खून का घूँट पीकर रह गया। I suppressed my anger.
5. खाओ, पीओ, मौज करो। Eat, drink and be merry.
6. तुम मुझे पी जाओगे क्या? Will you swallow me up?
7. पीना बुरा है। Drinking is bad.
8. मैं तुम्हें पानी पिला दूँगा। I will teach you a lesson.
9. अचार काफी तेल पी चुका है। Pickles are thoroughly soaked in oil.
10. चाय/कॉफी पीना। to have tea/coffee.

(xviii) उठना का अनुवाद

1. मैं खूब सुबह में उठता हूँ। I get up early.
2. लहरें उठ रही हैं। Waves are rising.
3. वह संसार से उठ गया। to die/to depart from the world
4. वह हाल ही में बीमारी से उठा है। to recover from illness

5. पर्दा-प्रणाली अब उठ गई है। is not in vogue/is out of date
6. पर्दा उठ रहा है। is rising
7. इसको उठाओ। to lift/raise
8. बाजार शाम में उठ जाता है। to break up/close down
9. वह उठती (उभरी) जवानी में है। in budding youth
10. आजकल उसका मेरे साथ उठना-बैठना बंद है। I am not on speaking terms with him.
11. रोगी का उठना-बैठना बंद कर दिया गया है। is confined to bed
12. यह उठते-बैठते मुझे याद करता है। at every breath/every moment
13. उसने ठोस कदम उठाया। to take bold steps
14. मैं कुछ उठा नहीं रखूँगा। I will spare no pains.
    I will leave no stone unturned.

(xix) आना का अनुवाद

1. वह आता है। He comes.
2. उसे पढ़ाना नहीं आता। He doesn't know how to teach.
3. तुम्हें कोई कहानी आती है? Do you know any story?
4. तुम्हें क्या आता है? What do you know?
5. मुझे यह बात समझ में नहीं आती। I don't understand.
6. उसको मूर्च्छा आती है। He gets fits.
7. उसे शाम में तेज बुखार आता है। He gets high fever in the evening.
8. रात में तारे निकल आते हैं। Stars come out of night or are visible at night.
9. आपका आना जरूरी है। Your presence is essential.
10. मुझे हँसी आ गई। I couldn't help laughing.
11. उसे क्रोध आ गया। He got angry/He lost temper/He flew into a rage.
12. मुझे दया आ गई। I was moved/I felt pity.
13. अब मुझे सब कुछ आ गया। Now I came to know everything.
14. उसे सारी बातें याद आ गईं। Now he remembered everything.
15. बहुत से वीर खेत आए। were killed
16. मेरे दोस्त समय पर मेरे काम आए। My friends stood me in good stead.
17. ब्लेड किस काम में आता है। What purpose does a blade serve?
18. मुझे उसकी हालत पर रोना आता है। I feel pity for him.
19. क्या तुम्हें नींद नहीं आ रही है? Don't you feel sleepy/drowsy
20. क्या तुम्हें घड़ी देखने आता है? Do you know how to tell the time?
21. मैं उसकी चालों में आ गया। I was taken in by his tricks/I was caught in his trap.

(xx) खोलना का अनुवाद

1. खाता खोलना। to open an account

2. भेद खोलना। to disclose/divulge a secret
3. पंखा/रेडियो खोलना। to switch on the fan/radio
4. जूता खोलना। to put off the shoes
5. बाल खोलना। to undo the hair
6. जबान खोलना। to open ones lips [not tongue]
7. स्कूल खोलना। to found/establish a school
8. गाँठ खोलना। to untie the knot
9. पार्सल खोलना। to unpack a parcel
10. पोल खोलना। to let the cat out of the bag
11. दिल की बात खोलना। to open out one's heart
12. पट्टी खोलना। to remove a bandage

(xxi) रखना का अनुवाद

1. नजर रखना। to keep an eye on
2. गाड़ी रखना। to maintain a car
3. बात रखना। to keep promise
4. याद रखना। to bear in mind/to remember
5. नौकर रखना। to engage/employ servant
6. हिसाब रखना। to keep accounts
7. लाज (पानी) रखना। to save one's prestige

(xxii) कुछ आवाजों/बोलियों का अनुवाद

1. घड़ी टिकटिक कर रही है। The watch is ticking.
2. जूते मचमचा रहे हैं। Shoes are creaking
3. गहने खनखना रहे हैं। Ornaments are tinkling
4. सिक्के झनझना रहे हैं। Coins are jingling
5. ठनका ठनक रहा है। It is thundering.
5. (a) बिजली कड़क रही है। Lightning is flashing.
6. उसकी लम्बी रेशमी पोशाक सनसना रही है। Her long silk dress is swishing.
7. उसके दाँत कटकटा रहे हैं। Her teeth are clattering.
8. झंडे फड़फड़ा रहे हैं। Flags are fluttering.
9. जोर की चीखें हवा को फाड़ रही हैं। Loud shrieks are rending the air.
10. जोर की चिल्लाहटें गूँज रही हैं। Loud cries are echoing.
11. वह तुतला रही है। She is stammering.
12. वह भनभना रही है। She is murmuring.
13. वह कानाफूसी कर रही है। She is whispering.
14. वह चिल्ला रही है। She is crying.
15. वह चीख रही है। She is shrieking.
16. वह सिसक रही है। She is sobbing.

17. वह आहें भर रही है। She is sighing.
18. वह कराह रही है। She is moaning/groaning.
19. वह सिसकारी दे रही है। She is whistling.
20. वर्षा की बूँदे तड़ातड़ पड़ रही हैं। Rain-drops are pattering.
21. वह बड़बड़ा रही है। She is chattering.
22. फाटक चरचमाहट के साथ बंद हुआ। The gate closed with a crash/a bang.
23. यह आवाज कर्णकटु है। This sound is jarring to the ears.
24. कबूतर/कोयल कूक रही है। The pigeon/cuckoo is cooing.
25. कौआ काँव-काँव कर रहा है। The crow/raven is crowing.
26. मुर्गा बाँग दे रहा है। A cock is crowing.
27. पक्षी चहचहा रहे हैं। Birds are chirping/twittering.
28. मक्खियाँ भनभना रही हैं। Flies are buzzing.
29. मधुमक्खियाँ गुनगुना रही हैं। Bees are humming.
30. तोते बोल रहे हैं। Parrots are talking.
31. गदहें रेंक रहे है। Asses are braying.
32. भालू गुर्रा रहे हैं। Bears are growling.
33. बिल्लियाँ म्याऊँ-म्याऊँ कर रही हैं। Cats are mewing/purring.
34. सियार हुआँ-हुआँ कर रहा है। Jackals are howling.
35. गायें डकार रही हैं। Cows are lowing.
36. घोड़े हिनहिना रहे हैं। Horses are neighing.
37. कुत्ते भूँक रहे हैं। Dogs are barking.
38. बाघ/सिंह गरज रहे हैं। Tigers/Lions are roaring.
39. हाथी चिंघाड़ रहे हैं। Elephants are trumpeting.
40. मेढ़क टरटरा रहे हैं। Frogs are croaking.
41. साँप फुफकार रहे हैं। Snakes are hissing.
42. बकरियाँ मेमिया रही हैं। Goats are beating.
43. बंदर/टाइपराइटर कट कटा रहे हैं। Monkeys/Typewriters are chattering.
44. पानी भँवर काट रहा है। Water is swirling.
45. वह थरथरा रही है। She is shaking/trembling/shivering.
46. वह लड़खड़ा रही है। She is staggering/stumbling.

□

46. कुछ विभक्तियों का अनुवाद

हिंदी विभक्तियों (कारक चिह्नों) का प्रयोग कई अर्थों में होता है और इसलिए इनके अनुवाद में कठिनाई होती है। इसलिए इनके अनुवाद पर विचार करें—

'को' का अनुवाद

हिंदी में 'को' का प्रयोग कर्मकारक में होता है और अधिकारण तथा सम्प्रदान कारक में भी। हिंदी अत्यंत ही सरल भाषा है और इसलिए वह दोनों काम केवल 'को' से चला लेती है, पर अँगरेजी में इसके भिन्न-भिन्न अनुवाद होते हैं।

Rule I कुछ वाक्यों में 'को' का प्रयोग समय स्थान/प्रयोजन/उद्देश्य का बोध कराने के लिए होता है। इसलिए 'को' का अनुवाद इस प्रकार होता है—

at, in, on, to, infinitive [to + verb]

1. वह सोमवार **को** गया। He went *on* Monday.
2. मैं रविवार **को** जाऊँगा। I will go *on* Sunday.
3. वह 15 तारीख **को** आएगा। He will come *on* the 15th.
4. वह शाम **को** आएगा। He will come *in* the evening today/this evening.
5. वह दोपहर **को** सोता है। He sleeps at noon.
6. वह बाजार **को** गया। He went *to* market.
7. उसे खाने **को** भोजन नहीं है। He has no food *to* eat.

Rule II आपको ऐसे भी वाक्य मिलेंगे जिनमें 'को' का अनुवाद होता ही नहीं, क्योंकि 'को' से जुड़ा noun/pronoun किसी transitive verb का object रहता हे। हिन्दी में सकर्मक क्रिया के साथ आनेवाले सजीव कर्म में 'को' लगता है, पर अँगरेजी में transitive verb के बाद preposition नहीं आता। इसलिए वैसे वाक्यों में 'को' का अनुवाद 'to' करना भद्दी भूल है इन्हें देखें—

1. मैंने **उसको** (उसे) पीटा = I beat *him*.
2. मैंने **उसको** पढ़ाया = I taught *him*.
3. तुमने **मुझको** हँसाया = You made *me* laugh.
4. मैंने **तुमको** हराया = I defeated *you*.
5. मैंने **राम को** देखा = I saw *Ram*.
6. मैंने **तुमको** एक पत्र लिखा = I wrote *you* a letter.
7. मैं **उसको** चाहता हूँ = I like *him*.

Note: 'कहना' का अनुवाद जब say या speak होता है तब 'को' या 'से' का अनुवाद to होता है, पर जब 'कहना' का अनुवाद tell होता है, तब to का प्रयोग नहीं होता; जैसे,

मैंने **उसको** कहा = I said *to* him. I spoke *to* him.
मैंने **उसको** कहा = I *told* him.
उसने **मुझको** कहा = She *told* me.

इसलिए इस प्रकार के वाक्य न बनाएँ—

1. I said him. 2. I spoke him.
3. I told to him. 4. She told to me.

इसी प्रकार, जब 'लिखना' के बाद केवल सजीव कर्म (object) आता है, तब 'को' का अनुवाद *to* होता है; जैसे,

मैंने उसको लिखा = I wrote *to* him. [not, wrote him]

मैंने मोहन को लिखा = I wrote *to* Mohan

मैंने उसको पत्र लिखा = I wrote *him* a letter. [not, wrote to him a letter]

EXERCISE 1

Translate into English.

शाम को एक सभा होगी। वह पहली तारीख को लौटेगा। वह मुझे वहाँ देखने को आया। सीता ने राम को देखा। मैंने उसको एक कलम दी। उसने मुझको लिखा। मैंने उसको एक पत्र लिखा। उसने मुझे रुलाया।

'का', 'की', 'के' का अनुवाद

'का', 'की', 'के' से संबंध/अधिकार का भाव व्यक्त होता है। इस पर पहले ही विचार हो चुका है। यहाँ कुछ दूसरे प्रकार के अनुवाद पर विचार करें।

Rule I कुछ वाक्यों में व्यक्तिवाचक संज्ञा + का/की/के + संज्ञा का प्रयोग होता है। इनका अनुवाद होता है—

proper adjective + noun; जैसे,

1. यह फ्रांस **का** फैशन है = This is a French fashion.
2. यह जर्मनी **की** शराब है = This is German wine.
3. यह भारत **का** दल है = This is an Indian team.
4. ये रूस **के** वैज्ञानिक हैं = They are Russian scientists.

ध्यान दें—

Proper noun बदल जाता है proper adjective में और **का/की/के** का अनुवाद नहीं होता।

Rule II कुछ वाक्यों में धातु + ने + **का/की/के** + संज्ञा का प्रयोग होता है। इनका अनुवाद होता है—

gerund + noun; जैसे,

1. यह पढ़ने **का** कमरा है = This is a reading room.
2. यह टहलने **की** छड़ी है = This is a walking stick.

ध्यान दें—

धातु + ने का अनुवाद होता है present participle और का/की/के का अनुवाद नहीं होता।

Rule III कुछ वाक्यों में **संख्यावाचक विशेषण + का/की/के + संज्ञा** का प्रयोग होता है। इनका अनुवाद होता है—

numeral adjective + hyphen + singular noun; जैसे,

1. यह **पाँच रुपये का नोट है** = This is a five-rupee note.
2. यह **पचास फुट का फीता है** = This is a fifty-foot tape.
3. यह **दस लोगों की कमिटी है** = This is a ten-man committee.
4. यह **सब दलों का सम्मेलन** है = This is an all-party conference.

Rule IV कुछ वाक्यों में **संज्ञा + का/की/के + संज्ञा** का प्रयोग होता है और पहली संज्ञा से एक प्रकार के विशेषण का बोध होता है। इनका अनुवाद होता है—

noun + hyphen + noun

1. यह किताब **की दुकान** है = This is a book-shop.
2. यह फूल **का बगीचा** है = This is a flower-garden.
3. यह पानी **का नल** है = This is water-pipe.

ऐसे अनुवादों में कभी-कभी, दोनों noun के बीच hyphen का प्रयोग नहीं भी होता है; जैसे,

स्कूल के शिक्षक—school teacher, कॉलेज के शिक्षक—college teacher, भोजन की समस्या—food problem, सुबह का संस्करण—morning edition.

Rule V जब **संज्ञा + का/की/के + संज्ञा** से किसी वस्तु (material/substance) का बोध होता है, तब **का/की/के** का अनुवाद होता है of; जैसे,

लकड़ी का टेबुल = a table of wood.
पत्थर का मकान = a house of stone.

Rule VI जब का/की/के से राशि (amount) का बोध होता है तब **का/की/के** का अनुवाद होता है for; जैसे,

एक हजार का चेक = a cheque for Rs 1000/=

'पर' का अनुवाद

हिन्दी की एक विशेषता यह है कि वह 'पर' से बहुत-से काम लेती है, पर अँगरेजी में इसके लिए बहुत-से शब्दों का प्रयोग करना पड़ता है। 'पर' का अनुवाद इस प्रकार होता है—to, on, in, with, at, of, off, over.

1. टेबुल **पर** किताबें हैं = There are books *on* the table.
2. टेबुल **पर** एक लैम्प है = There is a lamp *on* the table.
3. वह मृत्युशय्या **पर** है = He is *on* death-bed.
4. वह मेरे निवासस्थान **पर** आया = He came *to* my residence.
5. मैंने उन्हें चाय/भोजन **पर** बुलाया = I invited him *to* tea/dinner.
6. मुझको इस **पर** कोई आपत्ति नहीं है = I have no objection *to* this.
7. आजकल गाड़ी समय **पर** चल रही है = These days the train is running *to* time.
8. वह ठीक समय **पर** आया = He came *in* time.
9. वह ऐन मौके **पर** आया = He came *in* the nick of time.
10. मैं तुम **पर** खुश हूँ = I am pleased *with* you.

11. वह कुर्सी **पर**/विछावन **पर** बैठा है = He is sitting *on* the chair/*on* the bed.
12. वह आराम कुर्सी **पर** बैठा है = He is sitting *in* an armchair.
13. वह स्टेशन **पर** है = He is *at* the station.
14. तुम मुझ **पर** रंज हो/तुम मुझसे रंज हो = You are angry *with* me.
15. सूर्य के उगने **पर** कुहासा विलीन हो गया = The fog disappeared *at* sun-rise.
16. मैं सात बजने **पर** नाश्ता करता हूँ = I have my breakfast *at* seven.
17. वह घर **पर** रहता है = He lives *at* home.
18. वह टेलीफोन **पर** है = He is *on* phone.
19. वह आसान दर **पर** रुपया कर्ज लगाता है = He lends money *on* easy terms.
20. मैंने उसे सफलता **पर** बधाई दी = I congratulated him *on* his success.
21. वह आज यात्रा **पर** गया है = He has gone *on* tour/*on* an excursion.
22. मेरा घर बाजार से एक मील की दूरी **पर** है = My house is situated *within* a mile *of* the market.
23. वह अभी काम **पर** है पर मैं काम **पर** नहीं हूँ = He is *on* duty now but I am *off* duty.
24. वह आजकल छुट्टी **पर** है = He is *on* leave these days.
25. हमलोग चाय **पर** (चाय पीते समय) उस विषय पर बातें करें = Let us discuss the matter *over* a cup of tea.
26. वह घोड़े **पर**/साईकिल **पर** चढ़ा = He got *on* the horse/bicycle.

अब इन वाक्यों को देखें—

वह स्टेशन पर पहुँच गया = He reached the station.
He arrived at the station.

यहाँ 'पर' के लिए पहले वाक्य में किसी preposition (on, at) का प्रयोग नहीं हुआ है, क्योंकि reach एक intransitive verb है। यह है अँगरेजी भाषा की विशेषता और इसलिए कभी-कभी कठिनाई भी होती है।

EXERCISE 2

Translate into English.

वह कुछ दिनों से रोगशय्या पर पड़ा है। मैंने उसे खाने पर बुलाया। मैं दस बजने पर स्नान करता हूँ। वह आठ बजने पर कॉलेज जाता है। वह आजकल घर पर ही रहता है। सूर्य के उगने पर चिड़ियाँ चहचहाने लगती है। रात होने पर लोग सो जाते हैं। डाक्टर अंतिम समय पर पहुँचा। प्रधानमंत्री वायुयान पर आये। तीन बजने पर मैं चाय पीता हूँ। आजकल उनमें मेल नहीं है। वह स्टेशन पर नहीं पहुँच सका।

Hints: लौटा—returned, चहचहाना—to chirp, अंतिम समय पर—at the eleventh hour, वायुयान पर—by aircraft, मेल होना—to be on good terms.

'में' का अनुवाद

हिन्दी के 'में' से बहुत-से अर्थों का बोध होता है। यह है हिन्दी की सरलता और विशेषता। इसलिए यहाँ इसके अनुवाद पर विचार करना आवश्यक है।

'में' का अनुवाद इन prepositions के द्वारा होता है—*at, in, into, within, between, among, on, for, during, to by, about, of, infinitive*

इन वाक्यों को देखें—

1. वह गोपालगंज में रहता है = He lives *at* Goaplganj.
2. वह स्कूल में है, पर मैं कॉलेज में हूँ = He is *at* school but I am *at* college.
3. वह अपने ऑफिस में है = He is *at* his office.
4. वह गिरजाघर में है = He is *at* church.
5. वह परीक्षा में शामिल हुआ = He appeared *at* the examination./He sat *for* the examination.
6. वह रात में आया = He came at night.
7. मैं सात बजे शाम में जाऊँगा = I will go out at 7 o'clock *in* the evening.
8. मैं सोमवार को सुबह में जाऊँगा = I will go *on* Monday morning.
9. मैं पहली जून को सुबह में जाऊँगा = I will go *on* the morning of June the first.
10. वह मुम्बई में रहता है = He lives *in* Mumbai.
11. उसने 1960 ई॰ में परीक्षा पास की = He passed the examination *in* 1960.
12. मैं एक सप्ताह में (के बाद) जाऊँगा = I will go *in* a week.
13. वह एक सप्ताह में (के भीतर) जाएगा = He will go *within* a week.
14. वह कमरे में है = He is *in* the room.
15. वह एक कुएँ में गिर गया = He fell *into* a well.
16. मैंने इन आमों को दोनों भाइयों में बाँटा = I distributed these mangoes *between* the two brothers.
17. मैंने इन आमों को तीन भाइयों में बाँटा = I distributed these mangoes *among* the three brothers.
18. उसके सिर में पके बाल हैं = There is grey hair *on* his head.
19. मैं इस कमिटी में हूँ और तुम उस बोर्ड में हो = I am *on* this committee while you are *on* that board.
20. उसका नाम सूची में नहीं है = His name is not *on* the list.
21. मेरा नाम वोटर-सूची में है = My name appears *on* the electoral roll.
22. मैंने एक गाय तीन हजार रुपये में खरीदी = I bought a cow *for* Rs 3000.
23. वे छुट्टियों में घर जाते हैं = They go home *during* holidays.
24. अभी सात बजने में पाँच मिनट बाकी है = It is five *to* seven.
25. आपकी घड़ी में कितना बजा है? = What's the time *by* your watch?
26. मैंने इस संबंध में सब कुछ सुन लिया है = I have heard everything *about* it.
27. इन दोनों किताबों में कौन अधिक अच्छी है? = Which is the better *of* the two books?
28. वह खतरे में है = He is *in* danger.

29. वह चित्रकला **में** निपुण है = He is a good hand *at* painting.
30. सात **में** चार जोड़ो = Add four *to* seven.
31. पाँच महान राष्ट्रों **में** संधि है = There is a treaty *between* the five great powers.
32. यह किताब कई रंगों **में** छपी है = This book has been printed *in* several colours.
33. तुम दिन **में** भाग नहीं सकते = You can't escape *by* day.
34. उसने रात **में** यात्रा करना पसंद किया = He preferred *to* travel by night.
35. वह दर्जन **में** अंडे बेचती है = She sells eggs *by* the dozen.
36. वह मीटर **में** कपड़ा बेचता है = He sells cloth *by* the metre.
37. रुपये **में** दो आम मिलते हैं = Mangoes sell two *to* a rupee.
38. वह ट्रेन **में** चढ़ा = He got *on* the train.
39. उसका जन्म एक गरीब परिवार **में** हुआ है = He is born into a poor family.
40. उसकी अँगुली **में** अँगूठी है = There is a ring *on* his finger.
41. मैंने ट्रेन **में** भोजन किया = I had my lunch *on* the train.
42. ये अँगूर खाने **में** मीठे हैं = These grapes are sweet *to* eat.
43. यह पुस्तक समझने **में** आसान है = This book is easy *to understand.*
44. यह कमीज पहनने **में** बिलकुल ठीक है। This shirt fits in excellently.
45. वह आज बिलकुल लाल पोशाक **में** है = She is all *in* red today.

Note (a): मैंने यह गाय 3000 रु० में खरीदी।

I bought this cow for Rs 3000.

किसी चीज की कीमत बताने के लिए जब 'में' का प्रयोग होता है, तब उसका अनुवाद for के द्वारा करना चाहिए, in/at के द्वारा नहीं। क्योंकि at से किसी चीज की दर का बोध होता है, दाम का नहीं।

Note (b): कभी-कभी 'में' का अनुवाद होता ही नहीं। क्यों? इसलिए कि इसका अनुवाद adverb phrase के द्वारा होता है। एक-दो उदाहरण लें—

1. आजकल फर्स्ट क्लास में सफर करना खतरे से खाली नहीं।
   These days it is not safe to *travel first.*
2. शिक्षक सेकंड क्लास **में** सफर करते हैं।
   Teachers *travel second.*
3. मैं सेकंड क्लास **में** सफर नहीं करता हूँ।
   I do not *travel second.*

इन वाक्यों में 'में' के लिए in, by आदि किसी भी preposition का प्रयोग नहीं हुआ है ओर होना भी नहीं चाहिए। कारण यह है कि अँगरेजी भाषा की एक विशेष प्रणाली है, जैसी सभी भाषाओं की होती है। उस प्रणाली का आदर करना ही पड़ता है। देखिए, इन वाक्यों को—

1. मैं उससे सुबह **में** मिलूँगा। I will see him *in* the morning.
2. मैं उनसे आज सुबह **में** मिलूँगा। I will see him this morning.

यहाँ हिन्दी के दोनों ही वाक्यों में 'में' का प्रयोग हुआ है पहले वाक्य के अनुवाद में 'में' के लिए *in* आया है, पर दूसरे वाक्यों में 'में' के लिए किसी भी preposition का प्रयोग नहीं किया गया है। कारण यह है कि this morning एक adverbial phrase का काम करता है और इसलिए इसके साथ किसी preposition का प्रयोग नहीं होता है।

EXERCISE 3

Translate into English.

वह एक गाँव में रहता है। मैं शहर में रहता हूँ। तुम पटना में रहते हो। मैं एक सप्ताह में जाऊँगा। इन किताबों को लड़कों में बाँट दो। वह मेरे कमरे में एकाएक घुस गया। आजकल सेकंड क्लास में सफर करना एक सजा है। अभी आठ बजने में आठ मिनट बाकी है। अभी सात बजने में पन्द्रह मिनट बाकी है। यह गीत सुनने में अत्यंत मधुर है। दही खाने में खट्टा है। गाँधीजी तृतीय श्रेणी में रेल-यात्रा करते थे। प्रधानमंत्री स्पेशल क्लास में रेल यात्रा करते हैं। अभी 10 बजने में आधा घंटा बाकी है। आज संध्या में मैं आपको स्वादिष्ट भोजन कराऊँगा। 200 छात्रों में तीस हजार रुपये बाँटा गया। 1962 ई॰ में उनके एक पुत्र हुआ था।

'से' का अनुवाद

'से' से बहुत-से अर्थों का बोध होता है। इन विशेषताओं के कारण अनुवाद में कभी-कभी कई कठिनाइयाँ सामने आती हैं। इसलिए यहाँ इसपर विस्तारपूर्वक विचार करें।

'से' का प्रयोग कई अर्थों में होता है और इसलिए इसका अनुवाद भिन्न-भिन्न prepositions के द्वारा होता है। 'से' का अनुवाद इस प्रकार होता है—*from, by, with, in on, at, since, for, of, off, than, through, behind, to, would rather, had rather, had better.*

1. पेड़ **से** पत्ते गिर रहे हैं = Leaves are falling *from* the tree.
2. पटना इस स्थान **से** बहुत दूर है = Patna is very far *from* this place.
3. वह सुबह **से** शाम तक काम करता है = He works *from* morning to evening.
4. भारतवर्ष कई नामों **से** पुकारा जाता है = India is called *by* several names.
5. मैं रेलगाड़ी **से** वहाँ गया = I went there *by* train.
6. वे बस **से** आये = They came *by* bus.
7. वह मोटरगाड़ी **से** आया = He came *by* car.
8. वह एक बड़ी मोटरगाड़ी **से** आया = He came *in* a big car.
9. वह मेरे द्वारा बेंत **से** पीटा गया = He was beaten by me *with* cane.
10. वह कलम **से** लिखता है = He writes *with* pen.
11. वह पेंसिल **से** लिखता है = He writes *in* pencil.
12. मैं तुम **से** खुश हूँ/मैं तुम **पर** खुश हूँ = I am pleased *with* you.
13. मैंने यह पत्र लाल रोशनाई **से** लिखा है = He wrote this letter *in* red ink.
14. उसने कलम **से** लिखा/उसने पेंसिल **से** लिखा है = He wrote *with* pen/He wrote *in* pencil.
15. परीक्षा अगले मंगलवार **से** आरंभ होगी = The examination shall commence *on* Tuesday next.

16. परीक्षा सुबह में ठीक दस बजे से आरंभ होगी = The examination shall commence *at* 10 a.m. sharp.
17. वह हैजे से मरा = He died *of* cholera.
18. यह बोतल शराब से भरी है = This bottle is full *of* wine.
19. राम सोमवार से बीमार है = Ram has been ill *since* Monday.
20. सुबह से वर्षा हो रही है = It has been raining *since* morning.
21. राम एक महीने से बीमार है = Ram has been ill *for* a month.
22. मैं जब से यहाँ आया तबसे 15 वर्ष बीत गए हैं = Fifteen years have passed *since* I came here.
23. राम सब से अच्छा है = Ram is the best *of* all.
24. राम श्याम से अच्छा है = Ram is better *than* Shyam.
25. मेरे लिए भीख माँगने से मरना अच्छा है = I *would rather* die than beg./ I *had rather* die than beg./I *had better* die than beg./I perfer to die *rather than* beg.
26. मैंने उस से कहा = I said (spoke) *to* him.
27. मैं ध्यान से पढ़ता हूँ = I read attentively.
28. मेरा कुत्ता कुर्सी से कूद गया = My dog jumped *off* the chair.
29. वह मकान आग से नष्ट हो गया = That house was destroyed *by* fire.
30. वह बिजली गिरने से मर गया = He was killed *by* lightning.
31. इंजन वाष्प से चलता है = Engines are worked *by* steam.
32. उसने मुझे जाने से रोका = He prevented me *from* going out.
33. वह चिंताओं से मुक्त है = He is free *from* worries.
34. पत्र डाक से (हाथ से) भेजा गया। संवाद टेलीफोन से भेजा गया। वह सड़क से गया = The letter was sent *by* post/hand. The message was sent *by* phone. He went *by* road.
35. वह गलती से (संयोग से) छूट गया = It was left out *by* mistake/chance.
36. मैं उसे नाम से जानता हूँ = I know him *by* name.
37. वह गोली से केवल एक इंच से बच गया = The bullet missed him *by* one inch only.
38. हमलोगों ने तीन गोलों से मैच जीता = We won the match *by* three goals.
39. वह गाँव पटना से पाँच मील उत्तर है = That village is five miles north *of* Patna.
40. ये सामान चुंगी से मुक्त हैं = These goods are free *of* customs duty.
41. उसने सजा के डर से झूठ कहा = He told a lie for fear *of* punishment.
42. मोहन से दौड़ा नहीं जाता = Mohan is not able to run.
43. प्रधानमंत्री आज रेडियो से/पर बोलेंगे = The Prime-minister will be *on* the air tonight.
44. वह खिड़की से झाँक रही है = She is peeping *through* the window.
45. ट्रेन एक घंटा देर से चल रही है = The train is one hour *behind* time.
46. वह बस से उतरा = He got *off* the bus.

Note (a): कभी-कभी 'से' का अनुवाद किसी preposition के द्वारा नहीं होता, क्योंकि जिस noun/pronoun से लगा रहता है वह किसी transitive verb का object रहता है; जैसे,

1. मैंने मोहन **से** कहा। I told *Mohan.*
2. उसने मुझ**से** पूछा। He asked *me.*

आप देखेंगे कि 'कहना' का अनुवाद जब say/speak होता है, तब 'से' के लिए to आता है। इसी प्रकार 'पूछना' का अनुवाद जब enquire होता है, तब 'से' के लिए of का प्रयोग होता है = I inquired of *him/spoke to him.*

Note (b): आप वाक्य नं॰ 27 पर भी ध्यान दें। इस वाक्य में ध्यान से का अनुवाद एक adverb (attentively) के द्वारा किया गया है। इसलिए 'से' का कोई अलग अनुवाद with के द्वारा नहीं हुआ है, क्योंकि adverb के पहले किसी भी preposition का प्रयोग हो ही नहीं सकता। **इ**सलिए जब हम **धीरे/से/नम्रता से/मन से** का अनुवाद *slowly/humbly/sincerely* करते हैं, तो इनके पहले with या किसी दूसरे preposition का प्रयोग करना भयंकर भूल है। हाँ, यदि आप किसी prepositon का प्रयोग करना चाहें तो adverb को एक noun में बदल दें; जैसे, ध्यान से—with attention, मन से—with sincerity इसलिए 'ध्यान से' का अनुवाद with attentively और 'मन से' का अनुवाद with sincerely न करें।

EXERCISE 4

Translate into English.

वह पन्द्रह दिनों से बीमार है। राम मंगलवार से गैरहाजिर है। यह सबसे अच्छी किताब है। यह किताब उस किताब से अच्छी है। जबसे मैं उससे मिला तबसे सात वर्ष बीत गए हैं। मैंने उससे एक प्रश्न पूछा। उसने मुझसे कुछ भी नहीं कहा। क्या आप पटना से आ रहे हैं? पटना आपके घर से कितनी दूर है? गरीब होने से मरना अच्छा है। मरने से जीना अच्छा है। इन दोनों लड़कों में से अच्छा कौन है? इन सभी लड़कों में से सबसे अच्छा कौन है? कल से हमलोगों की पढ़ाई प्रारंभ हो जाएगी। खाद्यमंत्री मोटर से आए। पेड़ से पके आम टपक रहे हैं। माताजी आजकल हमसे रंज हैं। उसने इस पत्र को अपने रक्त से लिखा। मेरे लिए आत्म-समर्पण करने से मर जाना श्रेयस्कर है।

Hints: खाद्यमंत्री—minister for food, टपकना—drop, आत्म-समर्पण करना—to submit/to surrender

'के लिए' का अनुवाद

'के लिए' से उद्देश्य और कारण का बोध होता है। इसलिए इसका अनुवाद इस प्रकार होता है *for, infinitive, infinitive + preposition.*

1. मैंने बच्चों **के लिए** मैगजिन खरीदा। I bought a magazine *for* the children.
2. उसने बच्चों **के लिए** पढ़ने के लिए एक मैगजिन खरीदा। He bought a magazine *for* the children *to* read.
3. दुल्हा ने दुलहिन **के लिए** पहने के लिए एक अंगूठी खरीदी। The bridegroom bought a ring *for* the bride *to* wear.
4. मैंने उस लड़के को झूठ बोलने **के लिए** डाँटा। I scolded the boy *for* telling a lie.

5. उसे रहने **के लिए** घर नहीं है। He has no house *to* live in.
6. उसे लिखने **के लिए** कलम है। He has pen *to* write with.
7. उसे लिखने **के लिए** कागज नहीं है। He has no paper **to** write on.

EXERCISE 5

Match the words under A and B to make correct sentences.

A	B
I invited him	in pencil
The train is running	to this
He prefers to travel	over the table
He came here	since morning
She wrote	to tea
The train came	to time
I have no objection	by night
There is a lamp	one time
She has been cooking	in a new red car

□

47. कुछ अव्ययों का अनुवाद

यहाँ कुछ अव्ययों (योजकों/क्रिया विशेषणों) के अनुवाद पर विचार करें—

(i) एक बार। once/once upon a time.

पहली बार। for the first time.

(ii) बार-बार। again and again/time and again.

(iii) एक साथ ही/एक ही साथ। at once/at the same time

1. पं॰ नेहरू एक साथ ही लेखक, वक्ता और विचारक थे।
   Pt Nehru was *at once* a writer, orator and thinker.
2. सब कोई एक साथ ही/एक ही साथ मत बोलो।
   Don't all of you speak *at once/at the same time.*

(iv) एक एक कर/बारी-बारी से। *One by one/one at a time.*

1. एक-एक कर बोलो। Speak *one at a time.*
2. एक एक कर बाहर जाओ। Go out *one by one.*

(v) एक-एक कर (आखिरी आदमी तक)। *to a man.*

हमलोग एक-एक कर लड़ेंगे। We will fight *to a man.*

(vi) के बिना काम नहीं चलना। *can't do without*

कलम के बिना मेरा काम नहीं चल सकता। I can't do without a pen.

(vii) धातु + के बिना नहीं रह सकता। can't help + verb + ing

मैं हँसे बिना नहीं रह सका। I could't help laughing.

(viii) **यों ही** = *without any reason/for no reason what so ever/without rhyme or reason/aimlessly/without any purpose.*

1. उसने मुझे यों ही घर से निकाल दिया।
   He turned me out without any reason/for no reason whatsoever/ without rhyme or reason.
2. उसने तुमको क्यों गाली दी? यों ही तो, महाशय।
   Why did he abuse vou? Without any reason, Sir.

कभी-कभी 'यों ही' का प्रयोग 'बिना किसी प्रयोजन या उद्देश्य' (aim या purpose) के अर्थ में होता है। ऐसे 'यों ही' का अनुवाद होता है = without any purpose/ aimlessly/at random; जैसे,

1. वह यों ही भटकता फिरता है।
   He wanders about *without any purpose/aimlessly/at random.*
2. वह यों ही गेंद को मार रहा है।
   He kicks the ball at *random/aimlessly/without any purpose.*

(ix) **यों भी** = *in other words*

'यों भी' का प्रयोग इस प्रकार भी 'दूसरे शब्दों में' के अर्थ में होता है। इसलिए इसका अनुवाद in orther words होता है; जैसे,

वह बहुत ईमानदार नहीं है। आप **यों भी** कह सकते हैं (आप दूसरे शब्दों में या इस प्रकार भी कह सकते हैं) कि वह बेईमान है।

He is not thoroughly honest. *In other words*, he is dishonest.

(x) तभी = *just then; only then*

1. तभी (उसी समय) गाड़ी आ पहुँची।
   Just then the train arrived.
2. तभी एक कुत्ता आया।
   Just then a dog came.
3. ईमानदार बनो। तभी तुम्हारी तरक्की होगी।
   Be honest. *Only then* can you get promotion.

(xi) **अब तक, अभी तक** = *so far/till now/by now/still/yet*

अभी/अभी = *just now, presently, right now*

1. अब तक मुझे उत्तर नहीं मिला है।
   I haven't received a reply *so far/till now.*
2. आपको अब तक मेरा पत्र मिल गया होगा।
   You must have received my letter *by now.*
3. ट्रेन अभी तक स्टेशन पर है।
   The train is *still* at the station.
4. ट्रेन अभी तक नहीं आयी है।
   The train hasn't arrived *yet.*

(xii) **अभी भी** = *even now.* **अब से** = *from now onwords*

अब से कुछ ही देर (क्षणों) में। *in a short while* from now

अच्छे शिक्षक अभी भी आदर पाते हैं। Good teachers get respect *even now.*

अब से कुछ ही क्षणों से आप समाचार सुनेंगे।

In a short while from now you will hear the news.

(xiii) **या ...नहीं/कि ...नहीं** = *whether ... or not*

क्या आप जानते हैं कि वह लौटेगा या (कि) नहीं?

Do you know *whether* he will return *or not*?

(xiv) **यहाँ तक कि** = *so much so that*

उसने मेरी बहुत मदद की, यहाँ तक कि भोजन और वस्त्र भी दिया।

He helped me much, *so much so that* he gave me food and cloth.

(xv) **शायद ही** = *seldom or never/seldom if ever*

वह शायद ही झूठ बोलती है। She seldom or never tells lies.

She seldom if ever tells lies.

(xvi) **तो**—कभी-कभी **तो** का प्रयोग वाक्य के आरंभ में होता है और इसके बाद कॉमा (comma) आता है। ऐसे 'तो' का अनुवाद होता है—*well.*

तो, मैं कह रहा था = Well, I was saying...

कभी-कभी 'तो' का प्रयेाग cantrast दिखलाने के लिए होता है—

1. हमारे हाथ की एक अँगुली छोटी है तो दूसरी बड़ी है।
2. राम गाता है तो श्याम हँसता है।

ऐसे 'तो- का अनुवाद *while* या *whereas* के द्वारा करना चाहिए—

1. One finger is small *whereas/while* the other is big.
2. Ram sings *whereas/while* Shyam laughts.

कुछ वाक्यों में 'तो' का प्रयोग 'इसलिए' के अर्थ में होता है—

तो, हमें भी उनकी तरह एक साथ रहना चाहिए।

ऐसे 'तो' का अनुवाद so या therefore होता है—

So (therefore) we, too, like them should live together.

बहुत-से वाक्यों में 'तो' का प्रयोग **जब/यदि/अगर** के बाद होता है और इसका अर्थ **तब** होता है; जैसे,

1. वे **अगर** आपस में झगड़ा करने लगेगी और परस्पर सहयोग नहीं करेगी **तो** कुछ काम नहीं हो पाएगा।
2. लोटा उठाना हो **तो** अँगूठा और अँगुलियाँ मिलकर उठाती है
3. **जब** वह आएगा **तो** मैं जाऊँगा।

ऐसे 'तो' का अनुवाद होता ही नहीं। कुछ लोग 'तो' या 'तब' का अनुवाद *then* करते हैं। यह ठीक कि 'तो' या 'तब' का अनुवाद *then* होता है, पर *if/when* के साथ *then* का प्रयोग प्रायः होता ही नहीं।

Caution—कुछ वाक्यों मं 'तो' का प्रयोग बिना 'यदि', 'जब', 'अगर' के होता है, जैसा कि वाक्य संख्या 2 में हुआ है; पर यह साफ कहना पड़ता है कि ऐसे 'तो' के पहले आनेवाले clause से एक शर्त का बोध होता है। इसलिए अनुवाद करते समय अपनी ओर से if या when का प्रयोग करें और 'तो' का अनुवाद करें ही नहीं; जैसे,

1. *If* they quarrel among themselves and do not co-operate with one another, no work can be done.
2. *If* one has to lift a water-pot, then thumb and the finger do so (lift) together.
3. I will go *when* he comes.

इन वाक्यों में 'तो' का अनुवाद then नहीं किया गया है और करना भी नहीं चाहिए। केवल कॉमा से ही काम चल जाता है।

(xvii) **नहीं/तो अन्यथा**—*or/or else/otherwise*

जल्दी करो नहीं तो गाड़ी छूट जाएगी।

Hurry up, *otherwise* you will miss the train.

यहाँ से चले जाओ, नहीं तो निकाल दिए जाओगे।
Be off, *or (or else)* you will be turned out.

(xviii) **कहीं ...न/ऐसा न हो कि**—*lest... should*
कड़ी मेहनत करो, कहीं फेल न कर जाओ।
कड़ी मेहनत करो, ऐसा न हो कि फेल कर जाओ।
Work hard *lest* you *should* fail.

(xix) **बल्कि/इसके विपरीत**—*on the contrary*
उसने मेरा नुकसान नहीं किया, बल्कि मेरी मदद की।
He didn't harm me. On the *contrary*. he helped me.

(xx) **कहीं का**—*assertive sentence*
मूर्ख कहीं का = You are a *big/utter* fool.

(xxi) **तब कहीं**—*then at last*
तब कहीं उसने अपनी जान बचाई।
Then at last he was able to save himself.

(xxii) **कभी**—*once/at one time*
वह कभी मेरा दोस्त था।
He was *once/at one time* my friend.

(xxiii) **कभी भी**—*any time*
वह कभी भी आ सकती है।
She may come *any time.*

(xxiv) **कभी भी नहीं**—*Never/at no time/in no case*
वह मेरी मदद कभी भी नहीं कर सकता।
He can *never* help me.

(xxv) **कभी-कभी**—*at times/now and then/sometimes*
वह मेरे यहाँ कभी-कभी आया करता है।
He comes to me *now and* then.

(xxvi) **कभी-न-कभी**—*sonner or later/sometime or the other*
वह कभी-न-कभी पछताएगा अवश्य।
He will cetrainly regret *some time or the other.*

(xxvii) **कहीं-न-कहीं**—*somewhere or the other*
वह कहीं-न-कहीं जाएगा।
He will go *somewhere* or the other.

(xxviii) **जैसा/जैसा कि**—as
वह जल्दी ही लौटेगा, जैसा कि उसने पत्र में लिखा है।
He will return soon, *as* his letter says

(xxix) **वैसा ही...जैसा**—*as*

मैंने वैसा ही किया जैसा मुझे कहा गया।

I did *as* I was told.

(xxx) **जैसा...वैसा**—*as...so*

जैसे...वैसे/जिस प्रकार...उसी प्रकार—Just as...in the same way

तुम जैसा करोगे, वैसा ही पाओगे।

As you *sow so* you shall reap.

(xxxi) **जहाँ तक**—*as far as/so far as/as for + noun*

पूरे समय तक = *all the time*

1. जहाँ तक मेरा सवाल है, मुझे कोई आपत्ति नहीं।
   As far as I am concerned, I have no objection.
2. जहाँ तक योग्यता की बात है मैं कहना चाहता हूँ कि...
   As for qualification, I wish to state that...
3. वह पूरे समय तक बोलती रही = She kept speaking *all the time.*

(xxxii) **जैसे-तैसे**—Somehow or the other.

काम जैसे-तैसे समाप्त करो।

Finish the work somehow or the other.

(xxxiii) **एक ओर...दूसरी ओर/इधर...उधर**—*on the one hand...on the other*

एक ओर गरीबी है और दूसरी ओर अपार धन।

On the one hand there is poverty, *on the other,* there is vast wealth.

(xxxiv) **बूँद-बूँद**—*drop by drop*

पानी बूँद-बूँद गिर रहा है।

Water is falling *drop by drop.*

(xxxv) **दिन-दिन**—*day by day*

वह दिन-दिन खराब हो रहा है।

He is getting worse *day by day.*

(xxxiv) **जब कभी** = *whensoever*

When soever I ask him, he evades an answer.

(xxxvii) **अकसर/बराबर** = *Often/more often than not*

The train is late *more often than not.*

(xxxviii) **जब कभी/जब-जब** = *whenever*

वह यहाँ जब-जब कभी आती है मेरे लिए मिठाइयाँ लाती है।

Whenever she comes here she brings sweets for me.

(xxxix) **जहाँ-कहीं/जहाँ-जहाँ**—*Wherever*

वह जहाँ जहाँ जाता है कहर ढाता है।

He carries fire and sword *wherever* he goes.

(xxxx) **जहाँ-तहाँ**—*here and there*

किताबें जहाँ-तहाँ पड़ी हैं। Books are lying *here and there.*

Note: जब वाक्य इन अव्ययों (adverbs/conjunctions) से आरंभ होते हैं, तब वाक्य में पहले verb आता है और इसके बाद subject—

never, little, seldom, so, nor, neither, nowhere, in no case, on no account, only by, only then, only when, only in this way, not only, no sooner...than, hardly/scarcely...when, rarely

इन वाक्यों को देखें—

1. वह कभी-भी झूठ नहीं बोलता। Never does he tell lies.
2. वह कहीं भी नहीं मिला। Nowhere was he found.
3. वह शायद ही देर से आता है। Seldom/Rarely is he late.
4. आप तभी सफल हो सकते हैं। Only then can you be successful.
5. राधा मछली पसंद करती है और मैं भी। Radha likes fish and so do I.

'कि' का अनुवाद—

हिन्दू-उर्दू वाक्यों में जब 'कि' आता है, तो उसका अनुवाद सावधानी से करना चाहिए। क्यों? इसलिए कि 'कि' का प्रयोग भिन्न-भिन्न अर्थों में होता है और इसका प्रभाव वाक्य 'की' बनावट पर भी पड़ता है। एक बात और हिन्दू-उर्दू में narration के नियम अत्यंत सरल हैं, क्योंकि narration बदलते समय केवल inverted commans के बदले 'कि' का प्रयोग किया जाता है; सर्वनाम तथा काल को बदलना नहीं पड़ता और वाक्य की बनावट को भी बदलने की आवश्यकता नहीं पड़ती। पर अँगरेजी में narration के सारे नियम ध्यान में रखने पड़ते हैं। इसलिए 'कि' का अनुवाद सोच-समझकर करना चाहिए।

CHANGE OF PERSON

Rule I. 'कि' के बाद आनेवाले pronoun का अनुवाद सोच समझ कर करें। कारण यह है कि 'कि' के बाद आनेवाले 'मैं' का अनुवाद सदा I नहीं होता और इसी प्रकार तुम का अनुवाद you नहीं हुआ करता। इन वाक्यों को देखें—

1. राम ने सोहन से कहा **कि** मै जाऊँगा।
2. मोहन ने सोहन से कहा **कि** तुम जाओगे।
3. मोहन ने सोहन से कहा **कि** वह जाएगा।

यहाँ पहले वाक्य में **कि** के बाद **मैं** आया है, दूसरे में **तुम** और तीसरे में **वह**। अँगरेजी अनुवाद में **वह** के लिए *he* आएगा पर **मैं** का अनुवाद I और **तुम** का अनुवाद *you* नहीं होगा। आप जानते हैं कि **मैं** का अनुवाद I होता है और **तुम** का *you* और इसलिए आप झट से इन वाक्यों के अनुवाद में **मैं** के लिए I और **तुम** के लिए *you* का प्रयोग कर देंगे, पर वह गलत होगा। यहाँ **मैं** और **तुम** दोनों ही का अनुवाद होगा *he*। ऐसा अनुवाद इस नियम के अनुसार होता है—

The Person = Subject.
Second Person = Object.
Third Person = No change.

इसका अर्थ यह है **कि** के बाद यदि first person का pronoun आए, तो वह reporting verb (जैसे—**कहा**) के subject के अनुसार बदल जाता है। यदि second person का pronoun आए, तो वह reporting verb (जैसे—**कहा**) के object के अनुसार बदल जाता है, पर यदि **कि** के बाद third person का pronoun आए तो वह ज्यों-का-त्यों रह जाता है। इन नियम के आप *SON* फॉरमूला भी कह सकते हैं—*S* का अर्थ है Subject, *O* का Object और *N* का Noun या No change.

इस नियम का ध्यान रखकर आप ऊपर दिए गए तीनों वाक्यों का अनुवाद करें। आप देखते हैं कि पहले वाक्य में **कि** के बाद first person (मैं) आया है। इसलिए यहाँ **मैं** reporting verb (कहा) के subject के अनुसार बदल जाएगा। reporting verb (कहा) का subject है **मोहन** जो third person में है, क्योंकि सभी प्रकार के noun सदा third person में रहते हैं। इसलिए यहाँ **मैं** का अनुवाद होगा *he*, न कि I. इसी प्रकार, दूसरे वाक्य में **कि के** बाद **तुम** आया है जो second person में है। इसलिए यहाँ **तुम** reporting verb (कहा) का object (सोहन) third person में है। इसलिए **तुम** का अनुवाद यहाँ *he* होगा, you नहीं। तीसरे वाक्य में **कि** के बाद **वह** आया है जो third person में है। अतः यहाँ वह का अनुवाद *he* होगा, *you* नहीं। इस प्रकार ऊपर के तीनों वाक्यों का अनुवाद होगा—

1. Ram told Sohan that he would go.
2. Mohan told Sohan that he would go.
3. Mohan told Sohan that he would go.

इस नियमों का ध्यान रखकर अब इन वाक्यों को देखें—

1. माँ ने पुत्र से कहा कि **मैं तुझे** मिठाई दूँगी।
2. मैंने राम से कहा कि **मैं तुम्हारी** मदद करूँगा।
3. तुमने मुझे कहा कि **मैं तुम्हारी** मदद करूँगा।

यहाँ पहले वाक्य में **कि** के बाद आये हुए **मैं** का अनुवाद *she* होगा, I नहीं; क्योंकि reporting verb (कहा) का subject (माँ) third person में है। इसी प्रकार **तुझे** का अनुवाद *him* होगा, you नहीं, क्योंकि **तुझे** second person में है और second person बदल जाता है reporting verb के object के person में। यहाँ reporting verb (कहा) का object (पुत्र) third person में है। इसलिए यहाँ **तुझे** का अनुवाद you नहीं हो सकता। दूसरे वाक्य में **कि** के बाद **मैं** आया है और reporting verb (कहा) का subject (मैंने) first person में है। इसलिए मैं का अनुवाद I होगा, पर **तुम्हारी** का अनुवाद *him* होगा, you नहीं; क्योंकि reporting verb का object (राम) third person में है। तीसरे वाक्य में मैं का अनुवाद होगा you क्योंकि reporting verb का subject (तुमने) second person में है। इसी प्रकार **तुम्हारी** का अनुवाद होगा *me* न कि you क्योंकि reporting verb (कहा) का object (मुझसे) first person में है। आप *SON* formula की मदद से ऐसे अनुवाद बहुत ही आसानी से कर ले सकते हैं।

अतः ऊपर दिए गए वाक्यों का अनुवाद होगा—

1. The mother told the son that *she* would give *him* sweets.
2. I told Ram that I would help *him.*
3. You told me that you would help *me.*

CHANGE OF TENSE

Rule I 'कि' के बाद आनेवाले tense का अनुवाद सावधानी से करना चाहिए। इन नियमों को देखें—

1. राम ने श्याम से कहा कि मैं जाऊँगा।
2. राम श्याम से कहता है कि मै जाऊँगा।
3. राम श्याम से कहेगा कि मैं जाऊँगा।

इन वाक्यों **कि** के बाद future tense (जाऊँगा) का प्रयेाग हुआ है। आप इसलिए तुरत ही जाऊँगा का अनुवाद *will go* कर देना चाहेंगे। ऐसा अनुवाद दूसरे और तीसरे वाक्यों में तो शुद्ध होगा, पर पहले वाक्य में नहीं। **कि** के बाद आनेवाले tense के अनुवाद देखें कि **कि** के पहले आनेवाला verb (जिसे *reporting verb* कहा जाता है) किस tense में है। यदि **कि** के पहले आनेवाला verb *present* या *future tense* में रहे, तो **कि** के बाद आनेवाले verb के tense के ऊपर कोई असर नहीं होता, अर्थात अनुवाद में वह ज्यों-का-त्यों रख दिया जाता है। दूसरे और तीसरे वाक्यों में **कि** के पहले Present tense (कहता है) और future tense (कहेगा) आया है। इसलिए **कि** के बाद आनेवाले future tense (जाऊँगा) का अनुवाद *will go* होगा। पर यदि **कि** के पहले *past tense* रहे, तो **कि** के बाद आनेवाला verb *past tense* में बदल जाता है। पहले वाक्य में **कि** के पहले आनेवाला verb (जाऊँगा) *past tense* में बदल जाएगा और इस प्रकार **जाऊँगा** का अनुवाद होगा *would go,* न कि *will go.* आप इन नियमों को सदा याद रखें—

(i) *present/future tense* + कि + *same tense.*

(ii) *past tense* + कि + *past tense.*

अतः, ऊपर के वाक्यों का अनुवाद होगा—

1. Ram *told* Shyam that he *would go.*
2. Ram *tells* Shyam that he *will go.*
3. Ram *will* tell Shyam that he *will go.*

Rule II इस संबंध में Rule I के एक अपवाद का भी ध्यान रखें। यदि कि के बाद आनेवाले clause में कोई ऐसा कथन (statement) हो जिससे habitual truth, universal truth या natural law (आदत, चिरंतन सत्या या प्राकृतिक नियम) का बोध हो, तो उस clause के verb के साथ Rule I लागू नहीं होगा। इसलिए कि के पहले past tense रहने

पर भी कि के बाद आनेवाले clause में present future tense का प्रयोग करना शुद्ध है। एक-दो उदाहरण लें—

1. शिक्षक ने बताया कि पृथ्वी गोल है।
2. दार्शनिक ने कहा कि सब लोग मरणशील हैं।

इन वाक्यों में कि के पहले past tense (बताया, कहा) आया है, पर कि बाद आनेवाले clause में universal truth की चर्चा हुई है। इसलिए पहले वाक्य में है का अनुवाद *is* होगा और दूसरे वाक्य में है का अनुवाद *are* जो नियमानुसार शुद्ध है। यहाँ *is* के बदले *was* का प्रयोग नहीं होगा। इसलिए आप इस नियम को भी याद रखें—

any tense + कि + *universal truth in the present tense*

इसलिए इन वाक्यों का अनुवाद इस प्रकार होना चाहिए—

1. The teacher explained that *the earth is round.*
2. The philosopher said that *all men are mortal.*

EXERCISE 1

Translate into English.

बिल्ली ने चूहे से कहा कि मैं तुझे खाऊँगी। शिक्षक ने विद्यार्थी से कहा कि मैं तुम्हारी मदद करूँगा। मैंने उससे कहा कि मैं तुम्हारी मदद करूँगा। पत्र में लिखा है कि मेरे पिताजी आएँगे। राम श्याम से कहता है कि मैं तुम्हारे बिना नहीं रह सकता। दार्शनिक ने कहा कि जीवन क्षणभंगुर है। वक्ता ने कहा कि चोर-चोर मौसेरे भाई होते हैं। यह खबर फैल गई कि गाँधीजी को गोडसे ने गोली मार दी। हमलोगों को कल ही यह खबर मिली कि हमारे राज्य के मुख्यमंत्री त्याग-पत्र दे देंगे।

Hinst: पत्र में लिखा है—the letter says. क्षणभंगुर—momentary. वक्ता—the speaker. चोर-चोर...... है—birds of a feather flock together.

CHANGE OF TENSE

Rule I कि के बाद आनेवाले भिन्न-भिन्न प्रकार के वाक्यों का अनुवाद बहुत सोच-समझकर करना चाहिए। इन वाक्यों को लें—

1. राम ने मोहन से कहा कि मैं नहीं जाऊँगा।
2. राम ने मोहन से कहा कि तुम शोर मत करो।
3. राम ने मोहन से पूछा कि तुम क्यों उदास हो?
4. राम ने मोहन से कहा कि तुम खुश रहो।
5. राम ने कहा कि यह कितना सुन्दर फल है।

यहाँ पहले वाक्य में कि के बाद assertive sentence आया है, दूसरे में imperative, तीसरे में interrogative, चौथे में optative और पाँचवें में exclamatory. इन वाक्यों का अनुवाद करने का सबसे सीधा और सरल तरीका तो यह है कि आप **कि** के बदले inverted commas का प्रयोग करें और तब इनका अनुवाद करें। इसमें कोई कठिनाई नहीं होगी।

इनका अनुवाद करने का एक दूसरा तरीका भी है। पहले **कि** के बदले inverted commas का प्रयोग करें और तब उनका अनुवाद करें। इसके बाद narration के नियमों के अनुसार इन्हें direct narration से indirect narration में बदल दें।

इन तरीकों का ध्यान रखकर दिए हुए वाक्यों का अनुवाद इस प्रकार करना चाहिए—

1. Ram told Mohan, "I will not go."
   Ram told Mohan that *he would not go.*
2. Ram told Mohan, "do not shout."
   Ram ordered Mohan *not to shout.*
3. Ram asked Mohan, "Why are you sad?"
   Ram asked Mohan *why he was sad.*
4. Ram asked Mohan, "May you be happy!"
   Ram blessed Mohan that he *might be happy.*
5. Ram said, "How lovely this flower is!"
   Ram exclaimed with joy that the flower was lovely.

Rule II आपको ऐसे बहुत-से वाक्य मिलेंगे जिनमें principal clause बाद **कि** आता है, कि के बाद एक ऐसा subordinate clause रहता है जिसमें **कौन, क्या, क्यों, कैसे, कहाँ, कब, कि नहीं/या नहीं** का प्रयोग होता है। उस subordinate clause के बाद कोई principal clause नहीं आता है। ऐसे वाक्यों के अनुवाद में 'कि' का लोप हो जाता है, अर्थात **वैसे 'कि' का अनुवाद that नहीं होता**; जैसे,

1. मैं नहीं जानता **कि** वह **कौन** है।
   I do not know *who* he is.
2. मैं जानता हूँ **कि** वह **कहाँ** रहता है।
   I know *where* he lives.
3. क्या तुम जानते हो **कि** वह **कब** आएगा?
   Do you know *when* he will come?
4. क्या वह जानता है कि राम **क्यों** नहीं आया?
   Does he know *why* Ram did not come?
5. मैं नहीं जानता **कि** वह आएगा **कि नहीं/या** नहीं।
   I do not know *whether* he will come or not.

इन वाक्यों में *who/where/when/why/whether* के पहले *that* का प्रयोग अशुद्ध होता। आप ऐसे वाक्यों के **कि** का अनुवाद करें ही नहीं।

Note (a): अब इन वाक्यों पर ध्यान दें—

1. मैं नहीं जानता **कि** वह आएगा **या नहीं**।
2. मैं नहीं जानता **कि** वह पढ़ेगा **कि नहीं**।

इन वाक्यों में **कि** के बाद कि **नहीं/या** नहीं आया है। ऐसे वाक्यों के कि का अनुवाद होता ही नहीं, अर्थात उस **कि** का लोप हो जाता है और **कि नहीं/या नहीं** का अनुवाद *whether...or not* होता है; जैसे,

1. I do not know *whether* he will come *or not.*
2. I do not know *whether* he will read *or not.*

Note (b): कभी-कभी कि के बाद फिर एक **कि** अथवा या **का** प्रयोग होता है। ऐसे वाक्यों में **कि** के बाद आनेवाले **कि/या** का अनुवाद whether...or के द्वारा होता है; जैसे,

1. मैं नहीं जानता **कि** वह ईमानदार है **कि** बेईमान।
   I do not know *whether* he is honest *or* dishonest.
2. मैं नहीं जानता **कि** यह अच्छा है **या** बुरा।
   I do not know *whether* it is good *or* bad.

Rule III अब देखें इन वाक्यों को—

1. वह बैठा ही था **कि** एक भिखारी आ पहुँचा।
2. मैं घर से निकला ही था **कि** वर्षा होने लगी।

इस प्रकार के **कि** से समय का बोध होता है और यह पता चलता है कि एक काम के समाप्त होते-होते दूसरा काम आरंभ हो जाता है। इसलिए इस तरह के **कि** का अनुवाद होता है—

As soon as/No sonner...than/hardly...when or before/Scarcely ...when or before; जैसे,

1. No *sooner* did he sit down *than* a beggar arrived.
   Hardly *(scarcely)* had he sat down when *(before)* a beggar arrived.
2. No *sooner* did I leave the house *than* it began to rain.
   Hardly *(scarcely)* had I left the house when *(before)* it began to rain.

Note: इस प्रकार के **कि** का अनुवाद *just...when* के द्वारा भी होता है; जैसे,

मैंने भोजन समाप्त ही किया था **कि** एक अतिथि आ पहुँचा।

I had *just* finished my meal *when* a guest arrived.

Rule IV कुछ ऐसे भी वाक्य होते हैं जिनके **कि** से किसी उद्देश्य (purpose) का बोध होता है; जैसे,

वह मेहनत करता है **कि** पास कर जाए।

इस प्रकार के **कि** का अनुवाद *so that* या *that* के द्वारा होता है; जैसे,

He worked hard. *so that* (or *that*) he may pass.

ऐसे वाक्यों में कभी-कभी **कि** के बदले जिससे कि भी रहता है। **जिससे कि** का अनुवाद भी so that या that के द्वारा ही होता है। आप यह देखेंगे कि ऐसे अनुवाद में so that के बाद may या might का प्रयोग होता है; जैसे,

वह दिन-रात मेहनत करता है **जिससे/कि** वह धनी हो जाए।

He works day and night so *that* (or *that*) he *may* grow rich.

Rule V कुछ वाक्यों में **को चाहिए** के बाद **कि** का प्रयोग होता है और **कि** के बाद एक ऐसा clause रहता है जिससे प्रस्ताव (proposal) का बोध होता है; जैसे,

1. लोगों को **चाहिए कि** वे कड़ी मेहनत करें।

2. विद्यार्थियों को **चाहिए कि** वे इस किताब को पढ़ें।

3. हमें (हमको) **चाहिए कि** हम अच्छे नागरिक बनने की कोशिश करें।

ऐसे वाक्यों का अनुवाद इस प्रकार करना चाहिए—(a) **को चाहिए** के पहले आनेवाले noun/pronoun को वाक्य का subject बना दें (b) **को चाहिए** का अनुवाद should कर दें और (c) **कि** तथा **कि** के बाद आनेवाले clause के subject का लोप कर दें; जैसे,

1. Men *should* work hard.

2. Students *should* read this book.

3. We *should* try to be good citizens.

Rule VI आपको ऐसे भी वाक्य मिलेंगे जिनमें principal clause के बाद **कि** का प्रयोग होता है और **कि** के बाद कोई ऐसा clause रहता है जिससे wish/proposal (इच्छा/प्रस्ताव) का भाव झलकता है; जैसे,

1. मैंने कहा **कि** हमलोग मेला चलें।

2. मेरे मित्र ने कहा **कि** हमलोग घर लौट जाएँ।

ऐसे वाक्यों में **कि** का अनुवाद *that* होता है और *that* के बाद आनेवाले clause में अपनी ओर से should का प्रयोग करना पड़ता है—

1. I said *that* we should go to the fair.

2. My friends said *that* we should return home.

Note: जब अँगरेजी वाक्यों में *that* के पहले *propose, resolve, necessary* या *essential* शब्द आता है, तो *that* के बाद आनेवाले clause में *should* का व्यवहार करना आवश्यक नहीं, क्योंकि *should* के नहीं रहने पर भी *should* का प्रकट हो जाता है।

इस बात का ध्यान रखकर इन वाक्यों के अनुवाद देखें—

1. प्रबंध समिति ने **प्रस्ताव** किया कि एक शिक्षक की नियुक्ति शीघ्र ही **की जाए**।
The managing committee resolved that a teacher be *appointed* soon.

2. गाँव की उन्नति के लिए यह **जरूरी** है कि उसके निवासी **पढ़े-लिखे** हों। इसलिए यह एकदम **जरूरी है** कि हम अपने बच्चों को शिक्षित बनाएँ।
For the progress of villages it is *necessary (essential)* that their inhabitants *be* educated. So, it is *essential (necessary)* that we *educate* our children.

3. यह **आवश्यक** है कि अब हमलोग रवाना हों।
It is *essential* that we *start* now.

EXERCISE 2

Translate into English.

मैंने नौकर से कहा कि चिट्ठी छोड़ दो। मैंने मन ही मन सोचा कि यह कितना सीधा लड़का है। उसने मुझसे पूछा कि आजकल मैं क्या-क्या करता हूँ और किस प्रकार जीवन बिताता हूँ। क्या आप जानते हैं कि वह आजकल मेहनत करता है या नहीं। मुझे मालूम नहीं कि वह विवाहित है कि नहीं। हमें चाहिए कि पंचवर्षीय योजना को सफल बनाएँ। हमलोगों को चाहिए कि गरीबों की मदद करें। यह सर्वसम्मति से तय हुआ कि वह उम्मीदवार हो। वह बिछावन पर लेटा था कि एक साँप निकल पड़ा। चोर घर में घुसा ही था कि मेरी नींद खुल गई। मेरे मित्रों ने प्रस्ताव किया कि हमलोग छुट्टियों में समाज की सेवा करें।

Hints: चिट्ठी छोड़ना—to post a letter, पंचवर्षीय योजना—five-year plan, निकल पड़ा—came out; appeared; emerged. नींद खुलना—to wake up.

EXERCISE 3

Translate into English.

सोहराब ने रुस्तम से कहा कि मैं आपका पुत्र हूँ। रुस्तम ने कहा कि हाय! मैंने अपने पुत्र का बध कर दिया है। शिक्षक ने विद्यार्थी से कहा कि मैं तुम्हें सजा दूँगा, क्योंकि तुमने क्लास में हल्ला किया है। मैं तुमसे पूछना चाहता हूँ कि तुम अपने को सुधारते क्यों नहीं हो? मैं चाहता हूँ कि वह सफल हो। आप देखते नहीं कि वह कितना बदमाश है? आपको मालूम नहीं कि वह कैसा देशभक्त है? मैं नहीं जानता कि वह कितना ईमानदार है। क्या मैं जान सकता हूँ कि वह ईमानदार है या बेईमान? हमलोगों को चाहिए कि समाज कि सेवा करें। यह अत्यंत आवश्यक है कि देश के प्रत्येक आदमी को खाना और कपड़ा मिले। मैं चाहता हूँ कि तुम बड़े आदमी बनो। मैं नहीं चाहता कि तुम झूठ बोलो। लोगों को चाहिए कि वे अपने स्वास्थ्य का ख्याल रखें। मैं घर से निकलने ही को था कि मेरा मित्र आ पहुँचा।

EXERCISE 4

Correct these translations.

1. राम ने श्याम से पूछा कि तुमने मुझे गाली क्यों दी है?
   Ram asked Shaym that why have you abused me?
2. मैंने वह दृश्य देखकर कहा कि अहा! यह कितना सुन्दर है।
   Seeing that sight. I said that ah! how beautiful is it?
3. उसने अपने नौकर से कहा कि एक कप चाय ले आओ।
   He told his servant that bring a cup of tea.
4. हमलोगों को चाहिए कि अपने समाज की सेवा करें।
   We should that we should serve our society.
5. मैं नहीं जानता कि वह दोषी है या निर्दोष।
   I do not know that he is guilty or innocent.

6. क्या आप जानते हैं कि वह आएगा या नहीं?
Do you know that whether will he come or not?

EXERCISE 5

Put a ring around right words.

1. He told me that he/I will/would leave for home in a week.
2. I asked the servant to make/that make tea.
3. He asked me whether/that I was/he is learning English.
4. I will be with you presently/just now.
5. He has gone out presently/just now.
6. I have sent him/sent to him a letter.
7. Please speak at a/one time.

□

48. कुछ यौगिक शब्दों का अनुवाद

(i) कुछ ऐसे यौगिक शब्द (compound words) होते हैं जिनके बीच में hyphen (-) रहता है। इस प्रकार के शब्दों का अनुवाद करते समय hyphen के बदले and का प्रयोग होता है और शब्दों के स्थान में परिवर्तन हो जाता है— पहले आनेवाला शब्द बाद में रखा जाता है और बाद में आनेवाला शब्द पहले; जैसे,

1. माँ-बाप — father and mother
2. देवी-देवता — god and goddess
3. छोटा-बड़ा — the great and the small
4. पाप-पुण्य — virtue and vice
5. सुख-दुःख — pain and pleasure
6. जल-थल — land and water
7. विरह-मिलन — meeting and parting
8. धन-जन — men and money
9. साँझ-सबेरे — morning and evening
10. स्त्री-पुरुष — man and woman
11. कागज-कलम — pen and paper
12. जल-थल — land and ocean
13. मक्खन-रोटी — bread and butter
13. पशु-पक्षी — birds and beasts

(ii) अब आप ऐसे compound words को देखें जिनके अनुवाद में hyphen के बदले and का प्रयोग होता है, पर शब्दों का स्थान ज्यों-का त्यों रहता है; जैसे,

1. जीवन-मरण — life and death
2. दिन-रात — day and night
3. संयोग-वियोग — meeting and parting
4. आकाश-पाताल — heaven and earth
5. भूख-प्यास — hunger and thirst
6. भोजन-वस्त्र — food and cloth
7. भाई-बहन — brother and sister
8. आमद-खर्च — income and expenditure
9. गुण-दोष — merits and demerits
10. धनी-गरीब — the rich and the poor
11. भात-दाल — rice and pulse
12. अच्छा-बुरा — good and bad (or evil)

(iii) आपको ऐसे भी compound words मिलेंगे जिनका अनुवाद एक ही अँगरेजी शब्द के द्वारा होता है—

1. रोटी-दाल — bread
2. रहन-सहन — living
3. लड़ाई-झगड़ा — conflict
4. जात-पाँत — casteism
5. अजर-अमर — immortal, eternal
6. धन-दौलत — wealth
7. शोर-गुल — noise
8. रुपया-पैसा — money
9. नहाना-धोना — bath
10. भाई-भाई — brothers
11. माँ-बाप — parents
12. चाल-चलन — conduct
13. हवा-पानी — climate
14. गाय-बैल — cattle
15. कूड़ा-करकट — rubbish, garbage
16. कुशल-मंगल — welfare

(iv) कुछ शब्दों की बनावट ऐसी होती है—

संज्ञा का/की/के + संज्ञा

इसका अनुवाद इस प्रकार होता है—

noun + hyphen + noun

or,

noun + noun

1. मकान का किराया—house-rent
2. ट्रेन का किराया—train-fare
3. पेड़ की चोटी—tree-top
4. तकिये का खोल—pillow-cover
5. फूल का बाग—flower-garden
6. कागज के फूल—paper-flowers
7. पढ़ने का कमरा—reading-room
8. खाने का डब्बा—dining-car
9. सोने का डब्बा—sleeping-coach
10. सोने की अँगूठी—gold ring
11. बस का किराया—bus fare
12. चाय का प्याला—tea cup
13. खेल का मैदान—playground
14. शीशे का घर—glass house
15. बिछावन की चादर—bedsheet

□

49. कुछ बातचीतों का अनुवाद

यहाँ कुछ बातचीतों (conversations) के अनुवाद पर विचार करें और देखें कि अनुवाद किस प्रकार वाक्य की बनावट और मुहावरे का ध्यान रखकर किया जाता है। इससे भिन्न-भिन्न अवसरों पर धाराप्रवाह बोलने की क्षमता बढ़ेगी और आप मुहावरेदार अनुवाद सीखेंगे, सो अलग।

(i) नौकर से बातचीत

मालिक— चाय का समय हो गया है। केतली चढ़ा दो।	It's time for tea. Will you put the kettle on?
नौकर— जी, हाँ।	Yes, sir.
मालिक— हरेक चीज बिखरी क्यों पड़ी है? माँ के पालतू जानवारों ने कैसी गड़बड़ी मचा रखी है। इसे कौन साफ करेगा?	Why is everything in a mess? What a mess mother's pets have made! Who will clean up?
नौकर— तुरंत कर रहा हूँ।	I'm doing it presently.
मालिक— सुनो! क्रॉकरी का प्रयोग सावधानी से करना। और इधर देखो! फूलों को सजा दो। अब तुम अपना काम करो।	Mind you. Handle the crockery with care. And look here. Arrange these flowers. Now, get on with your business.
नौकर— जी, हाँ।	Yes, sir.
मालिक— एक बात और। जूते कहाँ है? उन्हें खूब चमका दो।	One thing more; Where are the shoes? Give them a good shine.
नौकर— बहुत अच्छा।	All right, sir.
मालिक— और कोठरी को साफ करना तथा विस्तर लगाना न भूलना। मैं शाम तक लौटूँगा।	And don't you forget to do the room and make the bed. I will be back by evening.

(ii) बच्चों से बातचीत

पिता— रेखा, तुम इतनी गंदी क्यों लगती हो? कितनी गंदी! तुमने अभी तक बाल नहीं झाड़े हैं। जाओ और बाल ठीक करो।	Rekha, why do you look so shabby? How nasty of you! You haven't done your hair yet! Go and brush your hair.
रेखा— हाँ, बाबूजी!	Yes, Daddy.
पिता— और तुम शैलू, तुमने अभी तक दाँत क्यों नहीं साफ किए हो (मुँह क्यों नहीं धोया)? जब मैं तुम्हारी उम्र का था, तब मै सूर्योदय से पहले बिल्कुल तैयार हो जाता था।	And you Shailoo, why haven't you brushed your teeth yet? When I was your age I used to be all ready before sunrise.

शैलू—	हाँ, बाबूजी! पर दादी कहती है कि आप देर से उठते थे।	Yes, Daddy. But grand-ma says you were a later-riser.
पिता—	क्या! कैसी बेहूदी बात!	What! What nonsense?

(iii) पत्नी से बातचीत

पत्नी—	इन बच्चों के प्रति इतने कड़े क्यों हैं?	Why are you so harsh on these children?
पति—	ओह, मुझे दुःख है, लेकिन आपका मुँह लटका हुआ क्यों है? क्या बात है? इस प्रकार मुँह बनाया क्यों?	Oh, I'm sorry. But why do you put on a long face? What's the matter with you? Why making faces like this?
पत्नी—	ओह, क्या आप कभी मेरी इच्छाओं का आदर करते हैं?	Oh, do you ever care for my wishes?
पति—	प्रिये, मैंने क्या किया है?	What have I done, dear?
पत्नी—	आप अपनी संगति से हमें वंचित क्यों रखते हैं? घर से दूर रहने का आपको कौन अधिकार है?	Why do you deprive me of your company? What gives you the right to be away from home?
पति—	ओह अब समझा। मुझे दुख है। प्रिये, अब नहीं करूँगा। आज शाम सिनेमा चलें, चलोगी न?	Oh, I see. I'm sorry. Now, I won't, my darling. Let's go to the pictures this evening. Won't you, my dear?
पत्नी—	ओह, आप कितने अच्छे हैं!	Oh, how nice of you!

(iv) एक मेहमान से बातचीत

मेहमान—	नमस्ते, रमेश।	Good evening, Ramesh.
रमेश—	नमस्ते, सुरेश कैसे हो? बैठो तो। तुम थके अवश्य होगे।	Good evening, Suresh. How are you? Now, do sit down. You must be tired.
सुरेश—	ओह थकावट से चूर-चूर हो गया हूँ।	Oh. I feel quite drained out. [I'm quite washed out/worn out.]
रमेश—	हमलोग युगों के बाद मिल रहे हैं।	We are meeting after ages. Your visits are now few and far between.
राधा—	चाय बनाऊँ, सुरेश? तुम्हें गरम पानी चाहिए न?	Shall I make tea, Suresh? You want hot water, don't you?
रमेश—	इसे चखो।	Taste this dish.
सुरेश—	नहीं, धन्यवाद।	No, thank you.
राधा—	थोड़ा और लो न। रस्म अदाई न करो।	Have just a little more, won't you! Don't stand on ceremony.

रमेश—	यह तुम्हारा अपना घर है। कोई औपचारिकता नहीं निभाओ।	It's your own house. Don't observe any formality.
सुरेश—	इस प्यार के लिए धन्यवाद। अच्छा, विदा!	Thank you for your love. Good night.
रमेश—	विदा।	Bye-bye.

(v) टैक्सी-चालक से बातचीत

शैलेन्द्र—	टैक्सी!	Taxi!
चालक—	नमस्ते, महाशय!	Morning, sir.
शैलेन्द्र—	चार्ज क्या है?	What's the charge?
चालक—	प्रति घंटे के हिसाब से लिया जाता है। दस रुपये घंटा।	The charge is by the hour. Ten rupees an hour.
शैलेन्द्र—	ठीक है। हमलोग मरीन बीच चलें। तुम्हारी गाड़ी किस साल (मॉडल) की है?	All right. Let's drive to the Marine Beach. What year is your car?
चालक—	यह 1976 मॉडल है।	It's 1976 model, sir.
शैलेन्द्र—	तुम किसी गति से गाड़ी चला रहे हो?	What speed are you going?
चालक—	प्रति घंटा 60 किलोमीटर की गति से।	It's 60 kilometers an hour.
शैलेन्द्र—	क्या मोड़ पर भी 60 किलोमीटर की गति से चला रहे हो? ऐसा खतरा न उठाओ। गति कम करो।	Are you doing 60 kilometers, even on a bend? Don't take risks like this. Slow down, please.
चालक—	ठीक है।	All right, sir.
शैलेन्द्र—	ओह, तुम मोड़ पर बहुत तेज भागते हो।	Oh, you take the bends too fast.
चालक—	चिन्ता न करें। मैं धीरे चला ही नहीं सकता। देखिए हमलोग लक्ष्य स्थान पर पहुँच गए।	Don't worry, sir. I can't drive slow. Lo! We have reached our destination.

(vi) टेलीफोन पर बातचीत [रुपये के संबंध में]

मंजू—	यह 53307 है। आप कौन हैं? क्या आप राधा हैं? मैं मंजू बोल रही हूँ।	This is 53307. Who is it? Or, Who is that? Is that you, Radha? I'm Manju speaking.
शीला—	नहीं मंजू, मैं शीला हूँ। राधा स्नान गृह में है। एक मिनट रुको।	No, Manju. I'm Sheela. Radha is in the bath. Hang on a minute/Hold on a minute.
राधा—	हेलो, मंजू! मैं राधा हूँ। थोड़ी मदद के लिए टेलीफोन कर रही हूँ।	Hello Manju! I'm Radha. I'm ringing to ask you a small favour.
मंजू—	मैं तुम्हारी क्या सेवा कर सकती हूँ।	What can I do for you? Or, How might I help you?
राधा—	मुझे कुछ रुपयों की बहुत जरूरत है।	I'm in urgent need of some money.

मंजू—	क्या? किसकी जरूरत? कुछ हनी?	What? Need of what? Some honey?
राधा—	ओह, नहीं। मनी—m for man. o for ox, n for nose.....	Oh, no. Money—m for man, o for ox, n for nose......
मंजू—	अच्छा समझी। कितनी?	O, I see. How much?
राधा—	एक सौ से काम चल जाएगा।	One hundred will do.
मंजू—	अच्छा! मैं नहीं तो नहीं कह सकती।	All right. I can't say no.
राधा—	धन्यवाद।	Thank you.

(vii) टेलीफोन पर बातचीत [फोन में गड़बड़ी के संबंध में]

अरुण—	क्या यह फॉल्ट रिपेयर है?	Is it Fault Repair?
फॉल्ट रिपेयर—	हाँ, है तो।	Yes, it is.
अरुण—	मेरी टेलीफोन नं॰ 53307 है। यह खराब हो गया है।	My telephone number is 53307. It's out of order.
फॉल्ट रिपेयर—	आपकी शिकायत नोट कर ली गई है।	Your complaint has been noted.
अरुण—	कृपया शिकायत नम्बर बताएँ।	Complaint number, please.
फॉल्ट रिपेयर—	यह 246 है।	It's 246.

(viii) टेलीफोन पर बातचीत [फोन नं॰ जोड़ने के संबंध में]

उमा—	क्या यह असिस्टेंस है?	Is it Assistance?
असिस्टेंस—	हाँ, मैडम।	Yes, Madam.
उमा—	क्या आप 51181 से कनेक्शन देंगे?	Could you put me through to 51181?
असिस्टेंस—	कनेक्शन हो गया है।	Yes, you are through.

(ix) टेलीफोन पर बातचीत [फोन नं॰ जानने के संबंध में]

शशि—	क्या यह डाइरेक्टरी इन्क्वाइरी है?	Is it Directory Inquiry?
इन्क्वाइरी—	हाँ, है तो।	Yes, it is.
शशि—	क्या मुझे शिक्षा-मंत्री का नंबर देंगे।	Could you give me the number of the Education Minister?
इन्क्वाइरी—	दफ्तर या निवास?	Office or residence?
शशि—	दोनों।	Both, please.
इन्क्वाइरी—	निवास का 24431 और दफ्तर का 26789.	Residence number 24431 and Office number 26789
शशि—	धन्यवाद।	Thanks.

(x) टेलीफोन पर बातचीत [फोन नं॰ जाँच करने के संबंध में]

जितेन्द्र—	हेलो, क्या यह टेस्टिंग है?	Hello, is it Testing?
टेस्टिंग—	हाँ, है तो?	Yes, it is.
जितेन्द्र—	जरा 25577 को टेस्ट करने की कृपा करें।	Could you test 25577?

टेस्टिंग—	रिसीवर हटा हुआ है।	The receiver is off.
जितेन्द्र—	धन्यवाद।	Thank you.

(xi) टेलीफोन पर बातचीत [ट्रंक कॉल बुक करने के संबंध में]

रेखा—	हेलो, क्या यह ट्रंक बुकिंग है?	Hello, is it Trunk Booking?
ट्रंक बुकिंग—	हाँ, है तो।	Yes, please.
रेखा—	क्या आप राँची नं॰ 24566 के लिए एक कॉल बुक करने की कृपा करेंगे?	Could you book a call for Ranchi number 24566?
ट्रंक बुकिंग—	क्या? फिर कहें।	What? Beg your pardon.
रेखा—	राँची—r for rat. a for ass. n for nurse, c for cat. h for hat, i for iron.	Ranchi—***r*** for rat. ***a*** for ass. ***n*** for nurse, ***c*** for cat. ***h*** for hat, ***i*** for iron.
ट्रंक बुकिंग—	क्या यह पी॰ पी॰ कॉल है?	Is it a P. P. call?
रेखा—	हाँ, पी॰ पी॰ कॉल है।	Yes, it is.
ट्रंक बुकिंग—	यह अर्जेण्ट कॉल है या ऑर्डिनरी?	Is it an urgent call or ordinary?
रेखा—	अर्जेण्ट कॉल।	Urgent call, please.
ट्रंक बुकिंग—	आपका नं॰ क्या है?	What's your number, please?
रेखा—	मेरा नं॰ 53307 है। मेरा रजिस्ट्रेशन नं॰ क्या है?	My number is 53307. My registration number, please.
ट्रंक बुकिंग—	नं॰ 966.	Number 966.
रेखा—	धन्यवाद।	Thank you.

(xii) टेलीफोन पर बातचीत [ट्रंक कॉल के संबंध में पूछताछ]

रेखा—	हेलो, क्या यह ट्रंक असिस्टेंस है?	Hello, is it Trunk Assistance?
ट्रंक असिस्टेंस—	हाँ, है तो।	Yes, it is.
रेखा—	यह 53307 है। एक अर्जेण्ट कॉल राँची के लिए आधा घंटा पहले बुक किया गया था। उसका क्या हाल है? लाइन मिलने में कितना समय लगेगा?	This is 53307. An urgent call for Ranchi was booked half an hour ago. What's the position? How long will you take to put it through?
ट्रंक असिस्टेंस—	लाइन खराब है। आपको प्रतीक्षा करनी पड़ सकती है।	The line is out of order. I am afraid, you may have to wait.
रेखा—	कितनी देर?	How long?
ट्रंक असिस्टेंस—	कहना मुश्किल है पर कम-से-कम दो घंटे।	There is no knowing, but at least two hours.

(xiii) टेलीफोन पर बातचीत [ट्रंक कॉल के संबंध में मॉनिटर से पूछताछ]

रेखा—	हेलो, आप कौन है? क्या मैं मॉनिटर से बोल रही हूँ?	Hello, who is it? Am I speaking to the monitor?
मॉनिटर—	हाँ।	Yes, madam.
रेखा—	क्या राँची लाइन अभी भी खराब है? क्या मुझे अब लाइन मिल सकती है?	Is the Ranchi line still out of order? Could you put me through now?
मॉनिटर—	नहीं, अभी नहीं।	No. not yet.
रेखा—	क्या एक घंटा और लगेगा?	Will it take one hour more?
मॉनिटर	हाँ, मैं तो ऐसा ही समझता हूँ।	Yes, so I believe.
रेखा—	प्रतीक्षा करते रहना कितना उबाऊ होता है!	How boring to keep waiting!

(xiv) टेलीफोन पर बातचीत [कॉल लगने पर गड़बड़ी के संबंध में]

टेलीफोन केन्द्र—	क्या यह 53307 है?	Is it 53307?
रेखा—	हाँ, है तो।	Yes. it is.
टेलीफोन केन्द्र—	आप पी॰ पी॰ से बातें कर सकती हैं।	You may speak to the P. P.
रेखा—	हेलो एक्सचेंज। दो जगहों से आवाज आ रही है। कोई बीच में बोल रहा है।	Hello, Exchange! There is overlapping. Somebody is interrupting.
टेलीफोन केन्द्र—	देखता हूँ।	I'm looking into it.
रेखा—	धन्यवाद।	Thank you.

(xv) दोस्त से बातचीत [ताश खेलने के संबंध में]

मोहन—	काम-काज की बातें न करो। कोई खेल खेलें।	Don't talk shop. Let's play some game.
सोहन—	क्या मेरे साथ शतरंज खेलोगे?	Will you play me at chess?
मोहन—	नहीं। ब्रिज खेलना कैसा रहेगा?	No. What about playing bridge?
सोहन—	मुझे कोई आपत्ति नहीं। लेकिन मैं ऊँचा दाँव नहीं लगा सकता। तुम ताश खेलने में बहुत माहिर हो। मैं यह नहीं कह सकता कि तुम पत्ता-चोर हो।	I don't mind. But I can't play high. You are so clever at card tricks. I can't say you are a card-sharper.
मोहन—	तुम चिन्ता मत करो। मैं ताश खेल को जुएबाजी से जोड़ना पसन्द नहीं करता।	Don't you worry. I don't like to combine card playing with wild gambling.
सोहन—	इसलिए हम केवल खेल खेलें।	So. let's play the game.
मोहन—	ताश कौन फेंटेगा?	Who will make the pack?
सोहन—	ताश को खूब फेंट दो।	Give the cards a good shuffle.

मोहन—	कौन शुरू करेगा?	Whose call is it?
सोहन—	अंतिम कॉल क्या था? क्या दो स्पेड्स था?	What was the last call? Was it two spades?
मोहन—	हाँ।	Yes.
सोहन—	तुम कितना अच्छा खेलते हो! तुमने हम सबको हरा दिया।	How well you play! You beat us all.

(xvi) केश प्रसाधक (हेयर ड्रेसर) से बातचीत [बाल कटवाने के संबंध में]

पति—	उमा, मुझे तेरे लम्बे लटकते और कमर को छूते हुए बाल अच्छे नहीं लगते।	Uma. I don't like your long hair hanging loosely and touching waist.
पत्नी—	हाँ, अब लीला बाल कटवाती है। यह फैशन अब आधुनिक लोगों में बहुत लोकप्रिय हो रहा है।	Yes. Leela now wears her hair bobbed. This fashion is taking on among moderns.
पति—	तो केश प्रसाधक के यहाँ क्यों नहीं जाती?	They why not go to the hair dresser's?
हेयरड्रेसर—	आप क्या चाहती है, मैडम?	What do you want. madam?
उमा—	मैं अपना बाल कटवाना चाहती हूँ और बाल सेट करवाना भी चाहती हूँ। मुझे यह कट/शैली पसन्द है।	I will have my hair bobbed. And I want a hair-do as well. I should like this cut/style.
हेयरड्रेसर—	हाँ, खुशी से।	Yes, with pleasure.
उमा—	क्या आपके पास शैम्पू है? क्या आप मेरा बाल शैम्पू कर देंगे?	Have you got shampoo? Will you shampoo my hair?
हेयरड्रेसर—	हाँ, मैडम।	Yes, madam.
उमा—	आप बाल काटने और सँवारने के कितने पैसे लेते हैं?	How much do you charge for a hair-cut and a hair-do?
हेयरड्रेसर—	बस पचास रुपये, मैडम।	Just fifty rupees, madam.

(xvii) दूकानदार से बातचीत [साड़ी खरीदने के संबंध में]

अरुण—	हमलोग खरीदारी के लिए चलें। मंजु एक बैग ले लेना।	Let's go shopping, Manju. Take a shopping bag.
मंजु—	धन्यवाद। पर अपनी जेब जरूर संभालिए। आपकी कुंजियाँ और सिक्के झनझना रहे हैं।	Thank you. But do take care of your pocket. Your keys and coins are jingling.
अरुण—	हाँ, जेबकतरों को प्रलोभन हो सकता है।	Yes, pick-pockets may be lured.
मंजु—	यहाँ खरीदारों की कितनी भीड़ है!	What a crowd of buyers over here!
अरुण—	यह वही दुकान है जिसकी हमें तलाश थी।	Here's the shop we have been looking for.

दुकानदार—	मैं आपकी क्या सेवा करूँ, मैडम?	What can I do for you, madam?
मंजु—	मुझे एक रेशमी साड़ी चाहिए। आप रेशमी साड़ी बेचते हैं न?	I want a silk sari. You sell silk sari, I suppose. *Or,* You sell silk sari, don't you?
दूकानदार—	हाँ, मैडम। हमारे पास बहुत किस्में हैं। आपको कौन-सा रंग पसंद है?	Yes madam. We have a wide variety. What colour do you like?
मंजु—	मुझे हल्का गुलाबी रंग चाहिए। मुझे भड़कदार रंग पसंद नहीं। मैं चमकदार पोशाक से नफरत करती हूँ।	I want a delicate shade of pink. I don't like gorgeous colour, I just hate flashy clothes.
दुकानदार—	आपकी पोशाक की पसंद उत्तम है।	Your taste in dress is excellent.
मंजु—	इसकी कीमत क्या है?	What's its price? *Or,* How much will it cost? *Or,* How much is it?
दुकानदार—	इसमें आपको केवल दो हजार रुपये लगेंगे।	It will cost you just two thousand rupees.
मंजु—	इसमें कुछ छूट नहीं मिलेगी?	Won't you allow some discount?
दुकानदार—	हम एक दाम पर बेचते हैं। हमें मोल-तोल पर विश्वास नहीं, क्योंकि यह केवल समय की बरबादी है। फिर भी, नकद देने पर दो प्रतिशत की छूट दी जाएगी।	We sell at fixed price. We don't believe in bargaining, for it is sheer waste of time. However, two percent discount will be allowed for ready cash.
मंजु—	अब इसे बाँध दें।	Now, pack it up.
दुकानदार—	क्या इसे भिजवा दूँ?	Shall I have it sent?
मंजु—	नहीं, मैं इसे साथ ले जाऊँगी।	No. I will take it with me.

(xviii) दुकानदार से बातचीत [चावल/सब्जी/अंडे खरीदने के संबंध में]

उषा—	आज चावल का क्या भाव है?	How much is rice today?
दुकानदार—	चावल का भाव बीस रुपये किलो है।	Rice is twenty rupees a kilo.
उषा—	मुझे एक किलो चावल दें। वजन कम तो नहीं है।	Give me a kilo of rice. The weights and measures aren't underweight, I believe.
दुकानदार—	नहीं, बिल्कुल नहीं। आप विश्वास करें।	No, not a all. You may depend on me. *Or,* You may rest assured.
उषा—	पर आप इस तरह क्यों तौलते हैं? आप सोना तो नहीं तौल रहे है न।	But why do you weigh like this? You aren't weighing gold, are you?
उषा—	आज गोभी का क्या भाव है?	How is cabbage selling today?

दुकानदार—	दस रुपये जोड़ा।	Ten rupees a pair.
उषा—	क्या! इतना महँगा? हे भगवान्, कुछ दिनों में साधारण सब्जी भी पकवान बनती जा रही है।	What! So dear! Good Heavens! Even common vegetables are going to the delicacies one of these days.
दुकानदार—	हाँ, मैडम। आप ठीक कहती हैं? सचमुच हमलोग बहुत बुरे समय से गुजर रहे हैं।	Yes, madam. Yo are right We are really passing through very hard times.
उषा—	अच्छा, आप अंडे कैसे बेचते हैं?	Well, how do you sell eggs?
दुकानदार—	अंडे दर्जन के भाव (के हिसाब) से बिकते हैं। एक दर्जन की कीमत बीस रुपये हैं।	Eggs are sold by the dozen. They are twenty rupees a dozen.
उषा—	मुझे आधा दर्जन दें।	Give me half a dozen.

(xix) पति-पत्नी के बीच बातचीत [मिठाई खरीदने के संबंध में]

पति—	आह, ये मिठाइयाँ कितनी सुन्दर हैं! कितनी रंगीन!	Oh, how lovely these sweets are! How colourful!
पत्नी—	इन मिठाइयों को देखते ही मेरे मुँह से लार टपकने लगती हैं।	My mouth begins to water at the very sight of these sweets.
पति—	पर ये उतनी अच्छी नहीं हैं जितनी देखने में लगती है। हमें सौदा महँगा पड़ा है।	But they aren't as good as they appear. It has cost us dear.
पत्नी—	हाँ, इन रंगों की चालाक चाल के कारण हम धोखे में पड़ गए हैं।	Yes, we have been taken in by the clever device of colours.
पति—	सच ही कहा गया है कि जो चीजें चमकती हैं वे सभी सोना नहीं होतीं।	It is rightly said all that glitters is not gold.
पत्नी—	हाँ, ऊँची दुकान, फीकी पकवान।	Yes, much cry and little wool.
पति—	आह! मैं कितना बड़ा मूर्ख हूँ।	Ah, what a fool I am!
पत्नी—	अब अफसोस करने से कोई लाभ नहीं। पर हमें ऐसे चमकीले विज्ञापनों से सावधान रहना चाहिए।	Now, it's no use crying over spilt milk. But let's beware of these flashy advertisements.

(xx) दूकानदार से बातचीत [जूता खरीदने के संबंध में]

जितेन्द्र—	क्या आप फ्लेक्स जूते बेचते हैं।	Do you sell Flex shoes?
दुकानदार—	हाँ, महाशय! आपको किस नाप के चाहिए? और आपको कौन-सा रंग पसंद है?	Yes, sir! What size do you want? And what colour is your choice?

जितेन्द्र— मुझे छह नम्बर के चाहिए। और जहाँ तक रंग की बात है, मुझे भूरा रंग पसंद है।
I want size six. And as for colour. I have a liking for a brown one.

दुकानदार—यह रही आपकी पसन्द।
Here's your choice.

जितेन्द्र— पर बायाँ जूता जरा कसता है। दूसरा तो ठीक बैठता है।
But the left shoe is a bit tight. The other one fits quite well.

दुकानदार—ठीक है और दूसरा जोड़ा देखें।
All right, you may try another pair.

जितेन्द्र— हाँ, यह बिल्कुल ठीक है। इस जोड़े की कीमत क्या है?
Yes, it fits fairly well. What price is this pair?

दुकानदार—बस पाँच सौ रुपये।
Just five hundred rupees.

जितेन्द्र— ठीक है। इसे पैक कर दें।
All right Please pack it up.

(xxi) दर्जी से बातचीत [सूट सिलवाने के संबंध में]

दर्जी— मैं आपकी क्या सेवा करूँ?
What can I do for you?

शैलेन्द्र— मेरे लिए एक ऐसा सूट बना दीजिए।
Make me a suit like this one, will you?

दर्जी— हाँ, खुशी से। हमलोग सूट के विशेषज्ञ हैं।
Yes, with pleasure. We are suit specialists.

शैलेन्द्र— इसमें अच्छा अस्तर देना न भूलिएगा।
Don't you forget to put in a good lining.

दर्जी— मुझे नाप लेने दें। आपको कौन-सा कट पसन्द है?
Let me take measurements. Which style is your choice?

शैलेन्द्र— मुझे आधुनिकतम कट पसन्द है। मुझे इस सूट का कट बहुत पसन्द है।
I want some ultra modern cut. I should very much like the cut of this suit.

दर्जी— हाँ, अवश्य।
Yes, certainly.

शशि— इस सूट को छाती पर थोड़ा छोटा होना चाहिए।
This suit needs to be taken in at the chest.

दर्जी— बहुत अच्छा, महाशय।
Very well, sir.

शशि— अब यह सूट खूब ठीक बैठता है।
Now the suit is a tight fit.
Or,
Now the suit is an excellent fit.

मुझे यह सूट कैसा लगता है?
How do I look, in this suit?

दर्जी— ओह, नए सूट में आप कितने अच्छे लगते हैं!
Oh, What a swell you look in your new suit!
Or,
You look A one.
Or,
You look excellent.

(xxii) एक महिला से बातचीत [रास्ता पूछने के संबंध में]

यात्री—	नमस्ते, मैडम।	Good evening, madam.
महिला—	नमस्ते, बेटा। क्या बात है?	Good evening son. What's the matter with you?
यात्री—	ओह, मैं रास्ता भूल गया हूँ। मैं डाक्टर घोष का मकान खोज रहा हूँ।	Oh, I have lost my way. I'm looking for the house of Dr Ghosh.
महिला—	क्या आप चेन्नई के रहनेवाले हैं?	Do you hail from Chennai?
यात्री—	हाँ, मैडम। लेकिन आप कैसे जानती हैं?	Yes, madam. But how do you know this?
महिला—	आपका तमिल उच्चारण के साथ अँगरेजी बोलना संकेत देता है। क्या आप इससे पहले यहाँ कभी नहीं आए थे?	Well, your speaking English with a Tamil accent gives the clue. Haven't you been here before?
यात्री—	नहीं, मैडम। मैं यहाँ पहली बार आया हूँ।	No, madam. I have come here for the first time.
महिला—	अच्छा, डॉ॰ घोष वहाँ रहते हैं। बाएँ मुड़ जाइए और तब सीधे जाइए। उनका घर प्रमुख पथ से हट कर है।	Well, Dr Ghosh lives over there. Turn to the left and then keep straight on. His house is off the main road.
यात्री—	धन्यवाद, मैडम।	Thank you, madam.
महिला—	धन्यवाद की जरूरत नहीं।	Don't mention it. *Or,* You needn't

(xxiii) दो नागरिकों की बातचीत [दैनिक जीवन के संबंध में]

रहीम—	करीम, तुम इतने चिंतित क्यों लगते हो? तुम्हें क्या हो गया है?	Karim, why do you look so worried? What's the matter with you?
करीम—	जाके पाँव न फटे बिवाई सो क्या जाने पीर पराई। क्या तुम नहीं देखते कि कीमतें किस तरह बढ़ रही हैं?	The wearer knows where the shoe pinches. Don't you see how prices are shooting up?
रहीम—	हाँ, तुम ठीक कहते हो। जीवनयापन का खर्च नए शिखर पर पहुँच चुका है।	Yes, you are right. The cost of living has reached a new high.
करीम—	और कहना कठिन है कि क्या होगा। कुछ चुने हुए लोग चाँदी काट रहे हैं और हम गरीबी तथा मूल्यवृद्धि के कारण पिसे जा रहे हैं।	And there's no telling what may happen. A chosen few are minting/spinning money while we are ground down by poverty and price rise.
रहीम—	सचमुच यह नेताओं और व्यापारियों का युग है।	Really. it's an age of leaders and dealers.

करीम—	और अफसरों का भी। वे अपना ही सुख-साधन देख रहे हैं।	And of officers as well/too. They are feathering their own nest.
रहीम—	हाँ, भ्रष्टाचार का बाजार गर्म है और ईमानदारी की कोई पूछ नहीं।	Yes, corruption is rife and honesty is at a discount.
करीम—	हम किधर जा रहे हैं? क्या हमारा देश एक भयंकर संकट की ओर सरपट नहीं दौड़ रहा है?	What are we heading towards? Isn't our country galloping towards a catastrophe?
रहीम—	हाँ। इसलिए एक-एक दिन एक-एक वर्ष की तरह बीत रहा है।	Yes, it is. So each day passes like a year.
करीम—	लेकिन भाग्यशाली लोग घी के दीये जला रहे हैं।	But a lucky few are rolling in luxury.
रहीम—	तुम ठीक कहते हो। यही तो दुःख की बात है। अपार धन के देश में निर्धनता है।	Yes, you are right. This is the tragedy. There is poverty in the land of plenty.

(xxiv) एक बच्ची से बातचीत [जन्म दिन के अवसर पर]

निनी—	नमस्ते, चाचाजी। मैं आपको देखकर कितना खुश हूँ।	Good evening, Uncle. How happy I am to see you!
संजय—	नमस्ते निनी। मैं तुम्हारे लम्बे और सुखी जीवन की कामना करता हूँ। यह सुखद दिन बारबार आए।	Good evening, Ninee. I wish you a long and happy life. Many happy returns of the day.
निनी—	आशीर्वाद के लिए बहुत-बहुत धन्यवाद।	Thank you very much for your blessings.
संजय—	तुम्हारे लिए यह एक तुच्छ उपहार है। यह प्रेम और स्नेह का प्रतीक मात्र है।	Here's a humble present for you. It's just a token of my love and affection.
निनी—	बहुत-बहुत धन्यवाद। लेकिन इस पैकेट में है क्या, चाचाजी?	Many/many thanks. But what does, Uncle, this packet contain?
संजय—	यह रेकॉर्ड-प्लेयर है। गह उच्च कोटि का सेट है। मैं जानता हूँ कि तुम्हें संगीत में रुचि है। यह तुम्हारी रुचि को परिष्कृत करेगा।	This is a record player. It's a hi-fi set. I know you have an ear for music. It will refine your taste.
निनी—	कितना सुन्दर और कीमती उपहार।	What a nice and costly gift!
संजय—	और तुम कितनी सुन्दर बच्ची हो।	And what a sweet little girl you are!

(xxv) अतिथियों की बातचीत [विवाह के अवसर पर]

राम—	ये बत्तियाँ कितनी सुन्दर लगती हैं। नीअन रोशनी को देखो—रंगीन बल्बों और ट्यूबों को। रंगों का कैसा सुन्दर मेल।	How lovely these lights look! Look at the neon light—coloured bulbs and tubes. What a nice harmony of colours!

सीता— और बैण्ड भी कितना सुन्दर है? ये एक साथ बज रहे हैं। स्वरों का कैसा सुहावना तालमेल!	And what a fine band, too. They are playing music together. What a pleassing combination of notes!
राम— वहाँ देखो बच्चे फुदक रहे हैं।	Look over there. Children are frisking and gamboling.
सीता— और लड़कियाँ हँसी-दिल्लगी कर रही हैं।	And girls are bantering.
राम— अब हमलोग वर-बधू को आशीष और बधाई दें।	Now, let's bless and congratulate the bride and the bridegroom.
राम और सीता—आप दोनों को हार्दिक बधाई। दीर्घ सुखमय वैवाहिक जीवन के लिए हमारी शुभ-कामनाएँ। हम आपके सौभाग्य की कामना करते हैं।	Heartiest congratulations to you both. Best wishes for a long and happy married life. We wish you the best of luck.
वर-वधू— शुभकामना तथा आशीर्वाद के लिए बहुत-बहुत धन्यवाद।	Thank you very much for your good wishes and blessings.

(xxvi) दो दोस्तों की बातचीत [रेस्तराँ में खाने के संबंध में]

मोहन— आज हमलोग बाहर खाना खाएँ।	Let's dine out today.
सोहन— कितना अच्छा! सुबह से कुछ भी नहीं खाया है। पत्नी बाहर हैं। लेकिन मेरे पास रुपये तो नहीं है। बिल का भुगतान कौन करेगा?	How nice! I haven't had a bit since morning. The good lady (wife) is out. But I haven't any money on me. Who will foot the bill?
मोहन— मैं भोजन कराऊँगा या मैं भोजन खर्च वहन करूँगा।	I will stand the dinner.
सोहन— तब हम किसी रेस्तराँ में खाना खाएँ।	Let's then have our dinner at a restaurant.
मोहन— भोजन की सूची कहाँ है?	Where's the menu?
वेटर— क्या! फिर से कहें।	What! Beg your pardon.
मोहन— व्यंजन-सूची कहाँ हैं? आज का खास भोजन क्या है?	Where's the menu? What's today's special?
वेटर— यह रहा मेनू।	Here's the menu, sir.
मोहन— ठीक है। हमें एक प्लेट पोलॉव और आधा प्लेट मुर्गा-कढ़ी चाहिए।	All right. Let's have one plate of *polao* and half a plate of chicken curry.
सोहन— तुमको यह कैसा लगता है?	How do you like it?

मोहन—	ओह, बहुत मसालेदार है। यह तो जीभ को चाबुक मारता है।	Oh, it is too spicy. It just whips the tongue.
सोहन—	ओह, यह तो डंक मारता है। मेरा मुँह तो जल रहा है। मिठाई खाना कैसा रहेगा? क्या तुम कुछ रसगुल्ले खाना पसन्द करोगे?	Oh, it stings. My mouth is burning. How about sweets? Would you like to have some *rasgullas*?
मोहन—	हाँ, मैं बहुत चाहूँगा।	Yes, I should very much like to.
सोहन—	तुम कितने रसगुल्ले खा सकते हो?	How many *rasgullas* can you eat?
मोहन—	चार-पाँच।	Four to five.
सोहन—	क्या! केवल पाँच! तुम कितना कम खाते हो।	What! Only five! What a tiny appetite you have!
मोहन—	हमलोग कॉफी पीएँ।	Now let's have coffee.
सोहन—	दो कॉफी चाहिए।	Two coffee, please.
मोहन—	यह डिनर तुमको कैसा लगा?	How did you like this dinner?
सोहन—	ओह, यह तो डिनर था ही नहीं।	Oh, it wasn't much of a dinner.
मोहन—	हाँ, यह बहुत घटिया किस्म का डिनर था। घर से अधिक मधुर कुछ नहीं।	Yes, it was just an apology for a dinner Nothing is sweeter than home.
सोहन—	हाँ, दूर का ढोल सुहावन।	Yes, distance lends charm to the view.
मोहन—	अब हम जल्दी घर चलें।	Let's now hurry home.

(xxvii) पुलिस इंस्पेक्टर से बातचीत [चोरी के संबंध में]

शशि—	आप पुलिस इंस्पेक्टर हैं न।	You are Police Inspector, I suppose.
इंस्पेक्टर—	हाँ, हैं तो। आपका यहाँ आना कैसे हुआ? मैं आपकी क्या सेवा कर सकता हूँ?	Yes, I am. What brings you here? How can I help you?
शशि—	कल रात एक चोर खिड़की से घर में घुस गया।	A burglar got in through the window last night.
इंस्पेक्टर—	तब क्या हुआ?	What happened then?
शशि—	उसने रिवाल्वर दिखाकर चाबी माँगी। मुझे इनकार करने की हिम्मत न हुई। उसने आलमारी तोड़कर खोल दी और सभी बहुमूल्य सामान लेकर भाग गया।	He asked for key at the point of revolver. I daredn't refuse. He broke open the safe and made off with all the valuables.
इंस्पेक्टर—	आप प्रथम सूचना में विस्तृत वर्णन लिख डालें।	Could you please write down the details in the F I R?

शशि—	हाँ, करूँगा। चूँकि यह एक रहस्यमय उलझन में डालनेवाला अपराध है, इसलिए यह केस किसी जासूस को सुपूर्द कर दिया जाए। अपराध का पता लगाने में पुलिस कुत्ता भी मदद कर सकता है।	Yes, I will. Since it is a puzzling crime, this case may be referred (entrusted) to some detective. The police-dogs, too, might help in the detection of crime.
इंस्पेक्टर—	ठीक है। मैं इसकी जाँच तुरंत आरंभ कर रहा हूँ। देखूँ मैं इसमें क्या कर सकता हूँ।	All right. I'm taking up the investigation immediately. Let me see what I can do in the matter.
शशि—	बहुत, बहुत धन्यवाद।	Thank you very much.
इंस्पेक्टर—	धन्यवाद! आप चिंता न करें।	Thanks. Don't you worry.

(xxviii) रेलवे इन्क्वाइरी से बातचीत

रेखा—	क्या 5 अप गाड़ी आ गई है?	Is the 5 Up in?
टिकटघर—	ओह, आप गलत जगह आ गई हैं। कृपा कर वहाँ इनक्वाइरी से पूछिए।	Oh, you have come to the wrong shop. Please ask the Inquiry over there.
रेखा—	क्या 5 अप समय पर चल रही है?	Is the 5 Up running to time?
इन्क्वाइरी—	नहीं! गाड़ी समय पर नहीं चल रही है। यह एक घंटा देर है। सभी गाड़ियाँ देर से चल रही हैं।	No, it's not on time. It's late by one hour. All trains are running behind time.
रेखा—	गाडी किस प्लेटफॉर्म से छूट रही है?	Which is the departure platform?
इन्क्वाइरी—	गाड़ियों का आवागमन और प्रस्थान आप नोटिस में देख सकती हैं। यह टिकटघर के नजदीक है।	You might look at the notice showing arrival and departure of trains. It's close to the booking office.
रेखा—	क्या यह मुंबई के लिए सीधी गाड़ी है?	Is it a through train to Mumbai?
इन्क्वाइरी—	नहीं! आपको गाड़ी बदलनी होगी। लेकिन 9 अप मुंबई सीधे जाती है।	No, you have to change trains. But 9 Up goes through to Mumbai. [But 9 Up is a through train.]
रेखा—	क्या मुंबई के लिए सीधा टिकट मिल सकता है?	May I get a through ticket to Mumbai?
इन्क्वाइरी—	हाँ, मिल सकता है।	Yes, you can.
रेखा—	माल-सामान का भाड़ा किस प्रकार लिया जाता है?	How do you charge freight?
इन्क्वाइरी—	माल-भाड़ा तौल के हिसाब से लिया जाता है।	Freight is charged by weight.

(xxix) पति-पत्नी की बातचीत [रेलगाड़ी में]

जितेन्द्र— हमलोगों ने किसी तरह गाड़ी पकड़ ली है।	We have just caught the train.
रेखा— अब हमें ट्रेन में बैठ जाना चाहिए।	Now, we should get on the train.
जितेन्द्र— ओह, कितनी भीड़ है!	Oh, what a rush!
रेखा— और कितना शोरगुल है! मछली बाजार भी इतना कोलाहलपूर्ण नहीं होता।	And what a noise, too! Even a fish market isn't so noisy.
जितेन्द्र— मैं बीड़ी और हुक्का की दुर्गन्ध बर्दास्त नहीं कर सकता।	I can't stand the nasty smell of *biri* and *hookah*.
रेखा— किसी सीट पर जगह नहीं है।	There is no room on any berth.
जितेन्द्र— यहाँ केवल खड़े होने की थोड़ी जगह है।	There is a little standing room only.
यात्री— आपने मेरा अँगूठा क्यों कुचल दिया है? आपको सीधा खड़ा होना चाहिए।	Why have you trampled on my toe? You might (should) stand erect.
जितेन्द्र— माफ कीजिए। पर क्या आप नहीं देखते कि मुझे धक्का दिया जा रहा है?	Sorry, but don't you see I'm, being pulled and pushed?
रेखा— देखो लड़के, यहाँ मत थूको।	Look boy, don't spit over here.
लड़का— क्यों? क्या मैंने किराया नहीं दिया है?	Why? Haven't I paid the fare?
रेखा— हां, लेकिन तुमने थूकने के लिए यह जगह खरीदी है क्या?	Yes, you have. But have you bought this place to spit on?
टिकट कलक्टर— टिकट। कृपा कर टिकट दिखाएँ।	Ticket, please. Can I see your ticket please? [Will you show your ticket, please?]
जितेन्द्र रेखा से— टिकट दिखा दीजिए।	Show the ticket.
रेखा जितेन्द्र से— क्या! टिकट! टिकट तो आपके पास है न!	What! Ticket! Tickets are with you, aren't they?
जितेन्द्र— वे पर्स में अवश्य होंगे।	They must be in the purse.
रेखा— नहीं, वे पर्स में नहीं होगे। क्या अपना पॉकेट-बुक खोजा है?	No, they can't be in the purse. Have you searched your pocket book?
जितेन्द्र— हाँ, खोजा है।	Yes, I have.
रेखा— तब टिकट आपके पैंट की जेब में अवश्य होंगे।	Then the tickets must be in your trouser pocket.
जितेन्द्र— हाँ, मिल गया।	Yes, here they are.

रेखा—	आप हमेशा भूल जाया करते हैं। आपकी जेब एक प्रकार का अजायब घर है।	Oh, you always forget. Your pocket is a sort of museum.
जितेन्द्र—	देखो, मेरा तो बैग ही गायब हो गया है।	Lo, my purse is gone.
रेखा—	अब गाड़ी खड़ी करने के लिए हम चेन खींचें।	Now, let's pull the chain to stop the train.
जितेन्द्र—	अब मैं कभी भी द्वितीय श्रेणी में सफर नहीं करूँगा। यह नरक से कम नहीं है।	Now. I will never travel second. It's nothing short of a hell.

(xxx) एक झगड़ा [पंक्ति (क्यू) में खड़े होने के संबंध में]

शीला—	देखो, तुम पीछे अपने उचित स्थान पर चली जाओ।	Well, you move to your proper place at the back.
नीलम—	क्यों? मैं जहाँ चाहूँगी वहीं खड़ी हूँगी।	Why? I will stand where I like to.
शीला—	नहीं, तुम नहीं कर सकती। तुम धक्का देकर नहीं घुस सकती और पंक्ति नहीं तोड़ सकती।	No. You can't. You can't push in and break the queue.
नीलम—	मैं कहती हूँ कि मैं पंक्ति के बाहर नहीं जा सकती। क्या तुम्हें हिम्मत है कि तुम मुझे बाहर जाने को कहो? ऐसी गुस्ताखी फिर मत करना।	Let me tell you I can't get out of the queue. Have you the cheek to ask me to get out? No more of your cheeking.
शीला—	अपने से बड़े के साथ गुस्ताखी करना बन्द करो। नियम तोड़ने का अधिकार तुम्हें नहीं है न?	Stop cheeking your elders. You have no right to break the rule, have you?
नीलम—	हाँ मैं तोडूँगी। तो, इससे क्या?	Yes. I will. So what?
शीला—	पुलिस को बुलाने के लिए मुझे मजबूर मत करो।	Don't you compel me to call the police.
नीलम—	ओह, तुम धमकी देती हो! मैं बन्दर-घुड़की से डरती हूँ क्या?	Oh, you threaten me! Am I afraid of paper bullets?
शीला—	तुम तो असली बाघिन हो! मैं तुम्हें सबक सिखाती हूँ। जरा ठहरो।	A real tigress you are! Let me teach you a lesson. Just wait.
नीलम—	तुम मुझे इस तरह धमका नहीं सकती। मैं डरनेवाली नहीं हूँ।	You can't bully me like this, I can't be cowed down.
शीला—	तुम मुझसे टक्कर नहीं ले सकती।	You aren't a match for me. Why do you frown?
नीलम—	अब बहुत हो गया। मैं इस अपमान को बरदास्त नहीं कर सकती।	Now, it's too much. I can't pocket this insult.

शीला—	क्या आप लोग लड़ना चाहती हैं? क्या यह बात का बतंगड़ नहीं है? जो हो गया, सो हो गया।	Do you like to come to blows? Isn't it a storm in a tea-cup? What is done is done.
नीलम—	तुम इस स्थान को छोड़ दो। कानून से ऊपर कोई भी नहीं है, है ना?	Neelam, now you leave the place, will you? Nobody is above law, isn't it?

(xxxi) सड़क पर बातचीत

संजय—	तुम ऐसे घर-घुसना क्यों हो? मैं तुम्हारे जैसे घर में पड़े रहनेवाले को पसन्द नहीं करता। हमलोग बाहर चलें और ताजी हवा लें।	Why are you so home-sick? I don't like a stay-at-home like you. Let's go out and have some fresh air.
अभय—	लेकिन हवा खाने कहाँ चलें? क्या तुम उस पार्क को पसन्द करोगे?	But where to go for fresh air? Do you like that park?
संजय—	सड़क ही क्यों नहीं? यह तो बहुत मनोरंजक स्थान है न?	Why not the road itself? It's an interesting place, isn't it?
अभय—	ये सड़कें कड़ी और काली हैं, पर इनका दिल कोमल है। ये सबको समानरूप से प्यार करती हैं।	These roads are hard and black. But their heart is soft. They love everybody alike.
संजय—	हाँ, ये समानभाव से किसान, सैनिक, राजा और भिखारी का पग-भार वाहन करती हैं।	Yes, they bear the footsteps of farmers and soldiers of kings and beggars with equal pleasure.
अभय—	इस दृश्य को देखो। इधर गाड़ी एक सुन्दर बधू को ले जा रही है। और उधर ट्रक एक मुर्दे को लेकर चल रहा है।	Look at this sight. Here goes a car carrying a lovely bride! And there goes a truck with a dead body!
संजय—	हाँ, जीवन का यह महान नाटक सदा चलता रहता है। जीवन और मरण का चित्र, धन और निर्धनता का और सुख-दुख का।	Yes, the great drama of life goes on all the time—the picture of life and death of wealth and poverty and of joys and sorrows.
अभय—	लेकिन सुन्दरता और रंग का आनन्द उठाने के लिए सड़क पर खड़े न रहो। क्या तुम घंटियाँ नहीं सुनते?	But don't stand on the road to enjoy beauty and colour. Don't you hear bells and horns?
संजय—	कितनी भीड़ और कितनी गति!	What a rush! And what a speed!
अभय—	हाँ, लेकिन कितने सुन्दर ढंग से यह नियंत्रित है! केवल बाएँ से चलो! कोई कष्ट नहीं होगा।	Yes, but how well it is managed! Only keep to the left. You will have no trouble.

संजय—	लेकिन उस लड़के को देखो। उसने यह पाठ नहीं सीखा है। वह उछल-कूद रहा है।	But look at this boy. He hasn't learnt this lesson. He is frisking about.
अभय—	मुझे भय है कि सड़क उसकी कब्र शीघ्र ही न बन जाए!	I am afraid the road may become his grave too soon!

(xxxii) बस-पड़ाब पर बातचीत

उषा—	ओह, कितनी लंबी कतार है!	Oh, what a long queue!
किरण—	और इन बसों में कितनी भीड़ है!	And how crowded the buses are!
उषा—	सभी सीटें भरी हुई हैं।	All the seats are occupied.
किरण—	केवल खड़े होने की कुछ जगह है।	There is a little standing room only.
उषा—	तब तो पूरा रास्ता खड़ा ही रहना पड़ेगा।	Then we may have to keep standing all the way.
किरण—	इस मार्ग पर कितनी बसें चलती हैं?	How many buses ply on this route?
उषा—	करीब दस। बसें पन्द्रह-पन्द्रह मिनट पर चलती है।	About ten. Buses run every fifteen minutes.
किरण—	राज्य पथ-परिवहन निगम को दुर्गापूजा के अवसर पर कुछ स्पेशल बसें चलानी चाहिए।	The State Road Transport Corporation should put up special buses during the Pujas.
उषा—	यह संभव नहीं है, क्योंकि परिवहन से लाभ के बदले हानि हो रही है।	It's not possible, because the corporation is now a white elephant.
किरण—	ऐसा क्यों?	Why so?
उषा—	लोग बिना टिकट के यात्रा करते हैं।	People travel without ticket.
किरण—	हे भगवान!	Good Heavens!

(xxxiii) रेलवे प्लेटफॉर्म पर बातचीत

किरण—	प्लेटफॉर्म कितना लंबा है! यह देखने में सड़क के समान लगता है।	How long the platform is! It looks like a road.
शैलेन्द्र—	लेकिन सड़क तो इतनी चौड़ी नहीं होती।	But a road isn't so wide.
किरण—	और न शोरगुल से इतनी भरी हुई। यहाँ कितनी भीड़ है।	Nor so noisy. What a hell of a noise! What a madding crowd over here!
शैलेन्द्र—	यहाँ कितने प्रकार के मर्द और औरतें हैं! धन और निर्धनता का कैसा चित्र!	What a rich variety of men and women! And what a picture of wealth and poverty side by side!

किरण—	और फैशन का भी कैसा आश्चर्यजनक संसार!	And what a wonderful world of fashions, too!
शैलेन्द्र—	जेबकतरों और ठगों से सावधान रहो।	Beware of pick-pockets and swindlers.
किरण—	ओह, प्लेटफॉर्म पर प्रतीक्षा करना कितना ऊबाउ होता है!	Oh, how boring/tedious it is to wait on a platform!
शैलेन्द्र—	रोग-शय्या भी इतना ऊबाउ नहीं होता।	Even a sick-bed isn't so boring.
किरण—	क्या गाड़ी समय पर नहीं चल रही है?	Isn't the train running to time?
शैलेन्द्र—	नहीं, गाड़ी एक घंटा देर से चल रही है?	No, the train is late by one hour.
किरण—	अब देखिए। हमलोगों की गाड़ी गरजते और धुआँ उड़ेलते हुए प्रवेश कर रही है।	Now, look. Our train is entering roaring and breathing out smoke.
शैलेन्द्र—	लेकिन यह क्रोधित महिला कितनी सुन्दर है! यह हमें अपने दिल में स्थान देगी!	But how charming this furious lady is! She will give us a room in her heart!
किरण—	यह शोरगुल जीवन का चिह्न है। इसका अपना ही संगीत है।	This noise is only a sign of life. It has a music of its own.
शैलेन्द्र—	हाँ, अब हमलोग दिन का भोजन ट्रेन में ही करेंगे।	Yes. Now, we will have our lunch on the train.

(xxxiv) अस्पताल में बातचीत [सांत्वना के संबंध में]

मोहन—	राधा तुम यहाँ पड़ी हो और मैं परीक्षा-भवन में बँधा था। ओह, यदि मैं तेरे समीप रहता।	Radha, you have been lying here and I was tied down to the examination hall. O, that I had been by your side!
सीता—	ओह, दुर्घटना कितनी गंभीर थी!	Oh, how serious the accident was!
मोहन—	पर यह दुर्घटना हुई कैसे?	But what brought about (caused) the accident?
राधा—	मैं सड़क पार कर रही थी। तभी एक गाड़ी ने एकाएक दिशा मोड़ दी। वह एक कुत्ते को ठोकर लगने से बचा रही थी। मैं गाड़ी के सामने आ गई और ठोकर लग गयी।	I was running across the road. Just then a car swerved to avoid knocking down a dog. I was run over and knocked down.

सीता—	हाँ, वहाँ एक खतरनाक मोड़ है।	Yes, there is a nasty corner over there.
राधा—	गाड़ी अचानक एकदम दायीं ओर मुड़ी। गाड़ी बिलकुल उलट गई।	The car turned sharp to the right. It was turned right over.
सीता—	ईश्वर को धन्यवाद कि अब तुम खतरे से बाहर हो।	Thank God you are out of danger now.
मोहन—	हमें ईश्वर के प्रति कृतज्ञ होना चाहिए जिसने तुझे नया जीवन दिया है।	Let's be grateful to God who has given you a new lease of life.
सीता—	तुम बाल-बाल बच गई। पर चिंता क्यों? दुर्घटना तो होगी ही। इसलिए हिम्मत न हारो।	You had a close shave, hadn't you? But why worry? Accidents will happen. So, don't lose heart.
मोहन और सीता—	तुम्हारे शीघ्र चंगा होने की हम कामना करते हैं।	We wish you a speedy recovery.
राधा—	बहुत-बहुत धन्यवाद।	Thank you very much.

(xxxv) एक बातचीत [सांत्वना के संबंध में]

मेरी—	डॉली, तुम इतनी निरुत्साह क्यों दिखाई पड़ती हो? सुना है तुम पढ़ाई छोड़ देना चाहती हो। क्या यह सच है?	Dolly, why do you look so dejected? I hear you are thinking of giving up your studies. Is it true?
जॉन—	तुम परीक्षा में फेल हो गई हों, पर इस योजना से तुम्हारी समस्या का समाधान कैसे होगा?	You have failed in the examination but how does this plan solve your problem?
मेरी—	तुम्हारे हाथ से बस एक अवसर निकल गया है। अब दूसरा अवसर बनाओ। दोस्त, साहस से काम लो।	Just one opportunity has slipped through your fingers. Now create another. Take heart, friend.
डॉली—	मुझे शर्म आती है।	I feel ashamed.
मेरी—	ऐ लड़की, हिम्मत न हारो। हार तो हिम्मत हारने में है।	Don't lose heart, you girl. Defeat lies is losing heart.
जॉन—	बेबकूफी मत करो, असफलता तो सफलता का स्तंभ है। ईश्वर में विश्वास रखो। क्या जानती नहीं कि ईश्वर अपने उद्देश्य की पूर्ति कई प्रकार से करता है?	Don't he silly. Failures are the pillars of success. Trust in God. Don't you know that God fulfils himself in many ways?

(xxxvi) एक बातचीत [संवेदना के संबंध में]

रहीम—	करीम, तुम्हारी माँ की मृत्यु का समाचार जानकर हमें गहरा धक्का लगा है।	Karim, we are grieved to learn of your mother's death.

सलीम—	वह माँ के रूप में देवदूत थीं।	She was an angel of a mother.
रहीम—	पर अब धीरज धरो। हम सब तुम्हारे दुःख में साथ हैं। हम ईश्वर से प्रार्थना करें कि उनकी आत्मा को चिरशांति मिले।	But now take heart. We share your grief. Let's pray that her soul may rest in eternal peace.
सलीम—	करीम, लोग कभी-कभी सोचते हैं कि ईश्वर निष्ठुर है ओर अन्यायी भी। पर ठंढे दिल से सोचो तो अंधकार के बीच चमचमाता प्रकाश दिखाई देगा।	Karim, you feel at times that God is cruel and even unjust. But if you think calmly you will see a bright light shining out of darkness.
रहीम—	हाँ, प्रत्येक बादल के पीछे एक उजली रेखा रहती है।	Yes, every cloud has a silver lining.
सलीम—	क्या जब जाड़ा आता है, तो बसंत बहुत पीछे रह सकता है?	If winter comes, can spring be far behind?
रहीम—	दुःख तो आग के समान है। आग सोने को जलाती नहीं। यह तो सोने को शुद्ध बनाती है। जिस प्रकार आग सोने को साफ करती है उसी प्रकार संकट हमारे चरित्र को परिष्कृत करता है।	Suffering is like fire. Fire doesn't burn gold. It only purifies gold. Adversity refines your character as fire refines gold.
सलीम—	यदि बादल घने और काले न हों, तो हमें भारी वर्षा नहीं मिल सकती।	You can't have a heavy rain if a cloud isn't thick and dark.
रहीम—	बादल जितना ही काला होता है वर्षा भी उतनी ही भारी होती है।	The darker the cloud, the heavier the rain.

(xxxvii) एक बातचीत [भावी पत्नी के संबंध में]

अनील—	नमस्ते, सुनील।	Good morning, Sunil.
सुनील—	नमस्ते, अनिल यहाँ कैसे आना हुआ? अब तो तुम दूज के चाँद हो गए हो। क्या एक कॉफी लोगे?	Morning, Anil. What brings you here? Your visits are now few and far between. Would you have a cup of coffee. please?
अनील—	हाँ, खुशी से। लेकिन मैं एक उद्देश्य से आया हूँ। क्या तुम मदद करोगे?	Yes, I don't mind. But I have come on purpose. Could you help?
सुनील—	हाँ, खुशी से। मेरी तुच्छ सेवाएँ तेरे लिए अर्पित हैं।	Yes, with pleasure. My humble services are at your disposal.
अनील—	मैं तुम्हें अपने दिल की बात बताऊँ। क्या तुम अपने पड़ोसी की लड़की को जानते हो?	Let me open my heart to you. You know your neighhour's daughter, don't you?

सुनील— हाँ, मैं इस परिवार से बहुत आत्मीय रूप से संबंधित हूँ। लेकिन बात क्या है?	Yes, I'm on very intimate terms with the family. But what's the matter?
अनील— शीला के साथ मेरा विवाह कैसा रहेगा?	Well, how about my marrying Sheela?
सुनील— अच्छा/बहुत अच्छा। शीला के टक्कर की लड़की मिलना दुर्लभ है। तुम उसके गुणों पर आश्चर्यचकित हुए बिना रह नहीं सकते।	Good. Very Good. The likes of Sheela are rare. You cannot but marvel at her qualities.
अनील— लेकिन वह सुन्दर तो नहीं है न!	But she is n't beautiful, is she?
सुनील— ओह नहीं। वह परम सुन्दरी है, उसकी मुस्कराहट उसकी सुन्दरताओं में से एक गुण है। उसके रेशमी बाल और मधुर स्वर किसी का भी दिल जीत सकते है। वह अत्यंत सुन्दर और आकर्षक है।	Oh no. She is a beauty. Her smile is one of her beauties. What lovely hair she has! Her silken hair and silken voice can win anybody's heart. She is cute and attractive.
अनील— पर क्या वह उम्र के हिसाब से अधिक लंबी है?	But is she too tall for her age?
सुनील— ओह नहीं! उसका व्यक्तित्व बहुत आकर्षक है। वह उम्र के हिसाब से छोटी लगती है। यह लड़की असाधारण है।	Oh no. She has a very charming and pleasing personality. She doesn't look her age. This girl is a smasher.
अनील— लेकिन अभी वह कर क्या रही है?	But what is she doing at present?
सुनील— वह संगीत कला के साथ बी॰ ए॰ की तैयारी कर रही है। इस लड़की का स्वाभाव बहुत मधुर है।	She is doing her B. A. with music. She is a girl with an artistic temperament and has a very sweet temper.
अनील— क्या तुम सोचते हो कि वह अपने पति को ऊँगली पर नहीं नचाएगी?	Do you think she won't twist her husband around her little finger?
सुनील— मुझे विश्वास है कि वह बहुत अच्छी पत्नी होगी ओर तुम बहुत अच्छे पति। तुम अपने भाग्य को धन्यवाद दो। लेकिन मैं इतना अवश्य कहूँगा कि उसका परिवार उतना धनी नहीं कि तुझे बड़ा दहेज दे सके।	I'm sure she will be a good wife and you will make an excellent husband. Thank your lucky stars. But I must tell you that her family isn't rich enough to offer you a big dowry.

अनील— लेकिन दहेज हमलोगों का कोई महत्त्वपूर्ण विचार नहीं है।	But dowry isn't any important consideration with us.
सुनील— तब तुमलोग जितनी जल्दी शादी कर लो उतना ही अच्छा। क्या मैं तुझे अग्रिम बधाई दूँ?	Then the sooner you get married the better. May I offer you my congratulations in advance?
अनील— बहुत-बहत धन्यवाद।	A million thanks.

(xxxviii) एक बातचीत [भावी पति के संबंध में]

सलमा— नमस्ते, राजेश।	Good morning, Rajesh.
राजेश— नमस्ते। तुम कैसी हो?	Good morning. How are you?
सलमा— मैं बिलकुल अच्छी हूँ, लेकिन वह नवयुवक सज्जन कौन थे जिनसे तुम बातें कर रहे थे?	Oh, I'm feeling fine, I am A one. But who was the young gentleman you were talking to?
राजेश— ओह! क्या तुमने उसे देखा। वह मेरा दोस्त है। शायद वह तुझे पसन्द नहीं आया।	Oh, did you see him? He is a friend of mine. You didn't like him, I am afraid.
सलमा— ओह नहीं, वह मुझे जरूर पसन्द आया। वह लंबा और सुन्दर है और स्मार्ट भी। भला उसकी प्रशंसा करने से अपने को कौन रोक सकता है?	Oh no. I did like him. He is tall and handsome and smart too. Well, who can help admiring him?
राजेश— वह बहुत योग्य व्यक्ति है। वह अत्यन्त प्रतिभा सम्पन्न लड़का है। वह संगीतज्ञ भी है। वह सितार बहुत अच्छा बजाता है। वह संयमी और गंभीर है। वह आधुनिक रोमियो नहीं है।	He is a man of great abilities. The boy is a genius. He is a musician too. He plays the *sitar* with great delicacy of touch. He is sober and grave. He isn't a modern Romeo.
सलमा— मुझे उसकी जीवन के अंतरंग विस्तृत विवरण में रुचि नहीं है। मुझे रुचि क्यों होनी चाहिए?	Well. I'm not interested in the intimate detils of his life. Why should I be?
राजेश— लेकिन मैं तो हूँ। वह तेरे पिताजी का दामाद कुछ ही दिनों में होनेवाला है।	But I am. He is going to be your father's son-in-law one of these days.
सलमा— क्या! मैं तुम्हारा मतलब समझ नहीं रही हूँ।	What! I don't get you.
राजेश— वह सुरेश है, तेरा भावी पति। अग्रिम बधाई!	Well, he is Suresh—your would-be husband, a husband designate. Congratulations in advance!
सलमा— ओ हो! ऐ नटखट लड़के!	Oh, you naughty boy!

(xxxix) एक इंटरव्यू [नौकरी के संबंध में]

अभय—	प्रणाम, महाशय।	Good afternoon, sir.
अध्यक्ष—	प्रणाम। बैठ जाइए।	Good afternoon. Take your seat, please.
अभय—	धन्यवाद।	Thank you, sir.
अध्यक्ष—	आप अर्थशास्त्र में एम॰ ए॰ हैं। लेकिन आपने अर्थशास्त्र को क्यों चुना?	You are an M A in Economics—are't you? But why did you choose Economics? *Or,* But why was Economics your choice?
अभय—	यह आधुनिक विषय है और दुनिया इसके बिना चल नहीं सकती। इसके परिणामस्वरूप, यह बहुत-से स्वर्णिम अवसरों की कुंजी है, एक तो यही है जिसके लिए मैंने आवेदन दिया है।	It's a modern subject and the world can't do without it. Consequently, it's a key to several golden opportunities in life. Here's one I have applied for.
अध्यक्ष—	क्या आप घर के अन्दर खेले जानेवाले खेल खेलते हैं?	Do you play indoor games?
अभय—	जी नहीं, महाशय!	No, sir.
अध्यक्ष—	क्यों! क्यों नहीं?	Why? Why not?
अभय—	घर के अंदर खेले जानेवाले खेल आदमी को निष्क्रिय बना देते हैं, इसके अलावा, वे उनलोगों के लिए अनुकूल नहीं है जिन्हें घंटों बैठकर काम करना पड़ता है।	Well, indoor games make you passive. Moreover, they don't suit those who have got to sit at the desk for hours.
अध्यक्ष—	अच्छा, आप यहाँ कहाँ ठहरे हुए हैं?	All right. Where are you staying here?
अभय—	मैं एक होटल में ठहरा हुआ हूँ।	I'm staying in a hotel, sir.
अध्यक्ष—	आप यहाँ कैसे आए?	How have you come here?
अभय—	मैं टैक्सी से आया हूँ।	I have come by taxi.
अध्यक्ष—	उस टैक्सी का नम्बर क्या था?	What was the taxi number?
अभय—	यह डी॰ एल॰ 2356 था।	It was D. L. 2356.
अध्यक्ष—	आपने टैक्सी नम्बर क्यों नोट किया था?	Why did you note down the taxi number?
अभय—	कभी-कभी यह बहुत मदद करता है। इसकी जरूरत हो सकती है।	It's very helpful at times. It might be required.

अध्यक्ष— हाँ, अच्छा। अब आप जा सकते हैं।	Yes, good. You may go now.

(xxxx) एक इंटरव्यू [नौकरी के संबंध में]

आशा— प्रणाम महाशया।	Good evening, madam.
अध्यक्ष— प्रणाम। बैठ जाइए।	Good evening. Be seated.
आशा— बहुत-बहुत धन्यवाद, महाशया।	Thank you very much, madam.
अध्यक्ष— आप कहाँ से आती हैं?	Where do you come from?
आशा— मैं पटना से आती हूँ।	I come from Patna.
अध्यक्ष— आप यहाँ कैसे आई हैं।	How have you come here?
आशा— मैं ट्रेन से आई हूँ।	I have come by train.
अध्यक्ष— हवाई जहाज से क्यों नहीं?	Why not by air?
आशा— मुझे इतनी सामर्थ्य नहीं है।	I can't afford to.
अध्यक्ष— आप किस श्रेणी में यात्रा करती हैं?	Which class do you travel?
आशा— मैं द्वितीय श्रेणी में यात्रा करती हूँ।	I travel second.
अध्यक्ष— आपने कोई सामाजिक सेवा की है?	Have you done any social service?
आशा— हाँ, की है, एन॰ सी॰ सी॰ कैडेट के रूप में मैंने बाढ़पीड़ित लोगों को राहत पहुँचाई है?	Yes, I have. As an N C C cadet I have rendered relief to the victims of flood.
अध्यक्ष— अच्छा। आपने गणितशास्त्र को क्यों चुना?	All right. Why did you choose Mathematics?
आशा— गणित सभी विज्ञानों की जननी है।	Well, mathematics is the mother of all sciences.
अध्यक्ष— क्या आप समझती हैं कि विज्ञान एक अभिशाप है?	Do you think science is a curse?
आशा— जी नहीं, महाशया। इसके विपरीत, विज्ञान एक वरदान है।	No, madam. On the contrary, science is a blessing.
अध्यक्ष— यह कैसे?	How so?
आशा— विज्ञान के सभी अन्वेषण और आविष्कार ने हमारे जीवन को अधिक आरामदायक बनाया है। इसके अतिरिक्त, इसने एक वैज्ञानिक दृष्टिकोण का निर्माण किया है।	All the discoveries and inventions of science have made our life comfortable. Besids, it has created a scientific outlook, a scientific point of view.
अध्यक्ष— लेकिन परमाणु बम के विषय में आप क्या कहेंगी?	But what would you say about atom bomb?
आशा— यह विज्ञान का दोष नहीं है। दोष हमारा है।	The fault doesn't lie with science. The fault lies with us.

	मानव के अन्दर का बन्दर अभी भी जीवित है, यह अभी तक मरा नहीं हे। इसलिए हम पक्षी की तरह आकाश में उड़ते हैं, पर धरती पर रहना नहीं जानते।	The monkey in man is still alive. It's not dead yet. So, we fly in the air like birds but we don't know how to live on the earth.
अध्यक्ष—	अच्छा। अब बताइए कि प्रौढ़ शिक्षा-योजना के बारे में आप की क्या राय है।	All right. Now tell me what you think about the scheme for adult education.
आशा—	सरकार इसे लागू भी कर रही है। हमें आशा करनी चाहिए कि...	Government is keen to implement the scheme. Let us hope...
अध्यक्ष—	अच्छा। बहुत अच्छा।	Good. Very good.
आशा—	धन्यवाद, महाशया।	Thank you, madam.

(xxxxi) एक इंटरव्यू [नौकरी के संबंध में]

अजय—	प्रणाम महाशय।	Good Morning, sir.
अध्यक्ष—	नमस्ते। बैठ जाइए।	Good morning. Be seated [Sit down, please.]
अजय—	धन्यवाद महाशय।	Thank you, sir.
अध्यक्ष—	आपका नाम अजय है न।	You are Ajay, aren't you? [Your name is Ajay, isn't it?]
अजय—	जी, हाँ।	Yes, sir.
अध्यक्ष—	आपकी उम्र क्या है?	What's your age? *Or,* How old are you?
अजय—	मेरी उम्र ठीक बीस साल की है।	I am just twenty, sir.
अध्यक्ष—	क्या आपको प्रतिष्ठा (ऑनर्स) मिली थी?	Did you secure Honours?
अजय—	जी नहीं। बहुत कम अंकों से मैं प्रतिष्ठा नहीं पा सका।	No, sir. I missed Honours by a narrow margin.
अध्यक्ष—	अच्छा। क्या आप अपने शौक (हॉबी) के संबंध में कुछ बताएँगे।	All right. Will you tell me something about your hobby?
अजय—	मेरा शौक बागवानी है।	My hobby is gardening. [Gardening is my hobby.]
अध्यक्ष—	क्यों? आपको बागवानी का क्यों शौक है? क्या यह हमें गंदा नहीं बना देती है?	Why? Why do you have a liking/fancy for gardening? Doesn't it make us dirty?

अजय— हाँ, महाशय! पर यह सृजन का आनन्द अवश्य देती है। माँ भी बच्चों के लिए अपने को गंदी बना डालती है, लेकिन उसे कितनी खुशी होती है।

Yes, sir. But it does give you the joy of creation. A mother, too makes herself dirty for her children. But how happy she feels!

अध्यक्ष— अच्छा! अब आप जा सकते हैं।

All right. Now you may go.

अजग— धन्यवाद, महाशय!

Thank you, sir.

(xxxxii) एक इंटरव्यू [नौकरी के संबंध में]

अध्यक्ष— क्या आप संजय कुमार हैं?

Are you Sanjay Kumar?

संजय— जी हाँ।

Yes, sir.

अध्यक्ष— अच्छा। आप समाचारपत्र नियमित रूप से पढ़ते हैं?

All right. Do you read newspapers regularly?

संजय— जी हाँ। मैं 'स्टेट्समैन' का ग्राहक हूँ।

Yes, sir. I subscribe to The Statesman.

अध्यक्ष— आप 'स्टेट्समैन' को अधिक पसंद क्यों करते हैं?

Why do you prefer The Statesman?

संजय— और सभी समाचारपत्र विचार-पत्र हैं, समाचारपत्र नहीं।

All other papers are views-papers. rather than newspapers.

अध्यक्ष— अच्छा। आप कोई खेल तो नहीं खेलते हैं।

All right. You don't play any games.

संजय— लेकिन मैं तो खेलता हूँ।

But I do, sir.

अध्यक्ष— तो आप अंतरंग खेलते हैं।

You play indoor games.

संजय— जी नहीं। मैं अंतरंग खेल नहीं खेलता हूँ।

No, sir. I don't.

अध्यक्ष— आप फुटबॉल खेलते हैं?

You play football, don't you?

संजय— जी हाँ। मैं फुटबॉल खेलता हूँ।

Yes, sir. I do.

अध्यक्ष— किस स्थान से?

Which position?

संजय— मैं सेंटर फॉरवार्ड से खेलता हूँ।

I play centre forward.

अध्यक्ष— क्या आप खेल में हुड़दंग पसन्द करते हैं?

Do you like horse-play?

संजय— जी नहीं। मेरा विश्वास केवल खेलने में है।

No. sir. I believe in playing the game.

अध्यक्ष— आप कैसे खेलते हैं?

How do you play?

संजय— मैं गेंद को केवल लुढ़काते हुए अलग ले जाता हूँ। मैं गेंद को कड़ा या अन्धाधुन्ध ठोकरें नहीं देता।

I just dribble the ball. I don't give hard or reckless kicks to the ball.

अध्यक्ष— अच्छा, अब यह बताएँ कि आप पुलिस सेवा क्यों पसंद करते हैं।

Very well. Now, tell me why you have a liking for police service.

संजय—	मुझे साहसिक जीवन बहुत पसंद है। यह मुझे कार्य का आनन्द देगा। इसके अलावा गुण और कठिन परिश्रम को तुरंत पुरस्कार मिलता है। स्वभावतः इसमें शीघ्रतर प्रोन्नति के लिए अधिक अवसर है।	I have a fancy for a life of adventure. It will give me job satisfaction. Moreover. merit and hard work are rewarded immediately. Naturally. there is a greater opportunity for quicker promotions.
अध्यक्ष—	संजय जी, आपने सर्वप्रथम स्थान पाया है। आपका शैक्षिक जीवन उज्ज्वल है। तब आप शिक्षक होना क्यों नहीं चाहते?	Mr Sanjay, you are a topper. You have a bright academic career. Why don't you, then, like to be a teacher?
संजय—	शिक्षक का पेशा निस्संदेह महान है, पर इसमें प्रोन्नति की गुंजाइश बहुंत नहीं है।	The profession of a teacher is no doubt noble. But there isn't much scope for promotion.
अध्यक्ष—	अच्छा। अब आप जा सकते हैं।	All right. You may go now.
संजय—	धन्यवाद, महाशय।	Thank you, sir.

□

50. कुछ मुहावरों का अनुवाद

अनुवाद करते समय हमें हिन्दी-उर्दू के मुहावरों (idioms) का ध्यान रखना चहिए, यदि हम उनका अनुवाद केवल शब्दों को देखकर करेंगे, तो अर्थ का अनर्थ हो जा सकता है। इसलिए आवश्यक है कि हम उनके अर्थ का ध्यान रखकर ही अनुवाद करें। मान लीजिए कि हमें इन वाक्यों का अनुवाद करना है—

विनय बहुत सीधा लड़का है। वह तो गाय है।

यदि इनका अनुवाद इस प्रकार किया जाए—

Binoy is a very simple boy. He is a cow. तो यह एक मजाक की ही बात हो जाएगी।

हिन्दी idioms के अनुसार **गाय** से सीधापन और भोलापन का भाव व्यक्त होता है, पर अँगरेजी में *cow* से उस अर्थ का बोध नहीं होता। अँगरेजी में सीधापन और भोलेपन का भाव *lamb* के द्वारा प्रकट किया जाता है। इसलिए 'वह तो **गाय** है' का अनुवाद होगा—He is a *lamb*.

एक-दो और वाक्य लें—

1. आवश्यकता आविष्कार की **जननी** है।

   Necessity is the *mother* of invention.

2. इच्छा विचार की **जननी** है।

   Wish is *father to* thought.

यहाँ पहले वाक्य में **जननी** का अनुवाद *mother* हुआ है, क्योंकि यह English idiom के अनुकूल है। पर दूसरे में **जननी** का अनुवाद mother नहीं हो सकता, क्योंकि यह English idiom के अनुसार नहीं है। इसलिए यहाँ **जननी** का अनुवाद *father* हुआ है, mother नहीं।

तो, इससे स्पष्ट हो जाता है कि अनुवाद करते समय हमें हिन्दी-उर्दू के idioms के अर्थ को समझना चाहिए और यह भी देखना चाहिए कि अँगरेजी में उनका उपयुक्त अनुवाद क्या हो सकता है। आपको ऐसे बहुत-से हिन्दी उर्दू के idioms मिलेंगे जिनका अनुवाद English idioms के द्वारा होता है, पर कुछ ऐसे भी idioms होते हैं जिनका अनुवाद English idioms के द्वारा नहीं होता; उनका अनुवाद उनके अर्थ के अनुसार उपयुक्त शब्दों द्वारा किया जाता है। इन अनुवादों को देखें—

1. वह विज्ञान के विषय में कुछ भी नहीं जानता है।

   He doesn't know even the ABC of science.

2. उसे अनुचित रूप से तरक्की मिली।

   He got promotion through back-stairs influence.

3. नोबल पुरस्कार किसी विद्वान के लिए सर्वोच्च सम्मान है।

   Nobel Prize is a blue ribbon for a scholar.

4. वह जन्म-दिन के अवसर पर अत्यन्त प्रफुल्लित मुद्रा में है।

   He is in fine feathers on his birthday.

5. सुख का साथी हमें संकट में छोड़ देता है।
A fair-weather friend leaves us in trouble.
6. यह भारत के लिए गौरवपूर्ण कार्य है।
It is a feather in India's cap.
7. वह अत्यंत प्रतिकूल अवस्था में है।
He is like a fish out of water.
8. वह आज बिना सूचना के छुट्टी पर है।
He is on French leave today.
9. वह श्वान-निद्रावाला है।
He is a light sleeper.
10. वह विद्वान है।
He is a man of letters.
11. वह तुच्छ व्यक्ति है।
He is a man of straw.
12. वह ऐन मौके पर पहुँचा।
He reached in the nick of time.
13. मीठी जबान सफलता की कुंजी है।
A sweet tongue is a key to success.
14. यह मामला अभी भी अनिश्चित है।
This issue is still an open question.
15. यह भेद सबको मालूम है।
It is an open secret.
16. उसे पत्नी के शासन में रहना पड़ता है।
He has to live under a petticoat government.
17. उसे अपने निर्णय के पक्ष और विपक्ष में सोचना चाहिए।
He should consider the pros and cons of his decision.
18. वह एक झक्की/सनकी आदमी है।
He is a queer fish.
19. यह फिल्म छोटे-छोटे लोगों के लिए है।
This film is meant for the riff-raff.
20. वह अत्यंत अविश्वसनीय व्यक्ति है।
He is a broken reed.
21. वह उभय संकट में है।
He is between the devil and the deep sea.
He is between Scylla and Charybdis.
He is in a dilemma/in a fix.
He is on the horns of a dilemma.
22. वह इस हॉल में बेढंगा और अटपटा-सा लगता है।
In this hall he looks like a bull in a China shop.
23. वह छिपा हुआ दुश्मन है।
He is a snake in the grass.

24. यह खुशी के बीच एक खतरा है।
It is like a sword of Damocles.
25. बहुत से उम्मीदवार उचित योग्यता के अनुरूप है।
Most of the candidates are up to the mark.
26. समाजवादी समाज में उच्च वर्ग का कोई स्थान नहीं है।
There is no room for the upper ten in a socialist society.
27. यह निशाने से बहुत दूर है।
It is wide of the mark.
28. इस गाड़ी से उसे लाभ के बदले हानि होती है।
This car is a white elephant for him.
29. ये दफ्तर में बैठकर काम करनेवाले लोग हैं।
They are white-collar people.
30. यह मूर्खतापूर्ण साहसिक कार्य है।
It is a wild goose chase.
31. तेरी अन्यमनस्कता तुझे संकट में डाल देगी।
Your wool-garthering will land you in trouble.
32. वह अपने विरोधियों को सताने में मग्न रहता है।
He indulges in witch-hunt.
33. कुछ समाचारपत्र सस्ते और सनसनीपूर्ण समाचार छापने में विश्वास रखते हैं।
Some newspapers believe in yellow journalism.
34. उसने समय पर मेरी बड़ी मदद की।
He rendered me yeoman's service.
35. उसका जन्म शुभ नक्षत्र में हुआ।
He was born under a lucky star.
36. अकाल के समय एक टुकड़ा रोटी भी बहुत कीमती होती है।
During famine even a slice of bread is worth its weight in gold.
37. वह भोजन बनाने में निपुण है।
She is a capital hand at cooking.
38. उनमें गहरी शत्रुता है।
They are at daggers drawn.
39. वह बहुत उदासीन और उत्साहहीन है।
He is in the doldrums.
40. वह विचारकों की अगली पंक्ति में है।
He is in the van of thinkers.
41. चाँद धीरे-धीरे घट रहा है।
The moon is on the wane.
42. उसका यश धीरे-धीरे घट रहा है।
His reputation is on the wane.
43. चाँद धीरे-धीरे बढ़ रहा है।
The moon is on the wax.

44. उसका विरोध महत्त्वहीन है।
His opposition is neither here nor there.
45. मैंने उसके पिता की मृत्यु का समाचार कहा।
I broke the news of his father's death.
46. जब सब चुप थे, तब मैंने मौन भंग किया।
When all were silent, I broke the ice.
47. हमें अब पुरानी दुश्मनी समाप्त करनी चाहिए।
We should bury the hatchet now.
48. मैं बहुत साफ-साफ बोलता हूँ।
I call a spade a spade.
49. तुम अपने महान परिवार पर कलंक न लगाओ।
Don't cast a slur on your great family.
50. तुम्हें बुरी चीज से भी लाभ उठाना चाहिए।
You should make the best of a bad bargain.
51. उसे अवसर से लाभ उठाना चाहिए।
He should make hay while the sun shines.
52. जैसे को तैसा मिला।
He was paid back in the same (in his own) coin.
53. मेरी राय ने क्रोध तथा अशांति को शांत कर दिया।
My advice poured oil on the troubled waters.
54. उसने हमलोगों के जोश को ठंढा कर दिया।
He poured cold water on our enthusiasm.
55. मैं किसी के अधीन कार्य में गौण भाग नहीं ले सकता।
I could not play second fiddle to anybody.
56. सच्चा दोस्त कभी-भी धोखा नहीं देता।
A true friend never plays you false.
57. उसे बिलकुल अकेले कार्य करना होता है।
He has to plough a lonely furrow.
58. तुझे उलटा कार्य नहीं करना चाहिए।
You shouldn't put the cart before the horse.
59. तुझे अपनी योजना पूरी करने के लिए खुद काम करना चाहिए।
You should put your shoulder to the wheel.
60. वह सदा मेरे कार्य में बाधा डालता है।
He always puts a spoke in my wheel.
61. वह असाधारण कार्य कर सकता है।
He can set the Thames on fire.
62. कायरता दिखाने के लिए उसे दंड दिया गया।
He was punished for showing the white feathers.
63. तुम्हें डटे रहना चाहिए।
You should stand to your guns.
64. वह सबका दिल जीत लेती है।
She steals everybody's heart.

65. उसने कार्य पहले करके लाभ उठाया।
He stole a march on his opponent.
66. तुम्हें साहसपूर्वक सामना करना चाहिए।
You should take the bull by the horns.
67. उसने बिना सोचे-समझे खतरनाक काम किया।
He took a leap in the dark.
68. अपने स्वार्थ के लिए वह दूसरी पार्टी में जा मिला।
He turned his coat for a selfish end.
69. उसने नया जीवन आरंभ किया।
He has turned over a new leaf.
70. सेना अंत में कायरतापूर्वक भाग गई।
The army turned tail at last.
71. वह कानून अमान्य घोषित किया गया।
That act was declared null and void.
72. कॉलेज अनिश्चित काल तक के लिए बंद कर दिया गया।
The college was closed sine die.
73. भारत बहुत तेजी से उन्नति कर रहा है।
India is progressing by leaps and bounds.

इन अनुवादों का भी ध्यान रखें—

(A)

1. अपना उल्लू सीधा करना = to grind one's own axe
to have someone under one's thumb
2. अँगुली पर नचाना = to have someone at one's beck and call
to twist someone around one's little finger
3. आँख में धूल झोंकना = to throw dust into one's eyes
4. आँखें चार होना = to be face to face, to fall in love
5. आँख उठाना = to cast an evil eye
6. अपनी खिचड़ी अलग पकाना
अपना ही राग अलापना
डेढ़ चावल की खिचड़ी अलग पकाना
डेढ़ ईंट की मस्जिद अलग बनाना } = to blow one's own trumpet
7. आकाश-पाताल एक करना = to move heaven and earth
8. आपे से बाहर होना
पाजामे से बाहर होना
आगबबूला होना। } = to be in or out of temper
9. इशारे पर नाचना = to be a puppet in the hands of
10. कचूमर निकालना = to beat black and blue
11. कान खड़े होना = to be on one's guard
12. कान भरना = to poison one's ears
13. कान पर जूँ न रेंगना
कान न देना } = to turn a deaf ear to

14. किताब का कीड़ा होना = to be a bookworm
15. कठिनाई में पढ़ना = to get into hot water
16. किंकर्तव्यविमूढ़ होना = to be in a fix, to be at one's wit's end
17. इधर-उधर की हाँकना = to beat about the bush
18. एड़ी-चोटी का पसीना एक करना = to strain every nerve
19. खून का घूँट पीना = to pocket an insult
20. ख्याली पुलाव पकाना
हवाई किला बनाना
मनमोदक खाना } = to build a castle in the air
21. गाड़ी उलट जाना = to turn turtle
22. चूल्हे-भाड़ में जाना = to go to blazes
23. चोर के दाढ़ी में तिनका = a guilty mind is always suspicious
24. चिल्लाते-चिल्लाते गला बझ जाना = to shout oneself hoarse
25. चोली-दामन का सम्बन्ध होना = to be hands in gloves
26. जलती आग में घी डालना = to add fuel to the flame
27. जले पर नमक छिड़कना
घाव पर नमक छिड़कना } = to add insult to injury
28. जोश पर पानी फेरना = to throw a wet blanket
29. जैसा का तैसा मिलना
मियाँ की जूती मियाँ के सिर } = to pay back in one's own coins
30. जिह्वा पर होना = to have something on one's finger's end
31. नुक्ताचीनी करना = to pick holes in other's coat
32. डोरे डालना = to set one's cap on somebody
33. डूबकर मरना = to meet a watery grave
34. पासा पलट देना = to turn the table
35. फूला न समाना = to be beside oneself with joy
36. बहुत बनना = to make much of oneself; to give oneself airs
37. बोलचाल न होना = to be not on speaking terms with
38. बन्दरघुड़की देना = to threaten with paper bullets
39. बाल-बाल बचना = to have hair-breadth escape
40. मुँह से लार टपकना = the mouth waters
41. मजाक उड़ाना = to make a fun of
42. मुँह ताकना (जोहना) = to look up to
43. मुँह छिपाना (चुराना) = to fight shy of
44. मुँह लटकाना = to pull/wear a long face
45. मुँहतोड़ उत्तर देना = to give a be fitting reply
46. मुट्ठी में होना = to be under the thumb of
47. दिन दूना रात चौगुना = by leaps and bounds
48. तन-मन से = heart and soul
49. राई से पर्वत बनाना = to make a mountain of a mole-hill
50. रँगे हाथ पकड़ना = to catch red-handed
51. सिर फिर जाना = to have a screw loose

52. हवा का रुख देखना = to turn one's feather according to weather

(B)

1. आँखें खुलना = to be alert
2. आँखें बिछाना = to wait eagerly
3. आँखों का पानी गिर जाना = to be shameless
4. आँखें नीली-पीली करना = to be furious (angry)
5. अंकुश देना = to put pressure, to control
6. अँगूठा दिखाना = to deceive
7. अगर-मगर करना = to argue, to hesitate
8. आशा पर पानी फिरना = to be disappointed
9. आस्तीन का साँप = a hidden enemy
10. आठ-आठ आँसू रोना = to repent
11. आँचल पसारना = to implore
12. इधर-उधर करना = to evade
13. उल्लू बनाना = to make a fool of someone
14. करवटें बदलना = to pass a sleepless night; to be restless
15. कपास ओटना = to deviate
16. कलेजा पानी होना = to be moved to pity
17. कलेजा मुँह को आना = the heart leaping to the throat
18. कोल्हू का बैल होना = to follow the old rut
19. कान खड़े होना = to be alert
20. कान काटना = to excel; to surpass
21. खेत आना = to be killed
22. गप हाँकना = to spin yarn
23. गज भर की छाती होना = to be inspired
24. गुस्सा पीना = to control one's anger
25. घर फोड़ना = to cause a rift in the family
26. घी के दीये जलाना = to rejoice; to live in happiness
27. चाँदी काटना = to mint money
28. चेहरे पर हवाइयाँ उड़ना = to be terrified
29. जान में जान आना = to heave a sigh of relief
30. छाती पर दाल दलना = to oppress; to vex
31. छुटकारा पाना = to get rid of
32. जेब गरम करना = to give (take) bribe
33. झाँसे में आना = to be deceived/to be taken in
34. तलवे सहलाना (चाटना) = to lick somebody's feet
35. तारे गिनना = to be restless; to pass a sleepless night
36. तारे तोड़ना = to pluck the moon
37. दाँतों तले उँगली दबाना = to be surprised
38. दाँत निकलना (बच्चों का) = to cut teeth

39. दाँत खट्टे करना = to vanquish
40. धूल में मिलना = to lick the dust
41. नौ-दो ग्यारह होना = to flee away
42. पेट में चूहा कूदना = to be extremely hungry
43. पानी-पानी होना = to be ashamed
44. पानी पिलाना = to harass; to defeat
45. पानी रखना = to save one's prestige
46. बाग-बाग होना = to be overjoyed
47. बकवास करना = to talk rot
48. बहुत बनना = to assume airs
49. मुँह की खाना = to be defeated
50. मुँह लटकाना = to pull a long face
51. हजामत बनाना = to deceive; to beat
52. हाथ खाली होना = to be out of pocket
53. हाथ मलना = to repent; to lament
54. हाथ-पैर मारना = to make efforts
55. हाँ-में-हाँ मिलाना = to ditto
56. हाथों-हाथ बिकना = to sell like hot cakes
57. सिर पीटना = to lament
58. सिर फिरना = to run crazy
59. सबक सिखाना या मजा चखाना = to teach a lesson
60. साहस से काम लेना = to take heart
61. टक्कर लेना = to prove a match for
62. टाँग अड़ाना = to poke one's nose
63. मनमानी करना = to have one's own way
64. बाल-बाल बचना = to have a narrow escape; to have a hair-breadth escape
65. बातें चुभना = to cut one to the quick
66. मुँह फेरना = to turn one's face away
67. होश उड़ना = to lose one's wits
68. हाथ से निकलना = to slip through one's fingers

(C)

1. अरण्य रोदन = a cry in the widerness
2. अगर-मगर की नीति = dilly-dallying tactics
3. आनन्द उत्सव का दिन = a gala day
4. आफत का घर (की पुड़िया) = a bundle of trouble
5. अकसर = time and again; often
6. अंतिम गान = a swan song

7. आसानी से टूटनेवाला बन्धन = a rope of sand
8. आँख का तारा = apple of one's eye
9. आँख का काँटा = an eye-sore
10. उत्तम कोटि के लोग = the salt of the earth
11. उच्च वंश (कुल) = blue blood
12. ऐरू-गैरू (लोग) = riff-raff
13. काल्पनिक योजना = a utopain scheme
14. कलह की वस्तु = an apple of discord; a bone of contention
15. कमजोर स्मरणशक्ति = a short memory
16. काँटों का ताज = a crown of thorns
17. कोरा बहाना = a lame excuse
18. खुशामदी जबान = an oily tongue
19. खुशामद = soft soap
20. चार दिन की चाँदनी = a nine days' wonder
21. छिपा हुआ दुश्मन = a snake under grass
22. जमीन-आसमान का अंतर = a world of difference
23. टेढ़ी खीर = a hard nut to crack
24. ढोड़ाई मँगरू = Tom, Dick and Hurry
25. दुर्दिन/बुरा दिन = a rainy day
26. द्रौपदी का चीर = Penelope's web
27. दाल में कुछ काला = something fishy/to smell a rat
28. दृढ़ निश्चय = iron will
29. धोखे की टट्टी = an eyewash
30. नानी की कहानी = a cock and bull story
31. नीच मनुष्य = a black sheep
32. प्रधान सहारा = sheet anchor
33. पुष्पशैय्या = a bed of roses; flower bed
34. पेचीली समस्या = a Gordian knot
35. प्रथम सार्वजनिक भाषण = a maiden speech
36. बन्दरघुड़की = a paper bullet/a paper tiger
37. बगुला भगत = a wolf in sheep's clothing
38. बहुत बड़ा हिस्सा = a lion's share; major chunk
39. बड़ा आदमी = a big gun
40. भानुमती का पिटारा = Pandora's box
41. भोग-विलास का जीवन = a fast life
42. भड़कानेवाली वस्तु = a red rag to a bull
43. मजाक की वस्तु = a laughing stock
44. मृत्युदण्ड = capital punishment

45. मनमाना दाम = a fancy price
46. मूर्खता की चरम सीमा = the height of folly
47. महत्त्वपूर्ण दिवस = a red-letter day
48. शत्रुता = bad blood
49. लम्बी-चौड़ी बात = a tall talk
50. सौतेली माँ के आँसू = crocodile tears
51. सारांश = sum and substance/the long and short
52. शादी-स्वागत = a red carpet welcome
53. श्वान निद्रावाला = a light sleeper
54. सनकी/झक्की/अजीब आदमी = a queer fish
55. साधारण आदमी = a man in the street
56. सस्ता तथा सनसनीपूर्ण समाचार = cheap and sensational news
57. सुख समद्धि का समय = palmy days
58. सुन्दर-लिखावट = a fair/good hand
59. सुस्त आदमी = a slow coach
60. हाथ की सफाई = a sleight of hand
61. हास्यास्पद योजना = quixotic project
62. हीरा व्यक्ति/आदमी = a jewel

□

51. कुछ मुहावरों का अनुवाद

यहाँ हम हिन्दी की उन लोकोक्तियों (कहावतों) पर विचार करें जिनका अनुवाद अँगरेजी लोकोक्तियों के द्वारा होता है—

1. अकेला चना भाड़ नहीं फोड़ता
   One swallow does not make a summer
2. अशर्फी की लूट और कोयले पर छाप
   Penny wise, pound foolish
3. अधजल गगरी छलकत जाए
   Empty vessel sounds much
4. अपनी डफली, अपना राग
   Many men, many minds
5. आप भला तो जग भला
   Good mind, good find
6. अन्त भला तो सब भला
   All's well that ends well
7. अपने मुँह मियाँ मिट्ठू
   Self-praise is no recommendation
8. अब पछताए होत क्या, जब चिड़िया चुग गई खेत
   [का वर्षा जब कृषि सुखाने]
   After death the doctor
9. आधा तीतर, आधा बटेर
   Neither fish nor fowl
10. आप मियाँ मँगनू, द्वारे दरवेश
    Himself a beggar and beggar at the door
11. आगे कुआँ, पीछे खाई
    Between the devil and the deep sea
12. ऊँट के मुँह में जीरा
    A drop in the ocean
13. ऊँची दुकान, फीकी पकवान
    Great boast, small roast
14. एक पंथ, दो काज
    To kill two birds with one stone
15. एक हाथ से ताली नहीं बजती
    It takes two to make a quarrel
16. एक तो करेला, दूजे नीम चढ़ा
    A pimple has grown upon an ulcer

17. काम प्यारा, चाम प्यारा नहीं
Handsome is that handsome does
18. कारज धीरे होते हैं, काहे होत अधीर
Rome was not built in a day
19. काबुल में गधे नहीं होते क्या
There are black sheep in every fold
20. खट्टे अंगूर कौन खाय
Grapes are sour
21. खोदा पहाड़, निकली चुहिया
To make much ado about nothing
22. खाली मन शैतान का घर
An idle mind is a devil's workshop
23. गरजे सो बरसे नहीं
Barking dogs seldom bite
24. गाछे कटहल ओठे तेल/पानी में मछली नौ-नौ कुटिया बखरा
To count one's chicken before they are hatched
25. गाँव का जोगी जोगड़ा; आन गाँव का सिद्ध/दूर का ढोल सुहावन
घर की मुर्गी दाल बराबर/मलयागिरि की भीलनी चंदन देत जराय
Distance lends enchantment to the view
Familiarity breeds contempt
26. जहाँ चाह वहाँ राह
Where there is a will, there is a way
27. घर में दीया जलाकर मसजिद में दीया जलाया जाता है
Charity begins at home
28. जब तक साँस, तब तक आस
While there is breath, there is hope
29. चोर-चोर मौसेरे भाई
Birds of a feather flock together
30. चोर की दाढ़ी में तिनका
A guilty mind is always suspicious
31. चित भी मेरी, पट भी मेरी
Heads I win, tails you lose
32. चूल्हे से निकला, भाड़ में पड़ा/तबे से निकला, आग में पड़ा
गये थे रोजा छुड़ाने, गले पड़ी नमाज
Out of the frying pan into the fire
33. चार दिन की चाँदनी, फिर अँधेरी रात
(It is) a nine days' wonder
34. चिराग तले अँधेरा
Nearer the church, farther from God
35. चले न जाने अँगना टेढ़
A bad carpenter quarrels with his tools

36. जैसे को तैसा मिले
    Tit for tat
37. जल में रहे मगर से बैर
    When in Rome, do as the Romans do
38. जाके पाँव न फटे बिवाई, सो क्या जाने पीर पराई
    The wearer knows where the shoe pinches
39. जैसी करनी वैसी भरनी/बोया पेड़ बबूल का, आम कहाँ से खाय
    As you sow, so you shall reap
40. जिसकी लाठी उसकी भैंस
    Might is right
41. डूबते को तिनके का सहारा
    A drowning man catches at a straw
42. तेते पाँव पसारिए जेती लम्बी सौर
    Cut your coat according to the cloth
43. दूध का जला मट्ठा फूँक-फूँककर पीता है
    Once bitten, twice shy
44. नौ नगद, न तेरह उधार
    A bird in hand is worth two in the bush
45. बहुत योगी, मठ का उजाड़
    Too many cooks spoil the broth
46. बहती गंगा में हाथ धोना
    Make hay while the sun shines
47. बूँद-बूँद तालाब भरता है
    Many a mickle makes a muckle
48. बिना सेवा, मेवा नहीं मिलता
    No pain, no gain
49. विष रस भरा कनक घट जैसे
    Under the grass lie the serpent
50. भैंस के आगे बीन बजाए; भैंस रही पगुराई/
    बन्दर क्या जाने आदी का स्वाद/
    छुछुन्दर के सिर में चमेली का तेल
    To cast pearls before swine
51. बहता पानी निर्मला
    A rolling stone gathers no moss
52. हाथी के दाँत खाने के और, दिखाने के और
    All that glitters is not gold
53. अति सर्वत्र वर्जयेत
    Excess of everything is bad
54. अग्रसोची सदा सुखी
    Prevention is better than cure

55. अति दर्प हता लंका
Pride must have a fall
56. अकलमन्द को इशारा काफी
A word to the wise is enough
57. आधी तज सारी को धावे
All covet, all lose
58. आँख ओझल, पहाड़ ओझल
Out of sight, out of mind
59. ऊँट किस करवट बैठता है
See which way the wind blows
60. उलटे बाँस बरेली को
To carry coal to Newcastle
61. एक मछली सारे तालाब को गंदा कर देती है
A rotten sheep infects the whole flock
62. एक नजीर, सौ नसीहत
Example is better than precept
63. एक तन्दुरुस्ती, हजार नियामत
Health is wealth
64. एक ही थैली के चट्टे-बट्टे
Chips of the same block
65. ओस चाटने से प्यास नहीं बुझती
A fan does not dispel a fog
66. काम को काम सिखाता है
Practice makes a man perfect
67. कल किसने देखा है
Tomorrow never comes
68. काँटा ही काँटा निकालता है
One nail drives out another
69. काँटों का ताज
Uneasy lies the head that wears a crown
70. कहे खेत की, सुने खलिहान की
I talk of chaff, he hears of cheese
71. कर भला, तो हो भला
Light reflects light
72. गुड़ खाए, गुलगुले से परहेज
To swallow a camel, to strain at a gnat
73. गरीबी में आटा गीला/
विपत्ति अकेले नहीं आती
Misfortune seldom comes alone
74. ग्वालिन अपने दही को खट्टा नहीं कहती
All the geese are swans

75. चोरी का माल मोरी में
Ill gotten, ill spent
76. जैसा बाप वैसा बेटा
Like father, like son
77. जैसा पति वैसी पत्नी
A good Jack makes a good Jill
78. जान बची, लाखों पाए
Life is better than bags of gold
79. तुरत दान, महा कल्याण
He gives thrice who gives in a trice
80. तिल का ताड़ बनाना
To make a mountain of a mole hill
81. दाम बनाएं काम
Money makes the mare go
82. दान की गाय के दाँत देखे नहीं जाते
Beggars cannot be choosers
83. नक्कारखाने में तूती की आवाज
A cry in the wilderness
84. नीम हकीम खतरे जान
A little learning is a dangerous thing
85. न नौ मन तेल होगा, न राधा नाचेगी
If the sky fell, we would catch larks
86. बिना बिचारे जो करे सो पीछे पछताय
Look before you leap
87. बिन कांटा न गुलाब
There is no rose without a thorn
88. भूख में किबाड़ पापड़
Hunger is the best sauce
89. मुँह में राम, बगल में छूरी/बगुला भगत
A wolf in sheep's clothing
90. मन चंगा, तो कठौती में गंगा
To the pure everthing is pure
91. मँगनी बैल के दाँत देखे नहीं जाते
Don't look a gift horse in the mouth
92. लक्ष्मी चंचला है
Riches have wings
93. लालच बुरी बलाय
No vice like avarice

94. लोहे को लोहा ही काटता है
    Diamond cuts diamond
95. सत्तर चूहे खाकर बिल्ली चली हज को
    The fox turns monk
96. सूरदास की काली कमरिया चढ़े न दूजो रंग
    Black takes no other hue
97. होनहार बिरबान के होत चीकने पात
    (i) Morning shows the day
    (ii) Coming events cast their shadows before
98. ईश्वर के दरबार में देर है, अँधेर नहीं
    God's mill grinds slow but sure

□

52. Exercise

1.

ईश्वर ने बहुत-सी चीजें बनाई हैं। पृथ्वी पर तरह-तरह के पेड़-पौधे हैं। ये बड़े सुन्दर लगते हैं। गुलाब फूलों का राजा है। गुलाब की सुगन्ध बड़ी मीठी होती है। चमेली और गुलमेंहदी भी बाग की शोभा बढ़ाती हैं। कमल और कमलिनी का कहना ही क्या! गेंदा जाड़े में खिलता है। सूर्यमुखी सूर्य के चारों ओर घूमती है। इन फूलों की पंखुड़ियाँ अत्यन्त कोमल और नाजुक होती हैं। बसंत में चारों ओर फूल-ही-फूल नजर आते हैं। कितनी मनमोहक है यह सृष्टि!

Hints: तरह-तरह—of different kinds, सुगन्ध—fragrance, बड़ी मीठी—extremely or exceedingly sweet, चमेली—jasmine, गुलमेंहदी—balsam, शोभा बढ़ाना—to enhance the beauty, कमल—lotus, कमलिनी—lily, गेंदा—marigold, खिलना—to bloom, सूर्यमुखी—sunflower, चारों ओर घूमना—to move about, पँखुड़ियाँ—petals, कोमल—soft, नाजुक—delicate, मनमोहक—charming, सृष्टि—creation.

2.

मेरे बाग में सब्जियाँ भी उपजाई जाती हैं। मैं आलू-गोभी बहुत पसन्द करता हूँ। लहसुन या प्याज के साथ बैंगन भी अच्छा लगता है। रामतरोई बहुतों को अच्छी नहीं लगती। सेम और गाजर पुष्टिकारक होते है, पर कुम्हड़ा हानिकारक है। कद्दू तो सब कोई खाते हैं, पर जाड़े में कोई भी नहीं चाहता। शलजम का स्वाद सबको अच्छा नहीं लगता है। क्या आप साग और ककड़ी खाते हैं? कहा जाता है कि मूली कब्जियत दूर करती है। मैं नहीं जानता कि मूली खाना अच्छा है या बुरा। कुछ लोग तो उतनी सब्जी खाते हैं जितनी रोटी या चावल। आप कितना खाते हैं? आप थोड़ा दूध अवश्य पीएँ।

Hints: आलू—potato, गोभी—cauliflower, लहसुन—garlic, प्याज—onion, बैंगन—brinjal, रामतरोई—lady's finger, सेम—bean, गाजर—carrot, कुम्हड़ा—pumpkin, कद्दू—plain gourd, शलजम—turnip, साग—spinach, ककड़ी—cucumber, मूली—radish, कब्जियत—constipation, दूर करना—to remove, थोड़ा दूध—a little milk, पीएँ—take.

3.

स्वास्थ्य के लिए फल आवश्यक है। आपने आम और अमरूद तो जरूर खाया होगा। कभी-कभी अंगूर और नारंगी भी खाइए। कुछ लोग सूखे फल के शौकीन होते हैं। वे सुबह में काजू, पिस्ता, बादाम और अखरोट खाते हैं और अपराह्न में अंगूर और अनार। सेब

तथा नाशपाती खरीदना हममें से बहुतों के लिए संभव नहीं। हलवाहे के लिए तो कटहल भी फल ही है। उन्हें बेर, खरबूजे भी नहीं मिलते। केला सब जगह मिलता है। गरीबों के लिए आम और केला ही सुलभ फल हैं। और फल तो उनके लिए फूल हैं। आप कौन-सा फल अधिक पसन्द करते हैं?

Hints: अमरूद—guava, अंगूर—grape, अनार—pomegranate, नारंगी—orange, सूखे फल—dry fruit, शौकीन होते हैं—are fond of, काजू—cashewnut, पिस्ता—pistachionut, बादाम—almond, अखरोट—chestnut, अपराह्न—in the afternoon, सेव—apple, नाशपाती—pear, हममें से बहुतों के लिए—for many of us, हलवाहा—ploughman, कटहल—jack-fruit, भी—even, बेर—plum, खरबूजा—musk-melon, और—other.

4.

बिना मसाले के सब्जियाँ स्वादहीन लगती हैं। हमारे देश के लोकप्रिय मसाले हैं—मिर्च, कालीमिर्च, जीरा, धनिया और अदरक। हल्दी का प्रयोग तो सब कोई करते हैं, पर बहुत कम ही लोग जावित्री, इलायंची, केशर और दालचीनी खरीद सकते है। वे अफीम लाते हैं और हींग खरीदने के लिए उन्हें पैसे नहीं। यह कोरा बहाना है। बात यह है कि हमारी जीभ खराब हो गई है। हम अपनी जीभ को सदा कोड़ा मारते रहते हैं। इसलिए चन्दन और कस्तूरी का प्रयोग न करके हम शराब पर पैसे बरबाद करते हैं। हम स्वास्थ्य के नियमों का पालन करना नहीं जानते। हमें याद रखना चाहिए कि लौंग और सौंफ केवल मसाले नहीं, वरन् ये दवाएँ भी हैं। भोजन बनाना और करना एक कला है और साथ ही विज्ञान भी।

Hints: बिना मसाले की सब्जियाँ—unspiced vegetable curry, लोकप्रिय—popular, मिर्च—pepper, कालीर्मिच—black-pepper, जीरा—cuminseed, धनिया—coriander seed, अदरक—ginger, हल्दी—turmeric, जावित्री—mace, इलायची—cardamom, केशर—saffron, दालचीनी—cinnamon, अफीम—opium, हींग—asafoetida, कोरा बहाना—lame excuse, जीभ खराब हो गई है—tongue is spoiled, कोड़ा मारते रहते हैं—whip, चन्दन—sandal, कस्तूरी—musk, न करके—instead of, लौंग—cloves, सौंफ—aniseed, साथ ही—at the same time; at once.

5.

आपने हीरामन तोता को शायद देखा होगा। इसने अनेक प्रेमियों और प्रेमिकाओं के बीच संदेशवाहक का काम किया है। सुग्गा और मैना ने भी प्रेम-गाथाओं में अपनी भूमिका अदा किया है। हंस, पंडुक और नीलकंठ श्रद्धा के पात्र हैं। कोयल और बुलबुल ने तो कितने ही हृदयहीन व्यक्तियों को कवि बनाया है। बुलबुल के बिना उर्दू कवियों का काम नहीं चल सकता। पर मुझे तो सबसे अच्छा लगता है मुर्गी का बच्चा। खराब कविता से तो अच्छा है मुर्गी के बच्चे के शोरबा और अंडे की कढ़ी! शुतुरमुर्ग तो सिर्फ कहने के लिए मुर्गी है। मैने तीतर देखा है पर शुतुरमुर्ग नहीं। मैं नहीं समझता कि कुछ लोग चील और गिद्ध भी खाते है। जो मांस खाता है वह गिद्ध क्यों नहीं खाता? आश्चर्य है कि जो लोग मुर्गी खाने के इतने शौकीन है, उन्होंने परवाने को कविता में स्थान दिया है, पर मुर्गा या मुर्गी को नहीं।

Hints: हीरामन तोता—macaw, संदेशवाहक—messenger, सुग्गा—parrot, मैना—starling, प्रेम गाथाओं—love stories, भूमिका अदा दिया—played an important role, हंस—swan, पंडुक—dove, नीलकंठ—jay, श्रद्धा के पात्र—object of respect, कोयल—cuckoo, बुलबुल—nightingale, हृदयहीन व्यक्तियों को कवि बनाया है—turned heartless persons into poets, काम नहीं चलता—cannot do without something or somebody, मुर्गी का बच्चा—chicken, शोरबा—soup, अंडे की कड़ी—egg-curry, शुतुरमुर्ग—ostrich, कहने के लिए—only in name, तीतर—partridge, चील—kite, गिद्ध—vulture, परवाना—moth, मुर्गा—cock, मुर्गी—hen.

6.

जानवरों की दुनिया अजीब है। जहाँ कुछ जानवर हमारे दोस्त हैं वहाँ कुछ दुश्मन भी। बाघ, शेर, चीता, भेड़िया और लकड़बग्घा भयानक जीव हैं। मैं उनको देखकर भयभीत हो जाता हूँ। साँप और बिच्छू जहरीले होते हैं। साही भी खतरनाक जानवर है। पर कुत्ते, बिल्ली, गाय, बैल, भेड़, बकरी और घोड़े पालतू जानवर हैं। मैं बच्चों को बहुत प्यार करता हूँ और कुत्ते के बच्चे, बिल्ली के बच्चे, बकरी के बच्चे, घोड़े के बच्चे और भेड़ के बच्चे को भी। हरिण का बच्चा बड़ा ही सुन्दर लगता है। पर सूअर का बच्चा मुझे पसन्द नहीं। मैं कोई कवि तो हूँ नहीं कि मुझे मच्छर और झींगुर भी अच्छे लगें। कवि तो खटमल, खच्चर और गदहे में भी सुन्दरता देखते हैं। मैं तो साधारण आदमी हूँ। केवल कवि ही छुछुन्दर और चमगादड़ को प्यार कर सकते हैं।

Hints: अजीब—peculiar. चीता—leopard, panther, भेड़िया—wolf, लकड़बग्घा—hyena, भयानक—fearful, भयभीत होना—to be afraid of, बिच्छू—scorpion, साही—porcupine, पालतू—domestic, बच्चों—babies; children, कुत्ते का बच्चा—colt, भेड़ का बच्चा (मेमना)—lamb, हरिण का बच्चा—fawn, सूअर का बच्चा—pig, मच्छर—mosquito, झींगुर—cricket, खटमल—bug, खच्चर—mule, छुछुन्दर—mole, चमगादड़—bat.

7.

मानव-शरीर एक मशीन की तरह है। जिस प्रकार मशीन में सैकड़ों कल पुर्जे होते हैं उसी प्रकार शरीर में बहुत से अंग हैं। हाथ, पैर, नाक, जीभ, दाँत—ये सब-के-सब बहुत ही उपयोगी हैं। पलक, भौं और पपनी हमारी पुतली की रक्षा करते हैं। दाढ़ी और मूँछें बेकार हैं। यदि दाढ़ी और मूँछ आवश्यक रहतीं तो भगवान औरतों को भी दाढ़ी और मूँछ देते। इसलिए मैं रोज दाढ़ी बनाता हूँ। मैं नख भी काटता हूँ। मेरी अनामिका में सोने की अँगूठी है, पर तर्जनी में नहीं। हाथ का अँगूठा और पैर का अँगूठा हमारी मदद करते हैं। केहुनी और ठेहुने की मदद से हमलोग बहुत काम करते हैं। ओठ पर लाली और कलाई पर घड़ी बड़ी अच्छी लगती है। नस और पसली का टूटना बड़ा ही खतरनाक होता है। हृदय और फेफड़े के बिना हम नहीं जी सकते। डॉक्टर ने नाड़ी देखकर कहा कि उसकी नाड़ी बंद हो रही है। इसलिए छाती पर पट्टी बाँधी गई। कुछ देर के बाद बच्चा अपनी माँ की छाती से दूध पीने लगा।

Hints: कल-पुर्जे — parts, अंग — organs, जीभ — tongue, पलक — eyelid, भौं — eyebrow, पुतली — eyeball, रक्षा करना — to protect, दाढ़ी — beard, मूँछ — moustache, दाढ़ी बनाना — to shave, नख — nail, अनामिका — ring-finger, तर्जनी — index-finger, हाथ का अँगूठा — thumb, पैर का अँगूठा — toe, केहुनी — elbow, ठेहुना — knee, ओठ — lips, कलाई — wrist, नस — nerves and veins, पसली — ribs, हृदय — heart, फेफड़ा — lungs, नाड़ी देखना — to feel the pulse, नाड़ी बन्द हो रही है — pulse is sinking, छाती — chest, छाती से दूध पीने लगा — began to suck at the breast.

8.

हमलोगों के सिर में जितने बाल हैं उतनी बीमारियाँ हैं। लोग कभी हैजे के शिकार होते हैं और कभी गोटी या प्लेग के। बहुत खाने से पेचिश और अतिसार हो जाता है। दमा, राजयक्ष्मा और सन्निपात बहुत भारी बीमारियाँ हैं। कोढ़ और मिरगी भी कम खतरनाक नहीं। दाद और खुजली चर्म रोग हैं। हिचकी और कुकुरखाँसी भी बहुत कष्टप्रद रोग हैं। कुछ लोग दवा पर दवा खाते हैं, पर शुद्ध और पुष्टिकारक भोजन नहीं करते। बेचारी दवा कुछ कर नहीं पाती। सौ दवा एक संयम।

Hints: हैजा — cholera, गोटी — small-pox, प्लेग — plague, पेचिश — dysentery, अतिसार — diarrhoea, बहुत खाने से — overeating causes, दमा — asthma, राजयक्ष्मा — phthisis, सन्निपात — typhoid, बहुत भारी — very serious, कोढ़ — leprosy, मिरगी — epilepsy, दाद — ringworm, खुजली — itches, चर्म रोग — skin diseases, हिचकी — hiccup, कुकुरखाँसी — whooping-cough, कष्टप्रद — painful, पुष्टिकारक — nutritious, कुछ कर नहीं पाती — does not work, बेचारी दवा — the poor medicine, सौ दवा एक संयम — Prevention is better than cure.

9.

समाज में कई पेशों के लोग रहते हैं। ये एक-दूसरे की मदद करते हें। दूधवाला हमें दूध देते हैं और तेल पेराई करनेवाला तेल। किसान अन्न उपजाते हैं और मजदूर खेतों में काम करते हैं। किसान का काम बढ़ई और लोहार के बिना नहीं चल सकता। सोनार, कुम्हार, मोची और धोबी का भी महत्त्व कम नहीं। नाई और मोदी भी अपने-अपने कामों से हमारी सेवा करते हैं। समाज के लिए जितनी आवश्यकता प्रोफेसर की है उससे कम मेहतर की नहीं। कुँजड़े हमें तरह-तरह की साग-सब्जी देते हैं तो हलवाई तरह-तरह की मिठाइयाँ। इत्र विक्रेता भी कई प्रकार के तेलों और इत्रों से समाज की सेवा करते हैं। कोई वैद्य हो या जर्राह, जौहरी हो या जुलाहा, वह हमारे जीवन की आवश्यकताओं की पूर्ति करता है। कोई भी काम छोटा नहीं और न कोई काम बड़ा ही है। छोटा काम वही है जो समाज को नुकसान पहुँचाता है।

Hints: पेशों — occupations, professions, दूधवाला — milkman, तेल पेरने वाला — oilman, बढ़ई — carpenter, लोहार — blacksmith, मोची — cobbler, धोबी — washerman, नाई — barber, मोदी — grocer, प्रोफेसर — professor, मेहतर — sweeper, कुँजड़ा — green-grocer, साग-सब्जी — green vegetables,

हलवाई—confectioner, इत्र विक्रेता—perfumer, वैद्य—physician, जर्राह—surgeon, जौहरी—jeweller, जुलाहा—weaver, जो समाज...है—than harms the society.

10.

पोशाक की विभिन्नताओं का क्या कहना! जहाँ कुछ लोग धोती-कुर्ता पहनते हैं वहीं दूसरे लोग कोट और पतलून। गलाबन्द की शोभा निराली होती है। आजकल तो कॉलर की डिजाइन रोज-रोज बदल रही है। अब तो औरतें भी सूट पहनने लगी हैं, पर मेरे जानते वे साड़ी और ब्लाउज में ही सुन्दर लगती हैं। धोती या साड़ी पहनना एक कला है, पर पाजामा या पतलून पहनना विज्ञान। इसके अलावा जो औरतें सूट पहनती हैं, वे मर्दाना लगती हैं। फ्रांक बच्चियों को अच्छी लगती है, औरतों को नहीं। औरतों को पगड़ी और टोपी भी अच्छी नहीं लगती। औरतों की कलाई पर घड़ी होनी चाहिए पर हाथ में छड़ी नहीं।

Hints: पोशाक की...कहना—the variety of dress beggars description, धोती-कुर्ता—dhoti-kurta, पतलून—trousers or pantaloons, गलाबन्द—neeck-tie, शोभा-निराली होती है—the beauty is unique, कॉलर—collar, डिजाइन—design, सूट—suit, वे...लगती हैं—they look lovely in sari and blouse, पाजामा—breeches, मर्दाना लगती हैं—look manly, फ्रॉक—frock, पगड़ी—turban, कलाई—wrist, छड़ी—walking-stick.

11.

मेरी अँगूठी सोने की बनी हुई है। मेरी एक अँगूठी में पन्ना जड़ा हुआ है और दूसरी में पोखराज। मुझे नीलम पसन्द नहीं। मोती और हीरा औरतों की सुन्दरता को बढ़ाते हैं। मैं उनलोगों में नहीं जो गहनों का बहिष्कार करते हैं। मेरी राय में, कुछ गहना पहनना अच्छा है। कंगन, कंठा ओर कर्णफूल औरतों की सुन्दरता बढ़ाते हैं और जरूरत पड़ने पर बैंक का भी काम करते हैं। पर, गरीब गहने कैसे खरीदें? उनके बच्चों को न खाने के लिए भोजन मिलता है और न पहनने के लिए कपड़ा। हमारे समाज में कुछ लोग खाते-खाते मरते हैं, तो कुछ लोग खाने के बिना। ऐसे समाज को कायम रखने से कोई लाभ नहीं।

Hints: सोने की बनी हुई है—is made of gold, पन्ना—emerald, पोखराज—topaz, जड़ा हुआ है—is set, नीलम—sapphire, मोती—pearl, हीरा—diamond, सुन्दरता बढ़ाते हैं—add to beauty, बहिष्कार—boycott, कंगन—bangles, कंठा—necklace, कर्णफूल—ear-rings, बैंक का काम करते हैं—serve as a bank, खाने के बिना—die for want of food, ऐसे समाज...नहीं—it is no use (no good) retaining such a society.

12.

1. कोयल कूकती है। 2. कौआ काँव-काँव करता है। 3. गदहा रेंकता है। 4. भालू गुर्राता है। 5. मधुमक्खी भनभनाती है। 6. मक्खी भनभनाती है। 7. बिल्ली म्याऊँ-म्याऊँ करती है। 8. गाय डकारती है। 9. सियार हुआँहुआँ करता है। 10. बकरी मेमियाती है। 11. हाथी चिंग्घाड़ता है। 12. बाघ-सिंह गरजते हैं। 13. मेढ़क टरटराता है। 14. कुत्ता भौंकता है। 15. साँप फुफकारता है। 16. भौंरा गुनगुनाता है। 17. मुर्गा बाँग देता है। 18. घोड़ा हिनहिनाता है। 19. पक्षी चहचहाते हैं। 20. घड़ी टिक्-टिक् करती है। 21. जूता मचमचाता (चरमराता) है। 22. बादल कड़कता है। 23. ठनका ठनकता है। 24. वह भुनभुनाती है। 25. वह सिसकारी देता है। 26. बच्चा तुतलाता है। 27. रोगी आहें भरता है। 28. वह सिसकती है। 29. वह कानाफूसी करता है। 30. उसके दाँत कटकटाते हैं। 31. वह बड़बड़ाता है। 32. वह लड़खड़ाती है। 33. वह थरथराता है। 34. पानी भँवर काटता है। 35. हवा सनसनाती है। 36. आवाज गूँजती है। 37. गहने खनखना रहे हैं। 38. सिक्के झनझना रहे हैं। 39. फाटक चरमराहट के साथ बंद हुआ। 40. वह आवाज कर्णकटु है।

Hints: 1. to coo. 2. to caw. 3. to bray. 4. to growl. 5. to hum. 6. to buzz. 7. to mew, to purr. 8. to low. 9. to howl. 10. to bleat. 11. to trumpet. 12. to roar. 13. to croak. 14. to bark. 15. to hiss. 16. to hum. 17. to crow. 18. to neigh. 19 to chirp, to twitter. 20. to tick. 21. to creak. 22. to rumble. 23. to thunder. 24. to murmur. 25. to whistle. 26. to stammer. 27. to sigh. 28. to sob. 29. to whispher. 30. to clatter. 31. to chatter. 32. to stagger. 33. to tremble. 34. to swirl. 35. to swish. 36. to echo. 37 to tinkle. 38. to jingle. 39. with a crash. 40. jarring to the ears.

13.

हमलोग एक घने जंगल से होकर गुजर रहे थे। दोपहर का समय था। किन्तु हम कठिनाई से अपना मार्ग देख सकते थे। पक्षी वृक्ष की ऊँची डालों पर चुपचाप बैठे थे। सिंह का गर्जन कभी-कभी उस चुप्पी में सुन पड़ता था। हम बहुत प्यासे थे। कहीं से पत्थरों पर पानी गिरने की अवाज आ रही थी। हम किसी झरने के निकट थे, ऐसा मालूम होता था। हाथियों का झुण्ड सहसा आते दीख पड़ा। हम कुछ देर निश्चल खड़े रहे। झुण्ड चला गया। पानी की उम्मीद में हम उसी ओर बढ़े, हमें खतरे का भय नहीं था। साहस हमारा अपार था।

Hints: घने जंगल से होकर—through a thick (dense) forest, कठिनाई से—with difficulty, गुजर रहे थे—were passing, गर्जन—roar, सुन पड़ता था—was heard, झरना—fountain, झुण्ड—a herd, a band, निश्चल खड़े रहे—stood still, उम्मीद में—in the hope of, बढ़े—proceeded, अपार—endless, साहस—courage.

14.

हमारे विद्यार्थियों के सामने आज अनेक समस्याएँ हैं। उन्हें यह समझना चाहिए कि शिक्षा का लक्ष्य केवल सरकारी नौकरी नहीं। भारत एक कृषिप्रधान देश है। यदि यहाँ पढ़े-लिखे लोग खेती की ओर ध्यान दें, तो हमलोगों की दरिद्रता दूर हो सकती है। हमारे गाँव में सुधार की जरूरत है। शिक्षित व्यक्ति जब गाँव में रहने लगेंगे, तो उन गाँवों का सामाजिक जीवन बिल्कुल बदल जाएगा। स्कूल की पढ़ाई खत्म कर इन दिनों हरेक विद्यार्थी विश्वविद्यालय में दाखिल होना चाहता है। यह धारणा एकदम गलत है। भारतीय युवक और युवतियों को इन विषयों पर ठीक से विचार करना चाहिए। तभी वे साहस के साथ भविष्य का सामना कर सकेंगे।

Hints: सामने—before, समस्याएँ—problems, लक्ष्य—end, aim, कृषिप्रधान—agricultural, दूर हो सकती है—can be removed, सुधार—improvement, सामाजिक—social, बदलना—to change, बिल्कुल—altogether, completely, विश्वविद्यालय में दाखिल होना—to enter a university, धारणा—attitude, एकदम—totally, गलत—bad, wrong, ठीक से—properly, विचार करना—to consider, साहस के साथ—with courage, boldly, सामना कर सकेंगे—will be able to face.

15.

पिछले वर्ष मैं अपने दोस्त के घर गया था। उसके घर के निकट एक नदी है। वहाँ गाँव के अनपढ़ लड़कों को देखकर हम दोनों उनपर हँसा करते। हमें अपनी शिक्षा का बड़ा घमंड था। एक दिन अपने दोस्त के साथ मैं स्नान करने गया। पानी गहरा था। मैं डूबने लगा। बहुत-से पढ़े-लिखे लोग देख रहे थे। उन्होंने मेरी सहायता नहीं की। एक अनपढ़ देहाती युवक ने मेरी जान बचाई। उस दिन से मैं गाँव में रहनेवाले लोगों का आदर करता हूँ। इन्होंने स्कूली परीक्षा नहीं पास की है, फिर भी अनेक गुण इनमें हैं।

Hints: पिछले वर्ष—last year, गया था—went, had been, निकट—near, close by, अनपढ़—illiterate, देखकर—to see, हँसा करते—laughed, used to laugh, गहरा—deep, डूबना—to be drowned, पढ़े-लिखे—educated, देहाती युवक—village youth, rustic youth, जान बचाई—saved life, उस दिन से—since then, फिर भी—however, but, गुण—qualitities, virtues, merits.

16.

ये गर्मी के दिन हैं। गाँवों के पोखरे इन दिनों सूख गए हैं। खेत जोते जा रहे हैं। घास और पानी के बिना पशुओं को इस मौसम में तकलीफ होती है। मनुष्य भी आजकल प्रसन्न नहीं रहते। जलती धूप में उन्हें परिश्रम करना पड़ता है। चेचक और हैजा जैसी बीमारियों से हजारों आदमी इस मौसम में मर जाते हैं। हर जगह लोग बरसात की प्रतीक्षा में है। अब से कुछ ही सप्ताह में बादलों से आकाश भर जाएगा। प्यासी धरती इन बादलों का स्वागत करेगी। हम शीघ्र ही गर्मी की कठिनाइयों को भूल जाएँगे।

Hints: ये...हैं—It is summer, पोखर—tank, सूखना—to dry up, तकलीफ होती है—are in difficulty, are in trouble, face difficulty, भी—even, प्रसन्न रहना—to be happy or cheerful, जलती धूप में—in the scorching or burning rays of the sun, चेचक—small-pox, जैसी—like, हजारों आदमी—thousands of men, से—of, प्रतीक्षा में हैं—are waiting for, are awaiting, अब से कुछ ही सप्ताह में—in a few weeks from now, बादलों से आकाश भर जाएगा—the sky will be overcast with clouds, शीघ्र ही—soon, in a short time, कठिनाइयों—hardships.

17.

जिस समय जगत में और कहीं यूनिवर्सिटी का नाम भी नहीं था, मगध में नालन्दा यूनिवर्सिटी थी। इसमें अध्यापक और छात्र एक साथ रहते थे। छात्रों की संख्या दस हजार थी। कहा जाता है कि इसमें लगभग चौदह सौ शिक्षक थे। भारत के अतिरिक्त दूसरे देशों के विद्यार्थी भी इसमें भरती होते थे। इसके खर्च के लिए सौ गाँवों की आमदनी निकाली हुई थी। चार भारतीय बौद्ध महाराजाओं ने इसकी स्थापना की थी। कभी-कभी यहाँ सार्वजनिक सभाएँ होती थीं। उनमें विद्यालयों के अध्यापक वक्तृताएँ देते थे। इन्हें सुनने के लिए दो हजार मील से लोग एकत्र होते थे।

Hints: जिस समय—when, और कहीं—anywhere, नाम भी नहीं—no trace at all, not even a trace, एक साथ रहते थे—lived together, कहा जाता है—it is said, इसमें—there, लगभग—some, about, nearly, भरती होते थे—were admitted, निकाली हुई थी—was set apart, स्थापना की थी—founded, established, सार्वजनिक सभाएँ—public meetings, होती थीं—were held, उनमें—on those occasions, वक्तृताएँ देते थे—delievered lectures (speeches), से—from, एकत्र होते थे—assembled, gathered.

18.

अपनी मातृभाषा को निकृष्ट समझना हमारी भूल है। हमें संसार के साथ रहना और चलना है अतएव संसार की अन्यान्य भाषाओं को सीखने की जरूरत है। पर अपनी मातृभाषा के महत्त्व का ख्याल रखना भी बहुत जरूरी है। हम अँगरेजी भाषा और साहित्य के विद्वान हो सकते हैं, पर शेक्सपियर या मिल्टन कदापि नहीं हो सकते। एक अँगरेज हिन्दी भाषा और साहित्य का विद्वान हो सकता है, पर सूर या तुलसी कभी नहीं हो सकता। अच्छी किताबें हम अपनी मातृभाषा में ही लिख सकते हैं। हमारे स्कूलों में भी अब भारतीय भाषाओं पर पूरा ध्यान दिया जा रहा है। अपनी मातृभाषा का अच्छा ज्ञान प्राप्त करना हमारा कर्तव्य है।

Hints: अपनी मातृभाषा—one's mother-tongue, निकृष्ट समझना—to look down upon, to consider inferior (insignificant), चलना है—to keep pace with, महत्त्व का ख्याल रखना—to realise the importance of, बहुत जरूरी—essential, very necessary, it is a must, हो सकते हैं—may be, लिख सकते हैं—can write, भारतीय

भाषाओं—Indian languages, पर पूरा ध्यान दिया जा रहा है—full attention is being paid to, or Indian languages are receiving full attention, अच्छा ज्ञान—sound knowledge, प्राप्त करना—to acquire.

19.

वर्षाऋतु में किसी गाँव में रहना चाहिए। शहरों में रहनेवाले हरे खेत के सौंदर्य का आनन्द नहीं ले सकते। इन दिनों गाँववाले सुबह से शाम तक अपने खेतों में काम करते हैं। काम करते समय वे गाते भी है। इनमें स्त्रियाँ भी पुरुषों का साथ देती हैं। ये ग्राम्य गीत बड़े सरल और मधुर होते हैं। खुले आसमान में काले बादल घिर आते हैं। जोरों की वर्षा होने लगती है। फिर भी अपना काम छोड़कर कोई घर नहीं भागता। हर आदमी प्रसन्न दीखता है। आजकल गाँव में बहुतेरे स्कूल हैं। अब लड़के-लड़कियों को वर्षाकाल में अपना गाँव छोड़कर शहर में नहीं जाना पड़ता।

Hints: रहना चाहिए—we (one) should live, शहरों में रहनेवाले—town-dwellers, those who live in towns, those living in towns, आनन्द नहीं ले सकते—cannot enjoy, से—from, तक—to, काम करते समय—while working, while at work, इनमें—in these, साथ देना—co-operate, ग्राम्य गीत—rural songs, खुले—bare, घिर आते हैं—gather, जोरों की वर्षा होने लगती है—It begins to rain heavily, It begins to rain in torrents, It begins to rain cats and dogs, फिर भी—even then, in spite of this, घर भागना—to flee to one's house, बहुतेरे—many, several, lots of, में—during, छोड़कर—leaving, में—to, नहीं जाना पड़ता—have not to go.

20.

रूपनारायण पिछली वार्षिक परीक्षा में सर्वप्रथम हुआ था। इस साल की परीक्षा में उसे कोई स्थान नहीं मिला, वह केवल पास हो सका। इससे वह बहुत दुखी हुआ। किन्तु उसने हिम्मत न हारी। दूसरी परीक्षा के लिए कठिन परिश्रम कर रहा है और आशा है कि इस बार उसका परीक्षाफल अच्छा रहेगा, उसका सच्चा मित्र अखिलेश्वर पढ़ाई में उसकी बड़ी सहायता कर रहा है। इन दोनों का परिश्रम देखकर इनके शिक्षक प्रसन्न हैं। परिश्रम कभी व्यर्थ नहीं जाता है। कठिन परिश्रम का फल बराबर मीठा होता है। आलसी लड़के अच्छे नागरिक नहीं बन सकते।

Hints: पिछली वार्षिक परीक्षा—last annual examination, में—at, कोई अच्छा स्थान—any good place (position), नहीं मिला—did not get (secure), हिम्मत नहीं हारी—did not lose heart, अच्छा रहेगा—will be good (creditable), बड़ी—much, इन दोनों का परिश्रम देख—to see th labour of both of them (not both's labour), प्रसन्न—is pleased, व्यर्थ नहीं जाता—does not go in vain, never goes unrewarded, परिश्रम का फल—the fruits of labour (not labour's fruit), नहीं बन सकते—cannot be, cannot become.

21.

पिछले सोमवार को मैं एक किताब पढ़ रहा था। निकट ही खेतों में कई आदमी काम कर रहे थे। वे शिक्षित व्यक्ति नहीं थे। हमारे देश में कुछ लोग स्कूलों और कॉलेजों में

पढ़ते हैं, लेकिन बहुत लोग अशिक्षित ही रह जाते हैं। हम विद्यार्थियों को घमंडी नहीं होना चाहिए। छुट्टियों में हमें खेतों और कारखानों में काम करना चाहिए। हमारे किसान और मजदूर खाने के लिए भोजन और पहनने के लिए वस्त्र हमें देते हैं। हमें उनका आदर करना चाहिए। किताब कुछ समय के लिए अलग रखकर मैं भी अपने खेत की ओर चला।

Hints: को—on, निकट ही—in the neighbourhood, close by, रह जाते हैं—are, remain, छुट्टियों में—during holidays, खाने के लिए—to eat (not for eating), पहनने के लिए—to wear (not for wearing), कुछ समय के लिए—for some time, अलग रखकर—keeping aside, मैं भी—I, too, खेत की ओर चला—went towards the field, started for the field.

22.

प्रेमचंदजी एक महान व्यक्ति थे। उन्होंने बहुतेरे अच्छे उपन्यास लिखे हैं। उनकी छोटी कहानियाँ भी सुन्दर हैं। वे एक बार पटना आए थे। मैं उनसे मिलने गया था। तब मैं एक स्थानीय कॉलेज में प्रथम वर्ष का विद्यार्थी था। प्रेमचंदजी ने तुरंत मुझे भीतर बुला लिया। उनका रंग साफ था। वे लम्बे नहीं थे। वे दुबले-पतले थे। उनकी आँखों में एक चमक थी। उनके होठों पर मीठी मुस्कान थी। उन्होंने कुछ देर तक मुझसे बातें की। बाद में मैंने कई बार उन्हें चिट्ठियाँ लिखी थीं। मुंबई या काशी से वे बराबर जवाब देते थे। नए लेखकों को सदा उत्साहित किया करते थे।

Hints: सुन्दर—fine, वे—he, एक बार—once, भीतर बुला लिया—called me in, उनका रंग साफ था—he was of fair complexion, दुबले-पतले—lean and thin, मीठी मुस्कान—sweet smile, बातें कीं—talked to me, से—from, बराबर—always, उत्साहित किया करते थे—inspired, encouraged.

23.

इस वर्ष मैं स्कूल की पढ़ाई समाप्त कर रहा हूँ। परीक्षाओं में बिहार में कई हजार विद्यार्थी प्रति वर्ष पास होते हैं। ये सभी विद्यार्थी कॉलेज में पढ़ना चाहते हैं। भविष्य में वे सरकारी नौकरी खोजेंगे। इनमें से बहुतों को निराश होना पड़ेगा। यह बात मुझे पसन्द नहीं। सरकारी नौकरी के अलावा और भी काम हैं, जिन्हें हम कर सकते हैं। हम गाय रख सकते है और अपने गाँव या शहर में दूध बेच सकते हैं। हम चमड़े के काम सीखकर जूते बना सकते हैं। जीविका के सभी साधन अच्छे हैं।

Hints: स्कूल की पढ़ाई—school education, कई हजार विद्यार्थी—thousand students, इनमें से बहुतों को—many of them, निराश होना पड़ेगा—will be disappointed, यह बात—it (not this matter); I do not like it, अलावा—besides, और भी—other works also, चमड़े का काम—leather works, सीखकर—by learning, जीविका—livelihood, साधन—means.

24.

हरिहर और उस्मान दो दोस्त थे। दोनों एक बार पटना गए। शहर बड़ा था। सड़कें चौड़ी थीं। दूकानें चीजों से भरी थीं। हर जगह ऊँचे-ऊँचे मकान थे। स्कूलों और कॉलेजों के विद्यार्थी कोट-पतलून पहने हुए थे। हरिहर और उस्मान ने सोचा कि उन्हें अब अपने गाँव नहीं लौटना चाहिए। लेकिन यहाँ गाँव के हरे-भरे खेत न थे। आसमान शाम को धुएँ से भर

जाता। सड़कों पर मोटरगाड़ियाँ और बसें दिन-रात दौड़ा करतीं। मच्छर भी पटना में बहुत थे। दोनों दोस्त खुशी-खुशी घर लौट गए। अब वे कहते हैं कि हमारे देश को गाँवों और शहरों दोनों की जरूरत है।

Hints: चौड़ी—wide, से भरी—full of, कोट-पतलून पहने हुए थे—were in suit, धुएँ से—with smoke, दिन-रात दौड़ा करती—would run (or ran) day and night, मच्छर—mosquitoes, बहुत थे—were in abundance, भी—too; also, खुशी-खुशी—safely; happily.

25.

हमलोगों को अपने स्वास्थ्य पर ध्यान देना चाहिए। केवल स्वस्थ आदमी ही अपना काम ठीक से कर सकते हैं। आजकल के विद्यार्थी अपने स्वास्थ्य पर उचित ध्यान नहीं देते। वे बड़े शहरों में रहते हैं। वहाँ उन्हें अच्छा भोजन, खुली हवा और सूर्य का प्रकाश नहीं मिल पाते। नतीजा यह होता है कि हमारे विद्यार्थी अपनी तन्दुरुस्ती खो बैठते हैं। गाँवों में रहनेवाले बालक-बालिकाओं की दशा भी अच्छी नहीं। गाँवों में भी आजकल दूध-फल का अभाव है। वहाँ अच्छे डॉक्टर नहीं मिलते। लेकिन निराश होने का कोई कारण नहीं। स्थिति धीरे-धीरे सुधर रही है।

Hints: ध्यान देना चाहिए—should care for, should take care of, ठीक से—properly, सूर्य का प्रकाश—sun-light, नतीजा यह होता है—the result is, खो बैठते हैं—lose, गाँवों में रहनेवाले बालक-बालिकाओं—the boys and girls living in villages (the boys and girls who live in villages, अभाव—want of, नहीं मिलते—not available, निराश होने का कोई कारण नहीं—no reason to be disappointed (to be hopeless), स्थिति—position; condition, धीरे-धीरे—gradually.

26.

मेरे घर के पास एक पेड़ है। उसपर एक बन्दर रहता है। वह बड़ा नटखट है। फिर भी, मेरी माँ उसे बुलाती है और खाने के लिए केले और मिठाइयाँ देती हैं। एक बार मेरा परिवार मेला देखने गया। हमलोग घर में ताला लगाकर दोपहर को ही चले गए। शाम को लौटने पर एक विचित्र बात का पता चला, वह बन्दर उस दिन दोपहर से ही पेड़ छोड़कर कहीं नहीं गया। वृक्ष की सबसे ऊँची डाली पर बैठा-बैठा वह सारे दिन मेरे घर की निगरानी करता रहा। माँ ने उस दिन उसे बहुत-सी चीजें खाने को दीं। पड़ोस में रहनेवाले जानवर भी किसी दिन हमारी सहायता कर सकते हैं।

Hints: नटखट—naughty, फिर भी—however; even then; in spite of this, खाने के लिए—to eat (not for eating), देखने को—to see (not for seeing), ताला लगाकर—locking up, सबसे ऊँची डाल पर—on the highest branch, सारे दिन—all day long; whole day, निगरानी करता रहा—kept watching; continued watching; continued to watch, पड़ोस में रहनेवाला जानवर—animals living in the neighbourhood, भी—even, किसी दिन—some day.

27.

पटना बिहार की राजधानी है। प्राचीन काल में इस नगर का नाम पाटलिपुत्र था। उन दिनों मगध के राजा यहाँ निवास करते थे। आज का पटना आठ-दस मील लम्बा है, किन्तु

उसकी चौड़ाई आधा मील भी नहीं है। नगर के उत्तर में गंगा नदी बहती है और दक्षिण में पुनपुन नदी। भगवान बुद्ध ने एक बार कहा था कि पाटलिपुत्र नगर को आग और पानी का भय बना रहेगा। गौतम बुद्ध के युग में यहाँ लकड़ी के मकान थे। आज यहाँ ईंट के मकान हैं। अब बाढ़ का पानी शहर में घुसने नहीं पाता। यह देश के सुन्दर नगरों में से एक है।

Hints: प्राचीन काल में—in ancient times; long, long ago, का—of, उन दिनों—in those days, के—of, आज का पटना—modern Patna (not today's Patna), आठ-दस मील—eight to ten miles (not eight-ten miles), भी नहीं है—is not even; is hardly, नगर के उत्तर में—to the north of the town, दक्षिण में—in the south, बहती है—flows; is, बराबर भय बना रहेगा—would ever be in dread (danger) of, लकड़ी के मकान—wooden houses; houses made of wood, के युग में—in the age of, ईंट के मकान—brick-built houses; houses made of brick (not bricks), घुसने नहीं पाता—cannot enter; is not allowed to enter, में से एक है—is one of them.

28.

एक गाँव में छोटे बच्चों की एक पाठशाला थी। एक बार शिक्षा विभाग के कई ऊँचे अफसर उस पाठशाला में आए। उन्होंने एक लड़के को पृथ्वी का आकार बताने को कहा। लड़का डर गया, इसलिए चुप रहा। तब क्लास के मास्टर साहब ने अपनी जेबघड़ी टेबुल पर रख दी। वे चाहते थे कि उनकी घड़ी को देखकर लड़का पृथ्वी का आकार ठीक बतला दे। लड़के ने सहसा कहा कि पृथ्वी नारंगी के समान गोल थी, लेकिन अब वह क्लास के मास्टर साहब की जेबघड़ी की तरह चिपटी हो गई। इसपर सभी हँस पड़े।

Hints: छोटे बच्चों की पाठशाला—a school for children; an elementary school, ऊँचे—high, पाठशाला में आए—came to the school, आकार बतलाने को कहा—asked the boy to explain (describe) the shape, डर गया—got afraid of, चुप रहा—kept silent (mum), जेबघड़ी—pocket watch, देखकर—seeing, आकार ठीक बतला दे—should describe the shape correctly, सहसा—suddenly; all of (on) a sudden, कहा—said; replied (not told), पहले—formerly, समान—like, गोल—round, क्लास के मास्टर साहब—class teacher, चिपटी हो गई है—has turned (become) flat, इसपर—at this, हँस पड़े—burst into laughter; began to laugh.

29.

राँची के पास घने जंगल में एक लोमड़ी रहती थी। थोड़ी ही दूर पर एक सियार था। ये दोनों बड़े मित्र थे। एक-दूसरे के लिए जान देने के लिए तैयार रहता था। एक दिन तीसरे पहर कुछ शिकारी उधर आ निकले। उनके साथ बहुत-से कुत्ते थे। कुत्ते को देखकर लोमड़ी ने मन में कहा, ''हाय, सियार के प्राण संकट में हैं, मैं उसके प्राण कैसे बचा सकती हूँ।'' जब उसे कोई उपाय नहीं सूझा तो वह अपने बिल से बाहर निकली और तेजी से भाग गई। कुत्ते ने उसका पीछा किया; पर सियार बच गया। लोमड़ी का भाग्य अच्छा था। भगवान ने उसकी रक्षा की ।

Hints: घने—dense; thick, लोमड़ी—fox, थोड़ी ही दूर पर—at a short (small) distance, बड़े मित्र—fast (bosom) friends, एक दूसरे...था—one was ready to die for the other, They were ready to die for each other, तीसरे पहर—in the after noon, शिकारी—hunters, उधर आ निकले—passed that way, कुत्ते—hounds, मन में कहा—thought to herself; said to herself (not told), हाय—ah; alas, प्राण—life, संकट में—in danger, कोई उपाय न सूझा—thought of no way out, बिल—hole, तेजी से भाग गई—fled away swifty, उसका पीछा किया—pursued; chased; followed; ran after, बच गई—was saved, अच्छा भाग्य था—was lucky (fortunate), उसकी रक्षा की—saved it.

30.

कुछ लोग खेल-कूद को बुरा समझते हैं। वे समझते हैं कि इसमें समय नष्ट होता है। किन्तु उनका यह भ्रम है। खेलना एक प्रकार का व्यायाम है। इससे शरीर में बल आता है। हमारा शरीर मजबूत न हो तो हम कोई काम नहीं कर सकते। दुबले-पतले आदमी बहुधा रोगी होते हैं। खेलना एक प्रकार का मनबहलाव भी है। इससे दिमाग की थकावट दूर होती है। जो खेलने में मन लगाते हैं वे पढ़ने में भी अच्छे होते हैं। शहरों में जगह की कमी होती है। अतः वहाँ ऐसे खेल खेल जाते है जिनमें कम जमीन की जरूरत होती है। भविष्य में भारत का स्थान खेल-कूद में कम महत्त्व नहीं रखेगा।

Hints: खेल-कूछ को बुरा मानते हैं—consider games and sports bad, इसमें समय नष्ट होता है—it is a waste of time, भ्रम—mistake, उनका यह भ्रम है—they are mistaken, इससे...है—it gives strength to the body, हमारा शरीर मजबूत न हो—if our body is not strong, बहुधा—generally, रोगी होते हैं—are sickly, मनबहलाव—recreation; diversion, भी—also, इससे...है—it removes mental exhaustion, मन लगाना—to mind; to take seriously, जगह की कमी—want of space (not place), ऐसे—such, जिनमें कम जमीन की जरूरत होती है—as do not require much land (space), कम महत्त्व नहीं रखेगा—will not be less important or unimportant.

31.

एक सिंह वन में रहता था। उसके साथ एक सिंहनी भी रहती थी। उनके दो बच्चे थे। सिंह रोज जानवरों को मारकर लाता था। एक दिन उसे कुछ नहीं मिला। शिकार की खोज में वह घूमता रहा। रात होने लगी। लौटते समय उसे एक गीदड़ का बच्चा मिला। बच्चा जानकर शेर ने उसे नहीं मारा। सिंहनी ने भी उसे खाना नहीं चाहा और उसे अपना तीसरा बेटा बना लिया। फिर उसे अपना दूध पिलाकर मोटा-ताजा कर दिया। तीनों बच्चे बिना अपनी जाति जाने एक साथ खाते-पीते और खेलते-कूदते दिन बिताने लगे। साथ रहने से जंगली जानवरों में भी कभी-कभी दोस्ती हो जाती है।

Hints: सिंहनी—lioness, शिकार की खोज में घूमता रहा—kept wandering in search of prey, रात होने लगी—it began to grow dark, लौटते समय—while returning, बच्चा जानकर—considering (thinking) it to be a young one, जाति—pedigree; genealogy, जंगली जानवारों में—among wild animals, दोस्ती हो जाती है—friendship takes place (they become friends), साथ रहने से—by living together.

32.

मिस्र देश में खेती लोगों का मुख्य धंधा है। वहाँ के लोग अतिथि-सेवा के लिए प्रसिद्ध है। भारतवासियों की भाँति मिस्रवासी भी धार्मिक है। उनका रहन-सहन सादा है। वे बड़े दयालु होते हैं। भारतीय मैदानों के समान वहाँ के मैदान नहीं होते। वहाँ का बालू वहाँ की मिट्टी के रंग के अनुसार बदलता रहता है। चाँद की रोशनी में मैदानों की शोभा निराली हो जाती है। सबेरे सूर्य के प्रकाश में बालू कम चमकता है। पंरतु दोपहर में उसकी चमक सोने की भाँति हो जाती है। मिस्र की सभ्यता बहुत पुरानी है।

Hints: मिस्र देश में—in Egypt, मुख्य धन्धा—chief occupation, वहाँ के लोग—the people of that place (country), अतिथि-सेवा—hospitality, प्रसिद्ध हैं—are noted; famous, मिस्रवासी—the Egyptians, धार्मिक—religious, रहन-सहन—living, होते हैं—are, वहाँ का बालू—the sand of that place, वहाँ की...हैं—changes according to the colour of the soil of the place, चाँद की रोशनी में—in moonlight, निराली—unique, कम—less, चमक—brightness, बहुत प्राचीन है—is very old.

33.

जापान एक छोटा द्वीप है। वह चीन के पूर्व में है। जापानी बड़े परिश्रमी होते हैं। वे लोग बहुत ही स्वच्छ रहते हें। उनका घर एक फुलवारी का-सा रहता है। वे अपने देश के लिए सब कुछ करने के लिए तैयार रहते हैं। आज संसार जापानी मालों से भरा है। वे लोग काम की सभी चीजें बनाते हैं। जापानी युवक दूसरे देशों में जाकर पढ़ते हैं। अपने देश में कल-कारखाने खोलते हैं। जापान की जलवायु बहुत ठंढी नहीं है। इसलिए यह देश हरा-भरा रहता है। जापानी लोग चावल और मछली बहुत पसंद करते हैं।

Hints: द्वीप—island, पूर्व में—to the east, चीन—China, जापानी—the Japanese, परिश्रमी—laborious; hard-working, स्वच्छ रहते हैं—are neat and clean, का-सा—like, देश के लिए—for their country, सब कुछ करने के लिए—to do (not for doing) everthing, मालों—goods, भरा है—is full of; is stuffed with, पढ़ते हैं—study (not read), बहुत—very much.

34.

किसी गाँव में एक अंधा रहता था। उसी गाँव में आग लगी। आग ने भयंकर रूप धारण कर लिया। सभी लोग घर छोड़कर भागने लगे। उसी गाँव में एक लँगड़ा भी रहता था। अंधे और लँगड़े ने भी जान बचानी चाही। अंधे ने लँगड़े से कहा— ''तुम्हें आँखें हैं, पर चल नहीं सकते; मुझे पैर हैं पर आँखें नहीं। आओ मेरे कंधे पर बैठ जाओ। तुम रास्ता बतलाओगे और मै चलूँगा। ऐसा करने से दोनों की जान बच जाएगी।'' दोनों ने ऐसा ही किया। दोनों सकुशल गाँव से बाहर चले गए। आपस की सहायता से कठिन-से-कठिन काम भी सहज हो जाता है।

Hints: किसी गाँव में—in a (in a certain but not in any) village, एक अन्धा—a blind man, उसी गाँव में आग लगी—that village (the same village) caught fire, भयंकर रूप धारण किया—took a terrible turn (form), भागना—to flee away, एक

लँगड़ा—a lame man (not a lame), भी—too; also, जान बचाना—to save one's life, पैर—legs (not feet), कन्धे—shoulder, चलूँगा—will walk (not go), दोनों की जान—the lives of both (not both's lives), ऐसा ही किया—did so (not the same), सकुशल—safely, आपस की सहायता—co-operation; mutual help, सहज हो जाता है—becomes easy, भी—even.

35.

नालन्दा विश्वविद्यालय के विषय में कौन नहीं जानता? एक समय नालन्दा सर्वश्रेष्ठ विश्वविद्यालय था। संसार के प्रत्येक कोने से लोग यहाँ पढ़ने आते थे। इस विश्वविद्यालय की स्थापना चौथी शताब्दी में हुई थी। यहाँ लगभग दस हजार छात्र अध्ययन करते थे। संसार के बड़े-बड़े विद्वान यहाँ के अध्यापक होते थे। हुएनसांग ने इसका अच्छा वर्णन किया है। वह एक चीनी यात्री था। वह बहुत दिनों तक नालन्दा में रहा। हर्षवर्द्धन के बाद इस विश्वविद्यालय की अवनति होने लगी। आज भी नालन्दा विश्वविद्यालय का खँडहर विद्यमान है।

Hints: एक समय—at one time; once; once upon a time, सर्वश्रेष्ठ—the best, प्रत्येक कोने से—from every corner, स्थापना चौथी शताब्दी में हुई थी—was founded in the fourth century, अध्ययन करते थे—studied; used to study, विद्वान—scholars, अच्छा वर्णन किया है—has given a good description; has described it well, खँडहर विद्यमान है—the ruins (not ruin) exist, आज भी—even today, बहुत दिनों तक—for a long time.

36.

रवींद्रनाथ एक महान कवि थे। उनके पिता साधु थे। एक दिन उनके पिता टहल रहे थे। उन्होंने एक सुनसान स्थान देखा। वह स्थान उन्हें पसंद आया। उन्होंने उस स्थान पर कुछ झोपिड़याँ बनवाईं। कुछ लोग झोपड़ियों में रहने लगे। वे लोग ईश्वर की पूजा करते थे। आगे रवींद्र ने उस स्थान पर अपना स्कूल खोला। इसका नाम शांतिनिकेतन है। यह विद्यालय संसार में प्रसिद्ध है। इसके विद्यार्थी बड़ा सादा जीवन बिताते हैं। शिक्षक उन्हें दण्ड नहीं देते। वे उन्हें प्रेम से पढ़ाते हैं। यह एक आदर्श विद्यालय है।

Hints: महान—great, उनके—his, साधु—saint, सुनसान—lonely, कुछ झोपड़ियाँ बनवाईं—got (had) some huts constructed (built), आगे—later on, खोला—founded, इसका नाम—its name (not the name of it), संसार में प्रसिद्ध हैं—is famous the world over (or, all over the world), बिताते हैं—lead; live, प्रेम से—with love or affection, आदर्श—ideal.

37.

हमारे गाँव में एक एक मंदिर है। मंदिर के सामने एक बड़ा तालाब है। तालाब के निकट एक खुला मैदान है, जहाँ गाँव के छोटे-छोटे लड़के खेलते हैं। जाड़े में गाँव के लोग प्रसन्न रहते हैं। दिन छोटे होते हैं, रातें लम्बी। रात में मंदिर के पास लोग इकट्ठे होते हैं और देर तक बातें किया करते हैं। लोगों का स्वास्थ्य अच्छा रहा करता है। मैं जाड़े के मौसम में अपने गाँव पर ही रहना चाहता हँू। लेकिन वहाँ स्कूल नहीं है, इसलिए मुझे शहर में रहना पड़ता है।

Hints: मन्दिर—temple, के सामने—in front of, खुला—open, के—of, में—during, प्रसन्न रहते हैं—are (look) cheerful, छोटे—short, लम्बी—long, रात में—at night, इकट्ठे होते हैं—assemble, देर तक—for long, मौसम—season, अपने गाँव पर—in my village (not at), रहना पड़ता है—have to live.

38.

किसी स्वतंत्र देश के विद्यार्थियों को कठिन परिश्रम करना चाहिए। तभी देश की भलाई वे कर सकेंगे। हमारे विद्यार्थियों का चरित्र अच्छा होना चाहिए। समाज-सेवा में उनकी रुचि होनी चाहिए। बिना टिकट के रेल या बस पर चढ़ना एक अपराध है। जो विद्यार्थी ऐसा करते हैं उन्हें दण्ड मिलना चाहिए। विद्यार्थी को अपने शिक्षक का आदर करना चाहिए। उन्हें माता-पिता की आज्ञा माननी चाहिए। प्रत्येक विद्यार्थी को एक आदर्श नागरिक बनने का प्रयत्न करना चाहिए।

Hints: किसी—a, कठिन परिश्रम करना चाहिए—should labour hard, तभी—only then; then and then alone, में उनकी रुचि होनी चाहिए—should have aptitude for, रेल या बस से सफर करना—to travel by train or bus, उसे दण्ड मिलना चाहिए—should be punished; should be given punishment, प्रयत्न करना चाहिए—should try.

39.

मेरे गाँव में एक हाथी है। गाँव के सबसे धनी आदमी ने उसे सोनपुर मेले में खरीदा था। हाथी बड़ा उपयोगी जानवर होता है। बरसात में वह हमें आसानी से एक स्थान से दूसरे स्थान पर ले जाता है।

गाँव की सड़कों पर उन दिनों मोटरगाड़ियाँ नहीं दौड़ सकतीं। लेकिन गर्मियों में हाथी कभी-कभी पागल हो जाया करते हैं। कुछ दिन पहले राष्ट्रपति भवन का 'उदयगिरि' नामक हाथी पागल हो गया। उसे गोली मार देनी पड़ी। हमारे गाँव का हाथी अब तक कभी पागल नहीं हुआ।

Hints: सबसे धनी—the richest, होता है—is, उपयोगी जानवर—a useful animal, बरसात में—during the rainy season, गर्मियों में—during summer, कभी-कभी पागल हो जाया करते हैं—sometimes go mad, उसे गोली मार देनी पड़ी—he had to be shot dead, अब तक कभी—so far; as yet.

40.

मेरा एक मित्र है। उसका नाम रामधनी है। वह हरिजन है और मेरी कक्षा का विद्यार्थी है। रामधनी अपने क्लास में प्रथम स्थान पाता है। पर उसके माता-पिता बहुत गरीब हैं। रामधनी को स्कूल की फीस नहीं देनी पड़ती है। हेडमास्टर ने उसे कुछ किताबें खरीद दी हैं। रामधनी मेरे घर भोजन करता है। रामधनी बोर्ड की परीक्षा पास करके विश्वविद्यालय में जाएगा। किसी दिन इस देश का वह एक विख्यात आदमी होगा।

Hints: मेरा—I, बराबर—always, नहीं देनी पड़ती—has not to pay (not give), पास करके—after passing, विश्वविद्यालय में जाएगा—will enter (not go) a university, किसी दिन—some day; one day, विख्यात—famous; eminent important.

41.

हमारा देश बहुत बड़ा है। हम भारतवासी भिन्न-भिन्न भाषाएँ बोलते हैं। यहाँ कुछ लोग एक प्रकार का खाना खाते हैं और कुछ लोग दूसरे प्रकार का। देश के उत्तरी हिस्से में पहाड़ है। वहाँ बड़ी सर्दी पड़ती है। दक्षिण में बहुत गर्मी पड़ती है। हमारा पहनावा भी कितनी तरह का है। फिर भी, हम सब भारत के नागरिक हैं। हम साथ-साथ जीएँगे और मरेंगे। इन दिनों स्कूलों तथा कॉलेजों के छात्र छुट्टियों में देश के एक भाग से दूसरे भाग में जाते हैं। यह बड़ी अच्छी बात है। इससे हममें एकता का भाव बढ़ेगा।

Hints: बड़ा—big, भिन्न-भिन्न भाषाएँ—different languages, कुछ लोग—some persons (people), एक प्रकार का खाना—one kind of food, और कुछ लोग—and others, दूसरे तरह का—another kind of food, में—to, पहनावा—dress, कितनी तरह का—of different (several, various) kinds, फिर भी—however; still, हम साथ-साथ जीएँगे ओर गरेंगे—we will sink or swim together or we will live or die together, के—of, छुट्टियों में—during holidays, देश के एक भाग से दूसरे भाग में—from one part (corner) of the country to another, यह बड़ी अच्छी बात है—It is very good; or, It is a very good thing (not a good matter), ['बात' का अनुवाद matter तब होता है जब उसका प्रयोग 'समस्या' के अर्थ में होता है; जैसे यह गंभीर बात है—It is a serious matter, जब 'बात' का प्रयोग 'कथन' (statement or fact) के अर्थ में होता है, तब 'बात' का अनुवाद नहीं किया जाता। यह झूठी बात है—It is false (not false matter)], इससे—with its help, हममें—in us, एकता का भाव बढ़ेगा—sense of unity will grow (increase).

42.

हाल ही पटना में एक विचित्र बात हुई। सात साल की एक लड़की गंगा में गिर पड़ी। उसकी बहनें वहीं थीं, लेकिन वे कुछ नहीं कर सकीं। धारा लड़की को बहा ले गई। वहाँ से चार मील दूर कुछ मछुआरे नदी में मछली पकड़ रहे थे। उन्होंने अपने जाल में उस लड़की को पाया। लड़की मरी नहीं थी। शहर में कहाँ रहती थी, यह उसने मछुआरों को बतला दिया। वे लोग उसे रिक्शे पर बिठाकर उसके घर ले आए। लड़की के माँ-बाप की खुशी का ठिकाना नहीं रहा, उन्होंने उन्होंने मछुआरों को इनाम दिया। ईश्वर जिसे बचाता है,उसे कोई मार नहीं सकता।

Hints: हाल ही—recently, पटना में—at Patna, एक विचित्र बात हुई—there was a strange incident, (यहाँ 'बात' का प्रयोग 'घटना' के अर्थ में हुआ।) सात साल की एक लड़की—a seven-year old girl, में—into, वे कुछ नहीं कर सकीं—were not able (unable but not could not) to do anything, धारा—current, बहा ले गयी—carried away, वहाँ से—from there, मछुआरे—fishermen, जाल—net, मरी नहीं थी—was not dead, रिक्शे पर बिठाकर—on rickshaw, उसके घर ले आए—brought her to her house, खुशी का ठिकाना नहीं रहा—joy knew no bounds or were beside themselves with joy, जिसे—whom, ईश्वर जिसे...सकता—No one can kill,whom God saves.

43.

मेरे मकान के पास एक बाजार है। इस बाजार में सब्जियाँ बिकती हैं। दो-एक पान की भी दुकानें हैं। प्रतिदिन संध्या समय इस बाजार में बहुत-से लोग आते हैं। बहुत-सी औरतें भी इसमें होती हैं। बाजार में हल्ला बहुत होता है। लेकिन यह बाजार एक उपयोगी स्थान है। ताजी सब्जी यदि हमें खाने को नहीं मिले, तो हम स्वस्थ नहीं रह सकते। पढ़े-लिखे लोग भी आजकल ऐसे बाजारों में खुद चावल, दाल, तेल और सब्जियाँ खरीदते हैं।

Hints: बाजार—market, बिकती है—are sold, सब्जियाँ—vegetables, दो-एक—one or two (not two-one), पान की दुकानें—betel shops, हल्ला—noise, होता है—is, होती हैं—are, उपयोगी—useful, ताजी सब्जी—fresh (green) vegetables, स्वस्थ नहीं रह सकते—cannot remain healthy, पढ़े-लिखे लोग भी—even educated persons, खुद—themselves; personally.

44.

मीरा रो रही थी। उसका भाई मोहन पास ही आम खा रहा था। आम एक ही था और मोहन उसे अकेले ही खाना चाहता था। मोहन स्वार्थी लड़का है। स्कूल में भी कोई उसका मित्र नहीं। वह अपने माता-पिता का कहना नहीं मानता। मोहन के पिताजी अपने दफ्तर से अभी लौटे नहीं थे। उसकी माँ बाहर गई थी। मोहन ने आम घास पर रख दिया और मीरा को पीटने के लिए आगे बढ़ा। इतने में एक कौआ उस आम को लेकर उड़ गया। यह देखकर मीरा हँसने लगी।

Hints: उसका—her, पास ही—close by; nearby, एक ही—only one, अकेला ही—all alone, खाना चाहता था—wanted (wished) to eat, अपने—his, माता-पिता—parents, कहना नहीं मानता—does not obey, अभी—till then, उस आम को लेकर उड़ गया—flew away with the mango, देखकर—seeing; to see, हँसने लगी—began to laugh.

45.

आजकल हर गाँव में ग्राम-पंचायत स्थापित की जा रही है। ग्राम-पंचायत गाँव की उन्नति का सब प्रबंध करती है। गाँव को साफ रखना और सड़कों तथा गलियों की मरम्मत करना ग्राम-पंचायत का काम है। ग्राम-पंचायत गाँव के झगड़ों का भी फैसला करती है। गाँव की सुरक्षा के लिए एक रक्षादल होता है। उसके मेम्बर गाँव के सभी नौजवान होते हैं। इन जवानों को सरकार गाँव की रक्षा करना सिखलाती है। पंचायत के कागज-पत्रों को रखने के लिए ग्राम-सेवक होता है जिसे सरकार वेतन देती है।

Hints: स्थापित की जा रही है—is being formed (established), गाँव की उन्नति—village uplift, सब प्रबन्ध करती है—makes all arrangements, गलियों—streets, मरम्मत करना—to repair, काम—duty, गाँव के झगड़ों का फैसला करती है—settle village disputes, सुरक्षा—defence, रक्षादल—defence party (Raksha Dal), नौजवान—youths, गाँव की रक्षा करना सिखलाती है—teaches them how to defend the village, कागज-पत्रों—papers, रखने के लिए—to keep, जिसे—whom.

46.

एक गाँव में एक किसान रहा करता था। उसकी सारी जमीन उसके गाँव के आसपास ही थी। वह निःसंतान मर गया। इसलिए उसके बंधुओं ने उसकी भूमि को आपस में बाँट लिया। उस किसान की जमीन में एक ऐसा भी खेत था जहाँ बहुत दिनों तक खेती न करने के कारण कँटीली झाड़ियाँ उग गई थीं। सबका यह विश्वास था कि वहाँ भूत रहते थे और किसी को खेती नहीं करने देते थे। किसान ने भूमि बहुतों को खेती करने के लिए दी, पर कोई भी उसमें कुछ पैदा न कर सका।

Hints: एक—a; certain (not *one*), रहा करता था—lived; used to live, निःसन्तान मर गया—died issueless; died without any issue, आपस में—among themselves, जमीन—land, एक ऐसा भी खेत—such a plot, बहुत दिनों तक—for a long time (not *for many days*), खेती न करने के कारण—for not cultivating it, कँटीली—thorny, झाड़ियाँ—shrubs, उग आई थी—grew up, सबका यह विश्वास था—everybody believed; it was the belief of everybody or all (not *all's belief*), भूत—ghosts, खेती न करने देते थे—did not allow anybody to cultivate (not *for cultivating*), कुछ—anything, पैदा न कर सका—was not able to produce, कोई भी—no one, यहाँ 'कोई भी' का अनुवाद no-one, या none होगा, anyone नहीं, क्योंकि 'कोई भी' के आगे 'न' लगा हुआ है।

47.

रवींद्रनाथ ठाकुर ने स्कूल में बहुत ही कम शिक्षा पाई थी। उनकी पाठशाला के अध्यापक विद्यार्थियों के साथ अच्छा व्यवहार नहीं करते थे। उस समय के अधिकांश शिक्षक छात्रों को पीटा करते थे। वे प्यार के साथ पढ़ाना नहीं जानते थे। बालक रवींद्र के शिक्षकगण भी ऐसे ही थे। उनके एक अध्यापक तो बड़े ही कठोर थे। छोटी-सी भूल के लिए भी रवींद्र को बड़ी कड़ी सजा देते थे। रवींद्र को खुले सिर धूप में भी खड़ा रहना पड़ता था।

Hints: रवीन्द्रनाथ ठाकुर—Rabindranath Tagore, बहुत ही कम—very little, not much, के—of, के साथ—with, अच्छा व्यवहार नहीं करते थे—did not behave well, उस समय अधिकांश शिक्षक—majority of the teachers of that time, पीटा करते थे—beat; used to know or would not know), प्यार के साथ—with affection; affectionately, बड़े ही कठोर—very cruel (not great cruel), छोटी-सी भूल के लिए भी—even for minor mistakes, कड़ी सजा—severe punishment, देते थे—gave; inflicted, खुले सिर—bare-headed, खड़ा रहना पड़ता था—had to keep standing.

48.

विनोबाजी को आज भारत में प्रत्येक व्यक्ति जानता है। ये गाँधीजी के सच्चे अनुयायी थे और लोगों की सेवा करते थे। ये गाँव-गाँव पैदल जाते थे और जमीनवालों से जमीन माँगते थे। इस तरह इनको बहुत जमीन मिली थी। ऐसी जमीन ये भूमिहीन लोगों में बाँट देते थे। विनोबाजी चाहते थे कि हर परिवार को कुछ जमीन अवश्य रहे और सबको खाना, कपड़ा तथा घर मिले। सभी लोग विनोबाजी का बड़ा आदर करते हैं।

Hints: प्रत्येक व्यक्ति—everbody; everyone, ये—he, सच्चे अनुयायी—true follower, सेवा करते थे—served, गाँव-गाँव पैदल जाते थे–went (*or used to go*) to every village (from village to village) on foot, जमीनवालों—landowners, माँगते थे—asked (*or used to ask*) for, बहुत जमीन मिली थी—received a good deal of land (not *got or found*), चाहते थे—wished, कुछ—some, भूमिहीन लोगों में—among landless people, मिले—to get, बड़ा आदर करते हैं—respect him much (show or pay him great respect).

49.

एक समय गाँधीजी आगा खाँ महल में थे। सरोजिनी नायडू भी वहीं थीं। एक दिन सरोजिनी नायडू ने गाँधीजी से बैडमिंटन खेलने को कहा। सरोजिनी नायडू के दाहिने हाथ में दर्द था इसलिए उन्होंने रैकेट बायें हाथ से पकड़ा। गाँधीजी ने भी बायें हाथ से रैकेट पकड़ लिया। इसपर सरोजिनी नायडू हँस पड़ी और बोलीं— ''बापू, आपने बायें हाथ से रैकेट क्यों पकड़ा? मुझे तो दाहिने हाथ में दर्द है।'' इसपर गाँधीजी कुछ लज्जित हुए पर फौरन ही उन्होंने जवाब दिया— ''मैं आपके कष्ट का लाभ नहीं उठाना चाहता''।

Hints: एक समय—once, आगा खाँ महल में—in the Aga Khan palace, सरोजिनी नायडू—Sarojini Naidu, भी—also, एक दिन—one day, बैडमिंटन—badminton, खेलने को कहा—proposed to play (not *told*), दर्द—pain, इसपर—at this, हँस पड़ी—burst into laughter, laughed, कुछ लज्जित हुए—felt a little ashamed, फौरन ही—at once; immediately; instantly, जवाब दिया—retorted; replied, मैं आपके...चाहता—I do not like to take advantage of your trouble (pain), हाथ से—with hand (not *by hand*).

50.

बसंत आ गया है। फागुन और चैत के दो महीनों को बसंत कहते हैं। यह ऋतु बड़ी सुहावनी होती है। यह मौसम न ज्यादा गर्म होता है, न ज्यादा ठंढा। पेड़ों में नयी पत्तियाँ निकल आती हैं। खेतों में फसलें पकने लगती हैं। सबलोग खुश जान पड़ते हैं। इसलिए बसंत को ऋतुओं का राजा कहा गया है। बसंत की प्रशंसा में कवियों ने हजारों कविताएँ लिखी हैं। इन सारी कविताओं में गुलाब की सुन्दरता का वर्णन है। यथार्थ में, गुलाब से बसंत की सुन्दरता बढ़ जाती है।

Hints: बसंत आ गया है—spring is come or has set in; it is spring, फागुन...कहते हैं—The two months *Fagun* and *Chaitra* are called spring or are known as spring, बड़ी सुहावनी होती है—is very pleasant (charming), न ज्यादा गर्म...न ज्यादा ठंढा—is neither too hot nor too cold, पकने लगती हैं—begin to ripen, निकल आती है—come out; burst out, खुश जान पड़ते हैं—look happy (cheerful), वसंत को...कहा गया है—is called the king of seasons, प्रशंसा में—in praise of, हजारों कविताएँ—thousands of poems (not *poetries*), लिखी हैं—have composed, इन सारी कविताओं में—in all these poems, गुलाब की सुन्दरता का वर्णन है—there is description of the beauty of the rose (not *rose's beauty*), यथार्थ में—really, गुलाब से...बढ़ जाती है—the beauty of Spring is enhanced by the rose; the rose enhances (adds to) the beauty of Spring.

51.

बोधगया बिहार का एक प्रसिद्ध तीर्थस्थान है। यह गया शहर से छह मील दक्षिण है। वहाँ एक बहुत बड़ा मंदिर है। मंदिर में भगवान बुद्ध की मूर्ति है। मंदिर के चारों ओर खुला मैदान है। इसके पास ही पीपल का एक पेड़ है। इसी पेड़ के नीचे भगवान बुद्ध ने प्रकाश पाया था। इसलिए बौद्ध इस स्थान को बड़ा ही पवित्र मानते हैं। यहाँ हर साल दूर-दूर देशों के लोग भगवान बुद्ध की पूजा करने आते हैं। यात्रियों के आराम के लिए यहाँ अच्छा प्रबंध है।

Hints: प्रसिद्ध—famous, तीर्थस्थान—pilgrimage, से छः मील दक्षिण है—is six miles to the south of, मंदिर—temple, मूर्ति—statue, चारों ओर—all around, खुला—open, वहाँ...पेड़ है—इन सभी वाक्यों के अनुवाद में there का प्रयोग होगा। नीचे—under, भगवान बुद्ध—Lord (not *God*) Buddha, प्रकाश पाया था—received enlightenment; attained wisdom, पवित्र—sacred, मानते हैं—consider, दूर-दूर देशों के लोग—people from far off countries, पूजा करना—to worship; to offer prayer, यात्रियों—pilgrims, आराम के लिए—for comfort (convenience).

52.

तानसेन अकबर के दरबार में एक प्रसिद्ध गायक थे। अकबर उनका बहुत सम्मान करते थे। स्वामी हरिदास तानसेन के गुरु थे। एक दिन अकबर ने स्वामी हरिदास का गाना सुना और बहुत प्रसन्न हुए। उन्होंने तानसेन से कहा— ''तानसेन, तुम्हारे गुरु का गाना जैसा मीठा है, वैसा तुम्हारा नहीं।'' इसपर तानसेन ने जवाब दिया ''महाराज, उसका कारण है। मेरे गुरुजी तभी गाते हैं जब वे चाहते हैं। किन्तु मुझे तो आपकी आज्ञा पर गाना पड़ता है।''

Hints: गायक—musician, अकबर के दरबार में—at the court of Akbar, सम्मान करते थे—respected, प्रसन्न हुआ—was pleased; was overjoyed, गाना—music (not song), तुम्हारे...वैसा तुम्हारा नहीं—your music is not as sweet as that of your teacher, महाराज—sings only when he likes (pleases), आपकी आज्ञा पर गाना पड़ता है—have to sing at your orders (command).

53.

सारन जिले में सीवान एक शहर है। सीवान से थोड़ी दूर पर जीरादेई नामक एक गाँव है। उसी गाँव में राजेंद्र प्रसाद का जन्म 3 दिसम्बर, 1884 को हुआ था। उनका विद्यार्थी-जीवन बड़ा ही शानदार था, कलकत्ता विश्वविद्यालय की इंट्रेंस परीक्षा में सर्वोच्च स्थान पानेवालों में वे प्रथम बिहारी थे। उन दिनों बंगाल एक बहुत बड़ा प्रांत था, क्योंकि बिहार और उड़ीसा उसी के साथ थे। और इन तीनों के लिए कलकत्ता ही एक विश्वविद्यालय था। इसलिए कलकत्ता विश्वविद्यालय में प्रथम स्थान प्राप्त करना सचमुच गर्व की बात थी। राजेंद्र बाबू बचपन से ही महान थे।

Hints: से—from, थोड़ी दूर पर—at a little distance, नाम की—named; called, उसी गाँव में—in that very village; in the same village, को—on, शानदार—brilliant; glorious, कलकत्ता...में—at the Entrance Examination of the

Calcutta University, साथ थे—were attached to, गर्व की बात—a matter of pride, बचपन से ही—from the very childhood.

54.

अमेरिका के बोस्टन (Boston) नामक शहर में एक नवयुवक नौकरी की तलाश में घूम रहा था। वह घूमते-घूमते थक गया। तब वह एक होटल में चला गया और वहाँ एक सोफे पर लेटकर सो रहा। होटल की बुढ़िया मालकिन ने स्नेह के साथ उससे पूछा—"बेटा, क्या तू बीमार है?" नवयुवक ने जवाब दिया—"नहीं, सिर्फ थोड़ा थक गया हूँ।"

बुढ़िया क्रुद्ध हो गई और बोली—"तू तो बड़ा बुद्धू मालूम पड़ता है। क्या तू यह नहीं जानता कि दिन के समय बोस्टन में वही सोता है जो बीमार है?"

Hints: अमेरिका के—In America, नौकरी की तलाश में—in search of employment, घूमते-घूमते वह थक गया—he got (felt) tired of wandering, सोफा—sofa, लेटकर सो रहा—lay asleep, मालकिन—mistress, होटल की—of the hotel (not *hotel's*), स्नेह के साथ—with affection; affectionately (not *with affectionately*) सिर्फ थोड़ा थक गया हूँ—feel (am) only (just) a little tired, क्रुद्ध हो गई—got angry; lost her temper, बुद्धू—fool; idiot, मालूम पड़ता है—seem to be.

55.

14 अप्रैल को डॉ॰ विश्वेश्वरैया का देहान्त हुआ। मृत्यु के समय उनकी आयु अस्सी से ऊपर थी। डॉ॰ विश्वेश्वरैया प्रधानतः एक महान इंजीनियर थे। किन्तु अपने लम्बे जीवन में उन्होंने अनेक तरह से देश की सेवा की थी। वे एक आदर्श भारतीय थे। पिछले साल देशभर में उनका सम्मान हुआ था। राष्ट्रपति ने 'भारतरत्न' की उपाधि से उन्हें विभूषित किया था।

Hints: डॉ॰...हुआ—Dr...died, ऊपर—above, लम्बे जीवन में—druing his long life, देशभर में—throughout the country, विभूषित किया था—decorated; honoured.

56.

भारत एक विशाल देश है। सदियों पुराना इसका इतिहास है। यहाँ अनेक धर्मों के लोग रहते हैं, और भाषाएँ भी यहाँ अनेक हैं। फिर भी, हम सभी भारतीय हैं। चाहे हम बिहारी हों या मद्रासी, हमारी मातृभूमि यही भारत है। भारत की शान हमारी शान है। जब भारत सबल रहेगा तभी हम सभी सुखी रह सकेंगे। यदि बिहार में भूकम्प हो जाए तो समझना चाहिए कि सारे देश में भूकम्प हो गया। इसलिए सारे देश के विकास के लिए हम सभी को प्रयास करना चाहिए।

Hints: विशाल—big; vast, सदियों पुराना—century old, फिर भी—in spite of all this; even then, चाहे...या—whether...or, शान—glory; prestige, सबल—strong, रह सकेंगे—shall remain, shall be, भूकम्प हो जाए—is rocked; an earthquake occurs, विकास के लिए—for development, प्रयास करना चाहिए—should try; should make efforts.

57.

1930 में गाँधीजी जेल में थे। सावरमती-आश्रम के छोटे बच्चे हर सप्ताह उन्हें पत्र लिखा करते थे। अपने पत्रों में बच्चे अजीब-अजीब प्रश्न किया करते थे, और गाँधीजी संक्षेप में उनका जवाब दे देते थे। एक बार एक बच्चे ने शिकायत की—"बापू आप गीता की चर्चा बहुत करते हैं। गीता में अर्जुन केवल एक-दो पंक्तियों का प्रश्न करते थे और श्रीकृष्ण अनेक वाक्यों में जवाब देते थे। किन्तु आप हमारे लम्बे-लम्बे पत्रों का जवाब एक वाक्य में देते हैं। ऐसा क्यों?

Hints: अजीब-अजीब प्रश्न—queer questions, शिकायत की—complained, गीता...करते हैं—talk of the Gita.

58.

हिमालय हमारा है। वह भारतीय राष्ट्र का गौरव है। हमारे देश का एक अभिन्न अंग है। भूटान से लेकर कश्मीर तक भारत की संपूर्ण उत्तरी सीमा पर हिमालय फैला हुआ है। उत्तर बिहार के कुछ गाँवों से हिमालय की चोटियाँ साफ-साफ दिखलाई पड़ती हैं। भारत की अनेक नदियाँ हिमालय से निकलती हैं। भारत के एक बहुत बड़े भाग को इन नदियों ने हरा-भरा बना रखा है। हिमालय ने हमारे देश को बहुत कुछ दिया है। भारत हिमालय के बिना जी नहीं सकता। इसलिए हिमालय की रक्षा हमें किसी भी कीमत पर करनी होगी।

Hints: गौरव—pride, अभिन्न अंग—inseparable part, साफ-साफ दिखलाई पड़ती हैं—are clearly visible, जी नहीं सकता—cannot subsist or exist, किसी भी कीमत पर—at any cost, रक्षा करनी होगी—shall have to defend.

59.

प्रयाग हिन्दुओं का एक प्रसिद्ध तीर्थस्थान है। प्रयाग को इलाहाबाद भी कहते हैं। यही इलाहाबाद पं० जवाहरलाल नेहरू का जन्मस्थान है। उनके पिता पं० मोतीलाल नेहरू अपने समय के नामी नेता थे। बड़े भग्यवान पिता थे ये पं० मोतीलाल नेहरू। उनकी बड़ी बेटी श्रीमती विजयलक्ष्मी पंडित बम्बई की गवर्नर थीं। छोटी बेटी कृष्णा हठीसिंह भी एक मशहूर निदुषी महिला हैं। और मोतीलालजी के बेटे जवाहरलाल को कौन नहीं जानता! ये भारतीय गणराज्य के प्रथम प्रधानमंत्री रहे हैं। साथ ही, संसार के बड़े-से-बड़े राजनीतिज्ञों में इनकी गिनती होती है।

Hints: नामी—famous, विदुषी महिला—learned woman.

60.

पुराने जमाने में गुरु-शिष्य का सम्बन्ध बड़ा अच्छा होता था। उन दिनों विद्यार्थी अपने गुरु के घर रहते थे। गुरु के परिवार के साथ वे अपना सारा विद्यार्थी-जीवन बिताते थे। पढ़ने-लिखने के अलावा वे गुरु की सेवा अपना कर्त्तव्य मानते थे। जंगल से लकड़ी लाते, भोजन पकाते, या परिवार के अन्य कामों में हाथ बँटाते। गुरु भी अपने शिष्य को प्यार करते थे। एक चतुर पिता की तरह वे अपने शिष्यों के दैनिक जीवन पर निगरानी रखते। नतीजा यह होता था कि शिष्य केवल विद्वान ही नहीं होते थे, बल्कि वे चरित्रवान भी होते थे।

Hints: गुरु-शिष्य—the teacher and the taught, अलावा—apart from, हाथ बँटाते थे—participated.

61.

पं० जवाहरलाल नेहरू अपने देश के एक महान नेता थे। संसार के महापुरुषों में उनकी गिनती होती है। 1947 ई० में भारत स्वतंत्र हुआ। तबसे लेकर जीवन के अन्तिम क्षण तक नेहरूजी भारत के प्रधानमंत्री बने रहे। वे एक कुशल शासक थे। साथ ही, वे बड़े ऊँचे दरजे के लेखक भी थे। उन्होंने अनेक पुस्तकें लिखी हैं। अँगरेजी में लिखी उनकी पुस्तकें देश-विदेश में बड़े चाव से पढ़ी जाती हैं। पं० नेहरू अपने देश के गौरव थे। उनके उठ जाने से देश कंगाल हो गया।

Hints: गिनती होती है—is counted among, जीवन...तक—till the last moment of life, कुशल—successful, बड़े ऊँचे दरजे के—of a high order; a writer of repute, बड़े चाव से—with great interest, गौरव—pride, उठ जाने से—death, कंगाल—poorer, beggar; impoverished.

62.

इन दिनों गल्ले का भाव बहुत ज्यादा बढ़ गया है। चावल तीस से लेकर चालीस रुपये प्रति मन बिकने लगा है। गेहूँ तो बाजार से गायब ही हो गया। सरकारी दुकानें खुल रही हैं जहाँ से खाद्यान्न उचित मूल्य पर मिल सकेंगे। भारत कृषि-प्रधान देश है। फिर भी, यहां खाद्यान्नों की कमी हो गई है। यह बड़े दुःख और आश्चर्य की बात है। इसका प्रधान कारण है भारत की निरंतर बढ़ती हुई आबादी।

गल्ला—food grains, तीस से...प्रति मन—at Rs. 30/- to 40/- a maund, गायब हो गया है—has disappeared, मिल सकेंगे—will be available, कमी—shortage, दुःख...है—It is a matter of deep regret and surprise, निरन्तर बढ़ती हुई आबादी—ever growing (increasing) population; progressive rise in population.

63.

विनोबा भावे का नाम आपने अवश्य सुना होगा। गाँधीजी के शिष्यों में वे सबसे महान थे। उनको देखकर सचमुच गाँधीजी की याद आ जाती थी। गाँधीजी की तरह ही संत विनोबा ने भी सारे भारत का भ्रमण किया। भूदान-आन्दोलन का श्रीगणेश विनोबाजी ने ही किया था। इस आन्दोलन से गरीबों को बहुत लाभ हुआ। जिनके पास कुछ भी जमीन नहीं थी, उन्हें जमीन मिली। विनोबाजी गाँव-गाँव में जाकर लोगों से जमीन माँगते थे। वे संस्कृत के प्रसिद्ध विद्वान थे। श्रोताओं पर उनके प्रवचनों का बड़ा गहरा असर होता था।

Hints: शिष्य—disciple, श्रीगणेश करना—to start, आंदोलन—movement, प्रवचन—sermons.

64.

प्रतिवर्ष सोनपुर में एक मेला लगता है। लोगों का कहना है कि यह मेला भारतवर्ष के बड़े मेलों में से एक है। गंडक नदी के तट पर सोनपुर नाम की एक अच्छी बस्ती है। उसके आसपास बड़ा-सा खुला मैदान है। उसी मैदान में मेला लगता है। इस मेले में दूर-दूर

से लोग आते हैं। उन दिनों गाड़ियों में बेहद भीड़ हो जाती है। खासकर पूर्णिमा के दिन तो लोग गाड़ियों की छत पर बैठकर सफर करते हैं। इस मेले में सभी प्रकार की वस्तुएँ बिकती हैं। हाथी-घोड़े भी बिक्री के लिए आते हैं।

Hints: लगता है—is held, बड़ा-सा—big, बेहद भीड़—great rush, छतों—roofs, बिक्री—sale.

65.

हमलोग आज परीक्षा दे रहे हैं। इस परीक्षा का प्रबन्ध बिहार विद्यालय परीक्षा बोर्ड करता है। इस बोर्ड से भी बहुत बड़ा एक और परीक्षा बोर्ड है। उसका नाम संसार है। हम चाहें या न चाहें, उस बोर्ड की परीक्षा में हमें बैठना ही होगा। उस परीक्षा में हमारे चरित्र की जाँच होगी। हमारी वर्तमान परीक्षा उस परीक्षा की तैयारी मात्र है। इसलिए इस परीक्षा में हमें कोई गलत काम नहीं करना चाहिए। गलत काम हमारे चरित्र को बिगाड़ देगा और संसार की असली परीक्षा में हम फेल कर जाएँगे।

Hints: परीक्षा देना—to appear at or take examination, प्रबन्ध करता है—conducts, जाँच होगी—will be put to test, बिगाड़ देना—will spoil, असली—real; true.

66.

अमेरिका के एक प्रेसिडेंट एक बार किसी सभा में जा रहे थे। रास्ते में उन्होंने एक सूअर को कीचड़ में पड़े देखा। वह बाहर निकलने की कोशिश कर रहा था। लेकिन कीचड़ में वह और भी धँसा जा रहा था। प्रेसिडेंट अपनी पोशाक सहित कीचड़ में कूद पड़े और सूअर को बाहर निकाला। सभा का समय हो गया था। इसलिए कीचड़ से भरे कपड़ों को पहने ही वे सभा में पहुँचे। जब लोगों को सारा हाल मालूम हुआ, तो वे उनकी प्रशंसा करने लगे।

Hints: कीचड़—mud, और भी धँसा जा रहा था—was getting stuck more and more, बाहर निकाला—pulled out; took out, कीचड़ से भरे—besmeared with mud.

67.

हर मनुष्य अपने जीवन में सफल होना चाहता है। सफलता के लिए परिश्रम आवश्यक है। संसार में सभी लोग समान रूप से परिश्रम नहीं करते। कुछ लोग स्वभाव से आलसी होते हैं। आप जितना ज्यादा परिश्रम करेंगे, उतनी ही ज्यादा सफलता प्राप्त करेंगे। आज से अधिक परिश्रम करने का निश्चय कीजिए। बिना परिश्रम के कुछ भी नहीं हो सकता। सोए हुए शेर के मुख में हिरण प्रवेश नहीं करते। हमलोगों को यह कहावत सदा याद रखनी चाहिए।

Hints: आवश्यक—essential; necessary, समानरूप से—equally, स्वभाव से—by nature, निश्चय—decision; determination.

68.

आज मैं माध्यमिक विद्यालय परीक्षा दे रहा हूँ। मैं यह परीक्षा अच्छी तरह पास करने की आशा रखता हूँ। इस समय मैं अपने विद्यालय को याद कर रहा हूँ। वहाँ मेरे बहुत-से साथी शिक्षा प्राप्त कर रहे हैं। मैं अपने उन शिक्षकों याद कर रहा हूँ, जिन्होंने मुझे प्रेम के

साथ पढ़ाया। कॉलेज में जाने के बाद मैं विद्यालय से दूर पड़ जाऊँगा। मेरा कॉलेज का जीवन मेरे विद्यालय के जीवन से भिन्न होगा। वहाँ मेरे शिक्षक और साथी नए होंगे। लेकिन मैं अपने विद्यालय को कभी भी नहीं भूल सकूँगा।

Hints: दे रहा हूँ— appearing at; taking (not giving), प्रेम के साथ— with affection, भिन्न— different.

69.

हमलोगों को सरल जीवन व्यतीत करना चाहिए। लेकिन यह बात आसान नहीं है। एक उदाहरण लें। हम सभी जानते हैं कि हमें सादा भोजन करना चाहिए तथा बहुत अधिक कभी भी नहीं खाना चाहिए। लेकिन हमलोग इस नियम का पालन सर्वदा नहीं कर पाते। इस कारण हम बीमार पड़ जाते हैं। अच्छे स्वास्थ्य के लिए हमें अपने भोजन में नियमित होना चाहिए। कोई भी आदमी बिना स्वास्थ्य के संसार में कुछ नहीं कर सकता।

Hints: सरल— simple, व्यतीत करना— to lead; to live, सादा— simple; plain, नियम का पालन करना— to observe this rule, नियमित— regular.

70.

मैं अपनी भाषा से अँगरेजी में अनुवाद करना जानता हूँ। मैंने यह अपने विद्यालय में अपने शिक्षक से सीखा है। अँगरेजी अनुवाद की एक घंटी को याद कर रहा हूँ। शिक्षक वर्ग में आए और उन्होंने ब्लैकबोर्ड पर थोड़े-से वाक्य लिखे। उन्होंने हमलोगों से कठिन-से-कठिन शब्दों की अँगरेजी पूछी। हमलोगों ने अपनी पुस्तिका में किसी की सहायता के बिना अनुवाद बनाया। शिक्षक ने हमारे अँगरेजी अनुवाद को शुद्ध किया। आज मुझे अनुवाद के काम में कोई कठिनाई नहीं हो रही है। मैं अपने शिक्षक को हृदय से धन्यवाद देता हूँ।

Hints: थोड़े-से— a few; some, कठिन-से-कठिन— very difficult, हृदय से— from the core of my heart.

71.

नालंदा की शिक्षा-प्रणाली बहुत ही उच्चकोटि की थी। प्रसिद्ध यात्री ह्वेनसांग लिखता है कि विद्यालय के चारों ओर एक ऊँची दीवार थी। उसमें केवल एक ही द्वार था। उस द्वार पर एक प्रकांड विद्वान द्वार-पंडित रहता था। जो विद्यार्थी दूर देशों से विद्यालय में प्रविष्ट होने के लिए आते थे, द्वार-पंडित उनकी परीक्षा लेते थे। यह एक प्रकार की प्रवेशिका परीक्षा थी।

Hints: शिक्षा-प्रणाली— the system of education, उच्च कोटि की— of a very high standard, प्रसिद्ध यात्री— the famous pilgrim (traveller), चारों ओर— round, प्रकांड विद्वान द्वार-पंडित— a very learned gate-keeper, प्रविष्ट होने के लिए— to enter; to be admitted, प्रवेशिका— Entrance.

72.

एक चालाक लड़का कुएँ पर बैठा रो रहा था। एक लालची आदमी उधर से निकला और लड़के से रोने का कारण पूछा। लड़के ने कहा कि मैं इस कुएँ पर पानी भरने आया था। ताँबे का घड़ा मेरे हाथ से छूटकर कुएँ मे गिर पड़ा यह सुनकर वह आदमी कपड़े

उतारकर कुएँ में उतरा। देर तक ताँबे का घड़ा वह कुएँ की तह में ढूँढ़ता रहा। अन्त में निराश होकर बाहर निकला तो क्या देखता है कि लड़का उसके कपड़े लेकर चम्पत हो गया।

Hints: चालाक—clever, लालची—greedy, उधर से निकला—passed that way, छूटकर—slipped, उतरा—went down, तह—bottom, चम्पत हो गया—disappeared.

73.

एक गाँव में एक बूढ़ा रहता था। उसके चार बेटे थे। वे अपने पिता की तरह परिश्रमी नहीं थे। वे अपना समय नष्ट किया करते थे। एक दिन वह किसान बड़े जोर से बीमार पड़ा। उसने अपने सभी बेटों को बुलाया और कहा—"मैंने अपना सारा धन खेत में गाड़ रखा है।" इतना कहने के बाद वह मर गया। उसकी मृत्यु के बाद उसके बेटों ने सारा खेत कोड़ डाला। पर उन्हें कोई धन नहीं मिला। तब उनलोगों ने वहाँ पेड़ लगवाए। उन पेड़ों के फलों से उन्हें अच्छी आमदनी हुई। वे समझ गए कि उनके पिता के कहने का क्या मतलब था। उस दिन से वे कठिन परिश्रम करने लगे।

Hints: तरह—like, परिश्रमी—hard-working, बहुत जोर से—seriously; dangerously, पड़ा—fell, गाड़ना—to bury, कोड़ना—to plough, मिला—got, पेड़ लगवाए—got the trees planted, अच्छी—good, समझ गए—realised, कहने का क्या मतलब था—what...meant to say, उस समय से—since then.

74.

एक भेड़िया था। एक दिन उसे खाने को कुछ न मिला। वह बहुत चालाक था। उसने एक उपाय सोचा। उसने एक भेड़ की खाल ओढ़ ली और भेड़ों के साथ-साथ चरने लगा। जब भेड़ में में करतीं, तब वह भी उनकी नकल करने की कोशिश करता। पर वह वैसा कर न सका। वह केवल हुँकार सकता था। उसकी आवाज सुनकर गड़ेरिये ने भेड़िये को पहचान लिया। वह तुरंत भेड़िये के पास गया और अपने भाले से उसे मार डाला।

Hints: भेड़िया—wolf, खाने को—to eat, ओढ़ना—to cover one's body, में-में करना—to bleat, वैसा—so, हुँकार—howl, गड़ेरिया—shepherd, भाले से—with his spear.

75.

एक समय एक गाँव में दो मित्र रहते थे। उनमें एक मोटा था और दूसरा दुबला-पतला। एक बार वे नौकरी की खोज में निकले। वे एक घने जंगल से गुजर रहे थे। इसी बीच उन्होंने एक भालू को देखा। दुबला-पतला आदमी तुरत ही एक पेड़ पर चढ़ गया। उसने मोटे आदमी को संकट में छोड़ दिया। मोटा आदमी मुर्दे की तरह जमीन पर लेट गया। वह जानता था कि भालू मुर्दे पर आक्रमण नहीं करता। भालू आया और उसे मुर्दा समझकर छोड़ दिया। तब उसका दोस्त पेड़ से उतरा। उसने अपने मोटे दोस्त से पूछा—"भालू ने तेरे कान में क्या कहा?" मोटे आदमी ने उत्तर दिया—"भालू ने कहा कि झूठे दोस्त का विश्वास नहीं करना चाहिए।"

Hints: उनमें से एक—one of them, मोटा—fat, दुबला-पतला—lean and thin, एक बार—once, नौकरी की खोज में—in search (in quest) of an employment, गुजर रहे थे—were passing through, घने—thick; dense, इसी बीच—in the meantime, संकट में छोड़ दिया—deserted him; left him in the lurch, आक्रमण करना—to attack, उतरा—climbed down; got down, भालू ने...कहा?—What did the bear whisper in your ears? झूठा दोस्त—false friend.

76.

गर्मी का मौसम था। तालाब में पानी नहीं था। एक बन्दर बहुत प्यासा था। वह पानी के लिए इधर-उधर घूम रहा था। अन्त में उसने एक कुआँ देखा। कुएँ में पानी था। पानी पीने के लिए वह कुएँ में कूद पड़ा। कुएँ से बाहर निकलना उसके लिए कठिन था। इसी बीच उसने एक बकरी की आवाज सुनी। चतुर बन्दर ने उसे कुएँ का पानी पीने के लिए आमंत्रित किया। बेचारी प्यासी बकरी तुरंत ही कुएँ में कूद पड़ी। तब बन्दर ने बकरी के सिर पर अपने पैर रखे और कुएँ से बाहर निकल गया। मूर्ख बकरी कुएँ में रह गई और उसी में मर गई।

Hints: गर्मी का मौसम था—It was summer, इधर-उधर—here and there, अन्त में—at last, कूद पड़ा—jumped into, आमंत्रित किया—invited, बेचारी—the poor, बाहर निकला—came out; got out, उसी में—there.

77.

एक गाँव में एक अन्धा आदमी रहता था। उस गाँव में एक लँगड़ा आदमी भी था। एक समय गाँव में आग लगी और लोग अपनी जान लेकर भागने लगे। लँगड़ा आदमी बाहर नहीं जा सकता था। अन्धे की अवस्था भी वही थी। अन्धा आदमी बहुत बुद्धिमान था। वह मजबूत भी था। उसने लँगड़े आदमी को अपनी पीठ पर बैठने को कहा। लँगड़े ने वैसा ही किया जैसा अंधे आदमी ने राय दी। लँगड़े ने रास्ता दिखाया। इस प्रकार दोनों की जान बच गई। मेल-जोल से काम करना लाभदायक होता है।

Hints: लँगड़ा आदमी भी—a lame man, too, अपनी जान लेकर भागने लगे—began to flee away for life, वही थी—was the same, कहा—asked, वैसा ही किया—did as the blind man advised, रास्ता दिखाया—showed the way, दोनों की जान—the life of both [not both's life], मेल-जोल से—in co-operation, काम करना—to work, लाभदायक—useful.

78.

एक वृद्धा थी। उसकी आँखों की रोशनी कम पड़ गई और धीरे-धीरे वह अंधी हो गई। अपने अंधेपन को दूर करने के लिए उसने एक डॉक्टर बुलाया। उसके और डॉक्टर के बीच यह तय हुआ कि जब उसका अंधापन दूर हो जाएगा तो वह डॉक्टर को अच्छी रकम देगी। अगर वह चंगी नहीं होगी तो डॉक्टर को कुछ नहीं मिलेगा। डॉक्टर रोज उसके यहाँ आया करता और उसके मकान से प्रतिदिन कुछ सामान उठा ले जाता। कुछ दिनों के बाद वह बिल्कुल चंगी हो गई। पर उसके बहुत-से बहुमूल्य सामान गायब हो चुके थे। महिला इस बात को समझ गई। इसलिए उसने डॉक्टर को कुछ भी देने से इनकार कर दिया। इसपर डॉक्टर ने उसके विरुद्ध मुकदमा दायर कर दिया। वृद्धा ने न्यायाधीश को कहा कि पहले

वह अपने अधिकांश सामानों को देख ले सकती थी, पर अब वह उनमें से किसी को भी देख नहीं पाती। बुद्धिमान न्यायाधीश सब कुछ समझ गया और वृद्धा के पक्ष में निर्णय दिया।

Hints: एक वृद्धा थी—there was an old woman, रोशनी—her eye-sight, अंधेपन—blindness, अच्छी रकम—a handsome amount, तय हुआ—it was settled; it was agreed upon, कुछ—some, चंगी हो गई—recovered fully; got round completely, गायब हो चुके थे—had been lost; missing, समझ गई—realised it, इनकार कर दिया—refused to pay anything (not denied), इसपर—at this; so, मुकदमा दायर कर दिया—filed a suit; instituted a case, सब कुछ समझ गया—understood everything, पक्ष में निर्णय दिया—decided the case in favour of; gave his judgement in favour of.

79.

एक बार किसी देश में भयानक अकाल पड़ा। लोग उस देश को छोड़कर भागने लगे। उस देश में दो गहरे मित्र रहते थे। वे भी धन की खोज में चल पड़े। रास्ते में वे जंगल के निकट पहुँचे, वहाँ उन्हें सोने से भरा एक थैला मिला। वे बहुत खुश हुए और उसे आपस में बराबर बाँट लेना चाहा। पर दोनों ही लालच में पड़ गए और एक ने दूसरे को उससे बंचित करना चाहा। उनमें एक दुर्बल था। वह मिठाइयाँ लाने बाहर गया। उसने मिठाइयों में जहर डाल दिया। ज्योंही दुर्बल दोस्त मिठाई लेकर आया, बलवान दोस्त ने उसपर आक्रमण किया और उसे मार डाला। इसके बाद उसने मिठाई को खा जाने का निश्चय किया। ज्योंही उसने मिठाइयाँ खाईं, वह मर गया। लालच बुराई की जड़ है।

Hints: भयानक—terrible, अकाल—famine, पड़ा—broke out, गहरे—fast, आपस में—between themselves, दोनों ही लालच में पड़ गए—both of them fell a victim to greed, एक ने...चाहा—the one wanted to deprive the other of gold, लाने—to bring (not for bringing), जहर डाल दिया—poisoned the sweets, ज्योंही—as soon as, बुराई की जड़—the root of evils.

80.

कुछ लड़कों ने एक बाग देखा। बाग में बहुत-से फलों के पेड़ थे। पेड़ फलों से लदे थे। वे सब टोकरियाँ लेकर बाग में घुसे। उनकी इच्छा थी कि फल खूब खाएँ और अच्छे फल घर ले जाएँ। वे जहाँ-तहाँ फल तोड़ने और खाने लगे। रामू ही एक ऐसा था जो एक जगह स्थिर रहा। उसने एक पेड़ चुना और अपनी टोकरी भरने के लिए बहुत फल तोड़े। दूसरे लड़कों ने केवल समय ही नष्ट किया। इसी बीच माली आ गया और वे जान लेकर भागे। वे खाली टोकरी लेकर बाग से लौटे। उन्हें दुःख था कि वे अवसर का लाभ नहीं उठा सके। रामू खुश था, क्योंकि उसकी टोकरी भरी थी। इसलिए कहा जाता है—अवसर न चूको।

Hints: फलों के पेड़—fruit-trees, पेड़...थे—The trees were laden with fruits, घुसे—entered into, खूब खाएँ—eat to their satisfaction, घर ले जाएँ—carry home, रामू ही एक ऐसा था—Ramu was the only boy who, चुना—selected,

माली—gardener, खाली टोकरी—empty baskets (not vacant baskets), उन्हें दुःख था—they were sorry, अवसर का लाभ...सके—were not able to take advantage of the opportunity, अवसर न चूको—Don't miss the chance or opportunity.

81.

एक व्यापारी था। एक समय उसे व्यापार के लिए किसी दूर देश जाना पड़ा। उसके पास एक हजार लोहे की छड़ें थीं। उसने उन्हें अपने एक मित्र को सौंप दिया। विदेश से वापस आने पर वह अपने मित्र के पास पहुँचा और छड़ों की माँग की। मित्र ने कहा कि चूहों ने सभी छड़ों को खा डाला। यह सुनकर व्यापारी आश्चर्य में पड़ गया और कुछ भी नहीं बोला। कुछ दिनों के बाद उसने उस मित्र के पुत्र को एक भोज पर आमंत्रित किया। भोज के बाद व्यापारी ने उसे घर जाने नहीं दिया। उसने मित्र को संवाद भेजा कि उसके पुत्र को एक कौआ ले भागा। उसका मित्र सब कुछ समझ गया। उसने व्यापारी की सारी छड़ें लौटा दीं।

Hints: दूर देश—distant land, लोहे की छड़ें—iron bars, सौंप दिया—entrusted them to his friend, विदेश से वापस आने पर—on his return from the foreign country, माँग की—demanded, खा डाला है—have eaten up, आश्चर्य में पड़ गया—was greatly surprised, उसे घर नहीं जाने दिया—did not allow him to return home, संवाद भेजा—sent a message, ले भागा—carried away.

82.

किसी गाँव में एक किसान रहता था। उसे दो पालतू पशु थे। एक था एक छोटा-सा कुत्ता और दूसरा था एक गदहा। वह उन्हें बहुत प्यार किया करता था। शाम को कुत्ता किसान के सामने खेला करता था। किसान उस कुत्ते को बहुत ही प्रेम से अपनी गोद में रख लेता था। पर गदहा कभी-कभी बहुत पीटा जाता। इसलिए गदहा वैसा ही करना चाहता था जैसा कुत्ता किया करता था। एक दिन शाम को गदहे ने किसानकी गोद में बैठने की कोशिश की। किसान ने सोचा कि गदहा पागल हो गया है। गदहा बहुत बुरी तरह पीटा गया। दूसरे की देखा-देखी न करो।

Hints: दो पालतू पशु थे—had two pets, एक था—one of them was, गोद में—in his lap, कभी-कभी बहुत पीटा जाता—was severely beaten at times, वैसा...था—wanted to do as the dog did, पागल होना—to go mad, दूसरे की देखा-देखी मत करो—Don't imitate (copy) others.

83.

एक पेड़ पर एक सारस रहता है। एक लोमड़ी से उसकी दोस्ती हो जाती है। लोमड़ी सारस को निमंत्रण देती है। एक छिछली तश्तरी में भोजन परोसा जाता है। सारस भोजन की सुगन्ध ले सकता है, पर खा नहीं सकता। लोमड़ी खाती है, पर सारस भूखा रह जाता है। सारस भी लोमड़ी को निमंत्रण देता है। भोजन एक सुराही में परोसा जाता है। सारस अपनी लंबी चोंच से सब कुछ खा जाता है। लोमड़ी कुछ भी खा नहीं पाती।

Hints: सारस—crane, लोमड़ी—fox, उसकी दोस्ती हो जाती है—he contracts friendship, छिछली तश्तरी—a shallow dish, भोजन परोसा जाता है—food is served, सुगंध ले सकता—can smell the food, सुराही—The fox is not able to eat anything.

84.

एक लोमड़ी मुर्गी चुराने बाहर जाती है। उसकी पूँछ जाल में फँस जाती है और कट जाती है। तब वह एक उपाय सोचती है। वह एक सभा बुलाती है और सभी लोमड़ियों से पूँछ कटवाने को कहती है। इसपर एक चालाक लोमड़ी कहती है— ''अगर आपको अपनी पूँछ फिर से मिल जाए तो आप हमलोगों को पूँछ कटवाने की सलाह नहीं देंगी। आप बिना पूँछ के हैं। इसलिए हमें ऐसी सलाह देती हैं।''

Hints: फँस जाती है—is entangled; is caught in a net, एक उपाय सोचती है—thinks out a plan, सभा बुलाती है calls a meeting; conference, फिर से मिल जाए—if you get back, हमें ऐसी सलाह देती हैं—you advise us like this.

85.

बहुत समय हुआ एक बूढ़ा आदमी जिसका नाम होमर था, ग्रीस के मनुष्यों के बारे में गीत गाया करता था। वहं अपने गीतों में कहानी कहता था। जो आदमी सुनते थे, वे उन कहानियों को किताबों में विद्यार्थियों तथा अन्य आदमियों के लाभ के लिए लिख दिया करते थे। सैनिकों से भरी विशाल लकड़ी के घोड़े की कहानी उन्हीं कहानियों में से एक है।

Hints: बहुत समय हुआ—long, long ago, जिसका नाम होमर था—whose name was Homer; who was named Homer; who was known as Homer; who was called Homer, ग्रीस के मनुष्यों के बारे में—about the Greeks, गाया करता था—sang; used to sing, कहानी कहता था—narrated stories; used to narrate stories; would narrate stories, लिख दिया करते थे—wrote them down, लाभ के लिए—for the benefit of; in the interest of, सैनिकों से भरी विशाल लकड़ी के घोड़ की कहानी—the story of the large hollow wooden horse filled with soldiers, में से एक है—is one of.

86.

तुलसीदास के जीवन से हमें एक बड़ी अच्छी सीख मिलती है। तुलसीदास का जन्म एक गरीब ब्राह्मण के परिवार में हुआ था। बचपन में ही उनके माँ-बाप चल बसे और बालक तुलसी की देखभाल करने वाला कोई न रहा। कहते हैं कि तुलसी को भीख तक माँगनी पड़ी। तुलसी की रामायण हिन्दी भाषा में सबसे लोकप्रिय ग्रन्थ हैं। इससे हम तरह-तरह की शिक्षा ग्रहण करते हैं।

Hints: अच्छी सीख—good lesson, मिलती है—we get (the life of Tulsi Das teaches), जन्म हुआ था—was born (not *his birth took place* or *he took his birth*), बचपन में ही—in the very childhood; it was in childhood that, उनके—his, माँ-बाप—parents, चल बसे—died, कोई न रहा—there was none (no one), देखभाल करना—to took after, कहते हैं—it is said; they say; the story goes, भीख तक माँगनी पड़ी—had even to beg, रामायाण—the Ramayan, सबसे लोकप्रिय—the most popular, ग्रन्थ—book, तरह-तरह की—of different (many; several) kinds, शिक्षा—lesson, ग्रहण करते हैं—derive; take (not *accept*).

87.

एक भिखारी द्वार-द्वार घूमकर भीख माँग रहा था। बहुत गर्मी पड़ रही थी। भिखारी बहुत थक गया था। आज उसे चार-पाँच रोटियाँ मिली थीं। उसने एक पेड़ की छाया में

बैठकर खाने के लिए झोले से रोटियाँ निकालीं। इतने में वहाँ एक दूसरा भिखारी आ गया जो पिछले कई दिनों से कुछ भी भीख न पा सका था। दोनों ने साथ खाना खाया।

Hints: भीख माँग रहा था—was begging, द्वार-द्वार घूमकर—from door to door, (यहाँ 'भीख' और 'घूमकर' का अलग अनुवाद नहीं करना चाहिए।) बहुत गर्मी पड़ रही थी—It was extremely hot (too hot), थक गया था—was (got; felt) tired, चार-पाँच रोटियाँ—four to five loaves of bread (not breads), मिली थीं—received, पेड़ की छाया में—in the shade of a tree (not shadow), खाने के लिए—to eat, झोले से—out of the bag, निकालीं—took out, इतने में—in the meantime, जो—who, पिछले कई दिनों से—for the last few days, कुछ भी न पा सका था—had not been able to get (not was not able or could not), कुछ भी भीख—anything; any alms.

88.

भारत गाँवों का देश है। भारत की उन्नति उसके गाँवों की उन्नति के ऊपर निर्भर करती है। गाँव की उन्नति के लिए यह जरूरी है कि उसके निवासी पढ़े-लिखे हों। शिक्षा के बिना मुनष्य अपने-आपको सही ढंग से नहीं समझ सकता। शिक्षा ही मनुष्य को पशु से भिन्न करती है। इसलिए यह एकदम जरूरी है कि हम अपने बच्चों को शिक्षित बनाएँ; साथ-ही अपनी बच्चियों की शिक्षा की ओर भी जागरूक हों।

Hints: गाँवों का देश—a country of villages, भारत की उन्नति—prosperity (progress) of India, निर्भर करती है—depends, ऊपर—on; upon, उन्नति के लिए—for progress, निवासी—inhabitants, अपने-आपको—himself, सही ढंग से—propoerly, शिक्षा ही—It is education; education alone, भिन्न करती है—distinguishes, एकदम जरूरी—absolutely necessary, शिक्षित बनाएँ—educate, साथ-ही—at the same time, बच्चियों—daughters, अपनी—out, जागरूक—conscious; to take care of.

89.

मन और शरीर में घनिष्ठ सम्बन्ध है। स्वस्थ मन रहता है। छात्रों को चाहिए कि वे केवल अपने मन को ही नहीं, बल्कि अपने शरीर को भी विकसित करें। दुर्बल स्वास्थ्य रखकर हम कोई भी कठिन काम नहीं कर सकते। अत: हमारे लिए स्वास्थ्य उतना ही आवश्यक है जितनी शिक्षा। इसीलिए आजकल स्कूलों में शारीरिक शिक्षा को बहुत महत्त्व दिया जाता है।

Hints: घनिष्ठ संबंध—close relation; intimate connection, रहता है—is, केवल...नहीं, बल्कि—not only...but also, विकसित करें—should develop, दुर्बल—weak, कोई भी—any, उतना ही...जितना—as...as, शारीरिक शिक्षा—physical training, महत्त्व दिया जाता है—importance is given (attached) to.

90.

एक चींटी नदी की धारा में बहती जा रही थी। वह किनारे आने की कोशिश कर रही थी, लेकिन आ नहीं पाती थी। किनारे के वृक्ष पर बैठा एक तोता यह सब देख रहा था। उसे चींटी पर दया आ गई। उसने वृक्ष से एक पत्ता तोड़कर चींटी के पास गिरा दिया।

चींटी पत्ते पर जा बैठी। कुछ समय बाद पत्ता किनारे लग गया। इस तरह चींटी की जान बच गई।

Hints: नदी की धारा में बहती जा रही थी—was carried away in the current or carried along the current, किनारे आने—to reach the bank, आ नहीं पाती थी—not able (unable) to do so, किनारे के वृक्ष पर—on a tree on the bank, बैठा—sitting, यह सब—all this, दया आ गई—took pity on; was moved, गिरा दिया—dropped, किनारे लग गया—touched (reached) the bank, जान बच गई—life was saved.

91.

हम सब हाथ की अँगुलियों की तरह रहें। हमारे हाथ की एक अँगुली छोटी है तो दूसरी बड़ी है। सब अँगुलियाँ समान नहीं हैं। फिर भी जो काम करना होता है, वह सब मिलकर ही करती हैं। लोटा उठाना हो, तो अँगुलियाँ मिलकर उठाती हैं। वे अगर आपस में झगड़ा करने लगेंगी और परस्पर सहयोग नहीं करेंगी, तो कुछ भी काम नहीं हो पाएगा। तो हमें भी उनकी तरह प्रेम के साथ रहना चाहिए।

Hints: हम सब—we all; all of us, रहें—should live (let-live), हमारे हाथ...तो दूसरी—while...the other, सब अँगुलियाँ—all the figner (not all fingers), की तरह—like, समान—equal; alike, फिर भी—however, जो काम—the work which, जो काम...करती हैं—the work which has to be done or whatever has to be done is done by them all together, उठाना—to lift, तो—then;, पर यहाँ—then, का प्रयोग नहीं होगा, क्योंकि वाक्य में if का प्रयोग होगा। आपस में—will not give, कुछ भी काम नहीं हो पाएगा—no work will be done, तो—so; therefore, हमें भी—we too, प्रेम के साथ—in friendship, अँगूठा—thumb.

92.

तुमने चीन देश का नाम अवश्य सुना होगा। यह देश भारतवर्ष के उत्तर-पूर्व में है। यह संसार के अत्यंत घने बसे देशों में से है। इस देश के निवासी चीनी कहलाते हैं। बहुत-से चीनी हमारे देश में रेशमी वस्त्र बेचा करते हैं। चीनी-मिट्टी के बरतन भारतवर्ष के नगरों में काफी बिकते हैं।

चीनी लोग देखने में हमलोगों से मिलते-जुलते हैं, परन्तु वे बर्मावालों के अधिक समान प्रतीत होते हैं। उनका रंग कुछ-कुछ पीला-सा होता है। उनका शरीर सुडौल, कद छोटा, चेहरा चौड़ा, कनपटी की हड्डियाँ ऊँची, आँखें छोटी और काली, नाक चिपटी और बाल काले तथा चमकीले होते हैं। उनको दाढ़ी-मूछें बहुत कम होती हैं। वे स्वभाव से कोमल, बोलचाल में नम्र, व्यवहार में ईमानदार और काम करने में अत्यंत परिश्रमी और दक्ष होते हैं।

Hints: चीन देश—China, अवश्य सुना होगा—must have heard, उत्तर-मूर्व में हैं—is to the north-east, घने-बसे—thickly populated, में से हैं—is one of the, चीनी—the Chinese, चीनी मिट्टी के—made of China clay (not *Chinese clay*), काफी

बिकती हैं—sell in large quantity, देखने में—in appearance, मिलते-जुलते हैं—are similar, बर्मावालों के अधिक समान प्रतीत होते हैं—are (look) more similar to the Burmese, कुछ-कुछ पीला-सा—a little (somewhat) yellowish, सुडौल—well-built, कद छोटा—small in stature, चेहरा चौड़ा—broad face, कनपट्टी—temples, ऊँची—raised, चिपटी—flat, चमकीले—bright, उनको...होती हैं—They have little hair on their face, स्वभाव से—by nature, कोमल—tender; polite; sweet, बोलचाल में—in talk, व्यवहार में—in dealing, दक्ष—skilful.

93.

आजकल हमारे देश में अन्न की बड़ी कमी हो गई है। अपने भोजन के लिए हमें दूसरे देशों पर निर्भर करना पड़ता है। यह स्थिति राष्ट्र के लिए सम्मानास्पद नहीं है। अनेक छोटे राष्ट्रों ने वैज्ञानिक खेती के तरीकों को अपनाकर अपनी यह समस्या हल कर ली। हम भी कठिन परिश्रम करके और विज्ञान की सहायता से शीघ्र ही अन्न की कमी दूर कर सकते हैं।

Hints: बड़ी कमी—acute shortage, सम्मानास्पद—honourable, अपनाना—to adopt, समस्या हल करना—to solve a problem.

94.

जापान में एक बार भयानक अकाल पड़ा। एक गाँव में एक गरीब किसान के पास एक बोरा धान था। समूचे गाँव में और किसी के पास उतना धान नहीं था। वह उससे बहुत दिनों तक अपना जीवन-निर्वाह कर सकता था। लेकिन उसने ऐसा नहीं किया। उसने सोचा, "मैं यदि इस धान को खा गया, तो बीज के लिए गाँव में धान किसी को नहीं मिलेगा।"

Hints: भयानक—terrible, जीवन-निर्वाह करना—to maintain his life; to live.

95.

शान्तिनिकेतन एक आदर्श विद्यालय है। यह बंगाल के वीरभूमि जिले में है। स्वर्गीय विश्वकवि रविन्द्रनाथ टैगोर ने इसकी स्थापना की थी। शान्तिनिकेतन में देश-विदेश के लोग आते हैं तथा अध्ययन करते हैं। यहाँ शिक्षक तथा छात्र एक साथ रहते हैं। लड़के चार बजे भोर में उठकर हाथ-मुँह धोते हैं। वे स्वयं अपने कमरों की सफाई करते हैं। छः बजे सबेरे सामूहिक प्रार्थना होती है।

Hints: आदर्श—ideal, स्वर्गीय—late, स्थापना करना—to found, सामूहिक प्रार्थना—common prayer.

96.

रमेश और अबदुल्ला में बड़ी मित्रता है। दोनों एक साथ पढ़ते और एक साथ खेलते हैं। धर्म की भिन्नता के कारण कभी उनमें झगड़ा नहीं होता। पहले वे अपने को भारतीय समझते हैं, बाद में और कुछ। वे एक ही गाँव में पैदा हुए और बचपन से एक ही साथ जीवन बिताए हैं। अपने गाँव से उन्हें सच्चा प्रेम है। छुट्टियों में वे दोनों साथ मिलकर ग्राम-सुधार का काम करते हैं। गाँव के सब लोग उन्हें अपने बच्चों के समान मानते हैं।

Hints: मित्रता—friendship, भिन्नता—difference, ग्राम-सुधार—village uplift or improvement.

97.

भारत में सबसे बुरी चीज जातीयता है। हम अपनी योग्यता पर सम्मान पाना नहीं चाहते। हम अपने पूर्वजों की योग्यता पर सम्मान पाना चाहते हैं। इसका परिणाम बहुत बुरा हुआ है। यहाँ सच्ची एकता हो नहीं पाती। प्रत्येक व्यक्ति दूसरी जातियों का छिपा हुआ शत्रु बन जाता है। कोई दूसरी जातियों का विश्वासपात्र सेवक नहीं बन सकता। अतएव कोई भी पूर्णरूप से जनप्रिय नहीं है। इसी से हमारी उन्नति नहीं हो रही है। इस जातीयता की भावना को दूर करना हमारा पहला कर्त्तव्य है।

Hints: सबसे बुरी चीज—the worst thing, योग्यता—merit, परिणाम बहुत बुरा हुआ—the result (consequence) has been disastrous or very bad, हो नहीं पाती—is not possible, छिपा हुआ शत्रु—hidden enemy, जनप्रिय—popular, इसी से—thereforc; this is why, हमारी...रही है our development is held up, भावना—feeling.

□